# Répertoire des lieux de marche au Québec

*De la promenade à la longue randonnée*

*5ᵉ édition*

FÉDÉRATION
QUÉBÉCOISE
DE LA MARCHE

## REMERCIEMENTS

Le temps passe vite et nous voici déjà rendus à la 5e édition d'un ouvrage que nous savons très apprécié. Pour tous ceux qui, encore une fois, ont collaboré à sa production, c'est le résultat de neuf mois de travail, toujours remplis de découvertes et de surprises stimulantes, mais aussi de périodes plus routinières durant lesquelles les échéances à rencontrer peuvent avoir paru parfois trop rapprochées. Bravo à toute l'équipe qui a fait preuve de rigueur, de persévérance et d'entraide. Merci aux gestionnaires de sentiers qui ont répondu à nos questions, parfois insistantes, et qui ont, quand cela s'est présenté, réagi positivement à nos visites. Le développement du réseau pédestre québécois est significatif et les efforts faits dans toutes les régions se démontrent par des réalisations de qualité. En marchant et en randonnant au Québec, vous encouragez ce développement et exprimez votre appréciation du travail fait par de nombreux bénévoles. Continuez de vous approprier ces magnifiques sentiers et soyez certains que nous continuerons, de notre côté, de vous aider à les découvrir et à les parcourir.

Le directeur de l'édition


Daniel Pouplot

# TABLE DES MATIÈRES

# RÉALISATION

Direction ............................. Daniel Pouplot

Recherche, mise à jour
et traitement informatique ..... Sylvain Lavoie

Collaboration ........................ Nicole Blondeau
Magali Crevier
Leslie Gravel
Nadia Renaud

Conception graphique ........... Rita Alder

Mise en pages ....................... Daniel Pouplot

Cartes :

Régions et Sentier national .... Marc Létourneau

Sentier international des
Appalaches (SIA) ................. Communications Et Caetera

Photos de couvertures :

Couvert avant : *Parc boréal du Saint-Laurent*
LMI - Daniel Pouplot
Couvert arrière : *Forêt Ouareau*
LMI - Nicole Blondeau

Cet ouvrage a été imprimé sur les presses
de l'imprimerie QUAD

Sa diffusion est assurée par
SOCADIS inc., 420, rue Stinson
Ville Saint-Laurent (Québec)  H4N 2E9

Dépôt légal : 2ᵉ trimestre 2004
Bibliothèque nationale du Québec
ISBN 2-921979-08-X

La forme masculine est utilisée uniquement pour alléger le texte
et désigne tant les femmes que les hommes.

# PRÉFACE

Marcher, c'est se prouver à soi-même que l'on est en vie et que l'on est libre. En vie par la santé acquise à chaque pas, personne n'en doute. En liberté par le monde qui s'ouvre à nous dans toutes les directions, et ce, à notre rythme, voilà le vrai bonheur.

Au Québec, nos ancêtres ont marché; marché dans leurs champs, leurs forêts, leurs routes. Ils ont marqué de leurs pas ce territoire unique et infiniment beau qu'est ce pays. Ils marchaient pour survivre, pour aimer, pour aller raconter l'histoire de leurs aventures.

Marcher, c'est d'abord un geste solitaire, un rapprochement de grande intimité avec la nature, et c'est ensuite une occasion de partager, souvent sans mot, toujours sans retenue, parfois côte à côte.

Aller prendre une marche ou aller faire une randonnée, c'est la même pulsion.

Ce Répertoire des lieux de marche au Québec qui vous est proposé ici, on le consulte, on le lit et on se met à rêver de voyages, de destinations. Vous êtes libres et votre choix sera toujours le bon si vous le faites à partir d'un élan du cœur; pour le reste, comme les aspects techniques, le travail est déjà fait et bien fait. La beauté de ce Répertoire des lieux de marche au Québec prend sa source chez les gens qui l'ont fabriqué; ils sont vraiment en vie, hiver comme été. Ce guide de vos sorties coule comme une infinité de découvertes à mettre au programme de toute une vie et chaque expérience aboutit au même bonheur, petit ou grand, qui crée le souvenir à raconter et les histoires des temps à venir. Bonne route!

Jean Chartrand
Animateur radio

*Voûte nature*

*Répertoire des lieux de marche au Québec*

# INTRODUCTION

La marche est, sans contredit, l'activité physique la plus accessible et la plus populaire. À tout âge, on marche pour des raisons pratiques, pour sa santé ou pour son plaisir.

Parcourir, par plaisir, le Québec à pied, c'est ce que propose ce répertoire.

Chaque région est unique. Dans l'une, la mer et le vent seront omniprésents, dans l'autre, le roc et la forêt domineront le paysage. Dans l'une, la flore et la faune vous séduiront, dans l'autre, l'histoire et l'architecture guideront vos pas. Dans certains lieux, des panoramas grandioses vous éblouiront, dans d'autres, l'intimité de la nature vous attendrira.

Ce sont plus de 500 lieux de marche que vous propose ce nouveau répertoire. Comme pour l'édition précédente, des lieux ont été retirés et d'autres, ajoutés, ce qui exprime bien le dynamisme de la marche au Québec. Les activités pédestres hivernales se retrouvent à nouveau dans ces pages. Amateurs de raquette ou de promenade dans des sentiers bordés de neige, vous trouverez encore de quoi vous satisfaire.

Cette nouvelle édition fait aussi un appel beaucoup plus important à la couleur et la consultation de l'ouvrage n'en sera que plus enrichie.

Les résidants des régions vous invitent à nouveau à partager avec eux les lieux où eux-mêmes aiment marcher. Que ce soit pour une promenade de quelques heures ou une longue randonnée de plusieurs jours, le Québec est riche en sentiers et parcours, et il ne vous reste plus qu'à vous laisser conquérir.

Le *Répertoire des lieux de marche au Québec* est votre compagnon, en toutes saisons. Gardez-le près de vous pour ne rien manquer!

## AVANT-PROPOS

### Le but

Même s'il est possible de marcher à peu près n'importe où, il existe au Québec des endroits où l'environnement est particulièrement favorable à la pratique de cette activité. Ce répertoire a été créé dans le but de faire connaître, tant aux Québécois qu'aux visiteurs étrangers, ces lieux qui invitent à la promenade et à la randonnée pédestre.

### La démarche

Cette 5ᵉ édition est une digne héritière des quatre précédentes. Le but n'est pas ici de modifier une formule éprouvée mais de continuer de tenir à jour un éventail significatif des ressources pédestres québécoises. Nous avons donc poursuivi nos visites des lieux, nous permettant ainsi de vérifier des éléments répertoriés et de faire, à l'occasion, des commentaires aux gestionnaires. Les marcheurs ont continué également d'être des témoins critiques et nous ont aidé à améliorer l'information. Tout renseignement porté à notre attention, par quel que moyen que ce soit, a été considéré et traité.

### Le choix des lieux

Les lieux répertoriés ici ont tous en commun d'être ouverts au grand public et d'avoir le droit d'y circuler à son propre rythme, dans le respect des périodes et horaires précisés, et après acquittement des frais d'accès, s'il y a lieu. La période où les lieux doivent être praticables pour la marche a été considérée comme débutant après la fonte des neiges au printemps, et se terminant avec l'arrivée des nouvelles précipitations. Ainsi, des centres de ski de fond, ouvrant hors saison leurs sentiers aux marcheurs, ont pu être retenus. Dans ce cas, l'évidence des tracés ou l'existence d'un balisage visible hors présence de neige a été le minimum demandé. Des lieux où la marche ne se pratique que l'hiver (peu fréquents) ont été ignorés.

### Sentiers et pistes multifonctionnels

Développement des loisirs de plein air, recherche de l'économie, souci du partage et, pourquoi pas, droit de chacun d'occuper le territoire, une ou toutes ces raisons conduisent à une réalité en développement : les sentiers et pistes multifonctionnels. Si le terme paraît clair, son application est parfois plus confuse.

La polyvalence qui conduit marcheurs et skieurs sur les mêmes pistes ou sentiers, à des périodes différentes de l'année, ne fait pas l'objet de questionnement si ce n'est sur l'existence d'un balisage adéquat pour les différentes activités.

Par contre, le « multifonctionnalisme » qui amène le marcheur à côtoyer le vélo, le vélo de montagne, le cheval ou le VTT peut être plus préoccupant. La **Fédération québécoise de la marche** ne donne aucun support à l'aménagement de sentiers ou pistes multifonctionnels mais, n'étant pas propriétaires des lieux répertoriés, pas plus que juges de leur utilisation, nous avons opté pour refléter les réalités, respecter la perception des intervenants et le degré de responsabilité et de convivialité de chacun.

Nous n'avons pas non plus voulu oublier que la proximité plus fréquente de ces lieux de zones urbanisées, ainsi que leur aménagement plus élaboré, peut encourager la pratique de l'activité pédestre chez une clientèle privilégiant ces critères.

L'utilisation d'un sentier multifonctionnel par un marcheur ne nous apparaît pas, dans la majorité des cas, comme la meilleure façon de découvrir la nature. De toute façon, elle nécessite de sa part, une plus grande vigilance, garantissant sa sécurité mais l'empêchant d'apprécier pleinement son expérience.

## Précautions

Quels que soient l'attention et les soins apportés à rendre les lieux de marche plus accessibles et sécuritaires, le marcheur restera toujours le principal responsable de la qualité de sa promenade ou de sa randonnée. Sa préparation et sa planification devront être proportionnelles à sa capacité physique et au caractère plus ou moins sauvage de la destination choisie. Il devra aussi, à l'occasion, se montrer attentif aux autres usages des lieux qu'il fréquente, et prudent face au partage dont nous parlions précédemment.

Pour le confort et la sécurité des randonneurs, une information sur la pratique de la chasse dans certains lieux a été ajoutée. Nous vous invitons à en tenir compte.

## APPEL AUX LECTEURS

Même si cet ouvrage a été préparé avec soin, il n'est pas à l'abri des omissions, des erreurs ou des lacunes. La collaboration que nous ont apportée les marcheurs et les randonneurs, depuis la parution de la première édition du répertoire, a été très appréciée.

Nous souhaitons aujourd'hui que ceux qui utiliseront la présente publication aient à cœur le même intérêt de nous informer de ce qu'ils constateront dans les lieux visités, que cela ait trait à l'aménagement, à l'entretien, au balisage ou aux services disponibles dans le lieu. Leurs commentaires sur le répertoire seront également bienvenus.

Toutes les informations que vous nous ferez parvenir, et les documents que vous pourrez y joindre, seront classés dans chacun des dossiers des lieux concernés et nous serviront à préparer une prochaine édition et à orienter nos futures validations.

Ce répertoire est un outil pour vous, marcheurs, et la **Fédération québécoise de la marche**, qui a créé les **Éditions Bipède** pour diffuser l'information, est convaincue qu'il continuera d'être la référence d'identification des ressources existantes au Québec pour la pratique de la marche, de la promenade à la longue randonnée.

Pour tout envoi ou correspondance :

Éditions Bipède
Fédération québécoise de la marche
Case postale 1000, succursale M
Montréal (Québec)  H1V 3R2

# POUR BIEN UTILISER CE RÉPERTOIRE

Les lieux répertoriés sont présentés par région touristique. Vous trouverez donc 20 sections.

Chaque lieu peut comporter les éléments suivants :

 Ce lieu est un parc national du Québec.

 Ce lieu est un parc national ou un lieu historique national du Canada.

 Ce lieu est un tronçon, ou comporte un tronçon du Sentier national au Québec. Voir aussi la section spéciale sur le Sentier national au Québec vers la fin du livre.

 Ce lieu est, ou comporte un parcours du programme « Coeur en mouvement » de la Fondation des maladies du cœur du Québec.

**Description**   Suivant ce que le lieu représente dans l'ensemble répertorié, ses particularités ou les informations disponibles, ce texte est de longueur variable. Nous n'avons voulu ici qu'introduire le lieu et laissons au lecteur, puis au marcheur qu'il va devenir, la liberté de découvrir et de se laisser convaincre.

Ce signe indique que les chiens sont admis dans ce lieu de marche et peuvent accompagner leurs maîtres sur une partie ou l'ensemble du réseau de sentiers. Même si cela n'a pas été précisé lors de la cueillette des informations, nous considérons que, pour le confort de tous les marcheurs et randonneurs que vous croiserez, votre chien devrait être tenu en laisse. Certains lieux pourront même l'exiger. Lorsque ce signe n'apparaît pas, vous devez comprendre qu'il s'agit d'une interdiction formelle de faire entrer votre chien sur ce lieu de marche. Une note peut suivre ce pictogramme et indiquer dans ce cas une spécificité d'application de l'admission. Veuillez aussi prendre note qu'un parcours ou sentier accessible aux chiens peut comporter un court tronçon faisant l'objet de restriction (traversée d'un parc urbain par exemple). Cette particularité n'a pas amené la suppression du pictogramme dans la mesure où ce court tronçon peut être contourné aisément.

***Important :*** *Dans le cas des chiens-guides accompagnant des personnes ayant un handicap visuel, nous invitons ces dernières à vérifier avec le gestionnaire le niveau d'accessibilité qui s'applique.*

★ Ce signe précède une courte note mettant en évidence un attrait particulier de ce lieu.

⚠ Ce signe précède une courte note avertissant le marcheur de porter attention à une spécificité du lieu susceptible d'affecter le confort ou la sécurité de sa personne ou d'autres. *Chasse : cette information a été ajoutée pour votre sécurité. Même si les gestionnaires de certains lieux où la chasse se pratique nous ont déclaré qu'elle n'amenait, dans leur cas, aucune restriction de circulation sur les sentiers, nous pensons que les précautions élémentaires ne sont pas inutiles. Donc, portez à cette période des couleurs voyantes (au besoin un dossard) et n'essayez pas de passer inaperçu, ce n'est pas le moment. Certains gestionnaires pourront avoir précisé que le réseau, ou une partie de celui-ci, est totalement interdit durant une période précise.*

**Réseau pédestre** Il s'agit de la longueur totale du réseau aménagé pour la marche dans le lieu. Cette longueur peut correspondre à la somme des sentiers et parcours du tableau, mais peut aussi y être supérieure ou inférieure. Supérieure, elle indique que tous les tracés de marche n'apparaissent pas dans le tableau qui suit. Inférieure, elle signifie que certains tracés indiqués partagent des tronçons communs. Lorsqu'aucun tableau n'est affiché pour un lieu, vous trouverez, après la longueur totale indiquée, et entre parenthèses, le type général du réseau , et pour un certain nombre, le niveau de difficulté et le dénivelé.

(Multi : 0,0) Inscrit après la longueur du réseau pédestre, cette indication précise si ce réseau, ou une portion de celui-ci, est de type « multifonctionnel ». Si une seule portion a cette spécificité, la longueur est indiquée.

| | |
|---|---|
| **Sentiers et parcours** | Ce tableau peut être absent suivant l'intérêt qu'il peut représenter dans la description générale du lieu. |
| Nom du sentier ou parcours | Tel qu'indiqué par le répondant ou exprimant au mieux sa localisation ou sa destination. |
| Longueur | Distance aller seulement pour les parcours linéaires. Longueur totale pour les boucles. Cette longueur n'est pas calculée à partir de l'accueil au réseau mais correspond uniquement au sentier ou parcours nommé, quel que soit l'endroit où il débute dans le lieu de marche. |
| Type | Boucle pour un tracé qui revient au point de départ. Linéaire pour un tracé conduisant d'un point à un autre, obligeant le marcheur à revenir sur ses pas ou à prendre un autre tracé pour revenir à son point de départ. Mixte pour un tracé où les deux formes se retrouvent dans des longueurs ne justifiant pas de les traiter séparément. |
| Niveau | Cette information ne découle pas de critères appliqués à l'échelle du Québec mais plutôt de la perception du gestionnaire du lieu quant à la difficulté relative des tracés situés à cet endroit. Nous vous invitons à ne pas oublier que la prise en considération d'éléments tels que le relief du lieu, la longueur du parcours, le temps qu'il fait et votre forme physique constitueront toujours la bonne recette pour apprécier la difficulté d'une promenade ou d'une randonnée. Certes, les Chic-Chocs en Gaspésie sont plus difficiles que le parc Lafontaine à Montréal, mais cette évidence n'existe plus dans bien des cas. L'information de niveau donnée dans ce répertoire n'est donc qu'indicative mais elle vous permettra d'apprécier la variété de tracés existants dans un lieu et d'éviter d'entraîner un débutant dans une randonnée au-dessus de ses capacités. |
| Dénivelé | Il s'agit ici de l'écart existant sur un sentier ou un parcours entre le point le plus bas et le point le plus haut. C'est, en plus du niveau, une indication pour anticiper la difficulté du chemin, mais ici aussi il y a des réserves. Une succession de montées et de descentes peut se cacher derrière un dénivelé en soi peu impressionnant. Pensez alors à relire la longueur du parcours. S'il faut gravir 300 m, et que le sentier mesure un (1) seul kilomètre, il y a peu de chance d'avoir plus d'une côte, mais une bonne côte! Si le dénivelé n'est pas inscrit, c'est qu'il ne nous a pas été communiqué ou qu'il ne dépasse pas 50 m. |
| **Services et aménagements** | Il faut d'abord savoir que le principe général retenu est de n'indiquer ici que les services et aménagements qui sont, soit à l'intérieur des limites officielles d'un lieu, soit à l'entrée de celui-ci. Ainsi, une aire de pique-nique située à 10 km de l'accès, mais à l'intérieur d'un lieu, permet d'inscrire le pictogramme correspondant, alors que si celle-ci est située à l'extérieur, à 200 m de l'accès au |

lieu, elle n'est pas considérée. Nous nous sommes efforcés de faire respecter ce principe lors de la validation des réponses reçues. Ne pas oublier aussi que si le lieu est accessible, certains services indiqués peuvent avoir des périodes ou des horaires de disponibilité différents.

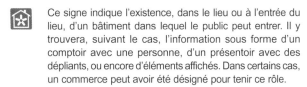

Ce signe indique l'existence, dans le lieu ou à l'entrée du lieu, d'un bâtiment dans lequel le public peut entrer. Il y trouvera, suivant le cas, l'information sous forme d'un comptoir avec une personne, d'un présentoir avec des dépliants, ou encore d'éléments affichés. Dans certains cas, un commerce peut avoir été désigné pour tenir ce rôle.

Ce signe indique qu'il y a un point d'accueil mais que le public n'entre pas ici dans un bâtiment. Il peut s'agir d'une guérite où une personne a pour fonction de vous informer; cette tâche peut aussi être reliée à celle de perception d'un droit d'entrée. Ce peut être également un aménagement extérieur comportant, sous abri ou non, un ou des panneaux donnant de l'information sous forme d'une carte, des explications sur le lieu, le détail des règlements régissant celui-ci, etc.

Ce signe indique la présence d'un stationnement. Celui-ci devrait généralement être au point d'accès au lieu mais peut aussi se situer plus à l'intérieur et correspondre à l'emplacement d'un chalet d'accueil.

Ce signe indique l'existence de toilettes, quels que soient la catégorie (il peut s'agir de toilettes sèches), le nombre sur le lieu ou leurs emplacements.

Ce signe indique la présence d'au moins un téléphone public sur le lieu, quel qu'en soit l'emplacement sur celui-ci.

Ce signe indique l'existence d'un emplacement pour se restaurer. Il peut s'agir d'une cantine, d'une cafétéria, d'un restaurant mais non de machines distributrices. Des périodes d'accessibilité différentes de celles de l'accès au lieu peuvent exister.

Ce signe indique la présence d'un service permettant de se procurer de la nourriture. Il s'agit, en général, d'une épicerie ou d'un dépanneur, quel qu'en soit son volume. Ici encore, on ne parle pas de machines distributrices.

Ce signe indique la présence de tables à pique-nique.

Ce signe indique l'existence d'un terrain de camping aménagé. Il se caractérise par son accessibilité aux véhicules motorisés, comporte des installations sanitaires, un ou plusieurs points d'eau potable, une forme de surveillance et d'autres services pouvant aller jusqu'à des prises électriques sur des sites, etc. Des emplacements sans service peuvent exister sur le terrain.

Ce signe indique l'existence d'un ou plusieurs emplacements pour camper. On a affaire ici à un site de camping de type rustique qui ne peut être atteint qu'à pied et ne comporte qu'un aménagement minimum constitué de plates-formes pour tentes et d'une toilette sèche. Il peut s'agir aussi d'une simple indication précisant l'emplacement où il est permis de planter une tente. *Note : si on peut accéder à ce type de site en véhicule motorisé, le pictogramme précédent sera utilisé à la place de celui-ci.*

 Ce signe indique la possibilité d'être hébergé en gîte, hôtel, auberge ou chalet. On parle ici d'un séjour d'une nuit ou de plusieurs, avec des services fournis sans ou avec du personnel, et non tributaire d'un parcours pédestre préalable pour atteindre l'aménagement.

 Ce signe indique un refuge fermé pour passer la nuit, plus ou moins aménagé, mais se situant obligatoirement sur un parcours pédestre. Il n'est pas exclu qu'il puisse se trouver en un emplacement que d'autres modes de locomotion puissent atteindre, mais il doit avoir comme premier usage celui de servir aux marcheurs.

 Ce signe indique la présence d'au moins un appentis, plus communément appelé « lean-to », sur un sentier de ce réseau. On peut y installer son sac de couchage pour y passer la nuit

 Ce signe indique la présence d'au moins un belvédère construit sur le sentier ou le réseau pédestre. Un point de vue naturel, sans construction, n'est pas exprimé par ce signe.

 Ce signe indique la présence d'au moins une tour d'observation sur le sentier ou le réseau pédestre.

 Ce signe indique que ce lieu est considéré par l'organisme *Kéroul (Tourisme pour les personnes à capacités physiques restreintes)*, « adapté », donc accessible sans aide, aux personnes à capacités physiques restreintes.

 Ce signe indique que ce lieu est jugé, par l'organisme *Kéroul (Tourisme pour les personnes à capacités physiques restreintes)*, « partiellement accessible », donc accessible avec aide, aux personnes à capacités physiques restreintes.

*Autres :* Si cet élément est présent dans la page que vous consultez, il indique la présence d'autres aménagements sur ce lieu, ayant pour objet d'améliorer le séjour et les déplacements des visiteurs, ou constituant des attraits supplémentaires.

**Activités complémentaires** Comme son titre l'indique, nous n'avons indiqué ici que des activités qui constituent des prolongements naturels de l'activité de marche et y ajoutent un intérêt supplémentaire, ou en constituent une conclusion fréquente et agréable.

Les sentiers d'interprétation sont présents dans beaucoup de lieux et nous avons voulu ici en témoigner. Pour être recevable, il faut qu'au moins un sentier du lieu ait cette spécificité et pour cela, qu'il comporte sur son tracé des panneaux d'identification ou fasse l'objet de la publication d'un dépliant, d'une brochure ou d'une audiocassette, disponible sur le lieu ou avant d'y accéder, et permettant de s'auto-guider. L'interprétation, lorsqu'elle est effectuée uniquement par la présence d'une personne faisant fonction de guide, n'est pas inscrite.

 L'histoire fait aussi l'objet d'interprétation dans plusieurs lieux. Les mêmes critères que pour l'activité précédente s'appliquent. Les circuits piétonniers en ville ont, la plupart du temps, un but de découverte historique. S'ils s'effectuent sans document pour s'auto-guider, ils devraient comporter une certaine forme de balisage sur les trottoirs ou les murs. Les panneaux d'information sont en effet souvent situés sur des bâtiments et sont, de ce fait, moins propices à indiquer le chemin à suivre.

 Ce signe indique l'existence d'un emplacement pour la baignade. Il s'agira d'une plage ou d'une piscine. La présence ou l'absence de surveillance n'a pas été vérifiée mais l'emplacement doit être identifié sur place ou sur carte comme site de baignade.

*Hiver* La saison ne garantissant pas toujours de respecter les caractéristiques climatiques qui, en général, la définis-sent, il faut comprendre que l'on parle ici des activités en présence de neige.

 Ce signe indique que le gestionnaire de ce lieu effectue, sur une portion ou sur l'intégralité de son réseau pédestre, un travail de damage ou de retrait de la neige permettant de continuer la pratique de la marche, sans raquettes ni skis de fond. L'indication de la portion du sentier ou du réseau ainsi traité est inscrite à la suite du pictogramme. Il est important aussi de savoir que le piétinement des marcheurs peut accroître, suivant la période et la quantité de neige, la longueur praticable pour la marche au-delà de la longueur initialement préparée.

 Ce signe indique que la pratique de la raquette s'effectue dans ce lieu de marche sur des sentiers balisés prévus à cet usage. Le kilométrage accessible est alors indiqué et peut correspondre à une portion ou à l'ensemble du réseau.

 Ce signe indique que le gestionnaire permet la pratique de la raquette « hors-sentiers », ou libre, sur l'ensemble de son territoire (TT), ou sur une partie de celui-ci (PT). Cette indication peut être un ajout à des sentiers balisés ou constituer la seule pratique dans ce lieu.

*Attention :* les dates inscrites comme période d'accès peuvent ne pas couvrir la période hivernale. Il faut comprendre alors que le lieu est accessible pour les raquetteurs mais que les services peuvent y être réduits, sinon absents.

 Ce signe indique que l'on peut effectuer dans ce lieu de marche la location de raquettes.

**Documentation**  Les outils d'information inscrits ici sont normalement disponibles à l'endroit indiqué à la suite de leur énumération. Selon la nature du produit, ils peuvent être donnés, prêtés le temps de la visite, ou vendus.

**Période d'accès**  La marche est, la plupart du temps, pratiquée dans des lieux où elle ne constitue pas la seule activité. Si « Toute l'année » est indiquée, il faudra se référer à la présence du pictogramme d'hiver spécifique pour savoir si la marche est praticable en présence de neige. Si une inscription autre que « Toute l'année » est inscrite, elle définit alors la période normale (hors neige) où la marche peut être pratiquée, sans tenir compte que le lieu lui-même puisse être ouvert en d'autres temps pour d'autres activités.

La deuxième portion de l'information a trait à l'horaire d'accès quotidien. Suivant la forme utilisée, il indique que le lieu est physiquement inaccessible en dehors des heures indiquées ou que l'activité s'y pratique normalement à l'intérieur de ces heures. Si le lever ou le coucher du soleil sont utilisés pour exprimer l'horaire d'accès, il s'agit naturellement d'une invitation à respecter un principe élémentaire, soit celui qui veut que la marche et la randonnée soient des activités de jour, à l'exception de celles effectuées dans le cadre d'événements ou autres buts particuliers. L'information ne touche naturellement pas les personnes séjournant déjà dans l'enceinte du lieu.

**Frais d'accès**  Si beaucoup de lieux sont gratuits, il faut aussi savoir que d'autres, aussi intéressants, sont le résultat d'initiatives privées ou demandent à générer les ressources nécessaires à leur existence et à leur développement. Les frais d'accès, à moins de précisions inscrites, sont ceux demandés pour qu'une personne accède à un lieu et, en ce qui nous concerne, y pratique la marche; l'usage d'un véhicule pour entrer ou circuler dans les limites d'un lieu peut faire l'objet d'une tarification spécifique. De même, certains services présents dans un lieu tels que restauration, navette, guide, etc., ou certains attraits tels qu'un musée, un centre d'interprétation, une piscine, etc., peuvent requérir des frais additionnels. *Note :* au moment de votre visite, certains prix ou informations inscrits dans le présent répertoire pourraient avoir changé.

Les parcs nationaux du Québec

La tarification ci-dessous est celle originellement fixée jusqu'en 2005. Par son site Web ou sa revue MARCHE-Randonnée, la Fédération québécoise de la marche vous tiendra informé de tout changement éventuel.

| | |
|---|---:|
| Adulte (18 ans et plus) : | 3,50 $ |
| Carte annuelle pour un parc : | 16,50 $ |
| Carte annuelle pour le réseau : | 30,00 $ |
| Enfant (6 à 17 ans) : | 1,50 $ |
| Carte annuelle pour un parc : | 7,50 $ |
| Carte annuelle pour le réseau : | 15,00 $ |
| Enfant (0 à 5 ans) : | gratuit |

Des tarifs pour les familles et pour les groupes sont également disponibles.

**Voie d'accès**   L'option choisie n'est pas, bien sûr, unique mais elle nous est apparue comme une des plus faciles à suivre. Dans le cas de plusieurs points d'accès reconnus au lieu de marche, nous avons choisi d'en indiquer deux, au plus trois. Veuillez prendre note que, dans le cas des circuits patrimoniaux, il est conseillé, sinon souvent indispensable, de se procurer le livret ou la brochure descriptive du parcours avant d'accéder à celui-ci.

**Transports publics**   Cette information n'apparaît que pour les régions de Laval, Montréal et Québec.

**Gestionnaire**   Celui-ci peut-être le propriétaire du lieu ou l'intervenant ayant reçu le mandat de gérer l'accès à celui-ci.
(Voir la note sur les fusions municipales dans l'avertissement au début de cette section)

**Pour information**   Un ou deux numéros de téléphone vous permettent d'obtenir, avant de vous rendre dans ce lieu, des informations complémentaires ou d'actualiser celles susceptibles de l'être. Pour ceux qui sont « branchés » et désirent planifier de chez eux leur excursion, l'adresse du site internet ou du courrier électronique a été ajoutée.

JCT   Le ou les lieux inscrits ici ont, avec le lieu dans lequel ils apparaissent, la particularité de permettre à un marcheur de prolonger une promenade ou une randonnée en passant d'un réseau à un autre. Le lien entre les deux peut se faire au niveau d'un ou plusieurs sentiers. Dans le cas de lieux se situant à l'intérieur d'une même ville, les connexions peuvent ne pas avoir été inscrites.

# Les régions touristiques du Québec

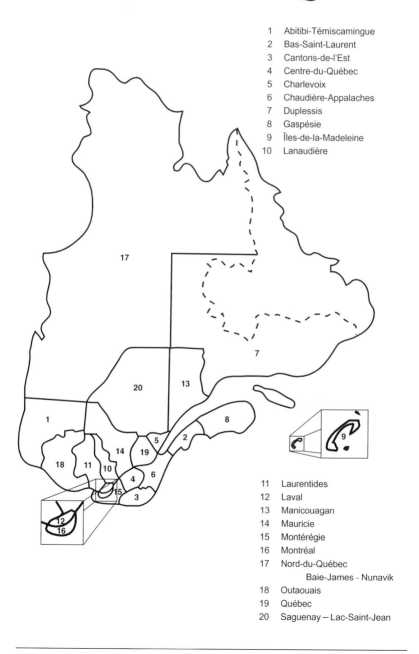

| | |
|---|---|
| 1 | Abitibi-Témiscamingue |
| 2 | Bas-Saint-Laurent |
| 3 | Cantons-de-l'Est |
| 4 | Centre-du-Québec |
| 5 | Charlevoix |
| 6 | Chaudière-Appalaches |
| 7 | Duplessis |
| 8 | Gaspésie |
| 9 | Îles-de-la-Madeleine |
| 10 | Lanaudière |

| | |
|---|---|
| 11 | Laurentides |
| 12 | Laval |
| 13 | Manicouagan |
| 14 | Mauricie |
| 15 | Montérégie |
| 16 | Montréal |
| 17 | Nord-du-Québec |
| | Baie-James - Nunavik |
| 18 | Outaouais |
| 19 | Québec |
| 20 | Saguenay — Lac-Saint-Jean |

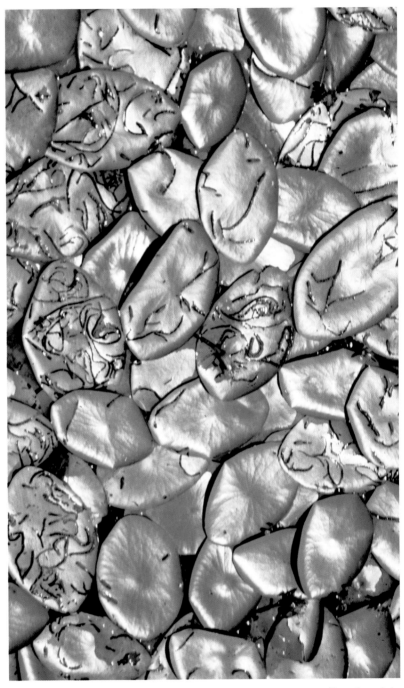

*Courtepointe*

# *Abitibi-*
# *Témiscamingue*

*La Yol*

# ABITIBI-TÉMISCAMINGUE

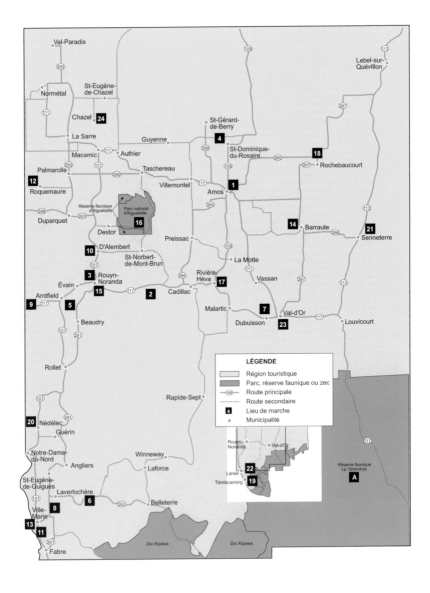

LÉGENDE

Région touristique
Parc, réserve faunique ou zec
Route principale
Route secondaire
Lieu de marche
Municipalité

# LIEUX DE MARCHE

**1** AMOS CHEF-LIEU DE L'ABITIBI

**2** CENTRE ÉDUCATIF FORESTIER DE LAC JOANNÈS

**3** CIRCUITS D'INTERPRÉTATION HISTORIQUE DE ROUYN-NORANDA

**4** COLLINE BÉARN

**5** COLLINES KÉKÉKO

**6** DOMAINE DE LA BAIE GILLIES

**7** ÉCOLE BUISSONNIÈRE

**8** LA LIGNE DU MOCASSIN

**9** LA YOL

**10** LES COLLINES D'ALEMBERT

**11** LIEU HISTORIQUE NATIONAL DU CANADA DU FORT-TÉMISCAMINGUE

**12** MARAIS ANTOINE

**13** MARAIS LAPERRIÈRE

**14** MONT VIDÉO

**15** PARC BOTANIQUE « À FLEUR D'EAU » INC.

**16** PARC NATIONAL D'AIGUEBELLE

**17** SENTIER DE LA NATURE DE RIVIÈRE-HÉVA

**18** SENTIER DES RAPIDES

**19** SENTIER DU RUISSEAU GORDON

**20** SENTIER ÉCOLOGIQUE DE NÉDÉLEC

**21** SENTIER PÉDESTRE DU MONT BELL

**22** SENTIER PÉDESTRE GRANDE CHUTE

**23** SENTIERS DE LA TOUR ROTARY

**24** SENTIERS PÉDESTRES ET POSTE D'OBSERVATION GRAND HÉRON

**A** RÉSERVE FAUNIQUE LA VÉRENDRYE
*(RÉGION OUTAOUAIS)*

## BIENVENUE DANS LA RÉGION DE L'ABITIBI-TÉMISCAMINGUE

L'une des plus jeunes régions du Québec, l'Abitibi-Témiscamingue est située au nord-ouest de la province. Couvrant un territoire de 65 143 km², elle compte des milliers de lacs et de rivières.

Pays de l'histoire récente mais toujours fascinante de la ruée vers l'or, puis de celle des défricheurs, l'Abitibi-Témiscamingue témoigne également de l'épopée de la traite des fourrures, et de l'abattage et du flottage du bois.

La région s'étend des frontières de l'Ontario à la Baie-James en passant par celles du Saguenay – Lac-Saint-Jean, de la Mauricie et de l'Outaouais. Les paysages observés tout au long d'un périple sont donc bien différents. On découvrira l'Abitibi et ses forêts de conifères, son histoire minière, ses façades « boomtown » mais aussi ses métropoles vivant au rythme du progrès. En se déplaçant vers le sud, le Témiscamingue s'offre à nous, avec ses vallées de feuillus, ses terres agricoles mais aussi ses lacs renommés pour la pêche. L'Abitibi-Témiscamingue, c'est donc deux régions en une.

L'Abitibi-Témiscamingue regorge de sites magnifiques et d'attraits fascinants. En empruntant le sentier des Marmites au parc national d'Aiguebelle, on pourra se familiariser avec le passage des glaciers, ou jouer à l'explorateur en gravissant l'escalier en colimaçon ou en traversant le pont suspendu. Une évasion dans les collines Kékéko, autre lieu de randonnée pédestre, fera découvrir des sentiers plus intéressants les uns que les autres avec des panoramas à couper le souffle, des cascades, etc., dans un décor enchanteur. En s'aventurant vers Fort-Témiscamingue, l'histoire aussi sera au rendez-vous.

Ce ne sont là que quelques exemples de lieux à visiter car les occasions de marcher, sur le vaste territoire de l'Abitibi-Témiscamingue, sont nombreuses.

## 1   AMOS CHEF-LIEU DE L'ABITIBI

Ce circuit d'interprétation débute près de la rivière Harricana et fait découvrir l'histoire d'Amos à travers ses principaux sites et bâtiments à vocation patrimoniale. Le circuit comprend seize panneaux d'interprétation historique regroupés en huit stations thématiques. 🐕

**Réseau pédestre** .................. 4,0 km (Multi) (linéaire, facile)

**Services et aménagements**

**Activités complémentaires**    *Hiver* 🚶❄ *4,0 km*

**Documentation** ..................... Dépliant-carte (au centre d'archives, à la Maison de la culture et à la Maison du tourisme)

**Période d'accès** ................... Toute l'année, du lever au coucher du soleil

**Frais d'accès** ........................ Gratuit

**Voie d'accès** ........................ Le circuit d'interprétation est situé en plein cœur d'Amos. Le départ s'effectue sur le boulevard Mercier, au croisement de la rivière Harricana et de la voie ferrée.

**Gestionnaire** ......................... Société d'histoire d'Amos

**Pour information** ................. (819) 732-6070, societehistoireamos.com

## 2   CENTRE ÉDUCATIF FORESTIER DU LAC JOANNÈS

Ce centre éducatif forestier a été fondé en 1972 par l'Association forestière de l'Abitibi-Témiscamingue inc. Il s'agit d'un site d'intérêt écologique unique de par la diversité des milieux qu'on y retrouve comme la cédrière, la montagne, la pessière, la tourbière et le milieu riverain. La plus belle plage du lac Joannès s'y trouve. 🐕 ⭐ *On y trouve un labyrinthe construit en milieu naturel.*

**Réseau pédestre** ................. 9,4 km

| Sentiers et parcours | Longueur | Type | Niveau |
|---|---|---|---|
| Cédrière ............................................ | 1,0 km ........ | Boucle ......... | Facile |
| Tourbière ......................................... | 0,8 km ........ | Boucle ......... | Facile |
| Des Pins .......................................... | 5,0 km ........ | Linéaire ....... | Facile |

**Services et aménagements**

*Autres : aire de jeux, piste d'hébertisme, centre d'interprétation*

**Activités complémentaires**

**Documentation** ..................... Dépliant-carte (à l'accueil)

**Période d'accès** ................... De fin juin à début septembre, de 10 h à 18 h

**Frais d'accès** ........................ Gratuit

**Voie d'accès** ........................ De Rouyn-Noranda, suivre la route 117 jusqu'à McWatters. Prendre ensuite le chemin des lacs Joannès-Vaudray et suivre les indications sur une distance de 8 km.

**Gestionnaire** ......................... Association forestière de l'Abitibi-Témiscamingue inc.

**Pour information** ................. (819) 762-8867 ...... (819) 762-2369, www.afat.qc.ca

---

*Abitibi-Témiscamingue*        *25*

## 3 CIRCUITS D'INTERPRÉTATION HISTORIQUE DE ROUYN-NORANDA

À la suite de la découverte d'un gisement d'or et de cuivre, la compagnie minière Noranda Mines Limited créa, en 1926, la ville de Noranda. Le Vieux-Noranda fut le premier quartier de cette ville, témoin d'une ruée vers l'or, qui accueillit des immigrants de divers pays d'Europe. Ces deux circuits nous conduisent à la découverte de l'histoire du « pays de l'or ».

**Réseau pédestre** ................. 4,8 km

| Sentiers et parcours | Longueur | Type | Niveau |
|---|---|---|---|
| Circuit d'interprétation de Rouyn ................... 1,5 km ........ Linéaire ....... Facile | | | |
| Circuit d'interprétation historique du Vieux-Noranda ........................................ 3,3 km ........ Mixte ........... Facile | | | |

**Services et aménagements**

**Activités complémentaires**

 Hiver  2,0 km

**Période d'accès** ................... De mai à septembre pour le premier circuit
Toute l'année pour le second (les panneaux d'interprétation n'étant pas enlevés l'hiver)
Du lever au coucher du soleil

**Frais d'accès** ........................ Gratuit

**Voie d'accès** ........................ On accède aux circuits d'interprétation au cœur même de la ville de Rouyn-Noranda. Le départ s'effectue à la Maison Dumulon.

**Gestionnaire** ......................... Ville de Rouyn-Noranda

**Pour information** ................. (819) 797-7111, www.ville.rouyn-noranda.qc.ca

## 4 COLLINE BÉARN

Le sentier monte doucement à travers la forêt jusqu'au sommet de la colline où on jouit d'un large point d'observation. On peut voir la campagne de Saint-Dominique-du-Rosaire et la petite église du village.

**Réseau pédestre** ................. 2,5 km (Multi) (linéaire, facile, dénivelé maximum de 75 m)

**Services et aménagements**

*Autres ; passerelle, abri*

**Période d'accès** ................... De mai à novembre, du lever au coucher du soleil
⚠ *Prudence en période de chasse*

**Frais d'accès** ........................ Gratuit

**Voie d'accès** ........................ D'Amos, prendre la route 109 vers le nord, puis suivre les indications pour Saint-Dominique-du-Rosaire. L'entrée nord, la plus accessible, se trouve à environ 2 km du village, du côté droit de la route, et l'entrée sud est accessible à partir du chemin Lavoie Est, à environ 5,5 km du village et traverse une carrière.

**Gestionnaire** ........................ Municipalité de Saint-Dominique-du-Rosaire
**Pour information** ................ (819) 727-9544, mun.stdomrosaire@cableamos.com

## 5 COLLINES KÉKÉKO

Les sentiers parcourent la taïga abitibienne répartie sur les collines. De nombreux lacs et des crevasses donnent de l'intérêt à ce trajet qui forme un réseau se développant autour du lac Despériers et, vers l'ouest, jusqu'au sud d'Arntfield. Une tourbière et un lac formé par un barrage de castors s'ajoutent au paysage. Malgré la faible altitude, les panoramas abondent. 🐾 ⭐ *Au bout du sentier des Crevasses, on trouve une formation géologique particulière : un labyrinthe minéral, plein de crevasses, murailles et abris sous roches.*

**Réseau pédestre** ................ 32,3 km

| Sentiers et parcours | Longueur | Type | Niveau | Dénivelé |
|---|---|---|---|---|
| Sentier des Remparts ................................ 1,6 km | | Linéaire | Intermédiaire | |
| Sentier du Réflecteur .................................. 0,5 km | | Linéaire | Intermédiaire. | 125 m |
| Sentier panoramique Despériers .................. 2,2 km | | Boucle | Facile | |
| Sentier du Trappeur (boucles 1 et 2) ............. 9,7 km | | Boucle | Facile | |
| La Transkékéko ........................................ 12,5 km | | Linéaire | Intermédiaire | |
| Sentier de la Falaise .................................. 2,3 km | | Linéaire | Facile/Inter. | 80 m |

**Services et aménagements** 🅿️

**Activités complémentaires** *Hiver*  *32,3 km*

**Documentation** .................... Carte du réseau (à la Maison Dumulon, à Rouyn-Noranda)
**Période d'accès** .................. Toute l'année, du lever au coucher du soleil
⚠️ *Prudence en période de chasse*
**Frais d'accès** ........................ Gratuit
**Voie d'accès** ........................ De Rouyn-Noranda, prendre la route 391 sud sur 11 km. Un premier stationnement, non-annoncé, se trouve à l'entrée du sentier du Trappeur. Le deuxième stationnement se trouve 1 km plus loin.
**Gestionnaire** ........................ Les Amis du Kékéko
**Pour information** ................ (819) 762-0931 poste 1243

## 6 DOMAINE DE LA BAIE GILLIES

Ces sentiers permettent de découvrir la baie et le paysage environnant, du haut d'une colline. 🐾

**Réseau pédestre** ................ 13,0 km

| Sentiers et parcours | Longueur | Type | Niveau | Dénivelé |
|---|---|---|---|---|
| Les Étangs ................................................ 3,0 km | | Boucle | Facile | |
| Le Sommet ................................................ 2,0 km | | Boucle | Facile | 75 m |
| La Vallée des Schtroumpfs .......................... 3,5 km | | Boucle | Facile | |
| La Gravière ................................................ 4,5 km | | Boucle | Facile | |

*Note : certains sentiers sont multifonctionnels.*

**Services et aménagements**

*Autres : aire de jeux, piste d'hébertisme*

**Activités complémentaires**

 Hiver  13,0 km

**Documentation** .................... Carte (à l'accueil)
**Période d'accès** ................... Toute l'année, de 9 h à 17 h
**Frais d'accès** (taxes incl.) ..... Adulte : 4,00 $
Enfant : 2,00 $
Tarifs spéciaux pour famille
**Voie d'accès** ......................... De la route 101 à Ville-Marie, prendre la route 382 est. Dépasser Fugèreville et tourner au chemin de la Baie Gillies.

**Gestionnaire** ......................... Domaine de la Baie Gillies
**Pour information** .................. (819) 747-2548, www.temiscamingue.net/domaine.baiegillies

## 7 ÉCOLE BUISSONNIÈRE

Ces courtes promenades nous font pénétrer dans la forêt abitibienne avec ses conifères mêlés aux bouleaux et aux cèdres. On y trouve de nombreux étangs. Le sentier du Parc des Explorateurs est recouvert de copeaux de bois et donne un point de vue sur la rivière Piché. Les sentiers Vigneault, Leclerc et Desjardins sont de petites boucles qui peuvent être faites individuellement ou combinées afin d'en faire une plus longue. Chaque sentier possède sa propre thématique. 🐴

**Réseau pédestre** ................. 3,0 km (boucle, facile)

**Services et aménagements**

*Autres : passerelle*

**Activités complémentaires**

 Hiver 3,0 km

**Période d'accès** ................... De mai à novembre, du lever au coucher du soleil
**Frais d'accès** ........................ Gratuit
**Voie d'accès** ......................... De Val-d'Or, suivre la route 117 nord sur 10 km environ. Juste avant le village de Dubuisson, prendre le chemin des Explorateurs sur 1 km.

**Gestionnaire** ......................... Ville de Val-d'Or
**Pour information** .................. (819) 824-1333 poste 276, www.ville.valdor.qc.ca

## 8 LA LIGNE DU MOCASSIN

Aménagé sur l'ancien corridor ferroviaire témiscamien, ce sentier multifonctionnel est accessible aux marcheurs, de Ville-Marie à Angliers. Cet itinéraire est ponctué d'éléments naturels témoins de la formation géomorphologique du territoire, comme des parois rocheuses, des chutes, des affleurements rocheux et des étendues d'eau. Ce sentier fait partie de la « Route Verte ».

**Réseau pédestre** ................. 45,2 km (Multi)

| Sentiers et parcours | Longueur | Type | Niveau |
|---|---|---|---|
| Angliers à Laverlochère | 17,1 km | Linéaire | Facile |
| Laverlochère à Lorrainville | 8,8 km | Linéaire | Facile |
| Lorrainville à Ville-Marie | 19,3 km | Linéaire | Facile |

**Services et aménagements**

| | |
|---|---|
| **Documentation** | Dépliant-carte (au bureau de la société du parc, au 42, rue Notre-Dame Nord, à Ville-Marie) |
| **Période d'accès** | De mai à octobre, du lever au coucher du soleil |
| **Frais d'accès** | Gratuit |
| **Voie d'accès** | On peut accéder à chacune des extrémités de cette piste en plein cœur de Ville-Marie et à Angliers. D'autres accès sont possibles le long du parcours. |
| **Gestionnaire** | Société d'aménagement et d'exploitation du Parc linéaire Témiscamingue |
| **Pour information** | (819) 629-2959 www.temiscamingue.net/parclineaire |

# 9  LA YOL

Piste montagneuse ne présentant pas de difficulté majeure, ce sentier réussit à faire oublier le cliché abitibien de la vaste plaine argileuse. Il traverse quelques éboulis rocheux. Le point de départ principal se situe au centre de ski alpin du mont Kanasuta. Les conifères abondent sur ce sentier et un point de vue à 180 degrés est accessible au « Kanasutorama ».

**Réseau pédestre** ............... 7,0 km (boucle, intermédiaire, dénivelé max. de 170 m)

**Services et aménagements**

P

*Autres : abri*

**Activités complémentaires**

*Hiver*  *7,0 km*

| | |
|---|---|
| **Documentation** | Dépliant-carte (à la Maison Dumulon de Rouyn-Noranda) |
| **Période d'accès** | Toute l'année, du lever au coucher du soleil  ⚠ *Prudence en période de chasse* |
| **Frais d'accès** | Gratuit |
| **Voie d'accès** | De Rouyn-Noranda, suivre la route 117 nord (en direction de l'Ontario) sur approximativement une dizaine de kilomètres et tourner à droite sur le chemin du Club de ski Kanasuta. |
| **Gestionnaire** | Groupe Plein Air Rouyn-Noranda |
| **Pour information** | 1 800 808-0706 ..... (819) 279-2333 www.ville.rouyn-noranda.qc.ca/kanasutatrek |

# 10  LES COLLINES D'ALEMBERT

Au cœur du quartier D'Alembert, à une vingtaine de minutes du centre-ville de Rouyn-Noranda, se trouve les Collines D'Alembert. À l'intérieur de ce lieu, six sentiers de randonnée pédestre offrent différents points de vue sur la région. Un sentier passe à l'intérieur d'une faille et un autre passe devant plusieurs grottes. Des panneaux d'interprétation informent le marcheur sur la faune et la flore.

**Réseau pédestre** ................. 5,2 km

| Sentiers et parcours | Longueur | Type | Niveau | Dénivelé |
|---|---|---|---|---|
| Sentier de la Griffe ........................................ 1,5 km ......... Mixte ........... Intermédiaire ....... 75 m |
| Sentier des Castors ...................................... 1,4 km ......... Linéaire ....... Intermédiaire |
| Sentier des Grottes ...................................... 1,5 km ......... Linéaire ....... Intermédiaire ....... 60 m |

**Services et aménagements**

*Autres : passerelle*

**Activités complémentaires**

 **Hiver** 5,2 km

**Documentation** .................... Dépliant-carte (au bureau de la ville et au bureau d'information touristique)

**Période d'accès** .................. Toute l'année, du lever au coucher du soleil
⚠ *Port du dossard obligatoire en période de chasse*

**Frais d'accès** ....................... Gratuit

**Voie d'accès** ........................ De Rouyn-Noranda, prendre la route 101 en direction nord sur une distance de 15 km.

**Gestionnaire** ........................ Association sportive d'Alembert

**Pour information** ................. (819) 797-0007 ...... (819) 797-7111
www.ville.rouyn-noranda.qc.ca

## 11 LIEU HISTORIQUE NATIONAL DU CANADA DU FORT-TÉMISCAMINGUE

Le lieu historique national du Fort-Témiscamingue commémore deux siècles de traite de fourrures. Le sentier des Découvertes invite à parcourir les vestiges de ce passé alors que la forêt enchantée exhibe des arbres aux troncs tordus. Le sentier passe devant un cimetière autochtone et un cimetière catholique, et longe une partie du lac Témiscamingue.

**Réseau pédestre** ................. 2,0 km (Multi : 0,8) (mixte, facile)

**Services et aménagements**

*Autres : centre d'interprétation, boutique*

**Activités complémentaires**

**Documentation** .................... Carte (à l'accueil)

**Période d'accès** .................. D'avril à novembre, du lever au coucher du soleil

**Frais d'accès** (taxes incl.) ..... Adulte : 5,75 $
Âge d'Or (65 ans et plus) : 5,00 $
Enfant (6 à 16 ans) : 3,00 $
Enfant (moins de 6 ans) : gratuit
Tarif de groupe et passe saisonnière disponible

**Voie d'accès** ........................ De Ville-Marie, emprunter la route 101 en direction sud sur environ 4 km et prendre le chemin du Vieux-Fort jusqu'à l'accueil du site.

Gestionnaire ..................... Parcs Canada
Pour information ................ (819) 629-3222 ...... (819) 629-3228
www.pc.gc.ca/lhn-nhs/qc/temiscamingue

## 12 MARAIS ANTOINE

Le sentier part à travers champs et entre ensuite dans une forêt marécageuse sur un trottoir de bois. Il grimpe ensuite une butte couverte de forêt mixte et atteint un cap rocheux où un belvédère permet d'observer le marais dans son ensemble. Un peu plus loin, une passerelle sur pilotis conduit à l'intérieur du marais.

**Réseau pédestre** ................ 2,5 km (linéaire, facile)

**Services et aménagements**
*Autres : passerelle*

**Activités complémentaires**   *Hiver*  *TT*

**Documentation** .................... Dépliant (à l'entrée du sentier)
**Période d'accès** ................. Toute l'année, du lever au coucher du soleil
**Frais d'accès** ...................... Gratuit
**Voie d'accès** ...................... De Rouyn-Noranda, suivre la route 101 nord sur une quarantaine de kilomètres. Tourner à gauche vers Roquemaure. L'entrée du sentier se situe à 6 km à l'ouest de Roquemaure sur le chemin des 2e et 3e Rang.

**Gestionnaire** ....................... Comité d'aide au développement de Roquemaure
**Pour information** ................ (819) 787-6292 (été) ...... (819) 787-6311 (hors-saison)

## 13 MARAIS LAPERRIÈRE

Ce sentier fait le tour d'un marais où les aménagements favorisent l'observation de la faune, laquelle est très variée. Le long du parcours, on rencontre des nichoirs et des mangeoires pour oiseaux.

**Réseau pédestre** ................ 2,0 km (boucle, facile)

**Services et aménagements**

*Autres : passerelle*

**Activités complémentaires**  *Hiver* *TT*

**Documentation** .................... Dépliant (au bureau d'information touristique)
**Période d'accès** ................. Toute l'année, du lever au coucher du soleil
**Frais d'accès** ...................... Gratuit
**Voie d'accès** ...................... De Ville-Marie, prendre la rue Notre-Dame-Sud sur 2,4 km.

**Gestionnaire** ....................... Municipalité de Duhamel-Ouest
**Pour information** ................ (819) 629-2522, www.temiscaming.net

## 14 MONT VIDÉO

Un réseau de sentiers, dont certains sont partagés avec le vélo de montagne, permet de faire le tour de la colline et de la gravir. Un belvédère, aménagé au sommet, donne un beau point de vue sur le lac Leroy. 🐕

**Réseau pédestre** .................. 14,4 km (Multi : 8,0)

| Sentiers et parcours | Longueur | Type | Niveau | Dénivelé |
|---|---|---|---|---|
| Ascension de la montagne ........................... | 3,4 km ......... | Boucle ......... | Intermédiaire ...... | 105 m |
| Tour de la montagne ........................................ | 8,5 km ......... | Boucle ......... | Facile | |
| La Blanche Vallée .............................................. | 2,5 km ......... | Boucle ......... | Intermédiaire ....... | 70 m |

**Services et aménagements**

🏠 🅿 👫 📞 🪑 ⛰ 🏕 🛏 🚻

*Autres : piste d'hébertisme*

**Activités complémentaires**

🏔 *Hiver* 🎿* 8,0 km 🏂 6,0 km + TT 🐾 ⚡

**Documentation** .................... Carte (à l'accueil)
**Période d'accès** ................... Toute l'année, du lever au coucher du soleil
⚠ *Prudence en période de chasse*
**Frais d'accès** ........................ Gratuit
**Voie d'accès** ........................ De Val-d'Or, prendre la route 397 nord jusqu'à Barraute. Emprunter ensuite le chemin du Mont-Vidéo sur 12 km environ. On accède aux sentiers en empruntant la piste de ski principale sur environ 100 m, puis en se dirigeant à gauche pour franchir le portillon.

**Gestionnaire** ........................ Mont Vidéo
**Pour information** .................. (819) 734-3193 ........ 1 866 734-3193, www.montvideo.com

## 15 PARC BOTANIQUE « À FLEUR D'EAU » INC.

Ce parc botanique, d'une superficie de 3,5 hectares, au cœur de Rouyn-Noranda, est le premier en Amérique du Nord à posséder un lac naturel sur son site. On y trouve aussi un jardin alpin, une forêt ornementale ainsi qu'une petite rivière enjambée par un pont.

**Réseau pédestre** .................. 2,0 km (mixte, facile)

**Services et aménagements**

🏠 🅿 👫 📞 🍴 🪑

**Activités complémentaires**

🌿

**Documentation** .................... Dépliant (à l'accueil et à la Maison Dumulon à Rouyn-Noranda)
**Période d'accès** ................... De mai à octobre, du lever au coucher du soleil
**Frais d'accès** ........................ Gratuit
**Voie d'accès** ........................ Le Parc botanique est situé en plein cœur de Rouyn-Noranda, à l'extrémité sud de l'avenue Principale.

Gestionnaire ......................... Parc botanique « À fleur d'eau » inc.
Pour information ................. (819) 762-3178 ...... (819) 797-8753
www.ville.rouyn-noranda.qc.ca

## 16 PARC NATIONAL D'AIGUEBELLE

Situé au cœur de la plaine abitibienne, au centre du quadrilatère formé par les villes les plus importantes de l'Abitibi-Témiscamingue, le parc national d'Aiguebelle a été créé en 1985. Il est représentatif des caractéristiques biophysiques de la ceinture argileuse de l'Abitibi et exceptionnel grâce à la présence de la chaîne de collines Abijévis. Les formations rocheuses qu'on y retrouve sont d'origine volcanique et datent de plus de 2,7 milliards d'années. Les marques du passage des glaciers et celles de la présence du lac post-glaciaire qui inondait toute la région sont aisément repérables. On peut observer plus d'une trentaine de phénomènes reliés à la géologie et à la géomorphologie : marmites de géant, kettles, eskers, etc. La région des lacs Sault et La Haie regroupe la majorité des points d'intérêt. La végétation est propre à la région boréale : épinette noire, sapin baumier, etc., mais on aperçoit aussi des essences plus rares, notamment le bouleau jaune et le frêne noir. La faune se distingue par son grand nombre d'orignaux et de castors. ★ *La tour d'observation est une ancienne tour de garde-feu. Il y a des panneaux d'interprétation à l'intérieur.*

Réseau pédestre ................. 60,5 km

| Sentiers et parcours | Longueur | Type | Niveau | Dénivelé |
|---|---|---|---|---|
| Les Marmites | 1,8 km | Boucle | Facile/Inter. | 100 m |
| La Traverse | 3,0 km | Boucle | Facile/Inter. | |
| L'Aventurier | 9,5 km | Boucle | Difficile | |
| Les Paysages | 1,6 km | Boucle | Facile/Inter. | 100 m |
| Les Versants | 5,5 km | Linéaire | Difficile | |
| Le Nomade | 13,5 km | Linéaire | Difficile | |

Services et aménagements

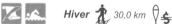

*Autres : centre d'interprétation, passerelle suspendue, escalier hélicoïdal, trottoir flottant, pont japonais*

Activités complémentaires   Hiver 🎿 30,0 km

Documentation ..................... Carte, journal du parc (à l'accueil)
Période d'accès .................. Toute l'année, du lever au coucher du soleil
Frais d'accès ....................... Voir la tarification des Parcs nationaux du Québec dans les pages bleues au début du livre.
Voie d'accès ........................ De Rouyn-Noranda, emprunter la route 101 nord jusqu'à D'Alembert. Tourner à droite vers Saint-Norbert-de-Mont-Brun et suivre les indications pour le parc.

Gestionnaire ........................ SÉPAQ
Pour information ................. (819) 637-7322 ...... 1 877 637-7344
www.parcsquebec.com

## 17   SENTIER DE LA NATURE DE RIVIÈRE-HÉVA

Le sentier serpente dans la forêt abitibienne. On peut voir un peuplement de pins gris au sous-bois couvert de mousses de différentes teintes de vert. 🐎

**Réseau pédestre** .................. 4,0 km (mixte, facile)

**Services et aménagements**

**Activités complémentaires**     *Hiver*  *4,0 km + TT*

**Documentation** .................... Dépliant (au bureau municipal)
**Période d'accès** .................. Toute l'année, du lever au coucher du soleil
**Frais d'accès** ........................ Gratuit
**Voie d'accès** ........................ De Malartic, suivre la route 117 nord sur un peu plus de 5 km et tourner à droite sur la rue du Lac Malartic. Le stationnement est situé à 4,6 km.

**Gestionnaire** ........................ Comité du sentier de la nature de Rivière-Héva
**Pour information** .................. (819) 735-3521

## 18   SENTIER DES RAPIDES

Ce petit sentier, à quelques kilomètres de Rochebaucourt, traverse un milieu encore sauvage. Il longe la rivière Laflamme et permet de voir des chutes et des rapides. 🐎

**Réseau pédestre** .................. 3,0 km (linéaire, facile)

**Services et aménagements**

*Autres : abri*

**Activités complémentaires**     *Hiver* 🚶 *3,0 km*

**Période d'accès** .................. Toute l'année, du lever au coucher du soleil
**Frais d'accès** ........................ Gratuit
**Voie d'accès** ........................ De Val-d'Or, prendre la route 397 nord jusqu'à Rochebaucourt. Continuer après le village sur 3 km, tourner à droite sur le rang 9-10 Est et rouler encore 4 km. Le sentier se situe à gauche tout de suite après le pont couvert.

**Gestionnaire** ........................ Corporation de développement Des Côteaux
**Pour information** .................. (819) 754-5681

## 19   SENTIER DU RUISSEAU GORDON

Ce parc linéaire est situé en bordure de la ville de Témiscaming. Il est tracé le long d'une ancienne voie ferrée et du ruisseau Gordon. Un espace a été aménagé près de chutes naturelles. 🐎 ★*On découvrira dans ce lieu un sanctuaire de tortues.*

**Réseau pédestre** .................. 6,7 km (Multi) (linéaire, facile, dénivelé maximum de 70 m)

**Services et aménagements**

*Autres : passerelle*

**Période d'accès** ................ D'avril à novembre, du lever au coucher du soleil
**Frais d'accès** ...................... Gratuit
**Voie d'accès** ...................... De la route 101 à Témiscaming, prendre le chemin Kipawa
et suivre les indications «Parc linéaire». Le départ des
sentiers débute derrière la gare de Temiscaming, rue
Humphrey.

**Gestionnaire** ....................... Ville de Témiscaming
**Pour information** ............... (819) 627-3230, www.temiscaming.net

## 20 SENTIER ÉCOLOGIQUE DE NÉDÉLEC

Le sentier serpente à travers une végétation très variée. Le long du parcours, une
cinquantaine de panneaux nous renseignent sur les plantes thérapeutiques. Des
affleurements rocheux et petit étang agrémentent le paysage. 🐾

**Réseau pédestre** ................ 1,0 km (boucle, facile)

**Services et
aménagements**

*Autres : passerelle, pergola, centre d'interprétation,
aire de jeu*

**Activités
complémentaires**

**Période d'accès** ................ De mai à novembre, du lever au coucher du soleil
**Frais d'accès** ...................... Gratuit
**Voie d'accès** ...................... De la route 101 à Nédélec, prendre la rue Principale. Le
sentier débute derrière le centre des loisirs.

**Gestionnaire** ....................... Municipalité Nédélec
**Pour information** ............... (819) 784-3311, municipalitenedelec@sympatico.ca

## 21 SENTIER PÉDESTRE DU MONT BELL

Ce réseau est situé aux abords de la ville de Senneterre, à l'est de Val-d'Or. Il est tracé
en montagne et passe au milieu de forêts de pins, de sapins, d'érables, de bouleaux et
d'épinettes. 🐾 ⭐ *Les sentiers passent dans une forêt de feuillus, fait inusité à ce
niveau géographique où les conifères dominent.*

**Réseau pédestre** ................ 15,0 km (mixte, intermédiaire, dénivelé max. de 105 m)

**Services et
aménagements**

*Autres : ponceaux*

**Période d'accès** ................ De mai à octobre, de 7 h à 21 h
**Frais d'accès** ...................... Gratuit
**Voie d'accès** ...................... De Senneterre, prendre l'avenue du Parc en direction de
l'ancienne base militaire.

**Gestionnaire** ....................... Ville de Senneterre/Service des Loisirs
**Pour information** ............... (819) 737-8854

## 22 SENTIER PÉDESTRE GRANDE CHUTE

Longeant la rivière Kipawa, cette promenade nous fait voir des chutes et leurs marmites creusées dans le roc par le tournoiement des débris entraînés par le courant. Au cours des années 20, la beauté sauvage de ce site a attiré l'attention de cinéastes américains qui y ont tourné plusieurs films dont « Snow Bride » en 1923, et « Silent Enemy » en 1927. De 1954 à 1956, l'actrice Lana Turner, mariée à Bob Topping dont la famille était à l'époque propriétaire du site, allait souvent marcher dans ce sentier avec ses amis acteurs comme Kirk Douglas, John Wayne, Rita Hayworth et d'autres. 🐕

**Réseau pédestre** ................ 7,0 km (Multi) (linéaire, intermédiaire)
Note : il est possible de faire une boucle en empruntant des tronçons du chemin forestier.

**Services et aménagements**

🎿 🅿️ 👫 🍽️ 🛖

Autres : abri, passerelle

**Activités complémentaires**

Hiver 🎿 TT

**Documentation** .................... Carte (à l'entrée du sentier sur la route 101)
**Période d'accès** .................. De début mai à fin octobre, du lever au coucher du soleil
⚠️ Port du dossard obligatoire en période de chasse
**Frais d'accès** ....................... Gratuit
**Voie d'accès** ........................ De Témiscaming, suivre la route 101 nord. Environ 10 km après Laniel, le site est indiqué en bordure de la route.

**Gestionnaire** ......................... Comité municipal de Laniel inc.
**Pour information** ................. (819) 634-3123 ...... (819) 634-2629
www.temiscamingue.net/laniel

## 23 SENTIERS DE LA TOUR ROTARY

Ce chemin est facile à suivre, bien que non-balisé. Il se situe dans un boisé, près d'un terrain de golf. C'est un endroit propice à la promenade familiale. On pourra également monter dans la tour. 🐕

**Réseau pédestre** ................. 3,0 km (mixte, facile)

**Services et aménagements**

🎿 🅿️ 🍽️ 🗼

**Période d'accès** .................. D'avril à novembre, du lever au coucher du soleil
**Frais d'accès** ....................... Gratuit
**Voie d'accès** ........................ À Val-d'Or, suivre les indications de « Tour Rotary ».

**Gestionnaire** ......................... Ville de Val-d'Or
**Pour information** ................. (819) 824-1333, www.ville.valdor.qc.ca

## 24 SENTIERS PÉDESTRES ET POSTE D'OBSERVATION GRAND HÉRON

Le parcours commence sur un ancien chemin forestier à travers une forêt mixte. Puis les arbres se raréfient à mesure que le sentier s'élève sur des affleurements rocheux parsemés d'arbustes et de mousses. Au sommet, un belvédère et une tour permettent un vaste panorama sur les environs. On peut voir, entre autres, les îles du lac Macamic dont l'une abrite une héronnière. 🐎

**Réseau pédestre** .................. 2,0 km (mixte, facile/inter., dénivelé maximum de 50 m)

**Services et**
**aménagements**
                        *Autres : passerelle*

**Activités**
**complémentaires**        🌿        *Hiver* 🎿 *TT*

**Documentation** .................... Dépliant (au bureau d'information touristique)
**Période d'accès** ................... Toute l'année, du lever au coucher du soleil
**Frais d'accès** ....................... Gratuit
**Voie d'accès** ........................ D'Amos, prendre la route 111 nord. Dépasser la ville de
                        Macamic de 5 km, puis tourner à droite vers Chazel.
                        Suivre les panneaux bleus sur environ 9 km.

**Gestionnaire** ........................ Corporation de développement de Macamic
**Pour information** ................. (819) 782-4604

*Coup au cœur*

# Bas-Saint-Laurent

*Île aux Lièvres*

# BAS-SAINT-LAURENT

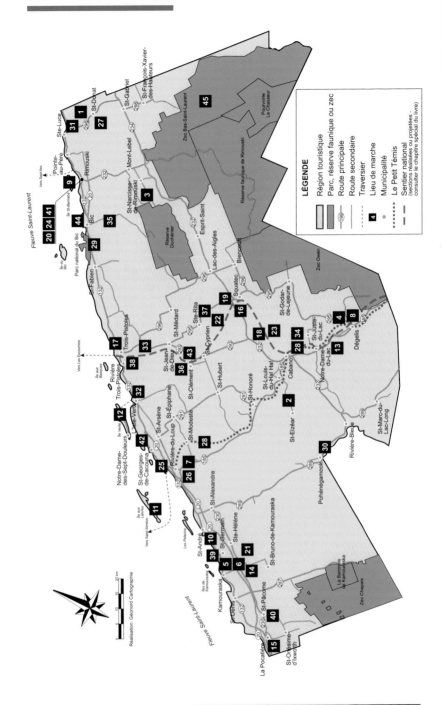

# LIEUX DE MARCHE

1 AU BOIS JOLI

2 CAMPING DES HUARTS

3 CANYON DES PORTES
DE L'ENFER

4 CENTRE DE PLEIN AIR
LE MONTAGNAIS DU LAC
TÉMISCOUATA

5 CENTRE NATURE DE
POINTE-SÈCHE

6 CIRCUIT PATRIMONIAL
DE SAINT-PASCAL

7 CIRCUIT PATRIMONIAL
RIVIÈRE-DU-LOUP

8 DÉGELIS

9 EXCURSION À L'ÎLE
SAINT-BARNABÉ

10 HALTE ÉCOLOGIQUE DES
BATTURES DE SAINT-ANDRÉ-
DE-KAMOURASKA

11 ÎLE AUX LIÈVRES

12 ÎLE VERTE

13 LA GRANDE BAIE

14 LA MONTAGNE À COTON

15 LA MONTAGNE DU COLLÈGE DE
SAINTE-ANNE-DE-LA-POCATIÈRE

16 LAC ANNA

17 LE LITTORAL BASQUE

18 LES CASCADES SUTHERLAND

19 LES ÉRABLES

20 LES PROMENADES
HISTORIQUES DE RIMOUSKI

21 LES SEPT-CHUTES

22 LES SEPT LACS

23 MONTAGNE À FOURNEAU

24 PARC BEAUSÉJOUR

25 PARC DE LA POINTE
DE RIVIÈRE-DU-LOUP

26 PARC DES CHUTES

27 PARC DU MONT-COMI

28 PARC LINÉAIRE INTERPROVINCIAL
« PETIT TÉMIS »

29 PARC NATIONAL DU BIC

30 POHÉNÉGAMOOK
SANTÉ PLEIN AIR

31 PROMENADE DE L'ANSE-
AUX-COQUES

32 RÉSERVE NATIONALE DE FAUNE
DE LA BAIE DE L'ISLE-VERTE

33 RIVIÈRE DES TROIS PISTOLES

34 RIVIÈRE TOULADI

35 SECTEUR TOURISTIQUE DE
LA MONTAGNE RONDE, FORÊT
COMMUNALE SAINT-VALÉRIEN

36 SÉNESCOUPÉ

37 SENTIER D'ORNITHOLOGIE

38 SENTIER DE RIVIÈRE-
TROIS-PISTOLES

39 SENTIER DU CABOURON

40 SENTIERS DE SAINT-PACÔME

41 SENTIERS DU LITTORAL ET DE
LA RIVIÈRE RIMOUSKI

42 SITE ORNITHOLOGIQUE DE
GROS-CACOUNA

43 TOUPIKÉ

44 VILLAGE DU BIC

45 ZEC BAS-SAINT-LAURENT

## BIENVENUE DANS LA RÉGION
## DU BAS-SAINT-LAURENT

Visiter le Bas-Saint-Laurent, c'est visiter deux mondes à la fois. Tout d'abord, le littoral recèle mille et un trésors naturels riches d'une flore et d'une faune caractéristiques des milieux marins. Le paysage est marqué par la vallée du Saint-Laurent dont la succession de plateaux, dus au retrait progressif de l'ancienne mer de Champlain, offre des points de vue imprenables sur le fleuve et ses magnifiques couchers de soleil.

Le patrimoine bâti de la côte du Saint-Laurent est, encore aujourd'hui, imprégné de l'histoire des générations de pêcheurs et de constructeurs navals qui y ont vécu et du passé glorieux de certains villages fort populaires auprès des villégiateurs aisés du XIX$^e$ siècle. Les nombreux vestiges architecturaux de ce temps sont d'ailleurs des étapes importantes de plusieurs circuits patrimoniaux.

Le fleuve Saint-Laurent est parsemé d'îles aux noms évocateurs où dépaysement et tranquillité sont assurés. Le parc national du Bic vaut, à lui seul, un détour; ses paysages grandioses, ses nombreuses activités d'interprétation, ses croisières-excursions méritent qu'on s'y attarde.

Le sud de la région, que ses occupants se plaisent à appeler « Le Haut Pays », est synonyme de lacs, rivières, activités nautiques et plein air. Le vélo et la marche y sont également à l'honneur depuis la réalisation de deux aménagements majeurs : le parc linéaire interprovincial « Petit Témis », construit sur l'emprise d'une ancienne voie ferrée qui relie Rivière-du-Loup à Edmundston, et la portion régionale du « Sentier national », dédié aux marcheurs et aux randonneurs qui, de Trois-Pistoles à Dégelis, donne un avant-goût de qualité de ce qui deviendra le plus long sentier de randonnée pédestre au Québec. De nombreux attraits touristiques agrémentent ces deux parcours de découvertes; alors... n'oubliez pas vos jumelles! Les oiseaux sont omniprésents et les espèces à observer plus que variées.

Pour plus d'information ou pour recevoir le guide touristique officiel du Bas-Saint-Laurent et la carte régionale, contactez :

Tourisme Bas-Saint-Laurent

**1 800 563-5268**
www.tourismebas-st-laurent.com
Courriel : atrbsl@qc.aira.com

# 1 AU BOIS JOLI

« Au bois Joli » est un centre de villégiature qui propose aux visiteurs le calme et la quiétude de ses sentiers entrelacés. Ce boisé, ayant atteint sa maturité et couvrant une superficie de 52 hectares, recèle une grande variété d'arbres et de plantes. Des animaux de bois jalonnent les sentiers pour le plaisir des petits.

**Réseau pédestre** .................. 7,4 km

| Sentiers et parcours | Longueur | Type | Niveau | Dénivelé |
|---|---|---|---|---|
| L'épinette blanche ............................ | 1,6 km ........ | Linéaire ....... | Facile | |
| Le petit cayon .................................... | 1,2 km ........ | Boucle ......... | Facile | |
| Le labyrinthe ...................................... | 0,9 km ........ | Boucle ......... | Facile | |
| La pente rude ..................................... | 1,5 km ........ | Linéaire ....... | Intermédiaire ....... | 85 m |
| La randonnée ...................................... | 2,2 km ........ | Boucle ......... | Facile | |

**Services et aménagements**

**Activités complémentaires**  Hiver  4,0 km  7,4 km + TT

**Documentation** ..................... Dépliant (à l'accueil)
**Période d'accès** ................... Toute l'année, de 9 h à 17 h
**Frais d'accès** (taxes incl.) ..... Adulte : 2,00 $
Enfant (5 1/2 ans et moins) : gratuit
**Voie d'accès** ......................... De la route 132, prendre la route 298 vers Saint-Donat-de-Rimouski.

**Gestionnaire** ......................... Jean-Claude Morissette
**Pour information** ................. (418) 739-5073

# 2 CAMPING DES HUARTS

Le camping est un endroit retiré proposant plusieurs activités, dont la marche. Un sentier, en partie recouvert de gravier, fait le tour du lac.

**Réseau pédestre** ................. 6,0 km (boucle, facile)

**Services et aménagements**
Autres : piscine, passerelle

**Activités complémentaires**

**Documentation** ..................... Dépliant (à l'accueil)
**Période d'accès** ................... De début juin à mi-septembre, de 8 h à 21 h
**Frais d'accès** ........................ Gratuit
**Voie d'accès** ......................... De Rivière-du-Loup, emprunter la route 185 vers le sud. Au feu clignotant de Saint-Louis-du-Ha! Ha!, tourner à droite vers Saint-Elzéar et poursuivre sur 1,5 km. Tourner à gauche au rang Beauséjour et continuer sur 2 km, soit jusqu'à l'indication du camping.

**Gestionnaire** ......................... Corporation du Centre de plein air du lac Dôle
**Pour information** ................. (418) 854-3563, saintlouisduhaha@globetrotter.net

## 3  CANYON DES PORTES DE L'ENFER

Le Canyon des Portes de L'Enfer est situé au sud de Rimouski. Débutant à la chute du Grand Sault, haute de 20 m, il s'étire sur près de 5 km et force la rivière Rimouski à s'encaisser dans des parois resserrées atteignant parfois 90 m de hauteur. Autrefois, les arbres se rejoignaient pour former un pont naturel qui constituait un obstacle infernal pour la drave, d'où le nom du lieu. La turbulente chute de la rivière du Grand Macpès se laisse admirer de près lors de la Descente aux Enfers (escalier de 300 marches). 🐕

⭐ *On peut emprunter la plus haute passerelle au Québec (63 m).*

**Réseau pédestre** .................. 14,0 km

| Sentiers et parcours | Longueur | Type | Niveau |
|---|---|---|---|
| Le Draveur (total) ........................................ | 5,2 km ........ | Boucle ........ | Intermédiaire |
| Le Grand Saut .............................................. | 1,6 km ........ | Linéaire ....... | Facile |

**Services et aménagements**

*Autres : passerelle*

**Activités complémentaires**

**Documentation** ..................... Dépliant, carte (au kiosque d'information touristique)
**Période d'accès** ................... De mai à octobre
De 9 h 30 à 17 h 30
De 8 h à 18 h 30 de fin juin à début septembre
**Frais d'accès** (taxes incl.) ..... Adulte : 6,50 $
Étudiant, Âge d'Or (65 ans et plus) : 5,50 $
Enfant (5 à 16 ans) : 3,50 $
Enfant (0 à 4 ans) : gratuit
Prix de groupe disponible
**Voie d'accès** ......................... De Rimouski, prendre la route 232 vers Sainte-Blandine et continuer jusqu'au chemin Duchénier, à Saint-Narcisse-de-Rimouski. Tourner à droite et, 10 km après le village, on atteint le poste d'accueil.

**Gestionnaire** ......................... Le Canyon des Portes de l'Enfer
**Pour information** .................. (418) 735-6063
www.canyonportesenfer.qc.ca

## 4  CENTRE DE PLEIN AIR LE MONTAGNAIS DU LAC TÉMISCOUATA   SENTIER NATIONAL

Situé en bordure du lac Témiscouata, ce centre offre de multiples activités de plein air dans un environnement nature sans rien sacrifier du confort et des services. On retrouve dans ce centre de plein air deux tronçons du Sentier national au Québec, soit la fin de La Grande Baie et le début de Dégelis. 🐕

**Réseau pédestre** .................. 19,0 km

| Sentiers et parcours | Longueur | Type | Niveau | Dénivelé |
|---|---|---|---|---|
| Sentier de la Montagne ................................. | 8,0 km ........ | Boucle ........ | Intermédiaire ...... | 100 m |
| Sentier national (La Grande Baie, Dégélis) ..... | 9,0 km ........ | Linéaire ....... | Intermédiaire ...... | 100 m |

**Services et aménagements**

**Activités complémentaires**  Hiver  TT

**Documentation** .................... Carte, dépliant (à l'accueil)
**Période d'accès** ................... De mai à novembre, du lever au coucher du soleil
⚠ *Prudence en période de chasse*
**Frais d'accès** ........................ Gratuit
**Voie d'accès** ........................ De Dégelis, prendre la route 295 vers le nord sur environ 8 km. Le chemin d'accès au centre se trouve sur la gauche.

**Gestionnaire** ........................ Corporation du Centre de plein air Le Montagnais du lac Témiscouata.
**Pour information** .................. (418) 853-2003 ...... (418) 853-2332
www.ville.degelis.qc.ca

JCT    DÉGELIS
LA GRANDE BAIE

## 5 CENTRE NATURE DE POINTE-SÈCHE

Situé au pied d'une montagne qui rejoint le fleuve, le Centre nature de Pointe-Sèche propose des activités récréatives et d'interprétation de la seigneurie de l'Islet-du-Portage. Sur ce domaine, de nombreux sentiers, tantôt pédestres, tantôt équestres, s'entrelacent et nous font parcourir l'histoire de ce domaine créé au tout début du régime seigneurial. La toponymie des sentiers retrace les différents propriétaires de cette seigneurie. 🐴
⭐ *Hébergement en tipis.* ⚠ *Au moment de publier ce guide, ce lieu était en voie de changer de propriétaire. Sa vocation pourrait alors changer. Veuillez donc vérifier avant de vous déplacer.*

**Réseau pédestre** .................. 15,5 km

| Sentiers et parcours | Longueur | Type | Niveau | Dénivelé |
|---|---|---|---|---|
| Marie-Anne Bécard | 3,0 km | Boucle | Facile | |
| Joseph Fraser | 2,0 km | Linéaire | Facile | |
| Pierre Bécard de Granville | 1,0 km | Linéaire | Difficile | 200 m |
| John Saxton Campbell | 4,0 km | Linéaire | Facile/Inter. | |
| Paul-A. Saint-Hilaire | 2,5 km | Linéaire | Difficile | 150 m |
| Pierre Saint-Hilaire | 3,0 km | Linéaire | Intermédiaire | 100 m |

**Services et aménagements**

**Activités complémentaires** Hiver TT

**Documentation** .................... Carte, dépliant (à l'accueil)
**Période d'accès** .................. De mai à novembre, de 9 h à 20 h
**Frais d'accès** (taxes incl.) ..... Adulte : 5,00 $
Enfant (15 à 18 ans) : 3,00 $
Enfant (14 ans et moins) : gratuit
**Voie d'accès** ........................ De l'autoroute 20, prendre la sortie 474 et se diriger vers Saint-Germain. Emprunter ensuite le rang Mississipi vers l'est jusqu'au Centre.

Gestionnaire ......................... Corporation de la Seigneurie de l'Islet-du-Portage
**Pour information** .................. (418) 658-6349, www.pointeseche.com

## 6 CIRCUIT PATRIMONIAL DE SAINT-PASCAL

C'est le seigneur de Kamouraska, Pascal Taché, qui fut à l'origine de l'apparition de divers moulins à eau pour scier le bois, carder la laine et moudre la farine. Érigée en 1827, Saint-Pascal prit son essor avec l'arrivée du Grand Tronc en 1857, puis devint, en 1913, le chef-lieu du Kamouraska. Aujourd'hui, en se promenant à Saint-Pascal, on retrouve le charme d'autrefois à travers l'évolution du temps.

**Réseau pédestre** .................. 5,0 km (mixte, facile)

**Services et aménagements**

*Autres : passerelle*

**Activités complémentaires**

**Documentation** ..................... Brochure (à l'hôtel de ville et au bureau d'information touristique)
**Période d'accès** ................... De mai à octobre, du lever au coucher du soleil
**Frais d'accès** ......................... Gratuit
**Voie d'accès** ......................... De la sortie 465 de l'autoroute 20, prendre la rue Varin. Le circuit débute au 218.

**Gestionnaire** ......................... Partenaires Saint-Pascal inc.
**Pour information** .................. (418) 492-2312 ...... (418) 492-7753
www.villesaintpascal.qc.ca

## 7 CIRCUIT PATRIMONIAL RIVIÈRE-DU-LOUP

En 1919, le village de Fraserville change de nom pour celui de Rivière-du-Loup. L'origine de ce nouveau nom viendrait de trois légendes. La première serait la venue d'un bateau ayant pour nom le Loup. La deuxième proviendrait d'une tribu amérindienne appelée les Loups. Et la troisième aurait pour origine la présence de loups marins, jadis nombreux, à l'embouchure de la rivière. Le circuit patrimonial parcourt l'emplacement du premier village, construit sur un domaine seigneurial.

**Réseau pédestre** .................. 6,0 km (mixte, facile)

**Services et aménagements**

*Autres : centre d'interprétation (Manoir Fraser)*

**Activités complémentaires**

*Hiver* 6,0 km

**Documentation** ..................... Brochure « Au cœur des souvenirs » (au bureau d'information touristique)
**Période d'accès** ................... Toute l'année, du lever au coucher du soleil
**Frais d'accès** ......................... Gratuit
**Voie d'accès** ......................... Le circuit patrimonial débute au bureau d'information touristique situé au 189, rue Hôtel-de-Ville, au centre-ville de Rivière-du-Loup.

**Gestionnaire** .......................... Office du tourisme et des congrès de Rivière-du-Loup
**Pour information** ................. (418) 862-1981, www.tourismeriviereduloup.ca
www.mrc-rdl.qc.ca/otc/

JCT PARC DES CHUTES

## 8 DÉGELIS  SENTIER NATIONAL

C'est sur ce tronçon que prend fin le Sentier national au Bas-Saint-Laurent d'une longueur totale de 144 km. Ce sentier est situé en pleine forêt mais non loin de la civilisation. Les randonneurs pourront se détendre sur la plage du Camping municipal de Dégelis.

**Réseau pédestre** ................. 9,7 km (linéaire, intermédiaire)

**Services et aménagements**

**Activités complémentaires**

**Documentation** ..................... Carte Sentier national (au bureau d'information touristique)
**Période d'accès** .................. De mi-mai à mi-septembre, du lever au coucher du soleil
⚠ *La marche est interdite en période de chasse.*
**Frais d'accès** ........................ Gratuit
**Voie d'accès** ......................... **Du village de Lots-Renversés**, prendre la route 295 sud.
L'entrée du chemin d'accès au Centre de plein air Le Montagnais se trouve à 7 km environ plus loin vers l'ouest.
**De Dégelis**, prendre la route 295 nord. L'entrée du chemin d'accès au Centre de plein air Le Montagnais se trouve à 2 km environ plus loin que le Camping municipal de Dégelis vers l'ouest.
**Gestionnaire** .......................... PARC. Bas-Saint-Laurent/Centre de plein air Le Montagnais
**Pour information** ................. (418) 894-3653 ...... (418) 867-8882
www.info-basques.com/st-clement/sentier

JCT CENTRE DE PLEIN AIR LE MONTAGNAIS DU LAC TÉMISCOUATA
LA GRANDE BAIE

## 9 EXCURSION À L'ÎLE SAINT-BARNABÉ

C'est Samuel de Champlain qui nomma l'île le 11 juin 1603, jour de la fête de saint Barnabé. Au cours du XVIIIe siècle, un ermite y a habité durant une quarantaine d'années. Il est encore possible aujourd'hui de repérer l'emplacement de sa maison. On peut voir aussi plusieurs épaves, et observer des phoques et de nombreux oiseaux.

**Réseau pédestre** ................. 20,0 km (mixte, facile)

**Services et aménagements**

*Autres : plages*

**Activités complémentaires**

**Documentation** ..................... Dépliant-carte (au bureau d'information touristique et sur l'île)

**Période d'accès** .................. De fin juin à mi-septembre

Départ toutes les 30 minutes de 10 h 15 à 18 h 15

**Frais d'accès** (taxes incl.) ..... Traversier type Zodiac

Adulte : 14,00 $

6 à 17 ans : 9,00 $

5 ans et moins : gratuit

**Voie d'accès** ......................... Du centre-ville de Rimouski, prendre la route 132 vers l'est sur 6 km. Le traversier se trouve à la marina de Rimouski.

**Gestionnaire** ........................ Tourisme Rimouski

**Pour information** ................. (418) 723-2322 ...... 1 800 RIMOUSKI

www.tourisme-rimouski.org

## 10 HALTE ÉCOLOGIQUE DES BATTURES DE SAINT-ANDRÉ-DE-KAMOURASKA

Un sentier longe la batture sur une étendue marécageuse. Un autre, sur un cap rocheux et au milieu d'un peuplement de pins rouges, nous mène par des escaliers à un belvédère d'où l'on peut voir La Malbaie et Pointe-au-Pic à l'ouest, et Tadoussac à l'est. Une halte écologique nous sensibilise à l'écosystème marécageux et fluvial, et à l'importance de protéger ce milieu. Un kiosque a été aménagé pour mieux observer les oiseaux.

**Réseau pédestre** ................. 12,2 km

| Sentiers et parcours | Longueur | Type | Niveau | Dénivelé |
|---|---|---|---|---|
| Sentier de la batture | 2,4 km | Linéaire | Facile | |
| La grimpe | 2,0 km | Boucle | Intermédiaire | |
| Les écoliers | 3,0 km | Boucle | Intermédiaire | |
| Le plateau | 1,9 km | Boucle | Intermédiaire | |

**Services et aménagements**

Autres : *centre d'interprétation, kiosque d'observation, piste d'hébertisme*

**Activités complémentaires**

*Hiver* 12,0 km

**Documentation** ..................... Guide d'exploration (incluant carte), dépliant (à l'accueil)

**Période d'accès** .................. Du 1er mai au 31 octobre

Le pavillon d'accueil est ouvert de 8 h à 18 h

(8 h à 21 h du 24 juin à la fête du Travail)

**Frais d'accès** (taxes incl.) ..... Adulte : 3,00 $

Enfant (moins de 6 ans) : gratuit

**Voie d'accès** ......................... De la sortie 480 de l'autoroute 20, se diriger vers Saint-André et prendre la route 132 vers l'ouest sur 3 km.

**Gestionnaire** ........................ Société d'écologie de la batture du Kamouraska

**Pour information** ................. (418) 493-2604 ...... (418) 493-9984, www.sebka.ca

## 11 ÎLE AUX LIÈVRES

L'île aux Lièvres est un milieu naturel protégé, situé en face de Rivière-du-Loup. Sa flore est variée et son relief diversifié. Le sentier de la corniche longe un escarpement de 40 m de hauteur sur la rive nord de l'île et offre un panorama sur la région de Charlevoix et du chenal nord du Saint-Laurent. Les lièvres ayant occupé l'île durant des millénaires, ils ont profondément modifié et simplifié cette forêt. Des lichens et des sabots de la vierge poussent aussi sur des terrasses. ★ *On trouve des épinettes aux allures de « bonsaï » sculptées par les lièvres.* ⚠ *Le comptoir d'épicerie sur l'île ne comporte que quelques produits de dépannage.*

**Réseau pédestre** ................ 39,6 km

| Sentiers et parcours | Longueur | Type | Niveau |
|---|---|---|---|
| De la mer | 9,9 km | Linéaire | Facile |
| De la corniche | 1,9 km | Linéaire | Intermédiaire |
| De l'if | 1,8 km | Linéaire | Facile |
| Des eiders | 2,1 km | Linéaire | Intermédiaire |
| La grande course | 14,4 km | Linéaire | Facile |
| Du lièvre | 1,7 km | Linéaire | Difficile |

**Services et aménagements**

*Autres : centre d'interprétation, trottoir de bois, abri*

**Activités complémentaires**

**Documentation** .................... Dépliant-carte, dépliant (à l'accueil)

**Période d'accès** ................... De fin mai à septembre, tous les jours et déterminé par les marées

**Frais d'accès** ........................ Frais pour le traversier

**Voie d'accès** ........................ De l'autoroute 20, prendre la sortie 507 en direction de Rivière-du-Loup. De là, suivre les indications pour « Les îles du Bas-Saint-Laurent ». On prend le traversier à la marina située à la pointe de Rivière-du-Loup.

**Gestionnaire** ........................ Société Duvetnor ltée
**Pour information** ................. (418) 867-1660 ...... 1 877 867-1660
www.duvetnor.com

## 12 ÎLE VERTE

L'île est située dans le fleuve Saint-Laurent, à l'est de Rivière-du-Loup. On peut marcher sur le chemin principal, long de 14 km. De ce chemin, un sentier mène jusqu'au phare. Il est possible aussi de visiter l'école du Bout-d'en-Bas qui retrace l'histoire et le patrimoine des habitants de l'île. 🏠 ★ *L'Île verte abrite le plus vieux phare sur le fleuve. Il date de 1809. L'hiver, il y a un pont de glace permettant d'avoir accès à l'île.*

**Réseau pédestre** ................. 20,0 km

| Sentiers et parcours | Longueur | Type | Niveau |
|---|---|---|---|
| À l'est (Bout d'en Bas) | 4,0 km | Linéaire | Facile |
| Au nord (au Phare) | 2,0 km | Linéaire | Facile |
| À l'ouest (Bout d'en Haut) | 9,0 km | Linéaire | Facile |

**Services et aménagements**

*Autres : boutique, centre d'interprétation, musée*

**Activités complémentaires**

 *Hiver*  *20,0 km*  *20,0 km*

Documentation .................... Dépliant (au bureau d'information touristique)
Période d'accès .................. De mai à novembre, selon les marées
De janvier à mars par le pont de glace
Frais d'accès (taxes incl.) ..... 6,00 $ (traversier/aller)
Voie d'accès ......................... De Rivière-du-Loup, suivre l'autoroute 20 vers l'est, puis la route 132 jusqu'à L'Isle-Verte où on peut prendre le traversier.

Gestionnaire ......................... Municipalité de Notre-Dame-des-Sept-Douleurs
Pour information .................. (418) 898-2730 ...... (418) 898-2843 (traversier)
www.ileverte.net

## 13 LA GRANDE BAIE

Comme son nom l'indique, la présence de l'eau et les accès au lac Témiscouata font partie du paysage de cette portion du Sentier national.

Réseau pédestre .................. 14,3 km (linéaire, intermédiaire)

**Services et aménagements**

**Activités complémentaires**

Documentation .................... Carte Sentier national (au bureau d'information touristique)
Période d'accès .................. De mi-mai à mi-septembre, du lever au coucher du soleil
⚠ *La marche est interdite en période de chasse.*
Frais d'accès ........................ Gratuit
Voie d'accès ......................... **De Saint-Juste-du-Lac** : prendre le chemin Principal vers l'ouest. Faire 3 km environ. Au chemin du Lac, tourner à gauche. Le stationnement se trouve au bout de la rue, à environ 3 km.
**Du traversier Le Corégone depuis Notre-Dame-du-Lac** : rejoindre le chemin du Lac, puis tourner à droite. Le stationnement se trouve au bout de la rue, à 2 km environ.
Gestionnaire ......................... PARC Bas-Saint-Laurent/Centre de plein air Le Montagnais
Pour information .................. (418) 894-3653 ...... (418) 867-8882
www.info-basques.com/st-clement/sentier

JCT  CENTRE DE PLEIN AIR LE MONTAGNAIS DU LAC TÉMISCOUATA
DÉGELIS
RIVIÈRE TOULADI

## 14 LA MONTAGNE À COTON

Cette montagne fut jadis habitée par un ermite, le père Coton, qui lui laissa son nom. Plusieurs belvédères sont aménagés le long du sentier et, à son sommet, à 150 m au-dessus du niveau de la mer, il est possible d'admirer le paysage sur 360°. On peut ainsi apercevoir de nombreux villages, tant sur la rive sud que la rive nord du Saint-Laurent.

**Réseau pédestre** ................. 0,8 km (linéaire, intermédiaire, dénivelé max. de 150 m)

**Services et aménagements**

**Activités complémentaires**

**Documentation** .................... Dépliants (à l'hôtel de ville et au kiosque d'information touristique)
**Période d'accès** ................... De mi-mai à fin octobre, du lever au coucher du soleil
**Frais d'accès** ....................... Gratuit
**Voie d'accès** ....................... De la sortie 465 de l'autoroute 20, prendre le 2e Rang Est vers Saint-Pascal. Le sentier se trouve à 1 km du kiosque d'information.

**Gestionnaire** ........................ Partenaires Saint-Pascal inc.
**Pour information** ................. (418) 492-2312 ...... (418) 492-7753
www.villesaintpascal.qc.ca

## 15  LA MONTAGNE DU COLLÈGE DE SAINTE-ANNE-DE-LA-POCATIÈRE

Dans ce parc naturel en plein cœur de la ville, des sentiers de randonnée ont été tracés depuis plus de cent ans. Un escalier de plus de 246 marches permet de gravir aisément cette petite montagne. Au sommet, on peut admirer le fleuve au nord et les Appalaches au sud. On y trouve aussi quelques grottes et des panneaux d'interprétation permettent de découvrir la flore locale.

**Réseau pédestre** ................. 6,0 km (boucles, intermédiaire, dénivelé max. de 130 m)

**Services et aménagements**

**Activités complémentaires**

   *Hiver* 🚶 6,0 km

**Documentation** .................... Dépliant, carte (à l'accueil du collège)
**Période d'accès** ................... Toute l'année, de 8 h à 17 h
**Frais d'accès** ....................... Gratuit
**Voie d'accès** ....................... La montagne se situe au cœur de La Pocatière, à côté du collège.

**Gestionnaire** ........................ Montagne du Collège inc.
**Pour information** ................. (418) 856-3012
info@leadercsa.com

## 16  LAC ANNA  🏕 SENTIER NATIONAL

Ce tronçon du Sentier national, typiquement forestier, se termine à la pourvoirie du Lac Anna. Le randonneur pourra admirer le lac et savourer pleinement la nature. Un refuge et un camping rustique se situent à cet endroit.

---

*Bas-Saint-Laurent*                                                              *51*

**Réseau pédestre** ................. 7,6 km (linéaire, facile/Intermédiaire)

**Services et aménagements**

**Documentation** ..................... Carte Sentier national (au bureau d'information touristique)

**Période d'accès** .................. De mi-mai à mi-septembre, du lever au coucher du soleil

⚠ *La marche est interdite en période de chasse.*

**Frais d'accès** ........................ Gratuit

**Voie d'accès** ......................... De Squatec, suivre la route 232 ouest en direction de Cabano. Le stationnement se situe à gauche, 500 m après le motel Le Chevalier.

**Gestionnaire** ......................... PARC Bas-Saint-Laurent

**Pour information** .................. (418) 894-3653 ...... (418) 867-8882
www.info-basques.com/st-clement/sentier

JCT  LES CASCADES SUTHERLAND
LES ÉRABLES

---

## 17  LE LITTORAL BASQUE

Cette partie du Sentier national a comme point de départ le parc de l'Aventure Basque en Amérique et se termine à la passerelle Basque. Les randonneurs passeront d'un paysage marin à un paysage forestier le long de la rivière des Trois Pistoles. Plusieurs points de vue sur le fleuve, l'île aux Basques ainsi que sur la rivière, au niveau du Sault McKenzie, s'offrent aux marcheurs. À cet endroit, deux belvédères ont été aménagés.

**Réseau pédestre** ................. 12,1 km (Multi : 6,5)(linéaire, facile)

**Services et aménagements**

*Autres : musée, aire de jeu*

**Documentation** ..................... Carte Sentier national (au bureau d'information touristique)

**Période d'accès** .................. De mi-mai à mi-octobre, du lever au coucher du soleil

⚠ *La marche est interdite en période de chasse.*

**Frais d'accès** ........................ Gratuit

**Voie d'accès** ......................... Le parc de l'Aventure Basque en Amérique (PABA) est situé à 600 m de la traverse Trois-Pistoles - Les Escoumins, soit au 66 de la rue du Parc, à Trois-Pistoles.

**Gestionnaire** ......................... Municipalité de Notre-Dame-des-Neiges

**Pour information** .................. (418) 894-3653 ...... (418) 867-8882
www.info-basques.com/st-clement/sentier

JCT  RIVIÈRE DES TROIS PISTOLES

---

## 18  LES CASCADES SUTHERLAND

Ce sentier offre un panorama sur le lac Témiscouata. D'autres points de vue s'ouvrent sur le lac et on peut voir aussi une série de cascades sur le ruisseau Sutherland.

**Réseau pédestre** .................. 9,6 km (linéaire, intermédiaire, dénivelé max. de 260 m)

**Services et aménagements**

**Documentation** ..................... Carte Sentier national (au bureau d'information touristique)
**Période d'accès** .................. De mi-mai à mi-septembre, du lever au coucher du soleil
⚠ *La marche est interdite en période de chasse.*
**Frais d'accès** ....................... Gratuit
**Voie d'accès** ....................... **Accès Cabano** : prendre la route 232 est. À la jonction de la route 293, continuer sur la route 232 sur 7 km. Tourner à droite (vers le sud) sur une route de terre menant à la pourvoirie du Lac Anna.
**Accès Squatec** : prendre la route 232 ouest et tourner vers le sud quelques kilomètres plus loin sur le chemin Turcot. Le stationnement se trouve à 9 km.

**Gestionnaire** ....................... PARC Bas-Saint-Laurent
**Pour information** .................. (418) 894-3653 ...... (418) 867-8882
www.info-basques.com/st-clement/sentier

JCT  LAC ANNA
MONTAGNE À FOURNEAU

# 19  LES ÉRABLES   SENTIER NATIONAL

Ce sentier en terrain montagneux parcourt la forêt publique du Grand-Portage. On y voit plusieurs érablières dans le secteur. Ce tronçon du Sentier national fait découvrir la partie ouest du massif des monts Notre-Dame, à l'extrémité est des Appalaches. À cet endroit, l'évasion de la civilisation est complète. 🐎

**Réseau pédestre** .................. 14,2 km (linéaire, intermédiaire, dénivelé max. de 400 m)

**Services et aménagements**

**Documentation** ..................... Carte Sentier national (au bureau d'information touristique)
**Période d'accès** .................. De mi-mai à fin septembre, du lever au coucher du soleil
⚠ *La marche est interdite en période de chasse.*
**Frais d'accès** ....................... Gratuit
**Voie d'accès** ....................... **De Saint-Cyprien**, emprunter la sortie sud du village, puis la route Grande Ligne sud (route 293) sur 3 km. Tourner à gauche sur le rang C qui changera de nom pour le rang des Sept-Lacs. Le stationnement se situe à gauche, en haut de la grande côte.
**De Sainte-Rita**, emprunter la route Neuve sur 3,5 km en direction sud. Tourner à droite sur le rang des Sept Lacs en direction ouest. Le stationnement est à votre droite, 3,5 km plus loin.

**Gestionnaire** ....................... PARC Bas-Saint-Laurent
**Pour information** .................. (418) 894-3653 ...... (418) 867-8882
www.info-basques.com/st-clement/sentier

JCT  LAC ANNA
LES SEPT LACS

## 20 LES PROMENADES HISTORIQUES DE RIMOUSKI

Rimouski, capitale régionale du Bas-Saint-Laurent et capitale océanographique du Québec, offre à ses visiteurs quatre circuits historiques portant sur des thèmes particuliers. On trouvera, le long de ces circuits, 22 panneaux d'interprétation. Il est possible aussi de se procurer un audio-guide.

**Réseau pédestre** ................. 7,5 km

| Sentiers et parcours | Longueur | Type | Niveau |
|---|---|---|---|
| La promenade du manoir | 1,8 km | Mixte | Facile |
| La promenade de l'évêché | 1,8 km | Mixte | Facile |
| La promenade des villas | 1,6 km | Mixte | Facile |
| La promenade des congrégations | 2,3 km | Mixte | Facile |

**Services et aménagements**

**Activités complémentaires**

**Documentation** .................... Carte (au bureau d'information touristique)
**Période d'accès** ................... De mai à octobre, du lever au coucher du soleil
**Frais d'accès** ........................ Gratuit
**Voie d'accès** ......................... Le départ de ces promenades se fait à partir du bureau d'information touristique, au centre-ville de Rimouski.

**Gestionnaire** ......................... Tourisme Rimouski/
Société Joseph-Gauvreau pour le patrimoine
**Pour information** ................. (418) 723-2322 ...... 1 800 RIMOUSKI
www.tourisme-rimouski.org

## 21 LES SEPT-CHUTES

Ce sentier s'inscrit dans le circuit du Cœur du Kamouraska, un des axes du futur réseau de marche du sentier Transkamouraska. Il est situé à Saint-Pascal. Le sentier des Sept-Chutes est aménagé le long d'une falaise surplombant la rivière Kamouraska. Un belvédère et une descente à la rivière permettent d'observer les chutes. Le sentier passe également à travers une forêt et des champs.

**Réseau pédestre** ................. 5,0 km (boucle, facile/intermédiaire, dénivelé max. de 50 m)

**Services et aménagements**

**Activités complémentaires**

**Documentation** .................... Guide du marcheur du Kamouraska (au bureau d'information touristique de la région)
**Période d'accès** ................... De mi-mai à fin octobre, du lever au coucher du soleil
**Frais d'accès** (taxes incl.) ..... 1,00 $ par personne
(8 ans et moins) : gratuit
**Voie d'accès** ......................... De la sortie 465 de l'autoroute 20, prendre la rue Rochette vers le sud. Tourner à gauche sur la rue Patry, puis à droite sur la rue Taché. Continuer vers le sud jusqu'au 4ᵉ Rang Ouest. Le sentier se trouve avant le pont.

Gestionnaire ........................ Partenaires Saint-Pascal inc.
Pour information ................ (418) 492-2312 ...... (418) 492-7753
www.villesaintpascal.qc.ca

## 22 LES SEPT LACS

Les lacs et les rivières sont importants dans ce secteur. À cet endroit, les eaux se partagent dans deux bassins versants. Cette particularité servait aux Amérindiens d'autrefois à se déplacer du Saint-Laurent à la baie de Fundy. L'impression de quitter la civilisation débute sur ce tronçon de Sentier national. 🐕

Réseau pédestre ................ 11,3 km (boucle, facile/intermédiaire)

Services et
aménagements

Documentation .................... Carte Sentier national (au bureau d'information touristique)
Période d'accès ................ De mi-mai à mi-septembre, du lever au coucher du soleil
⚠ La marche est interdite en période de chasse.
Frais d'accès (taxes incl.) ..... Gratuit
Voie d'accès ........................ Du village de Saint-Cyprien, suivre la route 293 sud (Grande-Ligne). À la sortie du village, tourner à droite sur un petit chemin de terre. Rouler jusqu'au stationnement du camping qui se trouve au bout complètement.

Gestionnaire ........................ PARC Bas-Saint-Laurent/Service des loisirs de Saint-Cyprien)
Pour information ................ (418) 894-3653 ...... (418) 867-8882
www.info-basques.com/st-clement/sentier

JCT  LES ÉRABLES
TOUPIKÉ

## 23 MONTAGNE À FOURNEAU

Ce sentier, en pleine forêt, est situé sur la montagne à Fourneau. Ensuite s'effectuera la descente au niveau du Lac Témiscouata. 🐕

Réseau pédestre ................ 9,6 km (linéaire, intermédiaire, dénivelé max. de 50 m)

Services et
aménagements

Documentation .................... Carte Sentier national (au bureau d'information touristique)
Période d'accès ................ De mi-mai à mi-septembre, du lever au coucher du soleil
⚠ La marche est interdite en période de chasse.
Frais d'accès ........................ Gratuit
Voie d'accès ........................ **Accès Squatec** : suivre la route 232 ouest et tourner vers le sud sur le chemin Turcot. Le stationnement se situe 9 km plus loin.
**Accès Cabano** : suivre la route 232 est jusqu'à la jonction de la route 293. Toujours sur la route 232 est, calculer 3 km et tourner vers le sud sur le chemin Turcot. Le stationnement se situe 9 km plus loin.

**Gestionnaire** ......................... PARC Bas-Saint-Laurent
**Pour information** ................. (418) 894-3653 ...... (418) 867-8882
www.info-basques.com/st-clement/sentier

[JCT]   LES CASCADES SUTHERLAND
RIVIÈRE TOULADI

## 24   PARC BEAUSÉJOUR

Ce parc urbain, en bordure de la rivière Rimouski, couvre une superficie de 32 hectares. Tantôt boisé, tantôt gazonné, il est sillonné de pistes cyclables et pédestres. 🐕 *Sur une portion de 2 km.*

**Réseau pédestre** .................. 3,2 km (Multi)(mixte, facile)

**Services et aménagements**

*Autres : aire de jeux, passerelle*

**Activités complémentaires**

*Hiver*  3,2 km   PT

**Période d'accès** .................. D'avril à novembre, 8 h à 22 h
**Frais d'accès** ........................ Gratuit
**Voie d'accès** ......................... De la route 132 à Rimouski, prendre le boulevard de la Rivière.

**Gestionnaire** ......................... Ville de Rimouski
**Pour information** ................. (418) 724-3167 ...... (418) 724-3157
www.tourisme-rimouski.org

[JCT]   SENTIERS DU LITTORAL ET DE LA RIVIÈRE RIMOUSKI

## 25   PARC DE LA POINTE DE RIVIÈRE-DU-LOUP

Le sentier est situé au bord du fleuve Saint-Laurent. On marche le long d'une ancienne voie ferrée. On longe aussi la rivière du Loup. À l'automne et au printemps, des oies blanches y font une halte migratoire. À l'extrémité ouest du secteur de la Côte-des-Bains, on remarque la Tête d'indien, masse rocheuse ayant la forme d'un visage humain. 🐕

**Réseau pédestre** .................. 5,0 km (boucle, facile)

**Services et aménagements**

*Autres : aire de jeux*

**Activités complémentaires**

*Hiver* 5,0 km

**Documentation** .................... Dépliant (à l'accueil)
**Période d'accès** .................. De mai à octobre, du lever au coucher du soleil
**Frais d'accès** ........................ Gratuit
**Voie d'accès** ......................... À Rivière-du-Loup, suivre la route 132 vers l'est jusqu'à la pointe de Rivière-du-Loup où l'entrée du parc est identifiée.

**Gestionnaire** ......................... Ville de Rivière-du-Loup
**Pour information** ................. (418) 862-9810 ...... (418) 862-0906
www.ville.riviere-du-loup.qc.ca

## 26 PARC DES CHUTES

Ce parc, situé au centre-ville de Rivière-du-Loup, comprend trois secteurs distincts : Les grandes Chutes, Le Platin et Le Parc de la Croix. Dans le premier secteur, on observe une chute d'une hauteur de 33 m. Une centrale centenaire est construite à proximité et en exploite le potentiel hydroélectrique. Deux passerelles donnent accès aux deux rives de la rivière du Loup. Le secteur Le Platin est voué à la mise en valeur de l'écosystème et de la biodiversité en milieu urbain. En circulant dans la forêt mixte, on traversera des marais, un verger arboretum patrimonial, une cédrière, un cap rocheux et des espaces avec nichoirs à merle bleu et canard branchu. Le dernier secteur est situé au sommet d'un promontoire qui offre une vue sur la ville, le fleuve et ses îles. Une immence croix illuminée est érigée au centre du parc. 🐎

**Réseau pédestre** .................. 9,1 km (mixte, facile/intermédiaire)

**Services et aménagements**

*Autres : passerelle*

**Activités complémentaires**

Hiver 🎿❄ *1,0 km* 🏃 *5,0 km + TT*

**Documentation** .................... Dépliant (à l'hôtel de ville)
**Période d'accès** ................... Toute l'année, du lever au coucher du soleil
**Frais d'accès** ........................ Gratuit
**Voie d'accès** ........................ Du centre-ville de Rivière-du-Loup, prendre la rue Lafontaine et suivre les indications pour le « Parc des Chutes ».

**Gestionnaire** ......................... Ville de Rivière-du-Loup
**Pour information** .................. (418) 862-9810 ...... (418) 862-0906
www.ville.riviere-du-loup.qc.ca

[JCT] CIRCUIT PATRIMONIAL RIVIÈRE-DU-LOUP

## 27 PARC DU MONT-COMI

Situé dans les paysages montagneux des hautes terres, le parc du Mont-Comi offre aux randonneurs environ 19 km de sentiers utilisés l'hiver pour le ski de fond et la raquette. Ceux-ci sillonnent la forêt et se rendent jusqu'à un lac. 🐎

**Réseau pédestre** .................. 19,0 km (Multi)

| Sentiers et parcours | Longueur | Type | Niveau |
|---|---|---|---|
| Boucle Lac des Frères | 4,4 km | Boucle | Intermédiaire |
| Relais Pain de Sucre | 2,5 km | Linéaire | Intermédiaire |
| Plateau - Relais Indien | 1,5 km | Linéaire | Intermédiaire |
| T-Bar - Relais Indien | 1,7 km | Linéaire | Intermédiaire |
| Les Cèdres | 1,6 km | Mixte | Intermédiaire |

**Services et aménagements**

*Autres : piste d'hébertisme*

**Activités complémentaires**  *Hiver*  *7,5 km + TT*

**Documentation** .................... Carte, dépliant (à l'accueil)
**Période d'accès** .................. Toute l'année, du lever au coucher du soleil
**Frais d'accès** ........................ Gratuit
**Voie d'accès** ......................... De la route 132 à Sainte-Luce, emprunter la route 298 et poursuivre en suivant les indications.

**Gestionnaire** ......................... Parc du Mont-Comi
**Pour information** .................. (418) 739-4858 ...... 1 866 739-4859
www.mont-comi.qc.ca

## 28 PARC LINÉAIRE INTERPROVINCIAL « PETIT TÉMIS »

Ce parc linéaire interprovincial s'étend en deux sections, de Rivière-du-Loup à la frontière du Nouveau-Brunswick. La première section traverse les villages de Saint-Antonin, Saint-Honoré et Saint-Louis-du-Ha! Ha!. La deuxième débute à Cabano et traverse les villages de la vallée de la Madawaska : Notre-Dame-du-Lac et Dégelis. Il s'agit d'une piste en gravier tassé partagée avec les vélos. Plusieurs haltes ponctuent la promenade, ainsi que des points d'intérêt (parcs et sites naturels). Le parc continue ensuite jusqu'à Edmunston.

**Réseau pédestre** .................. 131,0 km (Multi)

| Sentiers et parcours | Longueur | Type | Niveau |
|---|---|---|---|
| Section Nord ............................... | 69,0 km ......... | Linéaire ....... | Intermédiaire |
| Section Sud ................................ | 62,0 km ......... | Linéaire ....... | Intermédiaire |

**Services et aménagements**
*Autres : aire de jeux*

**Activités complémentaires**

**Documentation** .................... Dépliant-carte (au bureau d'information touristique)
**Période d'accès** .................. Du 15 juin au 15 octobre, du lever au coucher du soleil
**Frais d'accès** ........................ Gratuit ou contribution volontaire
⚠ *La chasse est pratiquée dans certains secteurs.*
**Voie d'accès** ......................... La section Nord du sentier débute à Rivière-du-Loup. On y accède à partir du boulevard Fraserville près de l'hôpital de Rivière-du-Loup. D'autres accès sont possibles le long du parcours.

**Gestionnaire** ......................... Corporation Sentier Rivière-du-Loup-Témiscouata
**Pour information** .................. 1 800 563-5268 ..... (418) 868-1869
lepetit-temis@qc.aira.com

JCT  RIVIÈRE TOULADI

## 29 PARC NATIONAL DU BIC  Parcs Québec

Le parc national du Bic, d'une superficie de 33 km², a été constitué en 1984 dans le but de protéger et de mettre en valeur un échantillon à la fois représentatif et exceptionnel d'une région naturelle du Québec, soit le littoral sud de l'estuaire. Le relief du parc est caractérisé par l'alternance des caps et des pointes rocheuses, des baies et des anses. L'anse à l'Orignal constitue le plan d'eau idéal pour observer la faune marine, caractéristique du parc. L'eider à duvet ainsi que les phoques gris et communs en sont les principales vedettes. Les principaux sentiers se trouvent dans les secteurs de la montagne à Michaud et du cap à l'Orignal. On peut aussi se rendre au pic Champlain, d'une altitude de 345 m. Le havre naturel du Bic, entouré d'îlots et de promontoires, favorisa l'établissement de groupes humains. Des panneaux d'interprétation historique, le long d'un sentier archéologique, rappellent l'occupation de ce lieu par des tribus amérindiennes, il y a 7 000 ans. ★ *On trouve dans ce parc une très forte concentration de porcs-épics.*

**Réseau pédestre** ................ 26,5 km

| Sentiers et parcours | Longueur | Type | Niveau | Dénivelé |
|---|---|---|---|---|
| Les Murailles | 4,5 km | Linéaire | Difficile | 225 m |
| Le Miquelon | 1,9 km | Linéaire | Facile | |
| Le Scoggan | 2,9 km | Linéaire | Intermédiaire | 95 m |
| Le Chemin du Nord | 5,0 km | Linéaire | Facile | |
| Le Pic Champlain | 3,0 km | Linéaire | Difficile | 225 m |
| La Citadelle | 4,6 km | Linéaire | Difficile | 150 m |

*Note : une partie de ces sentiers sont des aires de marche sur le littoral*

**Services et aménagements**

*Autres : centre d'interprétation, boutique, camp de vacances, abri, igloo*

**Activités complémentaires**

  *Hiver*  5,0 km  15,0 km

**Documentation** .................... Dépliant-carte, journal du parc (à l'accueil)
**Période d'accès** ................. Toute l'année, du lever au coucher du soleil
Durant l'hiver, le seul stationnement accessible se situe dans le secteur de Rivière-du-Sud-Ouest
**Frais d'accès** ....................... Voir la tarification des parcs nationaux du Québec dans les pages bleues au début du livre
**Voie d'accès** ....................... De Trois-Pistoles, suivre la route 132 en direction est, soit jusqu'à l'entrée principale identifiée « Parc du Bic – secteur Cap-à-l'Orignal ».

**Gestionnaire** ........................ SÉPAQ
**Pour information** ................. (418) 736-5035
www.parcsquebec.com

## 30  POHÉNÉGAMOOK SANTÉ PLEIN AIR

Ce centre est situé en bordure du lac Pohénégamook. En empruntant les sentiers, on peut longer le lac ou avoir accès, par la montagne, à une vue panoramique.

**Réseau pédestre** ................. 7,5 km

| Sentiers et parcours | Longueur | Type | Niveau | Dénivelé |
|---|---|---|---|---|
| Sentier écologique | 2,5 km | Boucle | Facile | |
| Sentier des sommets | 2,0 km | Boucle | Intermédiaire | 80 m |
| Sentier d'escalade | 3,0 km | Boucle | Intermédiaire | 80 m |

**Services et aménagements**

*Autres : aire de jeux, centre de villégiature*

**Activités complémentaires**

 Hiver  7,5 km + TT

**Documentation** .................... Dépliant, carte (à l'accueil)
**Période d'accès** ................. Toute l'année, de 8 h 30 à 17 h
**Frais d'accès** (taxes incl.) ..... 2,00 $
**Voie d'accès** ........................ De la sortie 488 de l'autoroute 20, emprunter la route 289 vers le sud et continuer jusqu'à Pohénégamook.

**Gestionnaire** ......................... Pohénégamook Santé Plein Air
**Pour information** ................. 1 800 463-1364 ..... (418) 859-2405
www.pohenegamook.com

## 31 PROMENADE DE L'ANSE-AUX-COQUES

Cette promenade longe la plage de Sainte-Luce. Il est possible, en période estivale, de voir un concours de sculptures de sable. ★ *Le soir, la promenade est éclairée jusqu'à 3 h.*

**Réseau pédestre** ................. 1,0 km (linéaire, facile)

**Services et aménagements**

**Activités complémentaires**

 Hiver  TT

**Documentation** .................... Dépliant (au bureau municipal)
**Période d'accès** ................. De mai à décembre
**Frais d'accès** ....................... Gratuit
**Voie d'accès** ........................ Le sentier est situé en bordure de la route du Fleuve, à Sainte-Luce.

**Gestionnaire** ......................... Municipalité de Sainte-Luce
**Pour information** ................. (418) 739-4317 ...... (418) 739-3393
municipalite.sainte-luce.qc.ca

## 32 RÉSERVE NATIONALE DE FAUNE DE LA BAIE DE L'ISLE-VERTE

C'est à L'Isle-Verte que se trouve le plus important marais à spartine du Québec méridional. Situé sur le littoral et possédant environ 1 000 hectares, il est reconnu mondialement et contribue à la richesse biologique de la région. On y observe la nidification et l'élevage des canards noirs. Pour l'agrément du marcheur, des digues traversent le marais. 🐕

## 40 SENTIERS DE SAINT-PACÔME

Ces sentiers font partie du circuit « Forêts, rivière et lacs », s'inscrivant dans le projet du réseau de marche Transkamouraska. Une partie des sentiers est aménagée sur la Côte-des-Chats, une autre près de la rivière Ouelle qu'on traverse sur une passerelle suspendue. 🐕

**Réseau pédestre** ................ 6,0 km

| Sentiers et parcours | Longueur | Type | Niveau | Dénivelé |
|---|---|---|---|---|
| Sentier du Brise-Culottes ............................ 2,0 km ......... Linéaire ....... Intermédiaire | | | | |
| Sentier de la Côte-des-Chats ....................... 4,0 km ......... Mixte ........... Intermédiaire ........ 50 m | | | | |

**Services et aménagements**

🎋 🅿 🚻 🏕 🍴

*Autres : passerelle suspendue*

**Activités complémentaires**

*Hiver* 🎿 *6,0 km*

**Documentation** .................... Guide du marcheur du Kamouraska (bureau d'information touristique)

**Période d'accès** ................. De juin à octobre, du lever au coucher du soleil
⚠ *Prudence en période de chasse*

**Frais d'accès** ....................... Gratuit

**Voie d'accès** ....................... Du village de Saint-Pacôme, prendre le chemin Galarneau vers Saint-Gabriel et suivre les indications.

**Gestionnaire** ........................ PARC Bas-Saint-Laurent/Municipalité de Saint-Pacôme

**Pour information** ................. (418) 856-5040 ...... (418) 856-3340

## 41 SENTIERS DU LITTORAL ET DE LA RIVIÈRE RIMOUSKI

Aménagés en plein cœur de Rimouski, des sentiers d'interprétation nous font découvrir le milieu maritime (Sentiers du Littoral) et nous conduisent dans une vallée façonnée par la nature et l'homme. De la plage du Rocher Blanc, on peut voir la Côte-Nord à une distance de 50 km. Sur le littoral, les oiseaux de mer sont au rendez-vous. Prenant le sentier L'Éboulis, on découvre un amphithéâtre façonné en 1950 par un important glissement de terrain. Un autre chemin nous mène au barrage de la Pulpe. Un secteur est dédié à l'aventurier Bernard Voyer. 🐕 ⭐ *On peut y voir un mélèze de 250 ans.*

**Réseau pédestre** ................. 25,0 km (Multi : 17,1)

| Sentiers et parcours | Longueur | Type | Niveau |
|---|---|---|---|
| Sentier du Littoral .................................... 5,3 km ......... Mixte ........... Facile | | | |
| Sentier Le Draveur .................................... 5,1 km ......... Linéaire ....... Facile | | | |
| Sentier L'Éboulis ...................................... 4,5 km ......... Linéaire ....... Facile | | | |

**Services et aménagements**

🎋 🅿 🚻 📞 🏕 🍴

*Autres : aire de jeux, abris, trottoir de bois, passerelle*

**Activités complémentaires**

*Hiver* 🎿 *5,0 km + TT*

**Documentation** .................... Dépliant-carte (au bureau d'information touristique)

**Période d'accès** ................. Toute l'année, du lever au coucher du soleil

**Frais d'accès** ........................ Gratuit

**Voie d'accès** ......................... Les sentiers prennent leur départ à l'entrée ouest de Rimouski, par la route 132. En fait, il y a 22 accès possibles dont 11 avec stationnement. Les 2 accès principaux se trouvent au parc Beauséjour et à l'embouchure de la rivière Rimouski, à l'intersection de la route 132 et la rue des Berges.

**Gestionnaire** ........................ Corporation d'aménagement des espaces verts

**Pour information** .................. (418) 723-2322
www.ville.rimouski.qc.ca

[JCT] PARC BEAUSÉJOUR

## 42 SITE ORNITHOLOGIQUE DE GROS-CACOUNA

Le marais de Gros-Cacouna est un étang d'eau saumâtre, entouré d'une digue pour marcher, aux abords du port de mer de Cacouna. Il sert de dortoir pour les bihoreaux à couronne noire et une espèce rare, le râle jaune.  *Il est permis de cueillir des fraises des champs.*

**Réseau pédestre** .................. 6,9 km

| Sentiers et parcours | Longueur | Type | Niveau | Dénivelé |
|---|---|---|---|---|
| Sentier de la Savane .................................... | 3,0 km ........ | Boucle ........ | Facile | |
| Sentier de la Montagne .................................... | 3,9 km ........ | Boucle ........ | Intermédiaire ........ | 80 m |

**Services et aménagements**

*Autres : cache*

**Activités complémentaires**

**Période d'accès** .................. D'avril à novembre, du lever au coucher du soleil
⚠ *Prudence en période de chasse*

**Frais d'accès** ........................ Gratuit

**Voie d'accès** ......................... De Rivière-du-Loup, prendre l'autoroute 20 est jusqu'à la sortie 514 Cacouna-Saint-Arsène. Continuer jusqu'au village de Cacouna sur 2 km. Prendre ensuite la route 132 est sur 2,9 km, soit jusqu'à la route de l'Île.

**Gestionnaire** ........................ PARC Bas-Saint-Laurent/Municipalité de Saint-Germain

**Pour information** .................. (418) 898-2757 ...... (418) 867-8882
fauneverte@bell.net

## 43 TOUPIKÉ ⛰ SENTIER NATIONAL

Le paysage agro-forestier est prédominant dans cette section du sentier. Le sentier traverse une forêt de cèdres et une autre de pins. Le passage sur les hauts plateaux permet d'apercevoir au loin les monts Notre-Dame.

**Réseau pédestre** .................. 11,5 km (linéaire, facile/intermédiaire)

**Services et aménagements**

| Activités | |
| complémentaires | *Hiver* 🏃 *11,5 km* |

| | |
|---|---|
| **Documentation** ..................... | Carte Sentier national (au bureau d'information touristique) |
| **Période d'accès** ................. | Toute l'année, du lever au coucher du soleil |
| | ⚠ *La marche est interdite en période de chasse.* |
| **Frais d'accès** ........................ | Gratuit |
| **Voie d'accès** ......................... | Du village de Saint-Clément, prendre la rue du Parc qui est située à la sortie est du village. Cette rue mène directement au parc de l'Âge d'Or. Tourner à gauche avant l'entrée du parc. Le stationnement se situe au bout du champ, soit à 200 m. |
| **Gestionnaire** ........................ | Corporation touristique de Saint-Clément |
| **Pour information** .................. | (418) 894-3653 ...... (418) 867-8882 |
| | www.info-basques.com/st-clement/sentier |

<u>JCT</u>  LES SEPTS LACS
SÉNESCOUPÉ

## 44  VILLAGE DU BIC

Le secteur du village où se situe la route du Golf est très prisé des marcheurs. On peut y apercevoir la chute de la rivière du Bic, puis le parc du Bic sous de nouveaux angles. Cette route qui devient non-asphaltée, peu après l'intersection de la route 132, conduit à une grève où on continuera sa promenade. Au cœur du village, un circuit patrimonial avec panneaux d'interprétation nous fait prendre contact avec l'histoire de la localité. 🐕

**Réseau pédestre** ................. 4,9 km

| Sentiers et parcours | Longueur | Type | Niveau |
|---|---|---|---|
| Route du Golf/Pointe-aux-Anglais ................... | 2,9 km ......... | Linéaire ....... | Facile |
| Circuit patrimonial (rue Sainte-Cécile) ............ | 2,0 km ......... | Linéaire ....... | Facile |

| Services et | |
| aménagements | ✳ 🅿 🚻 🚮 ✗ 🏞 🛏 |

| Activités | |
| complémentaires | 🎿  *Hiver* 🏃❄ *4,9 km* |

| | |
|---|---|
| **Période d'accès** .................. | Toute l'année, du lever au coucher du soleil |
| **Frais d'accès** ........................ | Gratuit |
| **Voie d'accès** ......................... | À environ 18 km à l'ouest de Rimouski, on peut accéder à ces circuits à partir de la route 132, en plein cœur du village du Bic. |
| **Gestionnaire** ........................ | Municipalité du Bic |
| **Pour information** .................. | (418) 736-5833 |

## 45  ZEC BAS-SAINT-LAURENT

Le mont à la Lunette est l'un des monts les plus élevés de la zec Bas-Saint-Laurent. Celle-ci constitue un territoire sauvage de 1 017 km‴ voué en premier lieu à la chasse et à la pêche, mais aussi à la marche.

Réseau pédestre ................. 4,0 km

| Sentiers et parcours | Longueur | Type | Niveau |
|---|---|---|---|
| Sentier micro-paysage ................................. 4,2 km ......... Boucle ......... Facile |

**Services et aménagements**

🎖️ 🅿️ 🚻 🏕️ ⛺

*Autres : passerelle*

**Activités complémentaires**

🍃 *Hiver* 🎿 *TT*

**Documentation** .................... Dépliant et carte de la zec (à l'accueil)

**Période d'accès** .................. De mai à septembre, de 7 h à 20 h ⚠ *Aucune randonnée pédestre n'est autorisée durant la période de chasse.*

**Frais d'accès** (taxes incl.) ..... 6,35 $ par véhicule incluant le conducteur
2,30 $ par passager supplémentaire

**Voie d'accès** ........................ De Rimouski, suivre la route 232 ouest jusqu'à la jonction de la route 234. De là, continuer tout droit et suivre les indications pour le poste d'accueil Caribou de la zec Bas-Saint-Laurent sur 5 km. La zec se situe à environ 22 km de Rimouski.

**Gestionnaire** ........................ Société de gestion des ressources du Bas-Saint-Laurent
**Pour information** ................. (418) 735-2542 ...... (418) 723-5766
www.zecbsl.com

# Cantons-de-l'Est

*Mont Ham*

# CANTONS-DE-L'EST

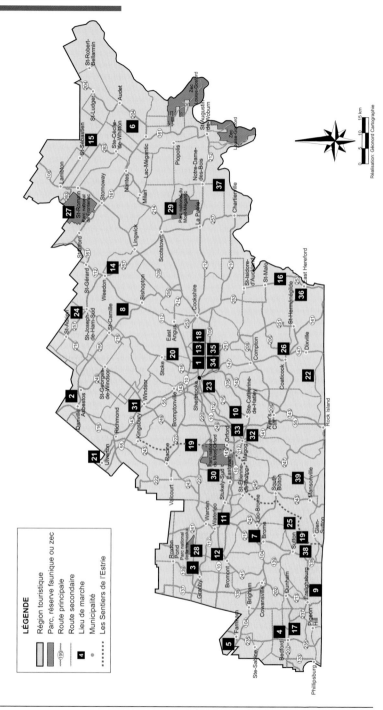

# LIEUX DE MARCHE

| | |
|---|---|
| **1** | BOIS BECKETT |
| **2** | CENTRE D'INTERPRÉTATION DE LA NATURE DE L'ÉTANG BURBANK |
| **3** | CENTRE D'INTERPRÉTATION DE LA NATURE DU LAC BOIVIN (CINLB) |
| **4** | CENTRE D'INTERPRÉTATION DE LA RIVIÈRE AUX BROCHETS |
| **5** | CENTRE DE LA NATURE DE FARNHAM |
| **6** | CIRCUIT PÉDESTRE À LA DÉCOUVERTE DE LAC-MÉGANTIC |
| **7** | CIRCUIT PÉDESTRE DE KNOWLTON (LAC-BROME) |
| **8** | FORÊT HABITÉE DE DUDSWELL |
| **9** | FRELIGHSBURG |
| **10** | L'ÎLE ET LES MARAIS DE KATEVALE |
| **11** | LA CAMPAGNARDE |
| **12** | LA VILLAGEOISE |
| **13** | LE CIRCUIT DU VIEUX NORD DE SHERBROOKE |
| **14** | LE PARC DU VIEUX MOULIN |
| **15** | LE SENTIER DU MORNE |
| **16** | LE SENTIER POÉTIQUE DE SAINT-VENANT-DE-PAQUETTE |
| **17** | LES JARDINS D'EAU DE LA VALLÉE DE DUNHAM |
| **18** | LES JARDINS DU DOMAINE HOWARD |
| **19** | LES SENTIERS DE L'ESTRIE |
| **20** | LES SENTIERS DE L'ESTRIE : PIC CHAPMAN |
| **21** | LES SENTIERS DU MOULIN À LAINE D'ULVERTON |
| **22** | LES SENTIERS DU PARC HAROLD F. BALDWIN |
| **23** | MONT BELLEVUE |
| **24** | MONT HAM |
| **25** | PARC D'ENVIRONNEMENT NATUREL DE SUTTON |
| **26** | PARC DE LA GORGE DE COATICOOK |
| **27** | PARC NATIONAL DE FRONTENAC |
| **28** | PARC NATIONAL DE LA YAMASKA |
| **29** | PARC NATIONAL DU MONT-MÉGANTIC |
| **30** | PARC NATIONAL DU MONT-ORFORD |
| **31** | PARC WATOPEKA |
| **32** | PARCS DE LA BAIE-DE-MAGOG ET DE LA POINTE MERRY |
| **33** | PISTE MULTIFONCTIONNELLE MAGOG-ORFORD |
| **34** | RÉSEAU LES GRANDES FOURCHES |
| **35** | RÉSEAU RIVERAIN DE LA RIVIÈRE MAGOG |
| **36** | SENTIER PÉDESTRE NEIL-TILLOTSON |
| **37** | SENTIERS FRONTALIERS |
| **38** | STATION DE MONTAGNE AU DIABLE VERT |
| **39** | STATION TOURISTIQUE OWL'S HEAD |

## BIENVENUE DANS LA RÉGION DES CANTONS-DE-L'EST

Située à quelque 80 km au sud-est de Montréal et à une centaine de kilomètres au sud de Québec, la captivante région des Cantons-de-l'Est propose un terrain de jeu unique pour les amateurs de plein air et de randonnées pédestres. Couvrant 13 100 km², son territoire s'étend de Granby et Sutton à Lambton et Lac-Mégantic, en passant par Sherbrooke et Magog-Orford, jouxtant de plus la frontière américaine sur 300 km. Ce voisinage lui confère un caractère unique harmonisant parfaitement le charme de la Nouvelle-Angleterre à la joie de vivre québécoise!

L'histoire des Cantons-de-l'Est est marquée par le passage de plusieurs peuples qui, au fil des années, ont adopté ces lieux exceptionnels à la nature accueillante. Les Abénaquis ont été les premiers à baptiser les différents lacs et rivières de toponymes toujours utilisés de nos jours : Memphrémagog, Mégantic, Coaticook, Massawippi, etc. Les Loyalistes (fidèles à la Couronne britannique lors de la guerre d'indépendance américaine) s'établirent dans la région dans les années 1776-1782. On leur doit le découpage de la région en « Townships », ainsi qu'un riche patrimoine architectural au Québec. Les élégantes maisons victoriennes, ainsi que les magnifiques ponts couverts et granges rondes, rappellent également l'époque de la colonisation.

Dominante à plusieurs endroits, la chaîne des Appalaches offre aux marcheurs des petits et grands défis au cœur d'une nature grandiose. Quatre parcs provinciaux permettent un accès facile et sécuritaire à des réseaux de sentiers des plus invitants pour les débutants comme pour les marcheurs aguerris. L'été venu, les stations de ski alpin convient, quant à elles, à la découverte de panoramas exceptionnels de lacs et de reliefs à n'en plus finir! Que dire des différents sentiers d'interprétation répartis çà et là dans la région, sans compter les parcs municipaux ou privés où les marcheurs sauront assouvir leur curiosité tout en se délassant les jambes! Également, les petits villages pittoresques typiques de la région des Cantons-de-l'Est vous raconteront leur histoire au gré d'une promenade.

Les Cantons-de-l'Est, une région à découvrir à pied!

## 1 BOIS BECKETT

Le Bois Beckett est situé dans la ville de Sherbrooke. On peut y emprunter des sentiers qui servent, l'hiver, pour le ski de fond. Elle a été classée zone d'aménagement naturel. L'érablière jadis exploitée par la famille Beckett est reconnue comme écosystème forestier exceptionnel.   *Une partie du Bois Beckett a été désignée « Forêt ancienne » par le ministère des Ressources naturelles du Québec.*

**Réseau pédestre** .................. 6,5 km

| Sentiers et parcours | Longueur | Type | Niveau |
|---|---|---|---|
| L'Oriole ................................................ | 1,2 km ........ | Linéaire ....... | Intermédiaire |
| Le Panache ........................................ | 1,8 km ........ | Linéaire ....... | Facile |

**Services et aménagements**

**Activités complémentaires**  *Hiver*  TT

**Documentation** .................... Carte (au bureau d'information touristique)
**Période d'accès** ................... Toute l'année, du lever au coucher du soleil
**Frais d'accès** ........................ Gratuit
**Voie d'accès** ........................ De la route 112 à Sherbrooke, emprunter le boulevard Jacques-Cartier vers le nord et tourner à gauche sur la rue Beckett. L'entrée se trouve à environ 100 m.

**Gestionnaire** ......................... Regroupement Bois Beckett inc.
**Pour information** ................. (819) 565-5857

## 2 CENTRE D'INTERPRÉTATION DE LA NATURE DE L'ÉTANG BURBANK

Dans le parc municipal de Danville, un sentier ceinture un plan d'eau. Une passerelle sur pilotis mène à une tour permettant d'observer les oiseaux.

**Réseau pédestre** ................. 3,6 km (mixte, facile)

**Services et aménagements**
*Autres : passerelle, aire de jeux*

**Documentation** .................... Dépliant-carte (à l'hôtel de ville en bordure du lieu de marche)
**Période d'accès** ................... D'avril à novembre, du lever au coucher du soleil
**Frais d'accès** ........................ Gratuit
**Voie d'accès** ........................ De la sortie 88 de l'autoroute 55, prendre la route 116 est jusqu'à Danville. Tourner à droite sur la rue Daniel-Johnson, à gauche sur la rue Grove, puis enfin à droite sur la rue Water.

**Gestionnaire** ......................... Ville de Danville
**Pour information** ................. (819) 839-2771

---

*Cantons-de-l'Est*

## 3 CENTRE D'INTERPRÉTATION DE LA NATURE DU LAC BOIVIN (CINLB)

À la suite de travaux d'aménagement dans la région de Granby, les rives du lac Boivin ont évolué en marais. Les plantes aquatiques ont envahi les eaux peu profondes. Ce marais est devenu une halte importante pour les oiseaux qui nichent plus au nord. Deux cent vingt espèces y ont été observées : martins-pêcheurs, busards, hérons, butors, balbuzards, etc. C'est un paradis pour ornithologues. Deux tours ont été aménagées.

**Réseau pédestre** ................. 9,7 km (Multi : 3,0)

| Sentiers et parcours | Longueur | Type | Niveau |
|---|---|---|---|
| La Prucheraie | 1,4 km | Boucle | Facile |
| Le Marécage | 0,9 km | Boucle | Facile |
| Les Ormes | 1,4 km | Linéaire | Facile |
| La Randonnée | 6,0 km | Linéaire | Intermédiaire |

**Services et aménagements**

*Autres : passerelle, centre d'interprétation, boutique*

**Activités complémentaires**

 Hiver 2,3 km   1,4 km

**Documentation** ..................... Carte, liste des oiseaux (à l'accueil)
**Période d'accès** ................... Toute l'année
De 8 h 30 à 16 h 30, de 9 h à 17 h les fins de semaine
**Frais d'accès** ........................ Gratuit
**Voie d'accès** ........................ De la sortie 74 de l'autoroute 10, continuer sur environ 5 km en suivant les indications pour « Centre de la nature ».

**Gestionnaire** ......................... Centre d'interprétation de la nature du lac Boivin (CINLB)
**Pour information** ................. (450) 375-3861, cinlb@endirect.qc.ca

## 4 CENTRE D'INTERPRÉTATION DE LA RIVIÈRE AUX BROCHETS

Ce circuit, situé aux limites de la ville de Bedford, amène le marcheur à découvrir les cinq barrages de la rivière aux Brochets. 

**Réseau pédestre** ................. 2,0 km (Multi)

| Sentiers et parcours | Longueur | Type | Niveau |
|---|---|---|---|
| Sentier Le Pionnier | 2,0 km | Boucle | Facile |

**Services et aménagements**

*Autres : centre d'interprétation*

**Activités complémentaires**

 Hiver 2,0 km

**Période d'accès** ................... Toute l'année, du lever au coucher du soleil
**Frais d'accès** ........................ Gratuit

**Voie d'accès** .......................**Accès 1** : de la route 133, prendre la route 202 vers l'est. Au centre-ville de Bedford, tourner à gauche sur la rue du Pont, à gauche encore sur la rue Champagnat et continuer jusqu'au bout, soit environ 1 km. **Accès 2** : de Farnham, prendre la route 235 vers le sud. Au centre-ville de Bedford, prendre la rue Wheeler, tourner à droite sur la rue Champagnat et continuer jusqu'au bout, soit environ 1 km.

**Gestionnaire** .........................Ville de Bedford/Scouts
**Pour information** .................(450) 248-2440, ville.de.bedford@ville.bedford.qc.ca

## 5 CENTRE DE LA NATURE DE FARNHAM

Situé dans la ville de Farnham, ce centre est un parc urbain, un îlot de nature. Un des sentiers longe la rivière Yamaska et offre plusieurs points de vue. ★ *Le sentier Le Dortoir est nommé ainsi en raison des milliers d'« oiseaux noirs » qui viennent y dormir en été.*

**Réseau pédestre** ..................2,4 km

| Sentiers et parcours | Longueur | Type | Niveau |
|---|---|---|---|
| La Yamaska | 1,4 km | Boucle | Facile |
| Le Dortoir | 0,5 km | Linéaire | Facile |

**Services et aménagements**

*Autres : observatoire, cache, abri*

**Activités complémentaires**

**Documentation** ....................Dépliant-carte (à l'hôtel de ville et au bureau d'information touristique)
**Période d'accès** ...................De mai à octobre, du lever au coucher du soleil
**Frais d'accès** ........................Gratuit
**Voie d'accès** ........................De la sortie 55 de l'autoroute 10, prendre la route 235 vers le sud jusqu'à Farnham. Tourner à gauche sur la rue Yamaska Est et poursuivre sur 1,5 km, soit jusqu'au bout.

**Gestionnaire** .........................Ville de Farnham
**Pour information** .................(450) 293-3178 ...... (450) 266-4900
www.villede.farnham.qc.ca

## 6 CIRCUIT PÉDESTRE À LA DÉCOUVERTE DE LAC-MÉGANTIC

Le premier de ces deux circuits au cœur de la ville historique débute à la marina, au quai municipal. On revit, par cette incursion dans le passé, l'activité industrielle et ferroviaire de cet important nœud de communication que fut Lac-Mégantic au siècle dernier. Le circuit Agnès permet de prolonger la découverte. 🐕

**Réseau pédestre** ..................5,6 km

| Sentiers et parcours | Longueur | Type | Niveau |
|---|---|---|---|
| Circuit Cœur de la ville | 3,0 km | Boucle | Facile |
| Circuit Agnès-Quartier Sud | 2,6 km | Boucle | Facile |

| Services et aménagements |  |
|---|---|

*Autres : aire de jeux*

| Activités complémentaires |  Hiver  5,6 km |
|---|---|

**Documentation** .................... Dépliant-carte (au bureau d'information touristique de Lac-Mégantic)

**Période d'accès** ................... Toute l'année, du lever au coucher du soleil

**Frais d'accès** ........................ Gratuit

**Voie d'accès** ......................... Les deux circuits débutent en plein cœur de la ville de Lac-Mégantic.

**Gestionnaire** ......................... Tourisme Région de Mégantic inc.

**Pour information** .................. 1 800 363-5515 ..... (819) 583-5515
tourisme-megantic.com

## 7 CIRCUIT PÉDESTRE DE KNOWLTON (LAC-BROME)

Ce village prit naissance en 1802 après l'arrivée des Loyalistes. On y découvre le charme des habitations et des bâtiments de style victorien datant de la fin du XIX$^e$ siècle. Un sentier longe l'étang Millpond et un autre la rivière Coldbrook.

**Réseau pédestre** ................. 4,2 km (mixte, facile)

| Services et aménagements |  |
|---|---|

| Activités complémentaires |  Hiver  4,2 km |
|---|---|

**Documentation** .................... Brochure (au bureau d'information touristique, au musée et à l'hôtel de ville)

**Période d'accès** ................... Toute l'année, du lever au coucher du soleil

**Frais d'accès** ........................ Gratuit

**Voie d'accès** ......................... De la sortie 90 de l'autoroute 10, prendre la route 243 sud jusqu'à Lac-Brome (Knowlton). Le circuit débute au 130, rue Lakeside, et le sentier au stationnement municipal sur la même rue.

**Gestionnaire** ......................... Municipalité de Knowlton/Chambre de commerce

**Pour information** .................. (450) 243-6111 ...... (450) 242-2870

## 8 FORÊT HABITÉE DE DUDSWELL

Ce massif forestier de 400 hectares compte cinq sentiers pédestres. Un circuit facile mène à la découverte de la faune ailée, d'une ancienne carrière de marbre et de l'histoire géologique de la région. Un autre circuit, de calibre intermédiaire, conduit à une vue sur le lac d'Argent et le mont Mégantic, et permet de constater l'évolution des peuplements forestiers à la suite du grand verglas de 1998.

**Réseau pédestre** ................. 10,1 km

| Sentiers et parcours | Longueur | Type | Niveau | Dénivelé |
|---|---|---|---|---|
| Sentier du Ravage | 2,5 km | Mixte | Intermédiaire | 100 m |
| Sentier des Crêtes | 3,0 km | Mixte | Intermédiaire | 100 m |
| Sentier du lac Adolphe | 0,8 km | Linéaire | Facile | |
| Sentier de la Falaise | 2,8 km | Mixte | Intermédiaire | 100 m |

**Services et aménagements**

**Activités complémentaires**

 Hiver  10,1 km

**Documentation** .................... Dépliant-carte (au bureau d'information touristique)
**Période d'accès** .................. D'avril à octobre, du lever au coucher du soleil
⚠ *Le lieu est fermé aux randonneurs en période de chasse.*
**Frais d'accès** ........................ Gratuit
**Voie d'accès** ........................ À peu près à mi-chemin entre East Angus et Weedon Centre sur la route 112, suivre les indications pour Dudswell. Le bureau d'information touristique se situe à la jonction de la rue Principale et du chemin du Lac.

**Gestionnaire** ........................ Comité de gestion de la Forêt habitée de Dudswell
**Pour information** .................. (819) 832-4914, www.mrchsf.com/cld

## 9 FRELIGHSBURG

Deux sentiers ont été développés sur le versant nord du mont Le Pinacle. Le sentier La Saulaie passe sur une ancienne terre agricole devenue plantation d'épinettes noires, puis dans une érablière. Il longe un petit ruisseau et retourne vers le stationnement. Le second sentier est abrupt et grimpe dans la montagne à travers les érables. Les deux sentiers sont en boucle et partagent un tronçon commun. 🐕 ⚠ *Le sommet lui-même du mont Le Pinacle est situé sur une propriété privée et n'est pas accessible.*

**Réseau pédestre** .................. 3,0 km

| Sentiers et parcours | Longueur | Type | Niveau | Dénivelé |
|---|---|---|---|---|
| Sentiers de l'Érablière | 1,5 km | Mixte | Facile/Inter. | 100 m |
| Sentier La Saulaie | 1,5 km | Boucle | Facile/Inter. | |

**Services et aménagements**

**Activités complémentaires**

**Documentation** .................... Carte des sentiers, dépliant (aux bureaux d'information touristique de Frelighsburg, Dunham et Sutton)
**Période d'accès** .................. De fin avril à fin octobre, du lever au coucher du soleil
⚠ *Prudence en période de chasse*
**Frais d'accès** ........................ Gratuit (ou contribution volontaire à Fiducie foncière du mont Pinacle)
**Voie d'accès** ........................ De Cowansville, prendre la route 202 vers l'ouest jusqu'à Dunham, puis la route 213 en direction sud. Avant d'arriver

à Frelighsburg, tourner à gauche sur le chemin du Pinacle. Sur la droite, un panneau indiquant « Fiducie Foncière » marque l'accès au sentier.

**Gestionnaire** ......................... Fiducie foncière du Mont Pinacle
**Pour information** ................. (450) 298-1094 ...... (450) 298-1324
www.montpinacle.ca

## 10 L'ÎLE ET LES MARAIS DE KATEVALE

Formés autour des années 1910 après la construction d'un barrage à la décharge du lac Magog, le marais et l'île offrent à la faune et à la flore aquatique, palustre et terrestre, un gîte attrayant. On marchera le long du lac Magog qui débouche sur un marais contenant l'emprise d'un ancien chemin de fer. Là, on accèdera aux sentiers de la petite île. Un belvédère et une tour facilitent l'observation des oiseaux.

**Réseau pédestre** ................. 3,8 km

| Sentiers et parcours | Longueur | Type | Niveau |
|---|---|---|---|
| Les Écureuils | 0,8 km | Boucle | Facile |
| L'If | 1,0 km | Boucle | Facile |
| La Salamandre | 0,8 km | Boucle | Facile |

**Services et aménagements**

**Documentation** ..................... Dépliant-carte (au bureau d'information touristique de Magog)
**Période d'accès** ................. D'avril à novembre, du lever au coucher du soleil
**Frais d'accès** ........................ Contribution volontaire
**Voie d'accès** ........................ De la route 108 près de l'intersection de l'autoroute 55, emprunter le chemin du Ruisseau, puis la rue des Sapins sur environ 500 m.

**Gestionnaire** ......................... L'Île du marais inc.
**Pour information** ................. (819) 868-0033

## 11 LA CAMPAGNARDE

Cette piste cyclable et pédestre, construite sur l'emprise d'une ancienne voie ferrée, est recouverte de poussière de roche. Elle s'étend de Foster à Drummondville en passant tantôt en milieu urbain, tantôt en milieu rural.

**Réseau pédestre** ................. 79,0 km (Multi) (linéaire, facile)

**Services et aménagements**
*Autres : passerelle*

**Activités complémentaires**

**Documentation** ..................... Carte (aux bureaux d'information touristique de Drummondville, Acton Vale et Waterloo)
**Période d'accès** ................. D'avril à décembre, du lever au coucher du soleil

**Frais d'accès** ........................ Gratuit
**Voie d'accès** ........................ Il existe une dizaine d'accès tout le long de la piste.

**Gestionnaire** ........................ Association cycliste Drummond-Foster
**Pour information** ................. (450) 546-7642 ...... (450) 548-5568

## 12   LA VILLAGEOISE

Cette piste multifonctionnelle, dont la surface est en poussière de roche, rejoint L'Estriade au kilomètre 10. Aménagée en pleine nature, elle serpente à travers des vallons. 🐴

**Réseau pédestre** ................. 2,4 km (Multi)(linéaire, facile)

**Services et aménagements**

**Activités complémentaires**

*Hiver* 🏃 *2,4 km*

**Période d'accès** ................... Toute l'année, du lever au coucher du soleil
**Frais d'accès** ........................ Gratuit
**Voie d'accès** ........................ Le départ s'effectue au bureau d'information touristique de Bromont.

**Gestionnaire** ........................ Ville de Bromont
**Pour information** ................. (450) 534-2021, www.granby-bromont.com

## 13   LE CIRCUIT DU VIEUX NORD DE SHERBROOKE

Ce circuit auto-guidé à l'aide d'un baladeur et d'une carte débute au Centre d'interprétation de l'histoire de Sherbrooke. Celui-ci est situé sur la rue Dufferin et présente des expositions sur l'histoire régionale. On marchera surtout dans des quartiers paisibles, en entendant des descriptions de maisons de l'époque victorienne et de la vie de leurs habitants. 🐴

**Réseau pédestre** ................. 3,0 km (boucle, facile)

**Services et aménagements**

*Autres : centre d'interprétation*

**Activités complémentaires**

*Hiver* 🏃❄ *3,0 km*

**Documentation** ..................... Audiocassette, carte (au centre d'interprétation)
**Période d'accès** ................... Toute l'année
De 9 h à 15 h (mardi à vendredi)
De 13 h à 15 h (samedi et dimanche)
**Frais d'accès** (taxes incl.) ..... 10,00 $ par appareil (pour 1 ou 2 personnes)
2,50 $ pour la carte
**Voie d'accès** ........................ De la route 112 en plein cœur de Sherbrooke, prendre la rue Belvédère en direction nord. Tourner à droite sur la rue Marquette qui devient rue Dufferin. Le Centre d'interprétation de l'histoire est situé au 275.

**Gestionnaire** ........................ Société d'histoire de Sherbrooke
**Pour information** ................. (819) 821-5406, www.shs.ville.sherbrooke.qc.ca

## 14 LE PARC DU VIEUX MOULIN

Dans un petit parc à la campagne, un sentier conduit à une vieille roue à eau et longe un ruisseau. 🐾

**Réseau pédestre** ................. 2,0 km (boucle, facile)

**Services et aménagements**

**Période d'accès** ................... D'avril à octobre, du lever au coucher du soleil
**Frais d'accès** ........................ Gratuit
**Voie d'accès** ........................ De Sherbrooke, suivre la route 112 est sur 60 km environ, soit jusqu'à Weedon Centre. Le parc est situé sur la rue Saint-Janvier

**Gestionnaire** ........................ Municipalité de Weedon
**Pour information** ................. (819) 877-2727

## 15 LE SENTIER DU MORNE

À proximité d'un centre d'interprétation du granit, on peut entreprendre l'ascension du mont Saint-Sébastien qui est fait de cette roche. L'introduction de celle-ci dans la chaîne des Appalaches daterait de 365 millions d'années. Au retour, on pourra voir une mine de molybdène. Des panneaux traitant de la géologie, de la nature et de l'histoire des Abénakis sont posés le long du parcours. De plus, en haut du sentier, à 820 m d'altitude, des tables de lecture du paysage interprètent celui-ci sur 300 km. 🐾

**Réseau pédestre** ................. 2,4 km (mixte, intermédiaire, dénivelé max. de 200 m)

**Services et aménagements**

**Activités complémentaires**

 *Hiver* 🚶 *2,4 km*

**Période d'accès** ................... Toute l'année, du lever au coucher du soleil
**Frais d'accès** ........................ Gratuit
**Voie d'accès** ........................ De Lac-Mégantic, prendre la route 161 nord, puis la route 263 nord. Suivre les indications pour Lac-Drolet, puis celles pour la Maison du granit. On accède aux sentiers en face de celle-ci.

**Gestionnaire** ........................ Paysmage
**Pour information** ................. (418) 483-5524, sentierdumorne@sogetel.net

## 16 LE SENTIER POÉTIQUE DE SAINT-VENANT-DE-PAQUETTE

Le chanteur Richard Séguin, aidé d'habitants du village et d'écoliers, a travaillé à l'aménagement de ce sentier en forêt où l'on retrouve des œuvres de poètes québécois. On pourra lire, par exemple, « Mes ormes dans la plaine », d'Alfred Desrochers, ou « J'ai planté un chêne », de Gilles Vigneault. 🐾

**Réseau pédestre** ................. 3,0 km (boucle, facile)

**Services et aménagements**

*Autres : boutique*

**Activités complémentaires**

Documentation ..................... Dépliant (au bureau d'information touristique de Coaticook)
Période d'accès ................... De fin juin à la fête de l'Action de Grâce, de 10 h à 18 h
Frais d'accès ....................... 5,00 $ par personne, carte de membre disponible
Voie d'accès ........................ De Coaticook, suivre la route 206 vers l'est en direction de Sainte-Edwidge et Saint-Malo, puis prendre la route 253 vers le sud jusqu'à Saint-Venant-de-Paquette. Le sentier débute à la Maison de l'Arbre ou à l'église.

Gestionnaire ........................ Le sentier poétique de Saint-Venant-de-Paquette
Pour information ................. (819) 658-1064 ...... (819) 658-3660
www.amisdupatrimoine.qc.ca

## 17 LES JARDINS D'EAU DE LA VALLÉE DE DUNHAM

Une promenade autour de quatre étangs aménagés permet d'admirer des nymphéas, des lotus, et d'autres plantes de milieux humides et aquatiques, ainsi que la faune résidant dans ces milieux. D'autres sentiers conduisent à travers l'habitat du lièvre, de la perdrix et du cerf de Virginie. L'organisme gestionnaire est dédié à l'interprétation du milieu aquatique.   *Situé sur la route migratoire des monarques, un espace spécial a été aménagé pour ces papillons.*

Réseau pédestre ................. 3,5 km (boucle, facile)

**Services et aménagements**

*Autres : piste d'hébertisme, boutique*

**Activités complémentaires**

Documentation ..................... Carton publicitaire (à l'accueil et au kiosque d'information touristique)
Période d'accès ................... De juin à octobre, de 9 h à 17 h (de juin à août), de 10 h à 16 h (de septembre à octobre)
Frais d'accès (taxes incl.) ..... 19 à 64 ans : 8,00 $
65 ans et plus : 5,00 $
12 à 18 ans : 5,00 $
6 à 11 ans : 3,00 $
Voie d'accès ........................ **De Saint-Jean-sur-Richelieu :** prendre l'autoroute 35 sud jusqu'aux feux de circulation. Tourner à gauche sur le chemin Grande Ligne, à droite sur la route 235 sud et finalement à gauche sur la route 202 est. Les jardins se situent au 140 de la route 202 Stanbridge Est.
**De Sherbrooke**, prendre l'autoroute 10 jusqu'à la sortie 68. Suivre ensuite la route 139 sud puis la route 202 ouest. Les jardins se situent au 140 de la route 202 Stanbridge Est.

Gestionnaire ........................ À Fleur d'eau
Pour information ................. (450) 248-7008, www.afleurdeau.qc.ca/jardins

## 18 LES JARDINS DU DOMAINE HOWARD

Le Sénateur Charles Benjamin Howard fit construire, dans les années 20, une serre et trois imposantes résidences sur son vaste domaine. Une seconde serre a été ajoutée au début des années 30. Situés au cœur de la ville de Sherbrooke, les jardins renferment arbres, arbustes et plantes dont 2 000 chrysanthèmes. On peut y voir un jardin d'inspiration orientale et un jardin mexicain.

**Réseau pédestre** ............... 2,0 km (boucle, facile)

**Services et aménagements**

**Documentation** ................... Dépliant (à l'hôtel de ville et au bureau d'information touristique de Sherbrooke)
**Période d'accès** ................. De mai à novembre, du lever au coucher du soleil
**Frais d'accès** ....................... Gratuit sauf lors d'activités spéciales
**Voie d'accès** ........................ De l'autoroute 410 à Sherbrooke, prendre la sortie 2, puis tourner à gauche sur le boulevard Portland. Poursuivre ensuite sur environ 3 km.

**Gestionnaire** ........................ Ville de Sherbrooke
**Pour information** ................. (819) 821-1919 ...... 1 800 561-8331
www.sders.com/tourisme

## 19 LES SENTIERS DE L'ESTRIE

Ce sentier est l'un des plus anciens corridors de longue randonnée au Québec. Il s'étend sur la crête et les vallées du corridor appalachien des Cantons-de-l'Est, depuis le village de Kingsbury jusqu'à la frontière des États-Unis. Il franchit une quinzaine de sommets, notamment par les monts Sutton, Écho, Glen et Orford. Son parcours se situe principalement en forêt, mais de nombreux sommets dégagés offrent des panoramas. Le randonneur de longue distance rencontrera le long du parcours des sites de camping rustiques et des refuges. Il pourra aussi profiter, à proximité du sentier, de sites de camping aménagés et d'auberges. L'amateur de courtes distances pourra parcourir ce sentier par sections, car il est accessible en de nombreux endroits. ★ *Un topo-guide permet au randonneur de bien anticiper et découvrir tous les attraits du parcours.* ⚠ *Seuls les membres des Sentiers de l'Estrie sont autorisés à circuler sur les sentiers, à moins de détenir un permis journalier.*

**Réseau pédestre** ................. 130,7 km

| Sentiers et parcours | Longueur | Type | Niveau | Dénivelé |
|---|---|---|---|---|
| Zone 7 : Kingsbury | 15,5 km | Linéaire | Facile | 175 m |
| Zone 6 : Brompton | 12,5 km | Linéaire | Intermédiaire | 225 m |
| Zone 5 : Orford | 24,1 km | Linéaire | Difficile | 571 m |
| Zone 4 : Bolton | 28,0 km | Linéaire | Intermédiaire | 460 m |
| Zone 3 : Glen | 13,3 km | Linéaire | Difficile | 426 m |
| Zone 2 : Écho | 15,0 km | Linéaire | Difficile | 496 m |
| Zone 1 : Sutton | 22,3 km | Linéaire | Difficile | 568 m |

**Services et aménagements**

*Autres : plate-forme de camping, passerelle*

**Activités**
**complémentaires**  *Hiver*  *116,9 km*

**Documentation** ................... Topo-guide avec cartes (à la Maison du tourisme qui est située à la sortie 68 de l'autoroute 10 et dans plusieurs boutiques de plein air de Montréal et des Cantons-de-l'Est)

**Période d'accès** ................... Toute l'année, du lever au coucher du soleil
⚠ *Les sentiers sont fermés durant les deux premières semaines de novembre, à l'exception de la zone Orford. Les zones Sutton et Glen sont accessibles en partie. Il est préférable d'appeler avant de s'y rendre.*
*Info Sutton : (450) 538-4085*
*Info Mont Glen : (450) 243-6142*

**Frais d'accès** ....................... Carte de membre annuelle :
Individu : 20,00 $
Famille : 30,00 $
Groupe : 100,00 $
Permis journalier : 3,00 $ par personne

**Voie d'accès** ........................ **Extrémité nord :** de l'autoroute 55 près de Richmond, emprunter la route 243 vers le sud sur 4 km environ, puis tourner à gauche sur le chemin Frank. Le sentier prend son départ dans le village de Kingsbury. **Extrémité sud :** de Sutton, emprunter la route 139 vers le sud, tourner à gauche sur le chemin Brookfall, puis à droite sur le chemin Scenic. Continuer sur 10 km environ et tourner à gauche sur le chemin de la Vallée Missisquoi. L'entrée du sentier se situe non loin à gauche. ***Note :** une vingtaine d'accès sont possibles le long des Sentiers de l'Estrie et sont décrits dans le topo-guide.*

**Gestionnaire** ......................... Les Sentiers de l'Estrie inc.
**Pour information** .................. (819) 864-6314, www.lessentiersdelestrie.qc.ca

JCT   PARC D'ENVIRONNEMENT NATUREL DE SUTTON
PARC NATIONAL DU MONT-ORFORD
STATION DE MONTAGNE AU DIABLE VERT

## 20   LES SENTIERS DE L'ESTRIE : PIC CHAPMAN

Ce sentier fait partie du réseau des Sentiers de l'Estrie. Situé dans l'arc volcanique des monts Stoke, son point culminant est le pic Chapman duquel on observe les confins des montagnes Vertes et Blanches, de même que la vallée de la haute Saint-François et la plate-forme appalachienne de l'extrême est de la région. À la descente vers le sud-ouest, on aura accès à une petite grotte au pied d'une paroi rocheuse. ⚠ *Seuls les membres des Sentiers de l'Estrie sont autorisés à circuler sur les sentiers, à moins de détenir un permis journalier.*

**Réseau pédestre** ................. 10,3 km (linéaire, intermédiaire, dénivelé max. de 335 m)

**Services et**
**aménagements**

**Activités**
**complémentaires**  *Hiver*  *10,3 km*

---

**Documentation** ..................... Topo-guide avec cartes (mêmes indications que pour le lieu précédent)

**Période d'accès** ................. Toute l'année, du lever au coucher du soleil ⚠ *Ce sentier est fermé durant les deux premières semaines de novembre.*

**Frais d'accès** ...................... Carte de membre annuelle :
Individu : 20,00 $
Famille : 30,00 $
Groupe : 100,00 $
Permis journalier : 3,00 $ par personne

**Voie d'accès** ....................... **Accès ouest :** de Sherbrooke, prendre la route 216 vers l'est sur une distance de 21 km environ. Tourner à droite sur le rang XI et poursuivre jusqu'au bout. **Accès est :** de Sherbrooke, suivre la route 216 vers l'est sur 27 km environ et tourner à droite sur le rang XIV. L'entrée du sentier se situe à 2,2 km.

**Gestionnaire** ......................... Les Sentiers de l'Estrie inc.
**Pour information** ................. (819) 864-6314, www.lessentiersdelestrie.qc.ca

## 21 LES SENTIERS DU MOULIN À LAINE D'ULVERTON

Au milieu du XIXᵉ siècle, l'arrivée massive de tisserands écossais favorisa l'établissement de nombreuses fabriques de laine au Québec. Le moulin d'Ulverton fut construit au cours de cette période. Il a été reconnu monument historique en 1977. Tracés autour du moulin, les sentiers sillonnent les berges de la rivière Ulverton. Une terrasse a été aménagée au bord de l'eau. Un centre d'interprétation nous initie aux méthodes industrielles et artisanales de production et de traitement de la laine. On peut approcher des enclos contenant des animaux de basse-cour, comme les moutons et les lapins. 🐾 ⭐ *Le moulin exploite une boutique spécialisée en produits faits de laine.*

**Réseau pédestre** ................. 5,0 km

| Sentiers et parcours | Longueur | Type | Niveau |
|---|---|---|---|
| Sentier du Berger | 1,9 km | Boucle | Facile |
| Sentier de la Brebis | 0,9 km | Boucle | Facile |
| Sentier rustique | 2,2 km | Boucle | Facile/Inter. |

**Services et aménagements**

Autres : centre d'interprétation, boutique, passerelle, passerelle suspendue

**Activités complémentaires**

 Hiver 🚶❄ 5,0 km 🎿 5,0 km + TT

**Période d'accès** ................. Toute l'année, de 10 h à 17 h
**Frais d'accès** (taxes incl.) ..... Adulte : 3,00 $
Âge d'Or et étudiant : 2,50 $
Enfant de 12 ans et moins : gratuit
Passe de saison : 15,00 $ pour 2 adultes

**Voie d'accès** ....................... De la sortie 103 ou 88 de l'autoroute 55, suivre les indications pour le moulin.

**Gestionnaire** ......................... Corporation du Vieux Moulin d'Ulverton
**Pour information** ................. (819) 826-3157, www.moulin.ca

# 22 LES SENTIERS DU PARC HAROLD F. BALDWIN

Les sentiers du parc Harold F. Baldwin offrent plusieurs points de vue, du haut du mont Pinacle, sur le lac Lyster et ses environs. Ils passent à travers une forêt mixte dont les différentes essences forestières ont atteint leur maturité.  *Cet endroit constitue une zone de nidification du faucon pélerin.*

**Réseau pédestre** ................ 8,4 km

| Sentiers et parcours | Longueur | Type | Niveau | Dénivelé |
|---|---|---|---|---|
| Sentier de l'Érablière ......................... | 2,0 km ........ | Linéaire ...... | Intermédiaire ........ | 70 m |
| Sentier des Moulins ...................... | 1,6 km ........ | Linéaire ...... | Facile | |
| Sentier du Grimpeur ..................... | 1,4 km ........ | Linéaire ...... | Difficile .............. | 100 m |

**Services et aménagements**

**Activités complémentaires**

**Documentation** .................... Carte, guide du sentier éducatif (au bureau d'information touristique et au dépanneur du village)

**Période d'accès** .................. De mi-mai à mi-novembre, du lever au coucher du soleil

**Frais d'accès** ........................ Gratuit

**Voie d'accès** ........................ De Coaticook, prendre la route 141 et suivre les indications pour Baldwin Mills. Le stationnement s'effectue derrière l'église sur le chemin May, ou à la station piscicole.

**Gestionnaire** ........................ Comité du Parc Harold F. Baldwin
**Pour information** ................. (819) 849-2638 ...... (819) 849-6669
www.proinformatique.com/projects/pinnacle/default

# 23 MONT BELLEVUE

Divers sentiers, utilisés l'hiver pour le ski de fond, sont accessibles aux marcheurs. Un belvédère a été aménagé au sommet près d'une croix lumineuse. De là, on verra Sherbrooke et ses environs.

**Réseau pédestre** ................. 12,0 km (boucle, intermédiaire, dénivelé max. de 80 m)

**Services et aménagements**

**Documentation** ..................... Carte (à l'accueil)
**Période d'accès** .................. Toute l'année, de 7 h à 23 h
**Frais d'accès** ........................ Gratuit
**Voie d'accès** ........................ De la rue Galt Ouest à Sherbrooke, prendre la rue Brébeuf jusqu'à la rue Jogues. Le centre de ski alpin, situé au 1300, donne accès aux sentiers.

**Gestionnaire** ........................ Ville de Sherbrooke/Arrondissement Bellevue
**Pour information** ................. (819) 821-5872

## 24   MONT HAM

Le mont Ham est un des plus hauts sommets des Cantons-de-l'Est. Un panorama de 360 degrés permet de voir la plaine environnante jusqu'au mont Mégantic et à la frontière américaine. La montée se fait le long d'un sentier d'interprétation. Des éléments de géologie et de géomorphologie sont, entre autres, les thèmes proposés.

**Réseau pédestre** .................. 15,6 km

| Sentiers et parcours | Longueur | Type | Niveau | Dénivelé |
|---|---|---|---|---|
| Sentier du buton | 5,3 km | Linéaire | Intermédiaire | 150 m |
| Sentier l'intrépide | 2,0 km | Linéaire | Intermédiaire | 350 m |
| Sentier des bouleaux | 5,5 km | Linéaire | Facile | |
| Sentier panoramique | 2,3 km | Linéaire | Intermédiaire | 100 m |

**Services et aménagements**

*Autres : centre d'interprétation, aire de jeux, piste d'hébertisme, tipis*

**Activités complémentaires**

   *Hiver*  *4,3 km*   *15,6 km + TT*

**Documentation** ..................... Dépliant-carte (à l'accueil)
**Période d'accès** .................. Toute l'année, de 9 h à 17 h
**Frais d'accès** (taxes incl.) ..... Adulte : 3,75 $
Enfant : 1,75 $
Prix de groupe disponible
**Voie d'accès** ........................ De Sherbrooke, prendre la route 216 vers l'est jusqu'à Saint-Camille. Poursuivre tout droit vers Ham-Sud, tourner à gauche sur la route 257 nord et continuer sur 4 km, soit jusqu'à l'accueil.

**Gestionnaire** ......................... Développement du mont Ham-Sud
**Pour information** .................. (819) 828-3608, www.montham.qc.ca

## 25   PARC D'ENVIRONNEMENT NATUREL DE SUTTON

Des sentiers de randonnée pédestre ont été tracés autour de la station de ski des monts Sutton. On pourra pique-niquer sur une plate-forme au lac Spruce. Un belvédère a été aménagé au Round Top (sommet Rond), qui culmine à 968 m. Il offre un panorama sur les montagnes Vertes des États-Unis et la rivière Missisquoi, qui coule en bas. On pourra aussi se rendre au belvédère de l'Alleghanys.

**Réseau pédestre** .................. 77,0 km

| Sentiers et parcours | Longueur | Type | Niveau | Dénivelé |
|---|---|---|---|---|
| Lac Spruce | 3,4 km | Boucle | Intermédiaire | |
| Sentier du Round Top | 3,8 km | Boucle | Difficile | 730 m |
| Dos d'Orignal | 6,0 km | Boucle | Intermédiaire | 570 m |
| Lac Mohawk | 4,0 km | Linéaire | Difficile | 490 m |
| Marmite des Sorcières | 1,1 km | Linéaire | Facile | 100 m |
| Sentier des Caps | 1,1 km | Linéaire | Facile | |

*Note : une section (20 km) des Sentiers de l'Estrie traverse ce parc.*

| Services et aménagements |  |
|---|---|

Autres : boutique, passerelle

**Activités complémentaires**    *Hiver*  50,0 km

**Documentation** .................... Dépliant-carte (à l'accueil)

**Période d'accès** .................. Toute l'année, du lever au coucher du soleil ⚠ *Port d'un dossard obligatoire pendant la période de chasse*

**Frais d'accès** (taxes incl.) ..... Adulte : 4,00 $
Enfant : 2,00 $
Enfant (0 à 5 ans) : gratuit
Famille : 10,00 $
Cartes de membre individuel et familial disponibles

**Voie d'accès** ......................... De la sortie 74 de l'autoroute 10, prendre la route 241 sud. Prendre ensuite la route 139 sud jusqu'à Sutton. Emprunter le chemin Maple et suivre les indications pour ski Sutton, puis Val Sutton. Continuer jusqu'au bout du chemin Réal.

**Gestionnaire** ......................... Parc d'environnement naturel de Sutton inc.

**Pour information** .................. (450) 538-4085 ...... 1 800 565-8455
www.parcsutton.com

JCT    LES SENTIERS DE L'ESTRIE
STATION DE MONTAGNE AU DIABLE VERT

## 26 PARC DE LA GORGE DE COATICOOK

Les eaux de la rivière Coaticook s'enfoncent dans la Gorge, vallée étroite et profonde, en dévalant de nombreux rapides. En empruntant la passerelle suspendue, on aura une vue saisissante du gouffre. On pourra aussi circuler dans une grotte (un ancien tunnel) et visiter une petite centrale hydroélectrique. Un village historique abénakis a aussi été reconstitué sur les lieux. 🐾 ⭐ *La plus longue passerelle suspendue au monde s'y trouve (169 m).* ⚠ *Les entrées sur le site s'arrêtent 1 h 15 avant la fermeture.*

**Réseau pédestre** .................. 10,8 km (Multi : 4,0)

| Sentiers et parcours | Longueur | Type | Niveau | Dénivelé |
|---|---|---|---|---|
| Sentier des Cascades ................................. | 0,8 km ......... | Linéaire ....... | Facile | |
| Sentier de la Montagne ........................... | 6,0 km ......... | Boucle ......... | Intermédiaire ....... | 80 m |
| Sentier de la Gorge ............................. | 4,0 km ......... | Boucle ......... | Intermédiaire ....... | 40 m |

| Services et aménagements |  |
|---|---|

Autres : aire de jeux, passerelle suspendue

**Activités complémentaires**   

**Documentation** .................... Dépliant, guide d'interprétation (à l'accueil)

**Période d'accès** .................. De mai à octobre
De 10 h à 17 h (9 h à 20 h du 24 juin au 2 septembre)

**Frais d'accès** (taxes incl.) ..... Adulte : 7,00 $
Enfant (6 à 15 ans) : 4,00 $
Enfant supplémentaire (même famille) : 2,00 $
**Voie d'accès** ........................ De la sortie 21 de l'autoroute 55, prendre la route 141 est jusqu'à Coaticook et suivre les indications.
**Gestionnaire** ........................ Société de développement du Parc de la Gorge de Coaticook
**Pour information** ................. (819) 849-2331 ...... 1 888 LA GORGE
www.gorgedecoaticook.qc.ca

## 27  PARC NATIONAL DE FRONTENAC  Parcs Québec

Dans ce parc, d'une superficie de 155 km², on a aménagé des équipements permettant d'accueillir et de récréer le visiteur, tout en protégeant le milieu. Le grand lac Saint-François en constitue l'élément majeur. Le secteur Sud se caractérise par une zone de basse altitude entourée d'une couronne de collines qui forme le « massif granitique de Winslow ». Des sentiers multifonctionnels donnent accès à la baie Sauvage. Dans le secteur Saint-Daniel, on trouve une tourbière structurée datant de 11 000 ans, parcourue par un réseau de sentiers pontés. ★ *On peut y voir des plantes insectivores, telles que la drosera et la sarracénie pourpre.*

**Réseau pédestre** ................. 45,6 km (Multi : 27,1)

| Sentiers et parcours | Longueur | Type | Niveau |
|---|---|---|---|
| Le Massif | 8,0 km | Linéaire | Intermédiaire |
| Les Grands Pins | 4,6 km | Boucle | Facile |
| Les Trois Moulins | 6,0 km | Linéaire | Intermédiaire |
| L'Érablière | 4,0 km | Boucle | Intermédiaire |
| La Tourbière | 4,5 km | Boucle | Facile |
| La Colline | 3,0 km | Boucle | Intermédiaire |

**Services et aménagements**

*Autres : aire de jeux*

**Activités complémentaires**

Hiver 🚶 *41,1 km*

**Documentation** .................... Journal du parc, dépliant, brochure d'interprétation (à l'accueil)
**Période d'accès** ................. Printemps-été-automne, de 6 h à 20 h 30
Hiver, de 6 h à 16 h 30
**Frais d'accès** ....................... Voir la tarification des Parcs nationaux du Québec dans les pages bleues au début du livre.
**Voie d'accès** ........................ **Secteur Saint-Daniel :** de Thetford Mines, prendre la route 267 sud jusqu'à Saint-Daniel et suivre les indications.
**Secteur Sud :** de Sherbrooke, suivre la route 108 vers l'est jusqu'à Saint-Romain, puis tourner à gauche sur la route 263 et continuer jusqu'à l'entrée du parc.
**Gestionnaire** ........................ SÉPAQ
**Pour information** ................. 1 800 665-6527 ..... (418) 486-2300
www.parcsquebec.com

## 28 PARC NATIONAL DE LA YAMASKA

Le parc national de la Yamaska, d'une superficie de 12,89 km², permet la pratique de différentes activités récréatives de plein air. Il se déploie autour d'un plan d'eau, le réservoir Choinière, bordé de forêts et de prairies. L'aménagement de celui-ci a favorisé la présence de nombreux oiseaux. En saison migratoire, la bernache du Canada, l'oie blanche et diverses espèces de canards y séjournent. Les érablières constituent un des attraits du parc, particulièrement à l'automne.

**Réseau pédestre** .................. 21,3 km (Multi : 18,9)(mixte, facile)

**Services et aménagements**

Autres : aire de jeux

**Activités complémentaires**

 Hiver  4,0 km  7,2 km

**Documentation** .................... Journal du parc, dépliants (à l'accueil et à la guérite du parc pendant l'hiver)

**Période d'accès** ................... Toute l'année, de 8 h au coucher du soleil

**Frais d'accès** ....................... Voir la tarification des Parcs nationaux du Québec dans les pages bleues au début du livre

**Voie d'accès** ........................ De la route 112 à Granby, suivre les indications sur environ 10 km. Le parc se trouve au 1780, boulevard David-Bouchard.

**Gestionnaire** ......................... SÉPAQ
**Pour information** ................ (450) 776-7182
www.parcsquebec.com

## 29 PARC NATIONAL DU MONT-MÉGANTIC

Le mont Mégantic est situé à proximité du lac Mégantic. L'élévation de ses sentiers varie de 590 à 1 105 m. Il y a sept sentiers dédiés exclusivement à la randonnée pédestre et quelques sentiers sont partagés avec les vélos de montagne. Au sommet du mont Mégantic, vous trouverez deux observatoires astronomiques et, au sommet du mont Saint-Joseph, un sanctuaire et un lieu de pèlerinage autour d'une chapelle centenaire récemment restaurée. Le parc, en raison de l'altitude et de la diversité des habitats fauniques présents, abrite 122 espèces d'oiseaux.

**Réseau pédestre** ................ 49,0 km (Multi : 27,6)

| Sentiers et parcours | Longueur | Type | Niveau | Dénivelé |
|---|---|---|---|---|
| Sentier des Crêtes | 3,8 km | Linéaire | Intermédiaire | 325 m |
| Sentier du Chablis | 4,8 km | Linéaire | Inter./Difficile | 335 m |
| Sentier du Mont-Mégantic | 3,1 km | Linéaire | Intermédiaire | 345 m |
| Sentier du Mont-Saint-Joseph | 3,2 km | Linéaire | Intermédiaire | 375 m |
| Sentier du Col | 1,5 km | Linéaire | Intermédiaire | 160 m |
| Sentier du Ruisseau-Fortier | 3,0 km | Linéaire | Intermédiaire | 310 m |

**Services et aménagements**

Autres : centre d'interprétation

**Activités complémentaires**

 Hiver  28,0 km

**Documentation** .................... Carte, journal du parc, liste des oiseaux (à l'accueil)
**Période d'accès** .................. Toute l'année, de 9 h à 17 h
**Frais d'accès** ........................ Voir la tarification des Parcs nationaux du Québec dans les pages bleues au début du livre
**Voie d'accès** ........................ De l'extrémité est de l'autoroute 10, continuer sur la route 112 vers East Angus, puis prendre la route 253 jusqu'à Cookshire. Emprunter ensuite la route 212 vers La Patrie et suivre les indications « Parc du Mont-Mégantic, sect. Observatoire ».

**Gestionnaire** ........................ SÉPAQ
**Pour information** ................. (819) 888-2941 ...... 1 866 888-2941
www.parcsquebec.com

## 30  PARC NATIONAL DU MONT-ORFORD    Parcs Québec

Le parc national du Mont-Orford est un territoire où la pratique d'activités de plein air et la protection du milieu naturel cohabitent harmonieusement. La diversité du relief et les 122,5 km de sentiers, offrant de nombreux panoramas, présentent un grand choix de distances et de niveaux de difficulté. Ce qui caractérise le mieux le parc, ce sont ses deux massifs : le mont Orford au sud-ouest et le mont Chauve au nord-est. Ils sont séparés par la vallée de la rivière aux Cerises. Plusieurs sentiers se situent autour de l'étang aux Cerises. À proximité, des cerfs de Virginie ont aménagé leur habitat. Les érables à sucre occupent plus de 80 % de l'espace.
★ *On peut assister à des concerts au Centre d'arts d'Orford, situé dans le parc.*

**Réseau pédestre** ................. 122,5 km (Multi : 80,0)

| Sentiers et parcours | Longueur | Type | Niveau | Dénivelé |
|---|---|---|---|---|
| Sentier des Crêtes | 7,6 km | Linéaire | Difficile | 533 m |
| Sentier de l'étang Fer de Lance | 2,0 km | Boucle | Facile | 50 m |
| Sentier du Mont-Chauve | 7,4 km | Boucle | Difficile | 330 m |
| Du Vallonier | 1,4 km | Linéaire | Facile | |
| *Note : une section (24,1 km) des Sentiers de l'Estrie traverse ce parc.* | | | | |

**Services et aménagements**

*Autres : salle d'exposition, aire de jeux*

**Activités complémentaires**

 Hiver  1,6 km  16,0 km

**Documentation** .................... Journal du parc, carte (à l'accueil)
**Période d'accès** .................. Toute l'année, du lever au coucher du soleil
**Frais d'accès** ........................ Voir la tarification des Parcs nationaux du Québec dans les pages bleues au début du livre
**Voie d'accès** ........................ De la sortie 118 de l'autoroute 10, prendre la route 141 nord et suivre les indications pour le secteur Stukely.

**Gestionnaire** ........................ SÉPAQ
**Pour information** ................. (819) 843-9855 ...... 1 877 843-9855
www.parcsquebec.com

JCT  LES SENTIERS DE L'ESTRIE

## 31 PARC WATOPEKA

Ce parc, situé sur le terrain du centre culturel La Poudrière, comprend un sentier qui longe la rivière Watopeka. En marchant sur ce sentier, on verra les vestiges de plusieurs bâtiments d'une usine de poudre du début du siècle. Au centre culturel, on expose des objets qui servaient à la fabrication de celle-ci.

**Réseau pédestre** ................. 5,0 km (mixte, facile)

**Services et aménagements**

Autres : aire de jeux

**Activités complémentaires**

**Documentation** .................... Dépliant-carte (à l'accueil)
**Période d'accès** ................... Toute l'année, du lever au coucher du soleil
Les services sont accessibles :
de mai à octobre, du mercredi au dimanche, de 13 h à 17 h
de juin à août, tous les jours, de 10 h à 17 h
**Frais d'accès** (taxes incl.) ..... 3,00 $ par personne
Gratuit pour les résidants de Windsor
**Voie d'accès** ........................ De la sortie 71 de l'autoroute 55, se diriger vers Windsor.
On accède au parc par la rue Saint-Georges.

**Gestionnaire** ........................ Parc historique de la poudrière de Windsor
**Pour information** ................. (819) 845-5284

## 32 PARCS DE LA BAIE-DE-MAGOG ET DE LA POINTE MERRY

En bordure du lac Memphrémagog, un sentier et une piste cyclable ont été tracés le long des parcs de la Baie-de-Magog et de la Pointe Merry, presqu'au cœur de la ville de Magog. Une plage y est également aménagée. C'est un endroit privilégié pour admirer la grande étendue d'eau qu'est le lac, bordé par la chaîne des Appalaches. ★ *L'hiver, il y a des cabanes chauffées aux deux extrémités du sentier.*

**Réseau pédestre** ................. 4,0 km (linéaire, facile)

**Services et aménagements**

Autres : aire de jeux

**Activités complémentaires**   Hiver  4,0 km

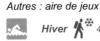

**Documentation** .................... Revue Magog-Orford (au bureau d'information touristique)
**Période d'accès** ................... Toute l'année, de 6 h à 24 h
**Frais d'accès** ........................ Gratuit
Frais de stationnement de début juin à mi-octobre
**Voie d'accès** ........................ **Accès 1 :** à l'entrée ouest de Magog par la route 112, on peut accéder à la promenade à partir du stationnement Cabana, en face du bureau d'information touristique.
**Accès 2 :** de la rue Principale au centre-ville de Magog, prendre la rue Merry Sud et, juste avant le pont, tourner à droite.

Gestionnaire ......................... Ville de Magog
Pour information ................ (819) 843-2744 ...... 1 800 267-2744
www.tourisme-memphremagog.com

[JCT] PISTE MULTIFONCTIONNELLE MAGOG-ORFORD

## 33 PISTE MULTIFONCTIONNELLE MAGOG-ORFORD

Cette piste, utilisée surtout par le vélo durant l'été et le ski de fond durant l'hiver, est fréquentée aussi par les marcheurs. Ces trois groupes apprennent peu à peu la convivialité et découvrent les périodes et les sections les plus propices à leurs activités respectives. Ce parcours sillonne deux municipalités, soit celles de Magog et Canton-d'Orford. La piste inclut la partie cyclable des parcs de la Baie-de-Magog et de la Pointe-Merry.
🐕 (7,0 km)  *Autorisé uniquement sur la piste LLoyd Langlois de ce lieu.*

**Réseau pédestre** ................ 12,0 km (Multi)(linéaire, facile)

**Services et aménagements**

🏠 🅿 👫 🚻 🍴 🛏 🏕 ⛺ 🚰
*Autres : aire de jeux*

**Activités complémentaires**

🏞 *Hiver* 🚶❄ *3,0 km*

**Période d'accès** ................. Toute l'année, du lever au coucher du soleil
**Frais d'accès** ........................ Gratuit
Frais de stationnement : 5,00 $ (du 24 juin à la fête du Travail)
**Voie d'accès** ........................ **Accès Magog :** une extrémité de la piste se situe à la jonction des rues Saint-Patrice Est et de la route 112, à Magog. **Accès Orford :** l'autre extrémité se trouve à la jonction de la route 141 et du chemin de la Montagne, à la limite sud-est du parc national du Mont-Orford.
***Note :*** *d'autres accès sont possibles le long du parcours.*

**Gestionnaire** ........................ Ville de Magog, Canton-de-Magog et Canton-d'Orford
**Pour information** ................ (819) 843-2744 ...... 1 800 267-2744

[JCT] PARCS DE LA BAIE-DE-MAGOG ET DE LA POINTE MERRY

## 34 RÉSEAU LES GRANDES FOURCHES

Un réseau cyclo-pédestre a été aménagé, reliant entre elles des villes de la région de Sherbrooke. Ce réseau traverse des milieux urbains, des parcs, des forêts et longe les rivières Saint-François, Massawippi et Magog. En plein cœur du réseau Les Grandes Fourches, sur l'axe Magog, on pourra découvrir une exposition sur les petites créatures des marais à la Maison de l'eau. Pour les amants de la nature, le marais de la Saint-François, sur l'axe Saint-François, comporte un circuit d'auto-interprétation de la faune et de la flore. Le sentier pédestre traverse une forêt de feuillus où l'on peut observer, du haut d'une tour, le marais d'une superficie de 30 hectares. Le sentier continue ensuite dans un marécage et sur un trottoir de bois monté sur pilotis. On passera dans une forêt inondée. 🐕

**Réseau pédestre** ................ 123,0 km (Multi : 122,0)

| Sentiers et parcours | Longueur | Type | Niveau |
|---|---|---|---|
| Axe Saint-François | 24,0 km | Linéaire | Facile |
| Axe Massawippi | 14,0 km | Linéaire | Facile |
| Axe Magog | 29,0 km | Linéaire | Facile |
| Axe des Sommets | 16,0 km | Linéaire | Facile/Inter. |
| Axe de la Clef | 26,0 km | Linéaire | Facile |
| Axe Dorman | 14,0 km | Linéaire | Facile |

**Services et aménagements**

*Autres : aire de jeux, passerelle*

**Activités complémentaires**

 *Hiver*  30,0 km 🚶 PT

**Documentation** .................... Carte (au bureau d'information touristique)
**Période d'accès** ................... Toute l'année, du lever au coucher du soleil
**Frais d'accès** ....................... Gratuit
**Voie d'accès** ....................... De la route 112 à Sherbrooke, prendre le boulevard Saint-François Sud jusqu'au stationnement public. Il est possible de stationner au parc Jacques-Cartier situé au coin des rues Jacques-Cartier et King. Il est possible aussi de se stationner au parc Lucien-Blanchard. Plusieurs autres accès sont possibles le long du parcours.

**Gestionnaire** ....................... CHARMES
**Pour information** ................. 1 800 561-8331 ..... (819) 821-1919
www.sders.com/tourisme

JCT  RÉSEAU RIVERAIN DE LA RIVIÈRE MAGOG

## 35  RÉSEAU RIVERAIN DE LA RIVIÈRE MAGOG

Ce parc linéaire est situé sur les deux rives de la rivière Magog, dans les limites de la municipalité de Sherbrooke. Deux réseaux de sentiers discontinus sont proposés. L'un, cyclo-pédestre, donne accès à des sites champêtres : le parc du Barrage, le Marécage, le champ des Buttes, le boisé du Portage, etc. L'autre, uniquement pédestre, est situé au centre-ville. À cet endroit, la rivière Magog s'élance à travers une gorge escarpée, dévalant d'une chute à l'autre sur plus d'un kilomètre. Des passerelles et des belvédères permettent d'observer de nombreux vestiges archéologiques. On visitera la centrale Frontenac, la plus ancienne installation hydroélectrique encore en opération au Québec. Des activités éducatives se déroulent à la Maison de l'Eau, centre d'information et de sensibilisation à l'environnement aquatique. 🐾

**Réseau pédestre** ................. 20,5 km (Multi : 15,0)

| Sentiers et parcours | Longueur | Type | Niveau |
|---|---|---|---|
| Boisé Blanchard | 8,5 km | Linéaire | Facile |
| Jardin du Grand Saule | 2,5 km | Linéaire | Facile |
| Marais Saint-François | 2,0 km | Linéaire | Facile |
| Boisés Portage-Sauvagine | 4,5 km | Linéaire | Facile |
| La Gorge | 2,0 km | Linéaire | Intermédiaire |

**Services et aménagements**

*Autres : centre d'interprétation, boutique, aire de jeux, passerelle*

**Activités complémentaires**

 *Hiver* 🚶❄ 15,0 km

Documentation ..................... Dépliant-carte (à la Maison de l'Eau de Sherbrooke)
Période d'accès ................... Toute l'année, du lever au coucher du soleil
Frais d'accès ........................ Gratuit
Voie d'accès ........................ De la rue Galt Ouest à Sherbrooke, prendre la rue Cabana vers le nord jusqu'au parc Blanchard.

Gestionnaire ........................ Corporation de gestion CHARMES
Pour information ................. (819) 821-5893, www.charmes.org

**JCT** RÉSEAU LES GRANDES FOURCHES

## 36 SENTIER PÉDESTRE NEIL-TILLOTSON

Des sapins baumiers, des ruisseaux dévalant les pentes et la chute à Donat accompagnent le randonneur en route vers le sommet. Là-haut, le panorama s'ouvre sur les montagnes et les vallées américaines. 🐾

Réseau pédestre ................. 12,0 km (linéaire, inter./difficile)

**Services et aménagements**

✳ P 🏕

**Activités complémentaires**

*Hiver* 🎿 12,0 km

Période d'accès ................... Toute l'année, du lever au coucher du soleil
⚠ *La randonnée est interdite pendant la période de chasse.*
Frais d'accès ........................ Gratuit
Voie d'accès ........................ De Coaticook, prendre la route 206 vers l'est et tourner à droite sur la rue Desrosiers. Continuer sur 30 km jusqu'à East Hereford. Le stationnement est situé à droite, juste avant le chemin Lépine.

Gestionnaire ........................ Municipalité d'East Hereford
Pour information ................. (819) 844-2463 ...... (819) 849-6669 www.municipalite.easthereford.qc.ca

## 37 SENTIERS FRONTALIERS

Ce parcours débute au sud du parc national du Mont-Mégantic et conduit aux crêtes frontalières du mont Gosford, longeant la frontière Canada–États-Unis sur une bonne distance. Le mont Gosford est d'une altitude de 1 189 m et il fait partie des 10 plus hauts sommets du Québec. La montée est abrupte jusqu'au sommet et se termine par un point de vue de 360 degrés au haut d'une tour aménagée par la Forêt habitée. Le secteur de la montagne de Marbre convie le marcheur à un véritable rendez-vous avec la nature. Du sommet de cette montagne, on découvrira la vallée et les montagnes avoisinantes. Tout au long du parcours, les points de vue se succèdent. On pourra apercevoir le mont Washington

et les montagnes Blanches. Dans les deux secteurs, il est possible de faire de petite boucles et également de la longue randonnée. 🐾 *Sur une portion du réseau seulement (86,0 km).*
⭐ *Les chemins forestiers qui auparavant étaient carrossables se font maintenant à pied.*

**Réseau pédestre** ................ 109,5 km

| Sentiers et parcours | Longueur | Type | Niveau | Dénivelé |
|---|---|---|---|---|
| Sentier principal ......................................... 80,0 km ......... Linéaire ....... Intermédiaire. ..... 540 m |
| Sentier du Ruisseau Morin ......................... 10,0 km ......... Linéaire ....... Intermédiaire |
| (secteur mont Gosford) |
| Sentier des Sommets ................................. 3,2 km ......... Linéaire ....... Inter./Difficile ...... 400 m |
| (secteur montagne de Marbre) |
| Sentier du Cap-Frontière ......................... 6,5 km ......... Linéaire ....... Intermédiaire |
| (secteur mont Gosford) |
| Sentier du Petit-Lac ................................. 2,4 km ......... Linéaire ....... Facile |
| (secteur montagne de Marbre) |
| Chemin forestier ...................................... 2,1 km ......... Linéaire ....... Facile |
| (secteur montagne de Marbre) |

**Services et aménagements**

**Activités complémentaires**   *Hiver* 🏃 107,0 km

**Documentation** .................... Carte, topo-guide (au bureau de la municipalité de Saint-Augustin-de-Woburn)

**Période d'accès** ................... Toute l'année
⚠ **Territoire du mont Gosford** : *la randonnée est interdite durant les 2 semaines de la chasse à l'orignal. S'informer au (819) 544-9004*
⚠ **Sur le reste du réseau** : *la randonnée est interdite de fin septembre à fin novembre.*

**Frais d'accès** ....................... Gratuit sauf 5,00 $ par voiture pour la Forêt habitée du mont Gosford (zec)

**Voie d'accès** ....................... **Secteur montagne de Marbre :** de Sherbrooke, prendre la route 108 vers l'est jusqu'à Cookshire, puis la route 212 jusqu'à Notre-Dame-des-Bois. Au cœur du village, tourner à droite en direction sud et poursuivre sur 7 km environ. D'autres accès sont possibles, notamment dans les secteurs du mont Mégantic, ainsi que des monts Saddle et Gosford.

**Gestionnaire** ........................ Sentiers frontaliers inc.
**Pour information** ................. 1 800 363-5515, www.sentiersfrontaliers.qc.ca

## 38 STATION DE MONTAGNE AU DIABLE VERT

La station de montagne Au Diable Vert est un territoire de 104 hectares, à 300 m d'altitude. Situé dans les Appalaches, entre les monts Sutton et Jay Peak, le terrain est traversé par un ruisseau et bordé par des falaises. Il offre des points de vue sur les Appalaches et les montagnes Vertes. 🐾

**Réseau pédestre** ................. 12,0 km

| Sentiers et parcours | Longueur | Type | Niveau | Dénivelé |
|---|---|---|---|---|
| Sentier des falaises ............................................ 7,0 km ......... Mixte ............ Intermédiaire ...... 100 m | | | | |

**Services et aménagements**

**Activités complémentaires**

 *Hiver*  *12,0 km*

**Documentation** ..................... Dépliant-carte (à l'accueil)

**Période d'accès** ................... Toute l'année, de 9 h à 17 h ⚠ *Randonnée interdite pendant la période de chasse*

**Frais d'accès** (taxes incl.) ..... 5,00 $ par personne

**Voie d'accès** ......................... À la sortie sud du village de Sutton sur la route 139, tourner à gauche sur le chemin Brookfall, à droite sur le chemin Scenic, puis à gauche sur le chemin de la Vallée Missisquoi et le suivre sur 1,5 km.

**Gestionnaire** ......................... Au Diable Vert

**Pour information** .................. (450) 538-5639 ...... 1 888 779-9090
www.audiablevert.qc.ca

[JCT]  LES SENTIERS DE L'ESTRIE
PARC D'ENVIRONNEMENT NATUREL DE SUTTON

## 39  STATION TOURISTIQUE OWL'S HEAD

Cette station touristique est située sur les rives du lac Memphrémagog, près de la frontière du Vermont. Des pistes de ski alpin sont utilisées pour la marche l'été. On aura plusieurs points de vue sur le lac et les montagnes.  *En automne, la remontée mécanique est en opération.*

**Réseau pédestre** ................. 6,0 km (mixte, intermédiaire, dénivelé max. de 540 m)

**Services et aménagements**

Note : les services ne sont pas disponibles les fins de semaines.

**Activités complémentaires**

*Hiver* 🚶 *PT*

**Documentation** ..................... Carte (au pavillon administratif)

**Période d'accès** ................... De mai à octobre, du lever au coucher du soleil

**Frais d'accès** ......................... Gratuit (Les fins de semaine de mi-septembre à mi-octobre, la remontée mécanique est accessible pour un coût de 5,00 $.)

**Voie d'accès** ......................... À partir de l'autoroute 10, emprunter la sortie 106 et prendre la route 245 sud jusqu'à South Bolton. Poursuivre vers le sud sur la route 243 jusqu'à Mansonville et suivre les indications pour Owl's Head sur environ 12 km.

**Gestionnaire** ......................... Développement Owl's Head inc.

**Pour information** .................. (450) 292-3342 ...... 1 800 363-3342
www.owlshead.com

# Centre-du-Québec

Parc de la Rivière Gentilly

# CENTRE-DU-QUÉBEC

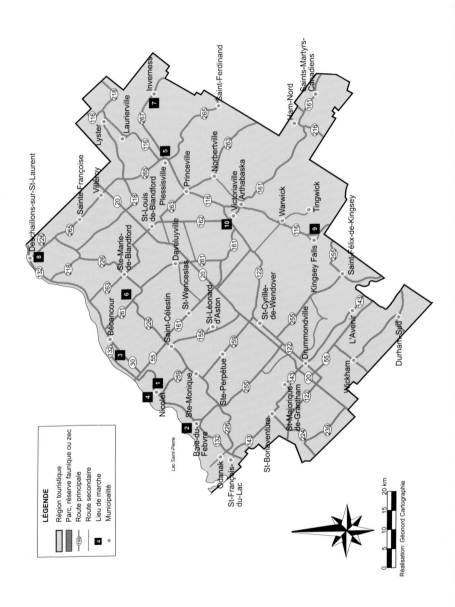

# LIEUX DE MARCHE

1 BOISÉ DU SÉMINAIRE

2 CENTRE D'INTERPRÉTATION DE BAIE-DU-FEBVRE

3 CENTRE DE LA BIODIVERSITÉ DU QUÉBEC

4 PARC DE L'ANSE-DU-PORT

5 PARC DE LA RIVIÈRE BOURBON

6 PARC DE LA RIVIÈRE GENTILLY

7 PARC DES CHUTES LYSANDER

8 PARC LINÉAIRE LE PETIT DESCHAILLONS/PARISVILLE

9 PARC MARIE-VICTORIN

10 VILLE DE VICTORIAVILLE

## BIENVENUE DANS LA RÉGION DU CENTRE-DU-QUÉBEC

Vaste étendue plane et fertile, confortablement nichée entre les régions de la Montérégie, de Chaudière-Appalaches et des Cantons-de-l'Est, la région Centre-du-Québec se trouve en plein cœur de la vallée du Saint-Laurent. Bordant cet imposant cours d'eau, la région est pourvue de riches terres agricoles qui en font une des plus prospères au Québec à ce point de vue.

Le Centre-du-Québec a été le théâtre des premiers mouvements de colonisation; les municipalités situées en bordure du lac Saint-Pierre et face à Trois-Rivières comptent parmi les plus anciennes en raison de leur accès aux voies navigables. En même temps que cette région se développait, de nombreuses communautés religieuses s'y sont établies, notamment à Nicolet qui a vu s'édifier un imposant patrimoine historique religieux dont on peut voir encore les signes aujourd'hui.

Certains pôles urbains se sont développés dans la partie sud de la région, plus particulièrement Drummondville et Victoriaville qui comptent toutes deux des réseaux de sentiers pédestres, mais la majeure partie du territoire consiste en des municipalités évoluant davantage au rythme de la vie rurale.

Dans la région du Centre-du-Québec, on peut aisément allier le plaisir de la marche à celui de l'observation de la faune et de la flore. Il en est ainsi pour le Centre d'interprétation de Baie-du-Febvre, situé aux abords du lac Saint-Pierre. Cette région accueille, chaque printemps, un immense contingent d'oies blanches et de bernaches venant reprendre des forces avant de poursuivre leur long périple vers l'Arctique. L'observation de ces oiseaux, que l'on compte par dizaines de milliers, est devenue une activité très prisée des amants de la nature. D'autres lieux sont également dignes de mention en matière de sensibilisation à la vie animale ou végétale; notons le Centre de la diversité biologique du Québec, à Bécancour, véritable petit laboratoire naturel au sein duquel des petits sentiers de marche ont été aménagés, mais également le parc Marie-Victorin, à Kingsey-Falls, dont les jardins et les plantations d'arbres et de plantes vivaces rappellent le souvenir de celui qui a créé le Jardin botanique de Montréal, le frère Marie-Victorin, originaire de cette région.

## 1 BOISÉ DU SÉMINAIRE

L'aménagement de ces sentiers débuta en 1873. Plus tard, deux étangs furent aménagés ainsi que deux ponts les enjambant. On trouve dans ce boisé des hêtres, des bouleaux, des érables et des conifères. 🐎 ★ *On y trouve un arbre notable : un pin blanc de plus de 200 ans.*

**Réseau pédestre** .................. 1,0 km (boucle, facile)

**Services et aménagements**

*Autres : passerelle, abris*

**Activités complémentaires**

 *Hiver* 🎿* 1,0 km 🚶 1,0 km

**Documentation** .................... Dépliant (à l'hôtel de ville et au bureau d'information touristique)
**Période d'accès** .................. Toute l'année, du lever au coucher du soleil
**Frais d'accès** ....................... Gratuit
**Voie d'accès** ........................ On accède à ce boisé à Nicolet, par la route 132. L'entrée principale est identifiée près de la cathédrale.

**Gestionnaire** ........................ Ville de Nicolet
**Pour information** .................. (819) 293-6901, www.ville.nicolet.qc.ca

## 2 CENTRE D'INTERPRÉTATION DE BAIE-DU-FEBVRE

À Baie-du-Febvre, le fleuve Saint-Laurent forme, avec son élargissement du lac Saint-Pierre, un paysage particulier. En effet, les terres agricoles, inondées par les crues printanières, créent des conditions de vie favorables à des quantités d'espèces animales et végétales. Elles constituent la plus importante halte de migration de l'oie blanche (oie des neiges) et de la bernache du Canada. On pourra les observer au printemps. Un centre d'interprétation présente les modifications cycliques de la plaine d'inondation du Saint-Laurent. On marche sur des digues d'où l'on peut observer les oiseaux et on a accès à une tour d'observation en bordure du fleuve. 🐎 ⚠ *Les chiens ne sont pas admis au printemps pour ne pas déranger les oiseaux.*

**Réseau pédestre** .................. 7,0 km

| Sentiers et parcours | Longueur | Type | Niveau |
|---|---|---|---|
| Secteur Longue Pointe ..................................... 2,5 km ......... Boucle ......... Facile | | | |
| Commune Baie-du-Febvre ............................ 4,5 km ......... Boucle ......... Facile | | | |

**Services et aménagements**

*Autres : centre d'interprétation*

**Activités complémentaires**

**Documentation** .................... Dépliant-carte avec liste d'oiseaux, dépliant (au centre d'interprétation)
**Période d'accès** .................. De début avril à fin novembre, du lever au coucher du soleil ⚠ *Pendant la période de chasse, les randonneurs*

doivent téléphoner au Centre pour connaître les journées
d'ouverture des sentiers.

**Frais d'accès** ........................ Gratuit

Des frais sont à prévoir pour le centre d'interprétation

**Voie d'accès** ........................ De la sortie 185 de l'autoroute 20, suivre la route 255
vers le nord jusqu'à Baie-du-Febvre.

**Gestionnaire** ......................... SOMICO et Centre d'interprétation de Baie-du-Febvre
**Pour information** ................. (450) 783-6996, www.oies.com

## 3 CENTRE DE LA BIODIVERSITÉ DU QUÉBEC

L'environnement immédiat de ce centre a été transformé en laboratoire naturel. On y
trouve de nombreux jardins et des sentiers pédestres qui font parcourir huit écosystèmes
différents.

**Réseau pédestre** ................. 4,0 km

| Sentiers et parcours | Longueur | Type | Niveau |
|---|---|---|---|
| Petite Tournée | 0,5 km | Boucle | Facile |
| Mitoyen | 1,5 km | Boucle | Facile |
| La Grande Virée | 2,0 km | Boucle | Facile |

**Services et aménagements**

Autres : centre d'interprétation, passerelle, boutique,
salle audio-visuelle, biotrain

**Activités complémentaires**

 Hiver 🏃 2,0 km + PT

**Documentation** ..................... Dépliant (à l'accueil)
**Période d'accès** .................. De mai à octobre, de 10 h à 17 h
**Frais d'accès** (taxes incl.) ..... 2,00 $ par personne

Frais supplémentaires pour le centre d'interprétation

**Voie d'accès** ........................ De Trois-Rivières, prendre le pont Laviolette, puis la route
132 vers l'est. À Sainte-Angèle-de-Laval, prendre l'avenue
des Jasmins.

**Gestionnaire** ......................... Parc de la rivière Gentilly/Centre de la Biodiversité du
Québec
**Pour information** ................. (819) 222-5665, www.biodiversite.net

## 4 PARC DE L'ANSE-DU-PORT

Ce parcours se fait entièrement sur des passerelles de bois permettant d'accéder à la
zone inondable du lac Saint-Pierre, durant la saison printanière. On peut aussi y circuler
quand les terres sont asséchées. Une tour d'observation donne une vue d'ensemble du
lac et du fleuve Saint-Laurent. 🐕

**Réseau pédestre** ................. 1,5 km (linéaire, facile)

**Services et aménagements**

Autre : passerelle

# *Charlevoix*

PHOTO : LMI – NICOLE BLONDEAU

*Parc national des Grands-Jardins*

# CHARLEVOIX

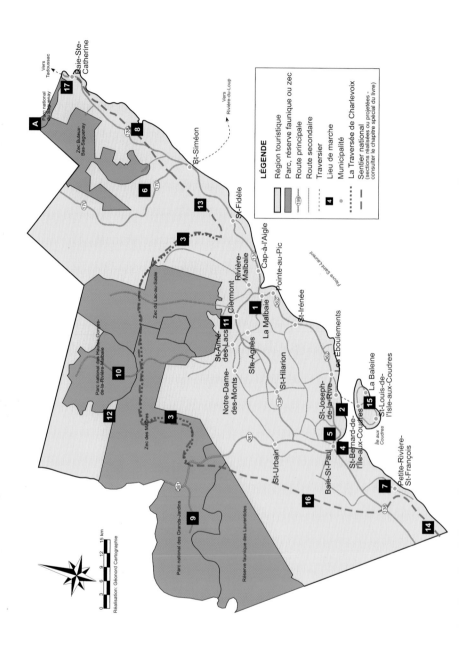

# LIEUX DE MARCHE

**1** CENTRE DE PLEIN AIR LES SOURCES JOYEUSES

**2** DOMAINE CHARLEVOIX

**3** LA TRAVERSÉE DE CHARLEVOIX

**4** LE BOISÉ DU QUAI

**5** LE GENÉVRIER

**6** LES PALISSADES, PARC D'AVENTURE EN MONTAGNE

**7** LES SENTIERS À LIGUORI

**8** PARC MUNICIPAL DE LA BAIE-DES-ROCHERS

**9** PARC NATIONAL DES GRANDS-JARDINS

**10** PARC NATIONAL DES HAUTES-GORGES-DE-LA-RIVIÈRE-MALBAIE

**11** PARCOURS DES BERGES

**12** POURVOIRIE DU LAC MOREAU

**13** SENTIER DE L'ORIGNAC

**14** SENTIER DES CAPS DE CHARLEVOIX

**15** SENTIER DES CHOUENNEUX

**16** SENTIER LES FLORENTS

**17** SENTIERS DE BAIE-SAINTE-CATHERINE

**A** PARC NATIONAL DU SAGUENAY
*(RÉGION SAGUENAY – LAC-SAINT-JEAN)*

## BIENVENUE DANS LA RÉGION DE CHARLEVOIX

Région hospitalière aux paysages qui ont séduit peintres, poètes, écrivains et musiciens, Charlevoix allie en parfaite harmonie la dualité nature et culture.

Dès la fin du XVIIIe siècle, la villégiature débute au Canada, précisément dans Charlevoix où la beauté des paysages et les charmes particuliers de la faune et de la flore attirent de nombreux visiteurs.

Très peu peuplée (30 000 personnes l'habitent), Charlevoix constitue l'une des plus petites régions touristiques du Québec, couvrant une superficie de 6 000 km². Les Laurentides, cette majestueuse chaîne de montagnes, parmi les plus vieilles de la planète, se jettent en cascades dans les eaux salées du Saint-Laurent, dans un panorama où se côtoient la mer et la montagne.

Il y a 350 millions d'années, la chute d'une météorite géante a laissé un cratère de plus de 50 km de diamètre que l'on peut apercevoir dans la vallée qui va de Baie-Saint-Paul à La Malbaie – Pointe-au-Pic en passant par l'arrière-pays.

La flore de Charlevoix est dominée par la forêt boréale, mais la diversité du relief et les rigueurs du climat ont favorisé la mise en place d'écosystèmes uniques à cette latitude (taïga dans le parc national des Grands-Jardins, toundra sur les hauts sommets du parc national des Hautes-Gorges-de-la-Rivière-Malbaie).

Sur le plan de la faune, Charlevoix se démarque par des espèces très particulières : cinq espèces de mammifères marins dans le parc marin du Saguenay – Saint-Laurent, caribou dans le parc national des Grands-Jardins, saumon dans les rivières du Gouffre et La Malbaie.

Ainsi, que ce soit à l'île aux Coudres ou à Port-au-Saumon, à Baie-Saint-Paul ou dans les parcs de l'arrière-pays, on peut découvrir dans Charlevoix de nombreux sites naturels où pratiquer la randonnée pédestre ou diverses autres activités de plein air.

En visitant cette région, on comprendra aussi pourquoi l'UNESCO a donné à Charlevoix le statut de Réserve mondiale de la Biosphère.

Charlevoix
200 ans de tradition touristique
www.tourisme-charlevoix.com

# 1 CENTRE DE PLEIN AIR LES SOURCES JOYEUSES

Cette base de plein air, bénéficiant d'un terrain d'une superficie de 125 hectares, a développé un réseau de sentiers pour la marche hivernale, la raquette et le ski de fond. On peut marcher sur la totalité des sentiers durant la période estivale. On traverse une forêt de pins gris et d'épinettes blanches. Du relais, accessible par un sentier, on voit le mont Grand-Fonds, le fleuve et la vallée de la rivière Malbaie. ★ *De la tour d'observation Le Mirador, on peut admirer le cratère de Charlevoix sur plus de 40 km de distance.*

**Réseau pédestre** ................ 38,3 km (Multi)

| Sentiers et parcours | Longueur | Type | Niveau | Dénivelé |
|---|---|---|---|---|
| La Randonnée (Marche hivernale) | 1,0 km | Linéaire | Facile/Inter. | 70 m |
| La Cyprès | 8,0 km | Boucle | Facile/Inter. | |
| L'Excursion (Marche hivernale) | 1,3 km | Linéaire | Facile/Inter. | 70 m |
| La Vallée | 4,5 km | Boucle | Intermédiaire | |
| L'Explorateur (Raquette) | 1,5 km | Linéaire | Facile/Inter. | |
| La Pie | 3,0 km | Boucle | Facile | |

**Services et aménagements**

*Autres : les services ne sont accessibles que durant l'hiver*

**Activités complémentaires**

 **Hiver**  5,5 km  11,0 km + PT

**Documentation** .................... Dépliant et carte des sentiers (à l'accueil en hiver, sinon au kiosque d'information de La Malbaie)

**Période d'accès** ................. Toute l'année
Été : de 8 h à 18 h, hiver : de 9 h à 16 h

**Frais d'accès** (taxes incl.) ..... Été : gratuit
Hiver : 2,00 $ par personne

**Voie d'accès** ......................... De La Malbaie, suivre les indications pour l'aéroport, près duquel se trouve le centre.

**Gestionnaire** ......................... Centre de plein air Les Sources Joyeuses inc.
**Pour information** ................. (418) 665-4503

# 2 DOMAINE CHARLEVOIX

Ce centre récréo-touristique et de plein air renferme deux grands circuits pédestres : le réseau Pierre Harvey qui est une piste cyclable et parcourt une forêt, et le chemin René Richard qui débute au centre d'accueil et nous mène aux battures du fleuve. En outre, un sentier conduit à une maison de thé, près du lac Laure Conan. On se reposera ensuite à la terrasse Félix-Antoine Savard qui, du haut de ses 390 m, offre un panorama sur l'ensemble du domaine, de Petite-Rivière-Saint-François jusqu'aux Éboulements, avec l'île aux Coudres trônant en face. 🐴

**Réseau pédestre** ................. 12,7 km (Multi : 8,7)

| Sentiers et parcours | Longueur | Type | Niveau | |
|---|---|---|---|---|
| Réseau Pierre Harvey | 7,0 km | Mixte | Facile | 50 m |
| Chemin René Richard | 4,0 km | Linéaire | Inter./Difficile | 390 m |

---

*Charlevoix*

**Services et aménagements**

*Autres : maison de thé, navette*

**Documentation** .................... Dépliant, carte (à l'accueil)

**Période d'accès** .................. De juin à fin octobre, de 9 h 30 à 17 h

**Frais d'accès** (taxes incl.) ..... Adulte : 10,00 $
Enfant (6 à 12 ans) : 5,00 $
Enfant (moins de 6 ans) : gratuit
Les prix incluent la navette

**Voie d'accès** ......................... De Baie-Saint-Paul, suivre la route 362 vers l'est sur 7 km, soit jusqu'au Domaine.

**Gestionnaire** ......................... Domaine Charlevoix

**Pour information** ................. (418) 435-2626

## 3 LA TRAVERSÉE DE CHARLEVOIX

Cet itinéraire de longue randonnée fait découvrir l'arrière-pays de Charlevoix, du parc national des Grands-Jardins au mont Grand-Fonds. On le parcourt généralement en sept jours. Il est réservé aux randonneurs expérimentés. Le sentier n'étant pas entretenu et sommairement balisé, on doit être autonome à tous les points de vue : sécurité, premiers soins, orientation. Six refuges ponctuent le trajet, en plus de six chalets en bois rond plus spacieux. Les responsables offrent le transport des sacs et des vivres d'un chalet à l'autre, ainsi que celui de votre voiture du point de départ à la fin du sentier. Ce parcours s'accomplit à travers la forêt semi-boréale typique de Charlevoix. Les montées et les descentes y sont nombreuses, parfois exigeantes, les sommets atteignant des altitudes de 600 à 850 m. On pourra apercevoir les vallées du parc national des Hautes-Gorges. Une partie du sentier surplombe la rivière du Gouffre et la rivière Malbaie.

**Réseau pédestre** ................. 120,0 km (Multi : 75,0)

| Sentiers et parcours | Longueur | Type | Niveau | Dénivelé |
|---|---|---|---|---|
| La Traversée de Charlevoix | 100,0 km | Linéaire | Inter./Difficile | 400 m |
| Mont du Lac à l'Empêche | 20,0 km | Boucle | Intermédiaire | 250 m |
| *Note : la Traversée de Charlevoix est, depuis 1998, un tronçon du Sentier national.* | | | | |

**Services et aménagements**

**Activités complémentaires**

*Hiver* 🎿 100,0 km 🎣

**Documentation** .................... Carte de la Traversée, dépliant, carte des Hauts Monts, livre « L'autre nature de Charlevoix » (à l'accueil)

**Période d'accès** .................. Toute l'année, du lever au coucher du soleil ⚠ *Pendant la période de chasse, le port du dossard et de la casquette orange est obligatoire.*

**Frais d'accès** ........................ Tarification pour la traversée. Information sur demande

**Voie d'accès** ......................... De Baie-Saint-Paul, suivre la route 138 est, puis la route 381 nord jusqu'à Saint-Urbain. Le bureau d'accueil est situé au 841, rue Saint-Édouard.

**Gestionnaire** ......................... La Traversée de Charlevoix inc.

**Pour information** ................. (418) 639-2284, www.charlevoix.net/traverse
www.charlevoix.net/traverse

## 4 LE BOISÉ DU QUAI

Situé en bordure du fleuve Saint-Laurent, non loin du quai de Baie-Saint-Paul, ce sentier donne accès à la plage. Il parcourt des dunes, un boisé, ainsi qu'un immense champ où se touve une tour d'observation.

**Réseau pédestre** .................. 5,0 km (Multi)

| Sentiers et parcours | Longueur | Type | Niveau |
|---|---|---|---|
| Sentier de la Tour ........................................... 2,0 km ........ Mixte ........... Facile |

**Services et aménagements**

*Autres : passerelle*
*Note : certains services ne sont ouverts que de début juin à la fête du Travail*

**Activités complémentaires**

  *Hiver*  *2,0 km*

**Période d'accès** ................... Toute l'année, du lever au coucher du soleil
**Frais d'accès** ........................ Gratuit
**Voie d'accès** ......................... On accède à ce lieu à Baie-Saint-Paul, près du quai.

**Gestionnaire** ......................... Société de mise en valeur du Boisé du quai
**Pour information** .................. (418) 435-2205

## 5 LE GENÉVRIER

Situé sur les rives de la rivière Malbaie, ce centre quatre-saisons offre de multiples activités incluant la marche, été comme hiver, ainsi que la raquette.

**Réseau pédestre** .................. 17,0 km (Multi) (boucle, facile/inter., dénivelé max. de 75 m)

**Services et aménagements**

**Activités complémentaires**

 *Hiver*  *4,0 km*  *TT*

**Documentation** .................... Dépliant, carte (à l'accueil)
**Période d'accès** .................. Toute l'année, du lever au coucher du soleil
**Frais d'accès** ........................ De fin juin à début septembre :
Adulte : 4,00 $
Enfant : 2,75 $
Gratuit en dehors de cette période
**Voie d'accès** ......................... De Québec, suivre la route 138 en direction est. Le lieu de marche se trouve à 3 km à l'est de Baie-Saint-Paul.

**Gestionnaire** ......................... Le Genévrier inc.
**Pour information** .................. (418) 435-6520 ...... 1 877 435-6520
www.genevrier.com

## 6 LES PALISSADES, PARC D'AVENTURE EN MONTAGNE

Les escarpements rocheux qu'on retrouve dans ce lieu ont inspiré le nom de « Palissades ». Les sentiers pédestres longent et surplombent les falaises figurant comme les plus hautes parois en montagne au Québec avec plus de 400 mètres de hauteur. 🐴 *Sur une portion de 6,0 km*

**Réseau pédestre** ................. 17,1 km

| Sentiers et parcours | Longueur | Type | Niveau | Dénivelé |
|---|---|---|---|---|
| Le Sabot | 1,9 km | Boucle | Facile | 100 m |
| Le Sylvain | 3,0 km | Linéaire | Facile/Inter.. | 140 m |
| L'Aigle | 4,4 km | Boucle | Intermédiaire | 200 m |
| Les Grandes Dalles et Amphithéâtre | 3,4 km | Mixte | Difficile | 150 m |
| Le Rocher perdu | 2,9 km | Boucle | Intermédiaire | 50 m |

**Services et aménagements**

*Autres : centre d'interprétation, via ferrata, passerelle*

**Activités complémentaires**

**Documentation** ..................... Dépliant-carte, guide d'interprétation de la nature (à l'accueil)

**Période d'accès** ................... Tous les jours du 15 juin au 1er septembre
Les fins de semaine du 1er mai au 1er novembre

**Horaire d'accès** ................... De 8 h au coucher du soleil

**Frais d'accès** (taxes incl.) ..... Adulte (18 ans et plus) : 5,00 $
Aîné (60 ans et plus) : 3,00 $
Jeune (6 à 17 ans) : 3,00 $
Enfant (moins de 6 ans) : gratuit

**Voie d'accès** ........................ De Saint-Siméon, suivre la route 170 sur 13 km environ.

**Gestionnaire** ......................... L'Ascension inc.

**Pour information** ................. (418) 638-3833 ...... 647-4422, www.rocgyms.com

JCT   SENTIER DE L'ORIGNAC

## 7 LES SENTIERS À LIGUORI

Ce terrain, sillonné de sentiers, a appartenu à la famille Simard du début du XVIIIe siècle jusqu'en 1976. Un des derniers propriétaires, Liguori Simard, a légué son nom à ce réseau de sentiers. Sur ce domaine, représentatif de son époque, on trouve divers habitats favorisant une grande diversité de la faune et de la flore. On peut aussi voir une chute le long de la petite rivière. 🐴

**Réseau pédestre** ................. 31,0 km (mixte, facile)

**Services et aménagements**

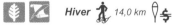

*Autres : centre d'interprétation, passerelle*

**Activités complémentaires**

  *Hiver*  14,0 km

**Documentation** ...................... Dépliant-carte (à l'accueil)

**Période d'accès** ................... De mi-avril à mi-décembre : de 8 h à 16 h
De mi-décembre à mi-avril : de 9 h à 16 h

**Frais d'accès** (taxes incl.) ...... 3,00 $ par personne
Enfant (12 ans et moins) : gratuit

**Voie d'accès** ......................... À partir de la route 138, tourner sur la route qui mène à Petite-Rivière-Saint-François. Traverser le village. Le sentier est indiqué à droite de la route, une dizaine de kilomètres plus loin.

**Gestionnaire** ......................... Corporation du Domaine à Liguori

**Pour information** .................. (418) 632-5551 ...... (418) 632-5831
liguori@charlevoix.net

JCT    SENTIER DES CAPS DE CHARLEVOIX

# 8    PARC MUNICIPAL DE LA BAIE-DES-ROCHERS

Dans les limites géographiques du parc marin du Saguenay, le quai de la baie des Rochers est entouré de montagnes. En octobre, des biologistes viennent étudier les spécimens des fonds marins : vers de mer, oursins, algues, etc. 🏠 ⭐ *À marée basse, les visiteurs peuvent se rendre sur une île.*

**Réseau pédestre** .................. 6,4 km

| Sentiers et parcours | Longueur | Type | Niveau | Dénivelé |
|---|---|---|---|---|
| Anse de Sable | 3,5 km | Mixte | Facile | 150 m |
| Coulée des Mâts | 1,6 km | Linéaire | Facile | 175 m |
| Chute à ma Grand-Mère | 1,3 km | Boucle | Facile | 125 m |

**Services et aménagements**

❄ P 👬 🎋 🚻

*Autres : quai, aire de jeux, passerelle*

**Activités complémentaires**

*Hiver* 🎿 *6,4 km*

**Période d'accès** .................. De mai à novembre, du lever au coucher du soleil
⚠ *Prudence pendant la période de chasse, même si peu pratiquée à cet endroit*

**Frais d'accès** ......................... Gratuit

**Voie d'accès** ......................... De Saint-Siméon, suivre la route 138 vers l'est sur une distance de 14 km environ. À Baie-des-Rochers, tourner à droite sur la rue de la Chapelle et poursuivre sur 2,5 km environ, soit jusqu'au quai.

**Gestionnaire** ......................... Municipalité de Saint-Siméon

**Pour information** .................. (418) 638-2451 ...... (418) 638-2691
munvstsimeon@hotmail.com

# 9    PARC NATIONAL DES GRANDS-JARDINS     Parcs Québec

Le parc national des Grands-Jardins, d'une superficie de 310 km˝, est situé au nord de Baie-Saint-Paul. Il a été créé en 1981 pour préserver la taïga ou pessière à lichen, cette forêt clairsemée d'épinettes, ainsi que le caribou dont la survie en dépend. Cet îlot de

Grand-Nord québécois permet de découvrir des paysages montagneux caractérisés par une flore et une faune subarctiques soumises à des conditions climatiques rigoureuses. Le nom du parc évoque sa végétation. Il lui a été donné, vers 1890, par les membres anglophones du club de chasse et de pêche La Roche. La beauté de la taïga, la taille des épinettes et leur disposition, les couleurs variées du lichen et des arbustes à l'automne leur rappelèrent, semble-t-il, la splendeur des jardins anglais. Du sommet du mont du Lac des Cygnes, on peut voir le cratère de Charlevoix ainsi que le fleuve Saint-Laurent, et on a des points de vue du contrefort par le sentier Le Gros Pin. Par ce dernier est également accessible le sentier du mont du Lac à Moïse. ★ *Il est possible de faire du camping d'hiver.*

**Réseau pédestre** ................. 25,9 km

| Sentiers et parcours | Longueur | Type | Niveau | Dénivelé |
|---|---|---|---|---|
| Lac Pioui ....................................... | 7,3 km ........ | Boucle ........ | Inter./Difficile | |
| Mont du Lac des Cygnes ...................... | 2,6 km ........ | Linéaire ...... | Intermédiaire ...... | 600 m |
| Le Boréal ........................................... | 2,0 km ........ | Boucle ........ | Facile | |
| La Pinède .......................................... | 6,0 km ........ | Boucle ........ | Facile | |
| Le Hume-Blake ................................. | 2,8 km ........ | Linéaire ...... | Facile | |
| Le Gros Pin ....................................... | 1,8 km ........ | Boucle ........ | Facile | |

**Services et aménagements**

*Autres : centre d'interprétation*

**Activités complémentaires**

 **Hiver**  *40,0 km*

**Documentation** .................... Carte, journal du parc (à l'accueil)
**Période d'accès** .................. De fin mai à l'Action de Grâces (secteur des Plateaux)
Toute l'année (secteur Mont du Lac des Cygnes)
**Période d'accès** .................. De 9 h à 17 h
**Frais d'accès** ....................... Voir la tarification des parcs nationaux du Québec dans les pages bleues au début du livre
**Voie d'accès** ........................ De Baie-Saint-Paul, suivre la route 138 est, puis la route 381 jusqu'au parc.

**Gestionnaire** ........................ SÉPAQ
**Pour information** ................. (418) 439-1227 poste 21
www.parcsquebec.com

JCT LA TRAVERSÉE DE CHARLEVOIX

## 10 PARC NATIONAL DES HAUTES-GORGES-DE-LA-RIVIÈRE-MALBAIE

Situé dans l'arrière-pays de Charlevoix, le parc national des Hautes-Gorges-de-la-Rivière-Malbaie possède une superficie de 233 km². La rivière Malbaie y coule dans une vallée profondément encaissée entre des montagnes. Certaines atteignent plus de 1 000 m. Presque tous les types d'habitat forestier du Québec s'y retrouvent, allant de l'érablière à la toundra alpine. Le sentier qui part du pont des Érables traverse une érablière à ormes géants, ormes d'Amérique et frênes d'Amérique unique dans un tel milieu boréal. ★ *Le parc renferme les falaises les plus hautes à l'est des Rocheuses.*

**Réseau pédestre** ............... 9,1 km

| Sentiers et parcours | Longueur | Type | Niveau | Dénivelé |
|---|---|---|---|---|
| L'Acropole des Draveurs .............................. 4,5 km | | Linéaire | Difficile | 800 m |
| Le Belvédère ................................................ 0,7 km | | Linéaire | Intermédiaire | 250 m |
| L'Érablière ............................................... 1,8 km | | Boucle | Facile | |
| Le Pied des Sommets .................................. 0,6 km | | Boucle | Facile | |

**Services et aménagements**

Autres : centre d'interprétation

**Activités complémentaires**

**Documentation** ..................... Carte, journal du parc (à l'accueil)
**Période d'accès** ................... De juin à octobre, de 8 h à 18 h
**Frais d'accès** ....................... Voir la tarification des parcs nationaux du Québec dans les pages bleues au début du livre
**Voie d'accès** ........................ De la route 138, prendre la direction de Saint-Aimé-des-Lacs et poursuivre sur la rue Principale. Continuer sur une distance de 27 km, soit jusqu'à l'entrée du parc.

**Gestionnaire** ........................ SÉPAQ
**Pour information** .................. 1 866 702-9202, www.parcsquebec.com

## 11  PARCOURS DES BERGES

Le parcours débute près du pont Menaud et longe les berges de la rivière Malbaie. On peut apercevoir des fosses à saumons, les montagnes environnantes et faire une pause dans l'une des haltes aménagées. 🥾

**Réseau pédestre** ................. 4,0 km (Multi) (linéaire, facile)

**Services et aménagements**

Autres : passerelle, boutique

**Activités complémentaires**

Hiver 🚶❄ 4,0 km 🎿 TT

**Documentation** ..................... Dépliants (à l'accueil)
**Période d'accès** ................... Toute l'année, du lever au coucher du soleil
**Frais d'accès** ....................... Gratuit
**Voie d'accès** ........................ De la route 138 (boul. Notre-Dame) à Clermont, tourner sur la rue Saint-Philippe. Faire 0,6 km et tourner à droite avant le pont Menaud sur la rue de la Rivière. Le parcours débute à quelques mètres du pont.

**Gestionnaire** ........................ Ville de Clermont
**Pour information** .................. (418) 439-3773 ...... (418) 439-3931
villedeclermont@qc.aira.com

*Charlevoix*

## 12   POURVOIRIE DU LAC MOREAU

La pourvoirie est située à l'est du parc national des Grands-Jardins. Elle est délimitée par la rivière Malbaie et le parc national des Hautes-Gorges-de-la-Rivière-Malbaie. Son territoire couvre une superficie de 81 km² et comprend 32 lacs. Différents sentiers permettent d'accéder à des points d'observation offrant une vue sur la région environnante. Le sommet le plus élevé culmine à 850 m d'altitude. Le sentier Chute des Martes longe une rivière entourée de deux palissades rocheuses. Il mène au pied de la chute des Martes, composée de trois bassins et haute de 150 m. Cette dernière se trouve sur le territoire du parc national des Hautes-Gorges-de-la-Rivière-Malbaie. 🐕

**Réseau pédestre** .................. 10,0 km (Multi) (linéaire, intermédiaire, dénivelé max. de 200 m)

**Services et aménagements**

*Autres : passerelle*

**Activités complémentaires**

*Hiver* 🎿 *10,0 km + TT* 🎿

**Documentation** .................... Carte (à l'accueil et à l'auberge du Ravage)
**Période d'accès** .................. Toute l'année, du lever au coucher du soleil
        ⚠ *Prudence pendant la période de la chasse*
**Frais d'accès** ....................... Gratuit sauf pour le sentier Chute des Martes (tarification des parcs nationaux du Québec)
**Voie d'accès** ........................ De Baie-Saint-Paul, suivre la route 138 est sur 10 km, puis prendre la jonction de la route 381 nord. Continuer sur 55 km, puis tourner à droite sur un chemin forestier. Le stationnement de l'accueil est à 8 km tandis que celui de l'auberge du Ravage est à 14 km. De la route 138, des écriteaux indiquent le chemin pour la pourvoirie. Note : la majorité des sentiers débute à l'auberge du Ravage.

**Gestionnaire** ........................ Pourvoirie du Lac Moreau/Auberge du Ravage
**Pour information** .................. (418) 665-4400 ...... 1 888 766-7328
        www.lacmoreau.com

## 13   SENTIER DE L'ORIGNAC  

En parcourant le sentier de l'Orignac, les randonneurs pourront sillonner une diversité d'écosystèmes passant de l'érablière à la toundra. Ce sentier offre de nombreux points de vue sur la région environnante. Le belvédère de la Roche et la montagne des Taillis permettent de contempler le fleuve Saint-Laurent et la vallée de la faille géologique des Palissades. 🐕 ⚠ *Prévoir une distance supplémentaire de 5 km pour se rendre au camp Arthur-Savard.* ⭐ *Ce sentier se reliera prochainement à La Traversée de Charlevoix et au réseau Les Palissades, parc d'aventure en montagne.*

**Réseau pédestre** .................. 18,7 km (linéaire, intermédiaire, dénivelé maximum de 365 m)

**Services et aménagements**

**Activités complémentaires**     *Hiver*  *11,7 km*

**Documentation** .................... Carte (à la Fédération québécoise de la marche et à la Société des sentiers de la région de la Capitale nationale du Québec)

**Période d'accès** ................... Toute l'année, du lever au coucher du soleil

**Frais d'accès** ........................ Gratuit

**Voie d'accès** ........................ **Accès mont Grand-Fonds** : de Québec, emprunter la route 138 est jusqu'à La Malbaie. Tourner à gauche sur le chemin des Loisirs. Le mont Grand-Fonds est situé au 1000, chemin des Loisirs.

**Accès lac McLeod** : de Québec, emprunter la route 138 est jusqu'à Port-au-Persil. Tourner à gauche sur le chemin Breton et continuer sur 10 km. Suivre la signalisation du sentier jusqu'au stationnement.

**Accès Camp Arthur-Savard** : de Québec, emprunter la route 138 est jusqu'à Saint-Siméon. Tourner à gauche sur le chemin Saint-Léon, puis suivre la signalisation du sentier jusqu'au stationnement.

**Gestionnaire** ......................... Société des sentiers de la région de la Capitale nationale du Québec

**Pour information** .................. (418) 840-1221, amarcoux@qc.aira.com

[JCT]    LA TRAVERSÉE DE CHARLEVOIX
        LES PALISSADES, PARC D'AVENTURE EN MONTAGNE

## 14   SENTIER DES CAPS DE CHARLEVOIX    SENTIER NATIONAL

Ce sentier de longue randonnée relie le massif de la Petite-Rivière-Saint-François, à l'est, au Cap Tourmente, à l'ouest. Sur la majorité de sa longueur, il longe la falaise qui borde le Saint-Laurent, offrant plusieurs points de vue sur le fleuve. Il est possible aussi d'y faire de courtes randonnées, dans trois secteurs. ★ *Une partie du sentier des Caps a été désignée « Forêt ancienne » par le ministère des Ressources naturelles du Québec.*

**Réseau pédestre** ................. 107,9 km

| Sentiers et parcours | Longueur | Type | Niveau | Dénivelé |
|---|---|---|---|---|
| Sentier des Caps | 51,0 km | Linéaire | Inter./Difficile | 750 m |
| Sentier de la Chute | 5,0 km | Mixte | Intermédiaire | 250 m |
| Sentier du Cap-Rouge | 6,2 km | Boucle | Intermédiaire | 200 m |
| Sentier du Cap-Brûlé | 6,0 km | Linéaire | Intermédiaire | |
| Sentier à l'Anse de la Montée du Lac | 9,5 km | Boucle | Difficile | 450 m |
| Sentier du Lac à Thomas | 8,7 km | Boucle | Facile | |

**Services et aménagements**

**Activités complémentaires**

  *Hiver* 107,9 km

**Documentation** ..................... Carte, dépliant (à l'accueil)
**Période d'accès** .................. Toute l'année, de 8 h 30 à 17 h
**Frais d'accès** (taxes incl.) ..... 5,00 $ par personne
                                     12 ans et moins : gratuit
**Voie d'accès** ......................... De Québec, suivre la route 138 en direction est jusqu'à la municipalité de Saint-Tite-des-Caps. Tournez à gauche entre l'auberge du Capitaine et la station d'essence. L'accueil se situe au 2, rue Leclerc, sur le coin de la route 138.

**Gestionnaire** ......................... Corporation du Sentier des Caps de Charlevoix
**Pour information** .................. (418) 823-1117 ...... 1 866 823-1117
                                     www.sentierdescaps.com

JCT    LES SENTIERS À LIGUORI
       RÉSERVE NATIONALE DE FAUNE DU CAP TOURMENTE *(QUÉBEC)*

## 15   SENTIER DES CHOUENNEUX

Ce sentier passe dans un sous-bois où des lutrins d'interprétation instruisent sur les us et coutumes de l'époque, et la façon dont les gens d'autrefois interprétaient les signes de la nature. Du haut d'une tour d'observation, il est possible d'apercevoir la côte des Éboulements.

**Réseau pédestre** .................. 3,0 km (mixte, facile)

**Services et aménagements**

*Autres : passerelle suspendue, passerelle couverte*

**Activités complémentaires**
 *Hiver* 3,0 km

**Période d'accès** ................... Toute l'année, du lever au coucher du soleil
**Frais d'accès** ........................ Gratuit
**Voie d'accès** ......................... De Baie-Saint-Paul, prendre la route 362 jusqu'à Saint-Joseph-de-la-Rive où on prend le traversier pour l'île aux Coudres. Sur l'île, le sentier débute immédiatement après la Maison Crochu, au 808, chemin des Coudriers.

**Gestionnaire** ......................... Municipalité de L'Isle-aux-Coudres
**Pour information** ................. (418) 438-2583 ...... (418) 438-2930
                                     www.charlevoix.qc.ca/isle-aux-coudres

## 16   SENTIER LES FLORENTS    SENTIER NATIONAL

Ce sentier a été inauguré en décembre 2003. Il serpente sur les monts des Florents sur 8,3 km et offre des points de vue sur la rivière du Gouffre, le fleuve Saint-Laurent et les montagnes du parc national des Grands-Jardins. On désire prolonger ce sentier afin de l'intégrer au Sentier national au Québec. Il fera donc le lien entre les sentiers des Caps de Charlevoix et la Traversée de Charlevoix.

**Réseau pédestre** .................. 8,4 km (linéaire, intermédiaire, dénivelé maximum de 350 m)

**Services et aménagements**

*Autres : passerelle*

**Activités**
**complémentaires**          *Hiver* 🏂 *8,4 km*

**Période d'accès** .................. Toute l'année, du lever au coucher du soleil
⚠ *Prudence pendant la période de chasse*
**Frais d'accès** ...................... Gratuit
**Voie d'accès** ...................... **Accès ouest** : de Baie-Saint-Paul, suivre la route 138
est (boulevard Monseigneur-De Laval) sur 6,4 km. Le
stationnement se situe à la Maison d'affinage Maurice
Dufour au 1339, boulevard Monseigneur-De Laval.
**Accès est** : de Baie-Saint-Paul, suivre la route 138 est
(boulevard Monseigneur-De Laval) sur 9 km. Le
stationnement se situe à l'arrière du restaurant-motel
Chez Laurent au 1493, boulevard Monseigneur-De Laval,
à l'intersection de la route 138 et de la route 381.

**Gestionnaire** ...................... MRC de Charlevoix
**Pour information** ................ (418) 438-2639, mrc@charlevoix.net

## 17   SENTIERS DE BAIE-SAINTE-CATHERINE

Situés à l'embouchure du fjord du Saguenay, les sentiers offrent une vue sur le fleuve
Saint-Laurent à partir de différents paliers. Le randonneur contourne le lac Roger et
passe sur un véritable barrage de castor. Plus loin, on peut apercevoir des cascades,
puis des chutes. Les deux sentiers se rejoignent pour former une boucle.

**Réseau pédestre** ................ 10,0 km

| Sentiers et parcours | Longueur | Type | Niveau | Dénivelé |
|---|---|---|---|---|
| Sentier des castors ............................... | 7,0 km ......... | Linéaire ....... | Intermédiaire ........ | 50 m |
| Sentier des chutes ................................ | 3,0 km ......... | Linéaire ....... | Intermédiaire ........ | 50 m |

**Services et**
**aménagements**          ☒ 🅿 🚻
*Autres : passerelle*

**Documentation** ................... Carte (à la municipalité de Baie-Sainte-Catherine)
**Période d'accès** ................ De mi-juin à fin octobre, du lever au coucher du soleil
⚠ *Prudence pendant la période de chasse*
**Frais d'accès** (taxes incl.) ..... Gratuit
**Voie d'accès** ...................... De La Malbaie, suivre la route 138 est jusqu'à Baie-Sainte-
Catherine. Tourner à gauche sur la rue Leclair et continuer
jusqu'au stationnement se situant à droite.

**Gestionnaire** ...................... Municipalité Baie-Sainte-Catherine
**Pour information** ................ (418) 237-4271, www.quebecweb.com/hmbsc

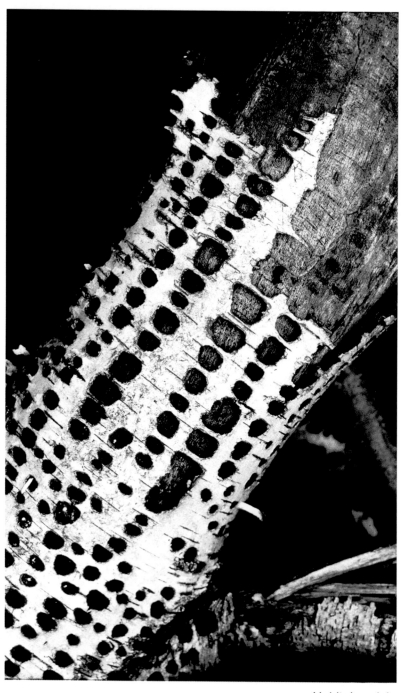

*Habit de soirée*

# Chaudière-
# Appalaches

*Sentier de la Haute Etchemin*

# CHAUDIÈRE-APPALACHES

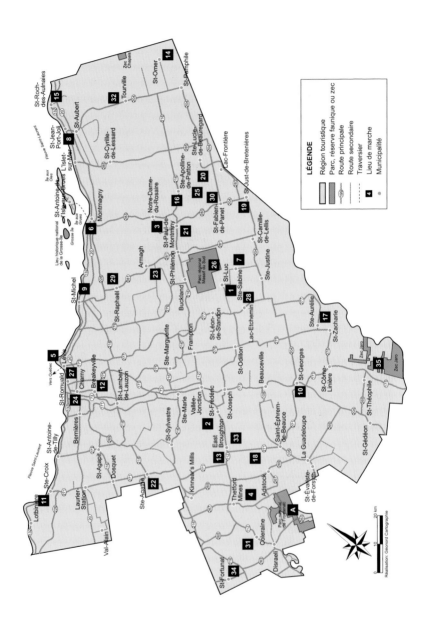

LÉGENDE

Région touristique
Parc, réserve faunique ou zec
Route principale
Route secondaire
Traversier
Lieu de marche
Municipalité

# LIEUX DE MARCHE

1 CAMP FORESTIER DE SAINT-LUC

2 CAMPING SAUVAGE LA PENTE DOUCE

3 CASCADES DE LA LOUTRE

4 CENTRE RÉCRÉOTOURISTIQUE DU MONT ADSTOCK

5 CIRCUITS PIÉTONNIERS DE LÉVIS

6 CIRCUITS PIÉTONNIERS URBAINS – VIEUX MONTMAGNY

7 CLUB SPORTIF MONT-BONNET

8 DOMAINE DE GASPÉ

9 DOMAINE DE LA RIVIÈRE BOYER

10 DOMAINE DE LA SEIGNEURIE

11 DOMAINE JOLY-DE LOTBINIÈRE

12 ÉCO-PARC DE LA CHAUDIÈRE

13 HALTE ROUTIÈRE MUNICIPALE DE SAINT-PIERRE-DE-BROUGHTON

14 L'AUBERGE DU CENTRE DE LA NATURE

15 LA SEIGNEURIE DES AULNAIES

16 LAC CARRÉ

17 LE DOMAINE DES SPORTIFS DE SAINTE-AURÉLIE

18 LE MONT GRAND MORNE - PARC D'AVENTURES

19 LES TOURBIÈRES

20 MONT SUGAR LOAF

21 MONTAGNE GRANDE COULÉE - RIVIÈRE AUX ORIGNAUX

22 PARC DE LA CHUTE DE SAINTE-AGATHE

23 PARC DES CHUTES D'ARMAGH

24 PARC DES CHUTES-DE-LA-CHAUDIÈRE

25 PARC RÉGIONAL DES APPALACHES

26 PARC RÉGIONAL MASSIF DU SUD

27 PARCOURS DES ANSES

28 SENTIER DE LA HAUTE ETCHEMIN

29 SENTIER DU ROCHER BLANC

30 SENTIERS PÉDESTRES DE SAINT-FABIEN-DE-PANET

31 SENTIERS PÉDESTRES DES 3 MONT DE COLERAINE

32 SITE D'OBSERVATION DES OISEAUX DU LAC NOIR

33 SITE DE LA MINE BOSTON

34 TOUR D'OBSERVATION SAINT-FORTUNAT

35 ZEC JARO

A PARC NATIONAL DE FRONTENAC *(RÉGION CANTONS-DE-L'EST)*

## BIENVENUE DANS LA RÉGION DE CHAUDIÈRE-APPALACHES

Face à la ville de Québec et à la rive nord du Saint-Laurent, cette terre de contrastes partage ses frontières avec le Maine à l'est et avec les Cantons-de-l'Est au sud-ouest.

Les pionniers sont arrivés par le fleuve. Ce furent d'abord ceux de Québec, qui y cultivaient les terres et entretenaient des rapports commerciaux avec les colons du Maine. Au XIX$^e$ siècle, une vague d'immigration irlandaise et écossaise peuple les berges de Lévis et de Saint-Romuald de travailleurs affectés à l'expédition du bois en Angleterre. Les rives se couvrent de quais et d'anses dont on peut encore voir les vestiges du haut de la terrasse de Lévis. De cette dernière, on peut contempler Québec, son pont, les Laurentides et, des deux côtés, le fleuve.

Le long de la Côte-du-Sud, les berges du fleuve donnent sur la mer et les îles de l'archipel de Montmagny.

À l'automne, les oies blanches et les bernaches s'arrêtent sur les battures de Montmagny par milliers. Toute la côte, de Lotbinière à Saint-Jean-Port-Joli, garde les traces du passé avec ses manoirs, ses demeures ancestrales et ses moulins.

Dans l'arrière-pays, les Appalaches et leurs contreforts présentent leurs sommets arrondis et leurs forêts denses, tapies dans leur recoin de campagne pierreuse de Bellechasse, cachées là pour se réserver à ceux qui veulent bien aller à leur rencontre. Plus au sud encore, la Beauce offre aux visiteurs des reliefs différents, faits de plateaux verdoyants et de plaines baignées de cours d'eau.

## 1   CAMP FORESTIER DE SAINT-LUC

Dans un ancien pacage, au milieu d'une forêt de sapins clairsemée, on a tracé un sentier d'interprétation. Des données sont transmises sur la forêt, de la plantation d'arbres jusqu'à leur utilisation industrielle. Le sentier des Mornes permet d'apercevoir, du haut des monts Giroux et Mathias, l'état du Maine et les villages environnants.

**Réseau pédestre** ................. 22,7 km

| Sentiers et parcours | Longueur | Type | Niveau | Dénivelé |
|---|---|---|---|---|
| Le Camp ....................................... 2,7 km ......... Mixte ........... Facile | | | | |
| Le sentier des Mornes ................................. 20,0 km ......... Mixte ........... Intermédiaire ...... 600 m | | | | |

**Services et aménagements**

*Autres : aire de jeux, centre d'interprétation*

**Activités complémentaires**

 *Hiver*  22,7 km

**Documentation** .................... Dépliant-carte (à l'accueil)
**Période d'accès** ................... Toute l'année, de 9 h à 17 h du mardi au dimanche
**Frais d'accès** (taxes incl.) ..... Adulte : 3,50 $
Enfant/adolescent (14-17 ans) : 3,00 $
Enfant (5 ans et moins) : gratuit
**Voie d'accès** ........................ De l'autoroute 73 (autoroute de la Beauce), emprunter la route 276 vers l'est jusqu'à la route 277. De là, suivre les indications pour Saint-Luc. Les sentiers débutent au 100, rue Fortin.

**Gestionnaire** ........................ Groupement pour l'amélioration et le développement de Saint-Luc
**Pour information** ................. (418) 636-2626, www.campforestier.qc.ca

## 2   CAMPING SAUVAGE LA PENTE DOUCE

Ce camping, situé à Saint-Séverin-de-Beauce, est le point de départ des sentiers. Le sentier des Pionniers offre des points de vue sur le territoire environnant.

**Réseau pédestre** ................. 5,8 km

| Sentiers et parcours | Longueur | Type | Niveau |
|---|---|---|---|
| Sentier des Pionniers ...................................... 2,8 km ......... Linéaire ....... Intermédiaire | | | |
| Sentier du Cap .................................................. 1,0 km ......... Mixte ........... Intermédiaire | | | |
| Sentier de la Balade ....................................... 2,0 km ......... Boucle ......... Facile | | | |

**Services et aménagements**

*Autres : piste d'hébertisme, aire de jeux, abris pique-nique*

**Activités complémentaires**

 *Hiver*  5,8 km

**Documentation** .................... Dépliant (à l'accueil)

**Période d'accès** ................. De mi-mai à mi-octobre, du lever au coucher du soleil
⚠ *Le port du dossard est recommandé pendant la période de chasse.*
**Frais d'accès** ........................ Gratuit
**Voie d'accès** ........................ De la sortie 81 de l'autoroute 73, prendre la route 112 vers l'ouest sur 6 km environ, puis tourner à droite et suivre les indications pour Saint-Séverin.

**Gestionnaire** ........................ Association des riverains du lac Beaurivage inc.
**Pour information** ................. (418) 426-1145 ...... (418) 426-2423

## 3 CASCADES DE LA LOUTRE

Ce réseau fait partie du parc régional des Appalaches (voir à ce nom).

## 4 CENTRE RÉCRÉOTOURISTIQUE DU MONT ADSTOCK

Le mont Adstock est une montagne de 335 m de dénivelé. L'hiver, la majorité des pistes sont réservées aux skieurs et aux planchistes. Par contre, deux pistes sont dédiées uniquement à la raquette de montagne. Les deux sentiers se rencontrent au sommet et forment une boucle. Durant l'été, on peut marcher sur ces deux sentiers tracés dans une forêt d'arbres bicentenaires et contempler le panorama au sommet. 🐴

**Réseau pédestre** ................. 2,6 km

| Sentiers et parcours | Longueur | Type | Niveau | Dénivelé |
|---|---|---|---|---|
| Grands Arbres | 1,0 km | Linéaire | Difficile | 275 m |
| Pics Bois | 1,6 km | Linéaire | Difficile | 275 m |

**Services et aménagements**

🏕 🅿 👫 🥄 🍴 🪑 🏕

**Activités complémentaires**

🌲 *Hiver* 🚶 *2,6 km* 🍷

**Documentation** .................... Carte des sentiers (à l'accueil)
**Période d'accès** ................. Toute l'année, du lever au coucher du soleil
⚠ *Port du dossard obligatoire en période de chasse*
**Frais d'accès** ........................ Gratuit
**Voie d'accès** ........................ Emprunter la route 112 jusqu'à Thetford Mines, puis la route 267 sud. Prendre ensuite la route du Mont-Adstock. Le centre se trouve au 120, route du Mont-Adstock.

**Gestionnaire** ........................ Coopérative de solidarité récréotouristique du Mont Adstock
**Pour information** ................. (418) 422-2142 (été)........(418) 422-2242 (hiver) skiadstock@globetrotter.net

## 5 CIRCUITS PIÉTONNIERS DE LÉVIS

La Ville de Lévis a identifié 31 circuits répartis dans tous les secteurs de la ville. Chacun mesure 5 km et certains peuvent être combinés pour effectuer des parcours de 10 km. Pour chaque circuit, une carte permet de s'autoguider. On peut visiter des quartiers résidentiels, industriels ou historiques, ainsi que des coins de nature. 🐴

**Voie d'accès** ......................... De l'autoroute 73, prendre la sortie « Sainte-Hélène-de-Breakeyville ». Le parcours débute via la rue Saint-Augustin.

**Gestionnaire** ......................... Ville de Lévis
**Pour information** ................. (418) 831-4488 ...... (418) 838-6026
ville.levis.qc.ca

## 13 HALTE ROUTIÈRE MUNICIPALE DE SAINT-PIERRE-DE-BROUGHTON

Créés dans le cadre d'un projet nommé « Village de montagnes », ces sentiers serpentent dans une forêt peuplée tantôt de conifères, tantôt de feuillus, où les cerfs de Virginie abondent. Des panneaux d'interprétation renseignent sur la nature et racontent des légendes régionales. Un belvédère, situé sur un promontoire, donne une vue sur un paysage agro-forestier.

**Réseau pédestre** ................. 3,6 km

| Sentiers et parcours | Longueur | Type | Niveau |
|---|---|---|---|
| Sentier des forêts | 3,3 km | Linéaire | Facile |

**Services et aménagements**

**Activités complémentaires**

**Documentation** .................... Dépliant (à l'accueil l'été)
**Période d'accès** ................. De mai à novembre, du lever au coucher du soleil
**Frais d'accès** ....................... Gratuit
**Voie d'accès** ....................... De Thetford Mines, emprunter la route 112 vers l'est sur 15 km environ. La halte routière se situe à la jonction des routes 112 et 271 nord.

**Gestionnaire** ........................ Municipalité de Saint-Pierre-de-Broughton
**Pour information** ................. (418) 424-3572
muni.stpierre@minfo.net

## 14 L'AUBERGE DU CENTRE DE LA NATURE

Le centre est situé en bordure de l'état du Maine, dans le comté de l'Islet. Il est établi en région sauvage et bordé de montagnes. Considéré surtout comme un paradis pour la chasse et la pêche, il offre aussi d'autres activités comme la randonnée pédestre et la raquette.

**Réseau pédestre** ................. 9,5 km

| Sentiers et parcours | Longueur | Type | Niveau |
|---|---|---|---|
| Sentier des Archers | 3,0 km | Boucle | Facile |
| Sentier des Oiseaux | 1,5 km | Boucle | Facile |
| Sentier de la Rivière | 1,5 km | Linéaire | Facile |
| Sentier du Sous-bois | 3,5 km | Boucle | Facile |

**Services et aménagements**

*Autres : aire de jeux, passerelle*

*Chaudière-Appalaches* 133

**Activités complémentaires**     *Hiver* ☃ *2,0 km*    🚴 *9,5 km*

**Période d'accès** ................. Toute l'année, du lever au coucher du soleil
⚠ *Les randonneurs n'ont pas accès pendant la période de chasse.*

**Frais d'accès** ....................... Gratuit

**Voie d'accès** ....................... De la sortie 414 de l'autoroute 20, prendre la direction de Saint-Pamphile et suivre la route 204 sur 43 km. Tourner à gauche vers Saint-Omer et, 10 km plus loin, tourner à droite devant l'église. Continuer sur 4 km jusqu'à l'entrée principale.

**Gestionnaire** ....................... L'Auberge du Centre de la nature

**Pour information** ................. (418) 356-3347 ...... (514) 918-6040

## 15 LA SEIGNEURIE DES AULNAIES

Le sentier ceinture le site d'interprétation du régime seigneurial de la Seigneurie des Aulnaies. On peut y voir un moulin, un étang, des jardins et une pinède.

**Réseau pédestre** ................. 3,0 km (linéaire, facile)

**Services et aménagements**     🏠 🅿 🚻 📞 🍴 🏕 🚏
*Autres : centre d'interprétation, café-terrasse*

**Activités complémentaires**         *Hiver* 🚴 *3,0 km*

**Documentation** ..................... Dépliant (à l'accueil)

**Période d'accès** ................... D'avril à novembre, de 9 h à 18 h

**Frais d'accès** (taxes incl.) ..... Adulte (13 ans et plus) : 9,00 $
Étudiant et Âge d'Or : 8,00 $
Enfant (12 ans et moins) : 4,00 $
Enfant (moins de 6 ans) : gratuit
Famille : 25,00 $

**Voie d'accès** ....................... De l'autoroute 20, prendre la sortie 430 et suivre les indications sur la route 132.

**Gestionnaire** ....................... La Seigneurie des Aulnaies

**Pour information** ................. (418) 354-2800 ...... 1 877 354-2800
www.laseigneuriedesaulnaies.qc.ca

## 16 LAC CARRÉ

Ce réseau fait partie du Parc régional des Appalaches (voir à ce nom).

## 17 LE DOMAINE DES SPORTIFS DE SAINTE-AURÉLIE

Le domaine est situé à l'est du village de Sainte-Aurélie, près des frontières du Maine. À l'occasion, on y apercevra des chevreuils et des orignaux. Des sentiers ont été aménagés. L'un est bordé de fleurs. 🐕 ★ *Un ancien clocher d'église sert de nichoir aux oiseaux.*

Réseau pédestre ................. 3,0 km

| Sentiers et parcours | Longueur | Type | Niveau |
|---|---|---|---|
| Sentier d'auto-interprétation ........................... 2,0 km ......... | Boucle ........ | Facile | |
| Sentier des Fleurs ........................................... 1,0 km ......... | Boucle ........ | Facile | |

**Services et aménagements**

*Autres : aire de jeux, piste d'hébertisme*

**Activités complémentaires**

 *Hiver*  *3,0 km + TT*

Période d'accès ................. Toute l'année, de 9 h à 17 h
Frais d'accès ....................... 3,00 $ (+ taxes)
Voie d'accès ....................... De Saint-Georges, emprunter la route 204 est sur 19 km. Tourner à droite sur la route 275 et poursuivre sur 12 km. Prendre ensuite la route 277 jusqu'à Sainte-Aurélie, puis suivre les indications.

Gestionnaire ....................... Le Domaine des Sportifs de Sainte-Aurélie
Pour information ................. (418) 593-7241 ...... (418) 593-3786

## 18  LE MONT GRAND MORNE – PARC D'AVENTURES

Cette montagne de basalte a plus de 650 millions d'années. Il y a des panneaux d'interprétation le long des sentiers qui traite de la géologie, de la faune et de la flore. On peut y pratiquer plusieurs activités de plein air telles que l'escalade, le deltaplane et, naturellement, la randonnée pédestre. Un chemin de gravier conduit au sommet d'une paroi où un panorama s'ouvre sur la campagne environnante.

Réseau pédestre ................. 5,9 km (Multi : 0,8)

| Sentiers et parcours | Longueur | Type | Niveau | Dénivelé |
|---|---|---|---|---|
| Sentier de la Dégringolade ........................... 0,7 km ......... | Linéaire ....... | Intermédiaire ...... | 140 m |
| Sentier du Crescendo ................................... 2,1 km ......... | Boucle ......... | Facile/Inter. ........ | 110 m |

**Services et aménagements**

*Autre : passerelle*

**Activités complémentaires**

Documentation ..................... Dépliant (à la halte routière à l'angle des routes 112 et 271)
Période d'accès .................. De mai à octobre, du lever au coucher du soleil
Frais d'accès ....................... Gratuit
Voie d'accès ....................... De Thetford Mines, emprunter la route 112 vers l'est sur 11 km. Tourner à droite sur la route 271 puis, à Sainte-Clotilde-de-Beauce, prendre la route en face de l'église, jusqu'au bout. Tourner à droite sur la route de terre et faire 4,9 km.

Gestionnaire ....................... Municipalité de Sainte-Clotilde-de-Beauce
Pour information ................. (418) 427-2637, steclotilde@hotmail.com

## 19 LES TOURBIÈRES

Ce réseau fait partie du parc régional des Appalaches (voir à ce nom).

## 20 MONT SUGAR LOAF

Ce réseau fait partie du parc régional des Appalaches (voir à ce nom).

## 21 MONTAGNE GRANDE COULÉE - RIVIÈRE AUX ORIGNAUX

Ce réseau fait partie du parc régional des Appalaches (voir à ce nom).

## 22 PARC DE LA CHUTE DE SAINTE-AGATHE

Un pont couvert enjambe la rivière Palmer. À quelques mètres en aval, une chute et plusieurs cascades insérées dans un canyon d'une vingtaine de mètres captent l'attention. Les sentiers suivent la falaise du canyon. 🐎

**Réseau pédestre** ................. 3,0 km (linéaire, facile)

**Services et aménagements**

*Autres : trottoir de bois, passerelle*

**Activités complémentaires**

*Hiver* 🏃 *3,0 km + TT*

**Documentation** .................... Dépliant (au bureau d'information touristique)
**Période d'accès** ................. De mai à octobre, de 9 h à 22 h
**Frais d'accès** ...................... 4,00 $ par personne
**Voie d'accès** ........................ De l'autoroute 20, prendre la sortie 278 et suivre la route 271 sud jusqu'à Sainte-Agathe. Tourner à droite sur le chemin Gosford Ouest, vers Inverness, et continuer jusqu'à l'entrée du parc.

**Gestionnaire** ....................... Corporation touristique de la chute de Sainte-Agathe inc.
**Pour information** ................. (418) 599-2661 ...... (418) 599-2392

## 23 PARC DES CHUTES D'ARMAGH

Le sentier de terre battue mène à une passerelle qui traverse la rivière d'Armagh et continue dans la forêt boréale. Il passe ensuite sous le pont de la route 281. On pourra observer deux anciens barrages hydroélectriques qui ne sont plus en service. 🐎

**Réseau pédestre** ................. 2,5 km (mixte, facile)

**Services et aménagements**

*Autres : passerelle*

**Documentation** .................... Dépliant (à l'accueil)
**Période d'accès** ................. De mai à décembre, du lever au coucher du soleil
**Frais d'accès** ...................... Gratuit

**Voie d'accès** .......................... De la ville de Lévis, suivre l'autoroute 20 est et prendre la sortie 348. Continuer ensuite sur la route 281 vers le sud. Contourner la municipalité d'Armagh et suivre les indications pour le parc des Chutes d'Armagh.

**Gestionnaire** .......................... Municipalité d'Armagh
**Pour information** .................. (418) 466-2916, munarma@globetrotter.net

## 24 PARC DES CHUTES-DE-LA-CHAUDIÈRE

On peut marcher en aval et en amont de la chute, et se rendre à un ancien barrage. On y trouve une petite centrale hydroélectrique où s'effectue de l'interprétation. 🐾 ★ *Un sentier utilise une passerelle suspendue de 113 m de long et haute de 22,85 m au-dessus de la rivière.*

**Réseau pédestre** ................. 4,3 km (mixte, facile/Inter.)

**Services et aménagements**

🏛️ 🅿️ 👪 🚻 🍽️ ⛱️ 🏕️

*Autres : passerelle suspendue*

**Activités complémentaires**

**Documentation** ..................... Dépliant-carte (à l'accueil)
**Période d'accès** .................. Du 1er mai au 15 octobre, de 7 h au coucher du soleil
**Frais d'accès** ....................... Gratuit
**Voie d'accès** ......................... Du pont Pierre-Laporte à Québec, suivre l'autoroute 73 vers le sud. Prendre la sortie « Chutes de la Chaudière », puis la route 116. Suivre ensuite les indications.

**Gestionnaire** .......................... Centre de plein air de Lévis
**Pour information** .................. (418) 835-4932, chutes.chaudiere.com

## 25 PARC RÉGIONAL DES APPALACHES

Ce parc régional « éclaté » a pour mission de mettre en valeur dix sites naturels répartis dans huit municipalités. Les nombreux sentiers conduisent à la découverte de laves sous-marines, d'eskers, de tourbières et d'autres phénomènes naturels. Les amateurs de sommets pourront atteindre celui de la Grande Coulée (853 m) et celui du Sugar Loaf (650 m). Sur ce dernier, une tour à feu a jadis été construite. Elle est aujourd'hui remplacée par un belvédère qui offre un panorama sur 360 degrés. 🐾

### Pour tous les secteurs :

**Documentation** ..................... Carte, dépliants, journal et affiches (au bureau d'information touristique de Sainte-Lucie et au Café du randonneur, sur la route 283, à 5 km de Saint-Fabien-de-Panet, à la jonction du chemin des Limites)
⚠️ *Le Café du randonneur est fermé durant l'hiver.*
**Période d'accès** .................. Toute l'année, du lever au coucher du soleil
Les services sont disponibles de 8 h 30 à 17 h
⚠️ *Pour la chasse, voir les indications dans les différentes sections.*
**Frais d'accès** ....................... Gratuit

**Gestionnaire** ......................... Corporation du Parc régional des Appalaches
**Pour information** ................. (418) 223-3423 ...... 1 877 827-3423
www.parcappalaches.com

## Par secteur :

### CASCADES DE LA LOUTRE (N° 3)
Dans la municipalité de Sainte-Euphémie-sur-Rivière-du-Sud

Ce sentier offre un parcours en boucle. Il emprunte sur une courte distance un ancien chemin de ferme longeant un champ jusqu'à l'abri au toit rouge. Ensuite, il pénètre en forêt et se rend jusqu'à la rivière à la Loutre et ses cascades. Des tables à pique-nique et des bancs sont disposés le long de la rivière pour le repos des marcheurs ou pour ceux qui taquinent le poisson.

**Réseau pédestre** ................. 2,0 km (boucle, facile)

**Services et aménagements**

*Autres : passerelle, location de petites embarcations*

**Activités complémentaires**

Hiver  2,0 km

**Voie d'accès** ......................... De la sortie 378 de l'autoroute 20, prendre la route 283 sud et traverser le village de Notre-Dame-du-Rosaire. Continuer sur 1 km et tourner à droite sur la rue Principale en direction de Sainte-Euphémie. Le sentier débute au stationnement en bordure de la route.

### LAC CARRÉ (N° 16)
Dans la municipalité de Sainte-Apolline

Ce centre de plein air est situé près de la paroisse de Sainte-Apolline-de-Patton. Le sentier contourne une partie du lac Carré, longe un lac sans nom, puis termine sa course au Petit lac des Vases.

**Réseau pédestre** ................. 12,0 km (linéaire, intermédiaire)

**Services et aménagements**

*Autres : aire de jeux, passerelle, passerelle suspendue, location de petites embarcations*

**Activités complémentaires**

Hiver 12,0 km + TT

**Précaution d'accès** ............. ⚠ *Prudence pendant la période de chasse*
**Voie d'accès** ......................... De la sortie 378 de l'autoroute 20, prendre la route 283 vers le sud. 10 km après Notre-Dame-du-Rosaire, tourner à gauche sur la route 216 et continuer jusqu'à Sainte-Apolline-de-Patton. Suivre ensuite les indications pour le lac Carré ou le centre de plein air.

### LES TOURBIÈRES (N° 19)
Dans la municipalité de Saint-Just-de-Bretenières

Ce site est situé sur le plateau appalachien, en bordure de la rivière Daaquam. Plusieurs sentiers, utilisés l'hiver pour le ski de fond et la raquette, sont accessibles aux marcheurs et aux cyclistes à travers la forêt de conifères et de feuillus. Il est conseillé de s'enregistrer à la pourvoirie Daaquam avant d'aller en randonnée.

**Réseau pédestre** ................. 28,6 km (Multi)

| Sentiers et parcours | Longueur | Type | Niveau |
|---|---|---|---|
| Sentier Les Tourbières ..................... | 5,0 km ........ | Boucle ......... | Facile |
| Sentier Le Trappeur ........................ | 4,0 km ........ | Boucle ......... | Facile |
| Sentier Le Frontalier ...................... | 4,0 km ........ | Boucle ......... | Facile |

**Services et aménagements**

*Autres : trottoir de bois, passerelle*

**Activités complémentaires**

 *Hiver*  *14,0 km + TT*

**Précaution d'accès** ............. ⚠ *La prudence est recommandée, même si les randonneurs sont orientés vers des sentiers où il n'y a pas de chasseurs.*

**Voie d'accès** ......................... De la sortie 348 de l'autoroute 20, prendre la route 281 vers le sud sur 68 km. Tourner à gauche sur la route 204 et, 10 km plus loin, à Saint-Just-de Bretenières, tourner à droite après l'église. Faire 1 km et, après le pont de la rivière Daaquam, tourner à gauche et faire encore 400 m.

## MONT SUGAR LOAF (N° 20)
Dans la municipalité de Sainte-Lucie-de-Beauregard

Le mont Sugarloaf est situé près de la frontière du Maine. Le sentier du Garde-Feu conduit au sommet de la montagne à une altitude de 650 m. En montant d'abord à travers des feuillus, on se rend à une érablière, puis à un pic recouvert de conifères. De là, on peut voir huit villages environnants. Le sentier du Pont-Brûlé mène à une passerelle suspendue de 30 m enjambant la rivière Noire.

**Réseau pédestre** ................. 23,5 km

| Sentiers et parcours | Longueur | Type | Niveau | |
|---|---|---|---|---|
| Sentier du Garde-Feu ...................... | 3,0 km ........ | Mixte ........... | Intermédiaire ...... | 250 m |
| Sentier du Pont-Brûlé ..................... | 7,0 km ........ | Mixte ........... | Intermédiaire ...... | 250 m |
| Sentier Le Beauregard .................... | 6,5 km ........ | Mixte ........... | Facile | |
| Sentier Les Castors ........................ | 7,0 km ........ | Mixte ........... | Intermédiaire | |

**Services et aménagements**

*Autres : passerelle, passerelle suspendue*

**Activités complémentaires**

 *Hiver*  *23,5 km + TT*

**Précaution d'accès** ............. ⚠ *Prudence pendant la période de chasse*

**Voie d'accès** ......................... De Montmagny, prendre la route 283 vers le sud jusqu'à Saint-Fabien-de-Panet, puis la route 204 vers l'est jusqu'à

Sainte-Lucie-de-Beauregard. Tourner à gauche sur la route des Chutes, puis à gauche encore sur le 6e Rang Ouest. Traverser le pont couvert pour arriver à la montagne.

JCT  SENTIERS PÉDESTRES DE SAINT-FABIEN-DE-PANET

## MONTAGNE GRANDE COULÉE - RIVIÈRE AUX ORIGNAUX (N° 21)
Dans la municipalité de Saint-Paul-de-Montminy

Le sentier de la Montagne Grande Coulée débute à l'accueil de la montagne du même nom et franchit une vingtaine de passerelles franchissant le ruisseau de la Coulée. Il rejoint, au sommet, le sentier des Orignaux. Ce dernier longe le lac Long et la rivière aux Orignaux, traverse un ravage d'orignaux et sillonne le plus haut sommet de Montmagny-Sud, à une altitude de 853 m.

**Réseau pédestre** ................. 17,0 km (mixte, inter./difficile, dénivelé max. de 365 m)

**Services et aménagements**

*Autres : passerelle*

**Activités complémentaires**

 *Hiver*  *17,0 km + PT*

**Précaution d'accès** .............. ⚠ *Prudence pendant la période de chasse*
**Voie d'accès** ........................ De la sortie 378 de l'autoroute 20, prendre la route 283 sud. Emprunter ensuite la route 216 ouest et contourner le village de Saint-Paul-de-Montminy. Tourner ensuite à gauche sur la route Sirois, puis à droite sur le 5e Rang. Poursuivre jusqu'au chemin Grande-Coulée et tourner à gauche au stationnement.

## SENTIERS PÉDESTRES DE SAINT-FABIEN-DE-PANET (N° 30)
Dans la municipalité de Saint-Fabien-de-Panet

Perchés au sommet des Appalaches, ces sentiers proposent une promenade dans la verdure et la tranquillité. On y côtoie lacs, ruisseaux et chutes. Renards roux, cerfs de Virginie, lièvres d'Amérique, grand héron et gélinottes huppées ne sont que quelques-unes des rencontres que l'on peut y faire. On retrouve des panneaux d'interprétation de la nature tout le long des sentiers.

**Réseau pédestre** ................. 26,0 km

| Sentiers et parcours | Longueur | Type | Niveau | Dénivelé |
|---|---|---|---|---|
| Sentier du Lac Talon | 6,0 km | Mixte | Facile | |
| Chutes du Ruisseau des Cèdres | 4,0 km | Mixte | Facile | |
| Petit Lac des Vases | 4,0 km | Linéaire | Facile | |
| Chute de la Devost | 3,0 km | Mixte | Facile | |
| Sentier de l'Érablière | 3,0 km | Mixte | Intermédiaire | 75 m |
| Sentier Les parois | 3,0 km | Mixte | Intermédiaire | 100 m |

**Services et aménagements**

*Autres : passerelle, passerelle suspendue*

**Activités complémentaires**  *Hiver* 🚶 *26,0 km + PT*

**Précaution d'accès** .............. ⚠ *Prudence pendant la période de chasse.*
**Voie d'accès** ........................ De la sortie 378 de l'autoroute 20, suivre la route 283 sud jusqu'à Saint-Fabien-de-Panet, soit sur 56 km.

**Gestionnaire** ........................ Municipalité de Saint-Fabien-de-Panet

[JCT] MONT SUGAR LOAF

## 26 PARC RÉGIONAL MASSIF DU SUD

Le Massif du Sud englobe la partie la plus élevée de la chaîne appalachienne de la rive sud du Saint-Laurent. Son territoire de 100 km² comprend les monts du Midi, Saint-Magloire et Chocolat. Le mont du Midi (915 m) peut être atteint grâce à un sentier qui traverse une érablière, puis une sapinière. La vue au sommet s'étend jusqu'à Québec et les Laurentides. Le sentier de la Rivière fait le tour du mont Chocolat. Partout le randonneur est confronté à un paysage accidenté. On passe dans une vieille forêt de bouleaux jaunes de plus de 200 ans. On peut se reposer dans des abris sous roche, ou encore dans des refuges ponctuant le parcours. 🐴

**Réseau pédestre** ................. 51,4 km

| Sentiers et parcours | Longueur | Type | Niveau | Dénivelé |
|---|---|---|---|---|
| Sentier des Passerelles ................. | 1,5 km ........ | Linéaire ....... | Facile | |
| Sentier des Sources ........................ | 3,4 km ........ | Linéaire ...... | Difficile .............. | 400 m |
| Sentier du mont du Midi .................. | 6,0 km ........ | Linéaire ...... | Difficile .............. | 400 m |
| Sentier du mont Chocolat .............. | 2,0 km ........ | Linéaire ...... | Difficile .............. | 300 m |
| Sentier des Abris sous Roches ....... | 1,0 km ........ | Linéaire ...... | Difficile .............. | 140 m |
| Sentier des Portes de l'Enfer ........... | 3,6 km ........ | Boucle ........ | Difficile .............. | 300 m |

**Services et aménagements**

*Autres : piste d'hébertisme*

**Activités complémentaires**  *Hiver* 🚶 *19,9 km*

**Documentation** .................... Dépliant-carte (à l'accueil)
**Période d'accès** .................. Toute l'année sauf durant la période de dégel
De 8 h 30 à 17 h
⚠ *Prudence pendant la période de chasse*
**Frais d'accès** (taxes incl) ...... Adulte : 3,50 $
Enfant/adolescent (7 à 17 ans) : 1,50 $
Enfant (6 ans et moins) : gratuit
Famille : 7,00 $
**Voie d'accès** ........................ De la sortie 337 de l'autoroute 20, suivre la route 279 sud jusqu'à la route 216. Tourner à gauche et suivre les indications sur les panneaux bleus « Massif du Sud ».

**Gestionnaire** ........................ Société de gestion du Parc régional Massif du Sud
**Pour information** ................. (418) 469-2228
www.massifdusud.com

## 27 PARCOURS DES ANSES

Le Parcours des Anses est situé en bordure du fleuve Saint-Laurent sur une ancienne voie ferrée. Il est entièrement asphalté et permet de pratiquer différentes activités comme la marche, le vélo et le patin à roues alignées, grâce à ses voies désignées. De la rive, on aperçoit la ville de Québec. 🐕 ★ *Des sections de sentiers sont éclairées en soirée.*

**Réseau pédestre** ................. 15,0 km (linéaire, facile)

**Services et aménagements**

**Activités complémentaires**

**Période d'accès** .................. De mi-avril à fin novembre, de 7 h à 23 h
**Frais d'accès** ........................ Gratuit
**Voie d'accès** ........................ De l'autoroute 20, emprunter la sortie 318 nord. Suivre les indications pour le traversier de Québec/Lévis. Il y a plusieurs accès possibles entre Saint-Romuald et le quartier Lauzon.

**Gestionnaire** ........................ Centre de plein air de Lévis
**Pour information** .................. (418) 838-4932, www.tourismelevis.com

## 28 SENTIER DE LA HAUTE ETCHEMIN

Ce sentier d'interprétation de la nature a été aménagé le long de la décharge du lac Etchemin, laquelle se jette dans la rivière du même nom. 🐕

**Réseau pédestre** ................. 3,5 km (linéaire, facile)

**Services et aménagements**

**Activités complémentaires**  *Hiver* 🎿 TT

**Période d'accès** .................. De mai à octobre, de 8 h à 20 h
**Frais d'accès** ........................ Gratuit
**Voie d'accès** ........................ À Lac-Etchemin, prendre la 2e Avenue et tourner sur la rue du Sanctuaire. Le sentier se trouve à la décharge.

**Gestionnaire** ........................ Association écologique des Etchemins
**Pour information** .................. (418) 625-4521 ...... (418) 625-7272 munetchemin@sogetel.net

## 29 SENTIER DU ROCHER BLANC

En marchant le long de la rivière du Sud, on a des points de vue sur plusieurs cascades. 🐕

**Réseau pédestre** ................. 1,0 km (linéaire, facile)

**Services et aménagements**

*Autres : passerelle*

| Activités complémentaires | Hiver  TT |

**Période d'accès** .................. De mai à octobre, de 6 h à 21 h
**Frais d'accès** ........................ Gratuit
**Voie d'accès** ........................ De l'autoroute 20, prendre la sortie 348 et suivre la route 281 en direction sud. À Saint-Raphaël, prendre le chemin Sainte-Catherine, puis la route du Pouvoir. Le sentier est situé à côté de la centrale.

**Gestionnaire** ........................ Mouvement des Amis de la rivière du Sud
**Pour information** .................. (418) 243-3424, marsi@globetrotter.net

## 30  SENTIERS PÉDESTRES DE SAINT-FABIEN-DE-PANET

Ce réseau fait partie du parc régional des Appalaches (voir à ce nom).

## 31  SENTIERS PÉDESTRES DES 3 MONTS DE COLERAINE

Ce territoire de 396 hectares est, en fait, une réserve écologique. C'est une aire protégée constituée pour la conservation intégrale et permanente d'écosystèmes à leur état naturel. Plusieurs parcours ont été tracés dont une grande boucle qui passe par les montagnes Oak, Kerr et Caribou. On passera parmi des chênes rouges au mont Oak. Un poste d'observation à la colline Kerr offre un panorama sur trois lacs : le Grand lac Saint-François et les lacs Caribou et Aylmer. On aura aussi accès au lac Johnston et à d'anciennes galeries de mine de chrome datant de la fin du XIXe siècle. ★ *Des urubus à tête rouge nichent en colonie sur le site.*

**Réseau pédestre** .................. 35,0 km

| Sentiers et parcours | Longueur | Type | Niveau |
|---|---|---|---|
| Mont-Oak (boucle courte) ........................... 4,0 km | | Boucle | Facile |
| Mont-Oak (boucle longue) ........................... 6,0 km | | Boucle | Facile |
| Lac Johnston .............................................. 10,0 km | | Boucle | Intermédiaire |
| Mont Caribou .............................................. 4,0 km | | Boucle | Intermédiaire |
| Colline Kerr ................................................. 8,0 km | | Boucle | Difficile |

| Services et aménagements |  |

*Autres : passerelle*

| Activités complémentaires |  Hiver  15,0 km  35,0 km  |

**Documentation** .................... Dépliant-carte (à l'accueil)
**Période d'accès** .................. Toute l'année
De 8 h 30 à 17 h en semaine
De 8 h 30 à 18 h 30 samedi et dimanche
**Frais d'accès** (taxes incl.) ..... Adulte : 3,50 $ (été), 3,00 $ (hiver)
Étudiant : 3,00 $ (été), 2,00 $ (hiver)
Enfant (6 à 10 ans) : 1,50 $ (été), 1,00 $ (hiver)
Enfant (5 ans et moins) : gratuit
Famille : 8,00 $ (été), 5,00 $ (hiver)
Des cartes annuelles sont disponibles

**Voie d'accès** ........................ De Thetford Mines, emprunter la route 112 jusqu'à Coleraine où le sentier est indiqué en bordure de la route, en face de l'aréna.

**Gestionnaire** ........................ Corporation Sentiers pédestres des 3 monts de Coleraine
**Pour information** ................. (418) 423-3351
pages.globetrotter.net/sentierspedestres3monts

## 32 SITE D'OBSERVATION DES OISEAUX DU LAC NOIR

Le marais entourant le lac est propice à la reproduction de la flore et de la faune, principalement de la faune ailée. En effet, près de 75 espèces d'oiseaux ont été répertoriées, sans compter les espèces en migration et les oiseaux rapaces. On a installé des tours d'observation.

**Réseau pédestre** ................. 2,8 km (mixte, facile)

**Services et aménagements**

**Activités complémentaires**

**Documentation** ..................... Liste des oiseaux observés, dépliant (au bureau de la municipalité)
**Période d'accès** .................. De mai à octobre, du lever au coucher du soleil
**Frais d'accès** ........................ Gratuit
**Voie d'accès** ........................ De Saint-Jean-Port-Joli, suivre la route 204 vers le sud sur 25 km environ. L'entrée du site est identifiée en bordure de la route.

**Gestionnaire** ........................ Municipalité de Tourville
**Pour information** ................. (418) 359-2106, municipal.tourville@globetrotter.net

## 33 SITE DE LA MINE BOSTON

Un sentier a été tracé sur le site de cette ancienne mine. Des panneaux d'interprétation renseignent sur l'histoire de la mine fermée en 1923, sur la régénération de la forêt après l'exploitation minière, et sur la faune et la flore qui l'habitent.

**Réseau pédestre** ................. 10,0 km

| Sentiers et parcours | Longueur | Type | Niveau |
|---|---|---|---|
| Sentier des mineurs ................................. | 10,0 km ........ | Mixte ........... | Facile |

**Services et aménagements**

*Autres : aire de jeu, abri*

**Activités complémentaires**
 *Hiver*  *10,0 km*

**Documentation** ..................... Dépliant (à l'accueil)
**Période d'accès** .................. Toute l'année, du lever au coucher du soleil
**Frais d'accès** ........................ Gratuit

---

**Voie d'accès** ......................... De Thetford Mines, emprunter la route 112 vers l'est. À 1,5 km de la sortie du village d'East Broughton, prendre le 5e Rang Nord à gauche.

**Gestionnaire** ......................... Association de chasse et de pêche des cantons de Broughton inc.

**Pour information** ................. (418) 427-3412, chasseetpeche@globetrotter.net

## 34 TOUR D'OBSERVATION SAINT-FORTUNAT

Cette tour d'observation est située près du village de Saint-Fortunat. Un sentier tracé dans cette portion des Appalaches nous y mène. Du haut de la tour, on peut voir, par temps clair, treize monts dont Orford, Mégantic et Adstock.

**Réseau pédestre** ................. 0,7 km (linéaire, facile)

**Services et aménagements**

**Activités complémentaires**  **Hiver** 0,7 km

**Documentation** ..................... Dépliant (au Marché Garneau)
**Période d'accès** ................... Toute l'année, du lever au coucher du soleil
**Frais d'accès** ........................ Gratuit
**Voie d'accès** ........................ De Sherbrooke ou de Thetford Mines, suivre la route 112 jusqu'à Disraëli, puis la route 263 nord jusqu'à Saint-Fortunat.

**Gestionnaire** ......................... Œuvres des terrains de jeux de Saint-Fortunat
**Pour information** ................. (819) 344-5453 ...... (819) 344-5941

## 35 ZEC JARO

La zec Jaro est située au sud de la ville de Saint-Georges. On peut se rendre à la chute du lac Portage ou atteindre, par un autre sentier, le lac des Cygnes, puis la montagne à Feu.

**Réseau pédestre** ................. 6,0 km (Multi)

| Sentiers et parcours | Longueur | Type | Niveau | Dénivelé |
|---|---|---|---|---|
| Lac des Cygnes | 3,0 km | Linéaire | Facile | 60 m |
| Chute du lac Portage | 3,0 km | Linéaire | Facile | |

**Services et aménagements**

Autres : passerelle

**Activités complémentaires**  **Hiver** 6,0 km + TT

**Documentation** ..................... Carte de la zec (à l'accueil)
**Période d'accès** ................... Toute l'année, du lever au coucher du soleil
⚠ *Dossard obligatoire à partir du 15 septembre à cause de la chasse*

**Frais d'accès** ........................ 5,50 $ par véhicule (+ taxes)
**Voie d'accès** ........................ De Saint-Georges, prendre la route 173 sud jusqu'à Saint-Théophile, puis suivre les indications pour la zec Jaro.

**Gestionnaire** ........................ Société beauceronne de gestion faunique
**Pour information** .................. (418) 597-3622 ...... (418) 226-5276, www.zecjaro.qc.ca

# *Duplessis*

Anse à Willie (Magpie)

# DUPLESSIS

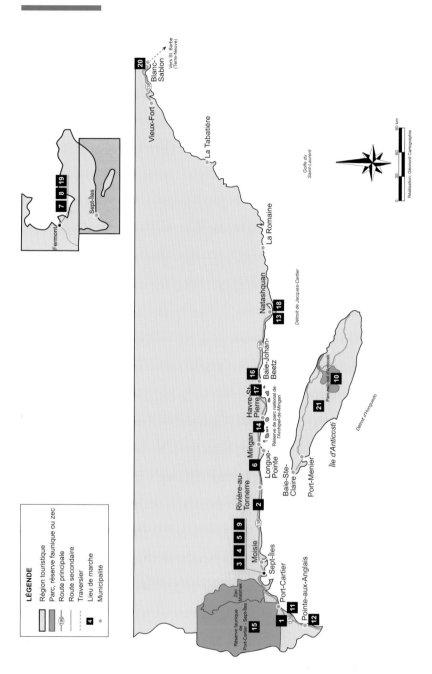

**Activités**
**complémentaires**  *Hiver*  *TT*

**Période d'accès** .................. D'avril à octobre, du lever au coucher du soleil
**Frais d'accès** ........................ Gratuit
**Voie d'accès** ........................ Les jardins se situent près de la Maison du tourisme, à l'entrée ouest de Sept-Îles par la route 138.

**Gestionnaire** ........................ Ville de Sept-Îles
**Pour information** ................. (418) 964-3341, www.ville.sept-iles.qc.ca

## 5 LES SENTIERS DE LA NATURE

Ce sentier multifonctionnel longe en partie la baie de Sept-Îles. Il communique avec les sentiers du parc de la Rivière-des-Rapides. Deux tours d'observation s'y trouvent, de même qu'une passerelle flottante et des aires d'interprétation des écosystèmes forestiers.

**Réseau pédestre** ................. 5,5 km (Multi) (linéaire, facile)

**Services et**
**aménagements**
*Autres : passerelle*

**Activités**
**complémentaires**  *Hiver*  *5,5 km + TT*

**Période d'accès** .................. D'avril à octobre, du lever au coucher du soleil
**Frais d'accès** ........................ Gratuit
**Voie d'accès** ........................ De la route 138 ouest à la sortie de Sept-Îles, prendre la rue des Chanterelles. Continuer jusqu'à la rue des Marguerites, puis tourner à droite sur celle-ci et se rendre jusqu'à son extrémité.

**Gestionnaire** ........................ Ville de Sept-Îles
**Pour information** ................. (418) 964-3341, www.ville.sept-iles.qc.ca

[JCT] PARC DE LA RIVIÈRE-DES-RAPIDES

## 6 MAGPIE

Dans ce petit village de la Minganie, deux sentiers font découvrir la diversité des paysages de cette région. Le premier, le sentier de l'Anse à Zoël, longe le littoral puis s'enfonce à travers bois le long d'une paroi rocheuse. Il mène à un belvédère offrant une vue panoramique sur le village de Magpie. Le second, le sentier de l'Anse à Willie, mène à la rivière Magpie où l'on peut observer des oiseaux et autres représentants de la faune de cette région.

**Réseau pédestre** ................. 10,0 km

| Sentiers et parcours | Longueur | Type | Niveau |
|---|---|---|---|
| Sentier de l'Anse à Zoël | 3,0 km | Boucle | Facile |
| Sentier de l'Anse à Willie | 4,5 km | Boucle | Facile |
| Sentier de l'Anse du Vieux Quai | 2,5 km | Boucle | Facile |

| Services et aménagements | ✳ 🏕 🛉🎑 |
|---|---|

**Activités complémentaires**     *Hiver* 🏃 *10,0 km + TT*

**Période d'accès** .................. Toute l'année, du lever au coucher du soleil
⚠ *Port d'un dossard obligatoire pendant la période de chasse*
**Frais d'accès** ....................... Gratuit
**Voie d'accès** ........................ De la route 138, entrer dans le village de Magpie. Un sentier se trouve près du quai, un autre à l'extrémité est du village, et un autre sur la route 138, du côté est du pont de la rivière Magpie.

**Gestionnaire** ........................ Comité des citoyens de Magpie
**Pour information** ................. (418) 949-2462 ...... (418) 949-2927

## 7   MONT DAVIAULT

Cette colline est située au sud de Fermont, en bordure du lac Daviault. Des panneaux d'interprétation de la flore et de la géologie sont dispersés le long des sentiers. Le sentier de la Flore parcourt le versant nord-est au complet et accède au sommet. De là-haut, on jouit d'un vaste panorama sur la ville, le lac et la nature environnante. 🦌

**Réseau pédestre** ................. 3,2 km

| Sentiers et parcours | Longueur | Type | Niveau |
|---|---|---|---|
| Sentier de la Flore ........................................... | 1,5 km ......... | Linéaire ....... | Facile |
| Sentier du Ruisseau ........................................ | 1,0 km ......... | Linéaire ....... | Facile |

| Services et aménagements | ✳ 🅿 🛉🎑 |
|---|---|

*Autres : passerelle*

**Activités complémentaires**     🌲    *Hiver* 🏃 *TT*

**Documentation** .................... Dépliant-carte (au bureau d'information touristique)
**Période d'accès** .................. Toute l'année, du lever au coucher du soleil
**Frais d'accès** ........................ Gratuit
**Voie d'accès** ........................ On accède aux sentiers à partir de la rue Duchesneau située au sud-ouest de la ville de Fermont.

**Gestionnaire** ........................ Association touristique de Fermont
**Pour information** ................. (418) 287-5882 ...... 1 888 211-2222
www.caniapiscau.net

## 8   MONTS SEVERSON

Au pays des lichens, de la taïga et des caribous, les sentiers Severson, dans les monts du même nom, permettent de découvrir un milieu subarctique. La plus ancienne formation géologique du globe, le bouclier canadien, s'y laisse étudier avec facilité. Le massif dresse ses sommets, recouverts de toundra, jusqu'à 900 m d'altitude. 🦌

**Réseau pédestre** ................ 29,5 km

| Sentiers et parcours | Longueur | Type | Niveau | Dénivelé |
|---|---|---|---|---|
| Sentier Severson-Fermont ........................ | 12,0 km ......... | Linéaire ...... | Intermédiaire ..... | 120 m |
| Sentier du Piton .............................................. | 2,0 km ......... | Boucle ......... | Intermédiaire ....... | 85 m |
| Sentier de la Faille ....................................... | 2,5 km ......... | Boucle ......... | Intermédiaire ....... | 85 m |
| Sentier des Cairns ....................................... | 3,3 km ......... | Boucle ......... | Intermédiaire ..... | 100 m |
| Sentier du Lacreux ....................................... | 4,0 km ......... | Boucle ......... | Intermédiaire ..... | 115 m |
| La Roff ......................................................... | 5,2 km ......... | Boucle ......... | Intermédiaire ..... | 120 m |

*Note : la longueur de chacun de ces parcours est calculée depuis le stationnement.*

**Services et aménagements**

Autres : *tous les autres services sont disponibles à Fermont.*

**Activités complémentaires**

 *Hiver*  *TT*

**Documentation** .................... Dépliant-carte (au bureau d'information touristique)
**Période d'accès** .................. De mai à novembre, du lever au coucher du soleil
⚠ *Port d'un dossard obligatoire pendant la période de chasse*
**Frais d'accès** ....................... Gratuit
**Voie d'accès** ........................ De Fermont, prendre la route 389 et faire 3,4 km vers le sud. Le stationnement se trouve à gauche de la route.

**Gestionnaire** ......................... Ville de Fermont
**Pour information** ................. (418) 287-5471 ...... (418) 287-5822
www.caniapiscau.net

## 9 PARC DE LA RIVIÈRE-DES-RAPIDES

Ce site boisé naturel entoure l'embouchure de la rivière des Rapides. Deux tours d'observation des oiseaux et un village miniature pour enfants agrémentent ce coin de pessière et de sol abondant en lichens de toutes sortes. 🐴

**Réseau pédestre** ................ 3,5 km

| Sentiers et parcours | Longueur | Type | Niveau |
|---|---|---|---|
| Le Grand Rapide ........................................... | 2,0 km ......... | Linéaire ....... | Facile |
| Le Petit Rapide ............................................. | 1,5 km ......... | Linéaire ....... | Facile |

**Services et aménagements**

Autres : *aire de jeux*

**Activités complémentaires**

 *Hiver*  *3,5 km + TT*

**Période d'accès** .................. D'avril à octobre, du lever au coucher du soleil
**Frais d'accès** ....................... Gratuit
**Voie d'accès** ........................ Le parc se situe à 6 km à l'ouest de Sept-Îles par la route 138, à l'embouchure de la rivière des Rapides.

*Duplessis* 155

Gestionnaire ........................ Ville de Sept-Îles
Pour information ................ (418) 964-3341, www.ville.sept-iles.qc.ca

JCT   LES SENTIERS DE LA NATURE

## 10   PARC NATIONAL D'ANTICOSTI    Parcs Québec

Créé en avril 2001, c'est l'un des plus récents parcs nationaux québécois. Il offre un spectacle énigmatique, celui des phénomènes karstiques. Des cours d'eau disparaissent dans les fissures de la pierre calcaire. Le promeneur peut les entendre sans les voir. Après un trajet souterrain qui peut s'étendre sur plusieurs kilomètres, ces cours d'eau réapparaissent, parfois de façon spectaculaire. C'est le cas de la chute Vauréal, haute de 76 m, qui se jette dans un canyon. On peut aussi visiter des grottes telles que celle de la Patate.

**Réseau pédestre** ................ 48,0 km

| Sentiers et parcours | Longueur | Type | Niveau |
|---|---|---|---|
| La grotte Patate ........................................... | 1,5 km ........ | Linéaire ...... | Intermédiaire |
| La vallée de Vauréal .................................... | 10,0 km ........ | Linéaire ...... | Intermédiaire |
| Les sentinelles .............................................. | 6,0 km ........ | Linéaire ...... | Intermédiaire |
| Les échoueries .............................................. | 3,0 km ........ | Linéaire ...... | Facile |
| Le canyon ...................................................... | 3,5 km ........ | Linéaire ...... | Difficile |
| Le brûlé de 1955 ........................................... | 6,0 km ........ | Linéaire ...... | Facile |

**Services et aménagements**

**Activités complémentaires**
 Hiver PT

**Documentation** .................... Dépliant-carte, carte (à l'accueil)
**Période d'accès** .................. De juin à mi-septembre, du lever au coucher du soleil
**Frais d'accès** ....................... Voir la tarification des parcs nationaux du Québec dans les pages bleues au début du livre
**Voie d'accès** ......................... De Havre-Saint-Pierre ou de Rimouski, prendre le traversier « Relais-Nordik » vers Port-Menier, unique village de l'île d'Anticosti. Il existe également des liens aériens.

**Gestionnaire** ......................... SÉPAQ
**Pour information** ................. (418) 535-0156 ...... 1 800 665-6527
www.parcsquebec.com

JCT   SÉPAQ ANTICOSTI

## 11   PARC TAÏGA

Ce parc est situé au confluent de la rivière aux Rochers et de la rivière Dominique, en plein cœur de Port-Cartier, sur les îles Patterson et McCormick. Les formations de dalles rocheuses qui affleurent le long de la rive attirent l'attention, de même que l'épave d'un navire échoué qu'on peut voir de loin. Le milieu écologique est celui de la pessière nordique parsemée d'un couvert de lichens mousseux. 

**Réseau pédestre** ................. 1,6 km (boucle, intermédiaire)

| Services et aménagements | 🅿 🏕 |
|---|---|

*Autres : passerelle*

| Activités complémentaires | Hiver 🎿 1,6 km |
|---|---|

**Période d'accès** ................... Toute l'année, du lever au coucher du soleil

**Frais d'accès** ........................ Gratuit

**Voie d'accès** ........................ De la route 138 à Port-Cartier, emprunter la rue Shelter Bay vers le sud, puis tourner à gauche sur le boulevard des Îles. Le stationnement du parc se trouve entre le pont des Rochers et le pont Chenel. Un autre accès, après le pont Chenel, mène aux sentiers de l'île McCormick.

**Gestionnaire** ........................ Ville de Port-Cartier

**Pour information** ................. (418) 766-2345, bportcar@globetrotter.qc.ca

## 12 PLAGE DE POINTE-AUX-ANGLAIS

La plage de Pointe-aux-Anglais doit son nom à la flotte anglo-américaine dirigée par l'amiral Walker qui était venue conquérir la colonie française en 1711. Malheureusement pour lui et sa troupe, des 60 navires au départ, 16 ont fait naufrage sur l'île aux Œufs, ce qui contraignit les autres à rebrousser chemin. La plage se situe dans une région de la Côte-Nord renfermant les plus belles plages naturelles au Québec. On y contemple les eaux du golfe Saint-Laurent en explorant les nombreux rochers qui jalonnent le parcours. 🎣 ⭐ *En juin, des milliers de petits poissons viennent s'échouer sur la plage.*

**Réseau pédestre** ................. 11,0 km

| Sentiers et parcours | Longueur | Type | Niveau |
|---|---|---|---|
| Plage de la Pointe-aux-Anglais .................. | 10,0 km ........ | Linéaire ....... | Facile |
| Sentier Rivière-Pentecôte ............................ | 1,0 km ........ | Boucle ......... | Facile |

| Services et aménagements | 🎖 🅿 🚻 🏕 ⛺ |
|---|---|

| Activités complémentaires |  |
|---|---|

**Période d'accès** ................... Printemps, été, automne

**Frais d'accès** ........................ Gratuit

**Voie d'accès** ........................ La plage est accessible à partir de la route 138, à Pointe-aux-Anglais.

**Gestionnaire** ........................ Municipalité de Pentecôte

**Pour information** ................. (418) 799-2262 ...... (418) 799-2211

## 13 PLAGE DES GALETS

La plage longe le village natal du poète Vigneault. Elle est parsemée de grandes roches plates. Sur une pointe qui s'avance dans le golfe, un regroupement de hangars rappelle les installations de pêche traditionnelle que sont les galets. 🎣

**Réseau pédestre** ................. 8,0 km (linéaire, facile)

**Services et aménagements**

*Autres : centre d'interprétation*

**Activités complémentaires**

Documentation ................... Carte du village (au centre d'interprétation Le bord du Cap et au camping municipal)

Période d'accès ................. De mai à décembre, du lever au coucher du soleil

Frais d'accès ...................... Gratuit

Voie d'accès ...................... La plage se situe entre le village de Natashquan et celui de Pointe-Parent.

Gestionnaire ....................... Municipalité de Natashquan

Pour information ................. (418) 726-3362 ...... (418) 726-3362
muninatashquan@globetrotter.net

## 14 RÉSERVE DE PARC NATIONAL DU CANADA DE L'ARCHIPEL-DE-MINGAN

Les îles Mingan sont le royaume de la toundra maritime, avec sa flore et sa faune caractéristiques : plantes insectivores, tourbières, colonies de macareux moines (ou perroquets de mer). L'érosion des falaises calcaires a produit les fameux monolithes que l'on peut découvrir sur certaines îles. Plus de 100 km de marche peuvent être accomplis sur les plages du littoral des îles de l'archipel mais il faudra, à ce propos, se montrer prudent avec les marées qui pourraient empêcher le passage dans des secteurs plus difficiles; bien se renseigner au préalable. De petits sentiers ont aussi été aménagés pour découvrir le cœur de plusieurs de ces jardins naturels, emplis de cris d'oiseaux.

Réseau pédestre ................. 36,0 km

| Sentiers et parcours | Longueur | Type | Niveau |
|---|---|---|---|
| Randonnée des Gentianes (Île du Havre) ..... 15,3 km ........ Boucle ........ Intermédiaire |
| Sentier à Samuel (Île Niapiskau) ................... 4,3 km ........ Linéaire ....... Intermédiaire |
| Sentier des Falaises (Île Quarry) ................. 1,4 km ........ Boucle ........ Facile |
| Randonnée des Cypripèdes (Île Quarry) ........ 9,0 km ........ Boucle ........ Intermédiaire |
| Randonnée du Petit Percé (Île Quarry) .......... 4,0 km ........ Boucle ........ Facile |
| Randonnée de la Lumière ............................. 1,0 km ........ Linéaire ....... Facile |
| (Petite-île-au-Marteau) |

**Services et aménagements**

*Autres : abris-cuisine, centre d'interprétation*

⚠ *Certains services ne sont disponibles qu'au quai d'embarquement.*

**Activités complémentaires**

Documentation ................... Brochure incluant carte, cahier d'activités et services (à l'accueil)

Période d'accès ................. De mi-juin à mi-septembre

Horaire d'accès .................. De 8 h 30 à 20 h (variable pour le transport maritime)

**Frais d'accès** (taxes incl.) ..... Adulte (plus de 16 ans) : 4,50 $
Aîné (65 ans et plus) : 4,00 $
Étudiant (carte)/Jeune (6 à 16 ans) : 2,25 $
Enfant (moins de 6 ans) : gratuit
Famille : 11,25 $
Des frais de traversée s'ajoutent
Des tarifs saisonniers sont disponibles
**Voie d'accès** ........................ Les services de transport maritime permettant l'accès aux îles ont comme principaux points de départ : Havre-Saint-Pierre, Mingan et Longue-Pointe-de-Mingan.

**Gestionnaire** ........................ Parcs Canada
**Pour information** ................. (418) 538-3285 ...... 1 800 463-6769
www.parcscanada.gc.ca/mingan

## 15 RÉSERVE FAUNIQUE DE PORT-CARTIER – SEPT-ÎLES

Cette réserve faunique, d'une superficie de 6 422 km², fut créée en 1965 et est située à proximité des villes dont elle tire son nom. Elle est localisée en pleine forêt boréale, et les lacs et les rivières y abondent. C'est un territoire de chasse et de pêche. Le randonneur a accès à deux sentiers : l'un menant à la chute MacDonald, l'autre, à la chute du Carlos, à proximité de la rivière aux Rochers. Un point de vue est présent sur chacun d'eux. À la pointe sud du lac Walker se situent la plage, le camping et l'accueil.

**Réseau pédestre** ................. 2,5 km

| Sentiers et parcours | Longueur | Type | Niveau |
|---|---|---|---|
| Chute MacDonald ........................................ | 1,0 km ......... | Linéaire ....... | Facile |
| Chute du Carlos ............................................ | 1,5 km ......... | Linéaire ....... | Intermédiaire |

**Services et aménagements**

*Autres : passerelle, quai*

**Activités complémentaires**

**Documentation** .................... Dépliant-carte (à l'accueil)
**Période d'accès** ................. De fin mai à mi-septembre, de 7 h à 19 h
⚠ *La marche est interdite pendant la période de chasse.*
**Frais d'accès** ....................... Gratuit
**Voie d'accès** ........................ De la route 138 à Port-Cartier, suivre les indications pour la réserve.

**Gestionnaire** ........................ SÉPAQ
**Pour information** ................. (418) 766-2524 ...... (418) 766-4743
www.sepaq.com

## 16 SENTIER DE LA CHUTE QUETACHOU

Le sentier débute près de la rivière et s'enfonce dans une forêt d'épinette noire. On traverse des sections de toundra où croissent bleuets et chicoutai. Au bout du sentier, on accède à une large chute en cascade. 🚶

| Réseau pédestre | 1,0 km (linéaire, intermédiaire) |

**Activités complémentaires**  *Hiver*  *1,0 km + TT*

| Période d'accès | Toute l'année, du lever au coucher du soleil |

⚠ *Prudence pendant la période de chasse*

| Frais d'accès | Gratuit |
| Voie d'accès | De Havre-Saint-Pierre, suivre la route 138 est sur 65 km jusqu'à Baie-Johan-Beetz. Laisser votre véhicule à l'est de la rivière Quetachou sur l'accotement de la route 138. Le sentier se trouve du côté sud du pont en suivant l'aval de la rivière. |

| Gestionnaire | Municipalité de Baie-Johan-Beetz |
| Pour information | (418) 539-0125 ...... (418) 539-0188 www.baiejohanbeetz.com |

## 17 SENTIER DE LA MINE CAP FELDSPATH

Un vieux chemin minier conduit jusqu'au site de l'ancienne mine de feldspath de la compagnie Spar-Mica. Dès le départ, des cristaux blancs, omniprésents à la surface du sol, témoignent d'un milieu riche en silice. Le sentier complète sa course dans une baie qui s'ouvre sur le golfe du Saint-Laurent. Une plage de sable blanc invite à la baignade.

| Réseau pédestre | 2,5 km (linéaire, facile) |

**Services et aménagements**

**Activités complémentaires**  *Hiver*  *2,5 km + TT*

| Période d'accès | Toute l'année, du lever au coucher du soleil |
| Frais d'accès | Gratuit |
| Voie d'accès | De Havre-Saint-Pierre, suivre la route 138 est jusqu'à la borne kilométrique 66. Continuer sur 500 mètres et tourner à droite. Suivre alors les indications pour le sentier. Le stationnement se situe en haut de la première colline. Le site est environ à 5 km à l'est de Baie-Johan-Beetz. |

| Gestionnaire | Municipalité de Baie-Johan-Beetz |
| Pour information | (418) 539-0125 ...... (418) 539-0188 www.baiejohanbeetz.com |

## 18 SENTIER PÉDESTRE LE PAS DU PORTAGEUR

Ce sentier suit la rivière Petite-Natashquan et fait découvrir ses cinq chutes. Il est tracé principalement en forêt et traverse aussi une vaste plaine de mousses et d'affleurements rocheux.

| Réseau pédestre | 8,0 km (linéaire, intermédiaire) |

**Services et aménagements**

*Autres : abri, passerelle*

**Documentation** ...................... Carte (au bureau d'information touristique de Natashquan)
**Période d'accès** ................... De juin à octobre
**Frais d'accès** ........................ Gratuit
**Voie d'accès** ........................ L'accès aux sentiers se trouve le long de la route 138, à 3 km à l'ouest de Natashquan. L'accès peut aussi se faire près du poste d'Hydro-Québec à la sortie ouest du village de Natashquan. Il y a un panneau indicateur.

**Gestionnaire** ........................ Corporation de développement touristique de Natashquan
**Pour information** ................. (418) 726-3054

## 19 SENTIER TOUR DE VILLE

La ville de Fermont s'est dotée d'une aire de promenade balisée à tous les 500 mètres. On aura accès aux rives du lac Daviault, au ruisseau Perchard, à la marina de Fermont ainsi qu'au Parc du Ruisseau. Le sentier est partagé avec le vélo et le patin à roues alignées. 🐾

**Réseau pédestre** ................. 4,0 km (Multi)

**Services et aménagements**

**Documentation** ...................... Dépliant-carte (au bureau d'information touristique)
**Période d'accès** ................... De mai à novembre, du lever au coucher du soleil
**Frais d'accès** ........................ Gratuit
**Voie d'accès** ........................ Le sentier fait le tour de la ville de Fermont. On peut stationner au centre communautaire.

**Gestionnaire** ........................ Association touristique de Fermont
**Pour information** ................. (418) 287-5822 ...... 1 888 211-2222
www.caniapiscau.net

## 20 SENTIERS DE BLANC-SABLON

Situé aux confins du Québec, près de la frontière du Labrador, Blanc-Sablon règne sur un paysage de toundra, de roche et de mer. On y observe d'importantes colonies de marmettes, de sternes et de macareux. Même si l'accès au territoire ne présente pas beaucoup de difficultés, des sentiers ont été aménagés pour visiter des coins plus méconnus, isolés ou sous-exploités. On se rendra ainsi aux chutes Bradore où on admirera le panorama sur la mer, du sentier du mont Parent. Au sanctuaire de la Vierge Marie, un belvédère domine le village et la baie. Enfin, le sentier de la Plage nous mènera vers le coucher du soleil et les icebergs errant au large jusqu'à la mi-juillet. 🐾

**Réseau pédestre** ................. 11,8 km (Multi)

| Sentiers et parcours | Longueur | Type | Niveau | Dénivelé |
|---|---|---|---|---|
| Sentier des Chutes de Bradore | 1,5 km | Linéaire | Difficile | 90 m |
| Sentier de la Rive du mont Parent | 3,0 km | Boucle | Intermédiaire | |
| Sentier de la Plage | 5,0 km | Linéaire | Facile | |
| Sentier de la Grande Coulée | 1,8 km | Linéaire | Facile | |

**Services et aménagements**

*Autres : aire de jeux*

**Activités complémentaires**      *Hiver* 🏃 *2,0 km + TT*

**Période d'accès** .................. De mai à novembre, du lever au coucher du soleil
**Frais d'accès** ........................ Gratuit
**Voie d'accès** ......................... On peut accéder à Blanc-Sablon à partir de Natashquan par le bateau « Nordik Express », ou à partir de Sainte Barbe, à Terre-Neuve, par le traversier. Il existe également un lien aérien.

**Gestionnaire** ......................... Municipalité de Blanc-Sablon
**Pour information** ................. (418) 461-2707, mbsablon@globetrotter.net

## 21   SÉPAQ ANTICOSTI

L'île d'Anticosti est un territoire naturel encore sauvage, situé dans l'embouchure du Saint-Laurent. Son histoire révèle qu'elle a été longtemps la propriété du Français Henri Menier, le « Roi du chocolat », qui l'acheta en 1895 et en fit son territoire de chasse personnel en la peuplant d'animaux : cerfs de Virginie, castors, orignaux, renards et lièvres. La faune est aussi riche en poissons, oiseaux et mammifères marins. Sépaq Anticosti est la plus grande pourvoirie de l'île d'Anticosti. Son territoire faunique couvre plus de 4 500 km². C'est un lieu particulièrement intéressant du point de vue géologique. Les fossiles y abondent. ★ *Les cerfs de Virginie viennent manger dans notre main. Le troupeau est évalué à plus de 100 000 bêtes.* ⚠ *Aucun chien n'est autorisé à débarquer sur l'île.*

**Réseau pédestre** ................. 48,5 km (Multi)

| Sentiers et parcours | Longueur | Type | Niveau |
|---|---|---|---|
| Le Mésengeai | 3,0 km | Linéaire | Facile |
| Le sentier des Échoueries | 6,0 km | Linéaire | Facile |
| La sentier de la Sauvagesse | 7,0 km | Linéaire | Facile |
| Sentier de la Chute Natiscotec | 1,5 km | Linéaire | Intermédiaire |

**Services et aménagements**

**Activités complémentaires**

**Documentation** .................... Dépliant-carte, carte (à l'accueil)
**Période d'accès** .................. De juin à fin août, du lever au coucher du soleil
    ⚠ *Il n'est pas recommandé de randonner de septembre à décembre.*
**Frais d'accès** ........................ Gratuit
**Voie d'accès** ........................ De Havre-Saint-Pierre ou de Rimouski, prendre le traversier « Relais-Nordik » vers Port-Menier, unique village de l'île d'Anticosti. De là, prendre la route de gravier vers l'est sur une distance de 115 km environ, jusqu'au secteur Carleton où se situent la majorité des sentiers. Il existe également des liens aériens.

**Gestionnaire** ......................... SÉPAQ Anticosti
**Pour information** ................. (418) 535-0156, www.sepaq.com

[JCT]   PARC NATIONAL D'ANTICOSTI

# Gaspésie

PHOTO : LMI – DANIEL POUPLOT

*Les sentiers panoramiques*

# GASPÉSIE

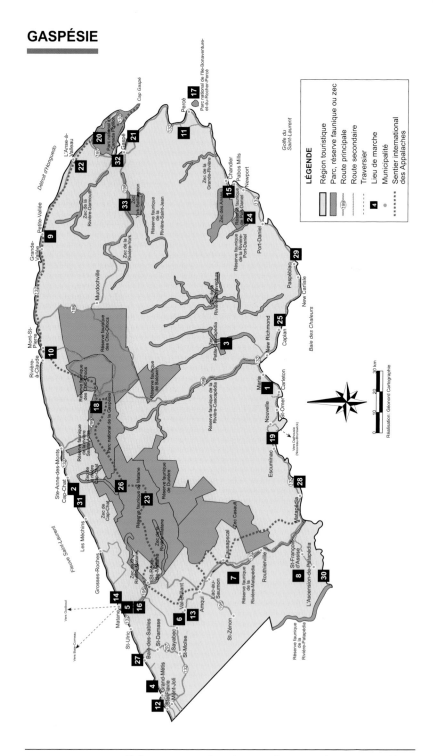

# LIEUX DE MARCHE

**1** CARLETON-MARIA

**2** CENTRE VENTS ET MER

**3** COMPLEXE TOURISTIQUE FAMILIAL, ZEC PETITE-CASCAPÉDIA

**4** JARDINS DE MÉTIS

**5** LA PROMENADE DES CAPITAINES, LA BALADE, LE PARC DES ÎLES

**6** LE PARC RÉGIONAL DE LA SEIGNEURIE DU LAC MATAPÉDIA

**7** LES SENTIERS DE CAUSAPSCAL

**8** LES SENTIERS PANORAMIQUES

**9** MONT DIDIER

**10** MONT SAINT-PIERRE

**11** MONT SAINTE-ANNE ET MONT BLANC

**12** PARC DE LA RIVIÈRE MITIS

**13** PARC DES BOIS ET DES BERGES

**14** PARC DES CASTORS

**15** PARC DU BOURG DE PABOS

**16** PARC GRAND-DÉTOUR

**17** PARC NATIONAL DE L'ÎLE-BONAVENTURE-ET-DU-ROCHER-PERCÉ

**18** PARC NATIONAL DE LA GASPÉSIE

**19** PARC NATIONAL DE MIGUASHA

**20** PARC NATIONAL DU CANADA FORILLON

**21** PLAGE HALDIMAND

**22** POINTE À LA RENOMMÉE

**23** RÉSERVE FAUNIQUE DE MATANE

**24** RÉSERVE FAUNIQUE DE PORT-DANIEL

**25** SENTIER DES CAPS DE LA HALTE

**26** SENTIER INTERNATIONAL DES APPALACHES

**27** SENTIER PÉDESTRE DE BAIE-DES-SABLES

**28** SENTIERS ORNITHOLOGIQUES DE POINTE-À-LA-CROIX

**29** SITE HISTORIQUE DU BANC-DE-PASPÉBIAC

**30** SITE PANORAMIQUE LE SOLEIL D'OR

**31** SITE RÉCRÉO-TOURISTIQUE DE CAPUCINS

**32** VILLE DE GASPÉ

**33** ZEC YORK-BAILLARGEON

## BIENVENUE DANS LA RÉGION DE LA GASPÉSIE

L'industrie du tourisme au Québec reconnaît la Gaspésie comme l'une des destinations très choyées des vacanciers. Carleton, Percé et Métis sont les premiers lieux de villégiature qui ont accueilli, très tôt, une bourgeoisie à l'affût d'espaces particuliers et friande de saumon.

La Gaspésie se distingue particulièrement par les différentes ethnies qui l'ont peuplée. Que ce soit dans un village acadien, anglais ou une réserve amérindienne, lorsqu'on se promène en Gaspésie, on est agréablement surpris et dépaysé par ces aspects multiculturels.

La péninsule gaspésienne n'est pas que panorama statique, elle est dynamique et ouverte à toutes sortes d'activités de plein air. Ses parcs provinciaux et nationaux, entre autres, constituent un témoignage de la variété de ses ressources et de ses paysages.

Alors que « Les Jardins de Métis », à l'est de Mont-Joli, feront découvrir une harmonie de formes et de couleurs, le parc national de la Gaspésie dévoilera, lui, des paysages grandioses et l'unique endroit au Québec où cohabitent, selon les strates de végétation et de climat, le caribou des bois, l'orignal et le cerf de Virginie. C'est aussi un lieu propice à toutes les catégories de randonnées.

En revenant le long du littoral, et plus on avancera vers l'est, on sera surpris de voir à quel point l'union de la mer et de la montagne se fait sentir et combien la route se retrouve peu à peu « coincée » entre la plage et la falaise.

Des anses protégées, foyers d'établissement des premières habitations se succéderont. Puis ce seront le parc Forillon, celui de l'Île-Bonaventure-et-du-Rocher-Percé, Miguasha qui s'offriront. Mais on trouvera également bien d'autres invitations à découvrir, au rythme des pas, la nature et l'histoire dans des lieux moins connus.

## 1 CARLETON-MARIA

Un réseau de sentiers, reliant les villes de Carleton et de Maria, offre de nombreux points de vue. Un sentier permet d'accéder au sommet du mont Saint-Joseph, d'où on peut contempler les côtes de la Gaspésie et du Nouveau-Brunswick, baignées par la baie des Chaleurs. De ce sommet, le randonneur pourra également atteindre la cime du mont Carleton via le sentier des Rescapés. Le long du sentier de l'Éperlan, chutes et cascades se succèdent en harmonie dans ce décor de montagnes.

**Réseau pédestre** .................. 30,0 km

| Sentiers et parcours | Longueur | Type | Niveau | Dénivelé |
|---|---|---|---|---|
| L'Éperlan | 2,8 km | Boucle | Facile | 75 m |
| Le Taguine | 2,4 km | Linéaire | Intermédiaire | 360 m |
| Le Cap Ferré | 1,1 km | Linéaire | Facile/Inter. | 160 m |
| Les Rescapés | 2,5 km | Linéaire | Intermédiaire | 375 m |
| Le Mont Carleton | 2,5 km | Linéaire | Intermédiaire | 275 m |
| Le Grand Sault | 2,5 km | Linéaire | Facile | 240 m |

**Services et aménagements**

*Autres : passerelle*

**Activités complémentaires**

*Hiver* 2,0 km

**Documentation** ..................... Dépliant-carte (au bureau d'information touristique)
**Période d'accès** ................... Du 15 mai au 15 novembre, du lever au coucher du soleil
**Frais d'accès** ........................ Gratuit
**Voie d'accès** ........................ **Accès Carleton :** de la route 132, à l'ouest de Carleton, emprunter la route de l'Éperlan sur 2,5 km, soit jusqu'au stationnement. **Accès Maria :** de la route 132 à Maria, emprunter la route des Geais et tourner à gauche au 2ᵉ Rang. Prendre ensuite la route Francis Cyr jusqu'au 3ᵉ Rang Ouest. Poursuivre sur celui-ci sur 1,5 km, soit jusqu'au stationnement du sentier du Grand Sault.

**Gestionnaire** ......................... Ville de Carleton – Saint-Omer/Municipalité de Maria
**Pour information** .................. (418) 364-7073 ...... (418) 759-3883
www.carletonsurmer.com

## 2 CENTRE VENTS ET MER

Ce centre d'interprétation est situé près du phare et du rocher de Cap-Chat. À proximité, la maison du gardien du phare a été transformée en musée. Le Centre offre un spectacle multimédia bilingue. Le musée Germain-Lemieux nous raconte l'histoire de la marine, à voile et moderne, marchande et de guerre. Un sentier mène à la mer; un autre, agrémenté de jardins, nous conduit à des promontoires avec vues sur la Côte-Nord, sur la pointe de Cap-Chat et sur la baie des Capucins.   *C'est ici aussi que l'on trouve le parc éolien Le Nordais.*

**Réseau pédestre** .................. 1,7 km (boucle, facile)

**Services et aménagements**

*Autres : musée, boutique, maison de thé*

---

*Gaspésie*

**Activités**
**complémentaires**

| | |
|---|---|
| **Documentation** ................... | Dépliants (à l'accueil et au bureau d'information touristique) |
| **Période d'accès** ................. | De début juin à mi-octobre, de 9 h à 17 h |
| **Frais d'accès** (Taxes incl.) .... | Adulte : 8,00 $ |
| | Âge d'Or/Étudiant : 7,00 $ |
| | Famille : 16,00 $ |
| **Voie d'accès** ....................... | À l'ouest de Cap-Chat, l'entrée du Centre se situe le long de la route 132, en face du restaurant La Maison d'Éole. |
| **Gestionnaire** ....................... | La corporation des Vents du large |
| **Pour information** ................ | (418) 786-5543, www.info-gaspesie.com |

## 3 COMPLEXE TOURISTIQUE FAMILIAL, ZEC PETITE-CASCAPÉDIA

Ce complexe touristique est situé sur le territoire de l'ancien Centre éducatif forestier de Baie-des-Chaleurs, en bordure de la rivière à saumons Petite-Cascapédia. S'intégrant à la forêt traditionnelle gaspésienne composée principalement de conifères, il a pour vocation, comme son nom l'indique, d'organiser des activités pour la famille. 🐎

**Réseau pédestre** ................. 9,3 km

| Sentiers et parcours | Longueur | Type | Niveau |
|---|---|---|---|
| Le Calypso | 1,8 km | Boucle | Facile |
| Le Ruisseau | 2,3 km | Boucle | Facile |
| La Sapinière | 2,3 km | Boucle | Intermédiaire |
| Le Giboyeux | 2,9 km | Boucle | Intermédiaire |

**Services et**
**aménagements**

| | |
|---|---|
| **Documentation** ................... | Carte (à l'accueil) |
| **Période d'accès** ................. | Du 15 juin au 30 septembre, de 8 h au coucher du soleil |
| **Frais d'accès** ....................... | Gratuit |
| **Voie d'accès** ....................... | De la route 132 à New Richmond, emprunter le chemin Saint-Edgar sur 10 km environ, soit jusqu'à l'accueil de la zec Petite-Cascapédia. |
| **Gestionnaire** ....................... | Association des pêcheurs sportifs des rivières Cascapédia inc. |
| **Pour information** ................ | (418) 392-4105 |

## 4 JARDINS DE MÉTIS

D'une superficie de 21 hectares, les Jardins de Métis se situent à la rencontre de la rivière Mitis et du fleuve Saint-Laurent. Ils doivent leur existence à madame Elsie Reford qui consacra sa vie à leur création dans son domaine de Grand-Métis. En 1961, après le départ de celle-ci, le gouvernement du Québec en devint acquéreur. Plus de 1 000 espèces de plantes et d'arbustes s'offrent à la vue du visiteur tout le long du parcours. On peut apercevoir de délicates primevères, de resplendissants rhododendrons et des azalées, des lis, des pivoines et des pieds-d'alouette majestueux, sans compter les plantes alpines minuscules, un imposant étalage de roses et l'incomparable pavot bleu. L'Allée Royale, un magnifique exemple de plate-bande anglaise, est une véritable éclosion de fleurs du début jusqu'à la fin de l'été. Les Jardins de Métis sont classés par les experts parmi les plus grands jardins au monde. ★ *On y trouve la plus grande concentration de pavot bleu (Méconopsis bétonicifolia), originaire de l'Himalaya, au Canada.*

**Réseau pédestre** ............... 3,1 km

| Sentiers et parcours | Longueur | Type | Niveau |
|---|---|---|---|
| Circuit des jardins | 1,6 km | Boucle | Facile |
| Circuit à la mer | 1,5 km | Boucle | Facile |

**Services et aménagements**

*Autres : aire de jeux, musée, boutique*

**Activités complémentaires**

**Documentation** .................... Brochure (à la billetterie des jardins et au bureau d'information touristique)

**Période d'accès** ................... De début juin à mi-octobre
De 8 h 30 à 18 h (17 h juin/sept./oct.)

**Frais d'accès** (taxes incl.) ..... **En saison** (du 21 juin au 21 septembre)
Adulte : 12,00 $
Aînés (65 ans et plus) et étudiant : 11,00 $
Enfant (de 6 à 13 ans) : 3,00 $
Enfant (5 ans et moins) : gratuit
Famille : 28,00 $
**Hors saison** :
les prix deviennent 8,00$, 7,00 $, 3,00 $ et 20,00 $

**Voie d'accès** ........................ À environ 10 km à l'est de Sainte-Flavie par la route 132, un panneau indique l'entrée.

**Gestionnaire** ......................... Les Amis des Jardins de Métis
**Pour information** .................. (418) 775-2222, www.jardinsmetis.com

## 5 LA PROMENADE DES CAPITAINES, LA BALADE, LE PARC DES ÎLES

Ces lieux de marche se trouvent au cœur de la ville de Matane. La Promenade des Capitaines relie le centre-ville à la route qui fait le tour de la Gaspésie, en longeant la rivière Matane. Quatre kiosques d'interprétation nous font découvrir l'évolution maritime de la ville tandis que des plaques commémoratives relatent la vie des personnages marquants. On a voulu rendre hommage aux familles des capitaines qui ont sillonné le fleuve à l'époque des goélettes. On pourra aussi visiter le poste d'observation de la montée du saumon au barrage Mathieu-D'Amours et circuler au parc des Îles de la rivière Matane. 🐕 ★ *Des lampadaires à l'ancienne permettent la promenade à toute heure.*

**Réseau pédestre** ................. 7,8 km (Multi)

| Sentiers et parcours | Longueur | Type | Niveau |
|---|---|---|---|
| Promenade des Capitaines et marina | 2,3 km | Linéaire | Facile |
| La Balade | 5,0 km | Linéaire | Facile |
| Parc des Îles | 1,2 km | Boucle | Facile |

**Services et aménagements**

*Autres : observatoire du saumon, aire de jeux*

**Activités complémentaires**

 *Hiver*  2,3 km

**Période d'accès** .................. Toute l'année, du lever au coucher du soleil
**Frais d'accès** ........................ Gratuit
**Voie d'accès** ........................ Un accès se situe à l'embouchure de la rivière Matane, sur la route 132. Un autre se trouve à la halte routière, dans le centre-ville de Matane.

**Gestionnaire** ........................ Ville de Matane
**Pour information** .................. (418) 562-2333, www.ville.matane.qc.ca

## 6 LE PARC RÉGIONAL DE LA SEIGNEURIE DU LAC MATAPÉDIA

Située au cœur de la vallée de la Matapédia, la Seigneurie du lac Matapédia figure parmi les territoires les plus représentatifs du milieu matapédien, avec des îles et un relief accidenté. C'est un territoire de 133 km² (28 km de long par 5 km de large) bordant le lac Matapédia. La route Soucy, d'où débutent les sentiers, longe le lac sur toute sa longueur.

**Réseau pédestre** .................. 19,1 km (Multi : 2,1)

| Sentiers et parcours | Longueur | Type | Niveau | Dénivelé |
|---|---|---|---|---|
| Le Promontoire | 1,3 km | Boucle | Facile | 70 m |
| Le Lac Caché | 1,8 km | Boucle | Facile | |
| Les 3 Sœurs | 5,9 km | Boucle | Intermédiaire | 190 m |
| La Héronnière | 6,1 km | Boucle | Intermédiaire | 60 m |
| Les Crêtes | 1,9 km | Linéaire | Difficile | 200 m |

*Note : Les sentiers Les Crêtes et Les 3 Sœurs font partie du Sentier international des Appalaches*

**Services et aménagements**

**Activités complémentaires**

*Hiver* TT

**Documentation** .................... Carte (aux bureaux d'information touristique d'Amqui et de Causapscal)
**Période d'accès** .................. De juin à novembre, du lever au coucher du soleil
⚠ *Le port du dossard est recommandé pendant la période de chasse.*
**Frais d'accès** ........................ Gratuit
**Voie d'accès** ........................ De la route 132 à Amqui, emprunter le pont de l'anse Saint-Jean (à côté du kiosque d'information touristique). Après celui-ci, prendre à droite le rang Saint-Jean-Baptiste, puis à gauche la route Labrie et poursuivre jusqu'au moment de tourner à gauche sur la route Soucy. Le site est une dizaine de kilomètres plus loin.

**Gestionnaire** ........................ MRC de la Matapédia
**Pour information** .................. (418) 629-5715 ...... (418) 629-4212 mrcmatap@quebectel.com

# 7  LES SENTIERS DE CAUSAPSCAL

Le sentier « Les Mémoires » instruit sur un tracé militaire qui joignait les municipalités de Métis et Ristigouche, et sur l'origine des Appalaches. Quant au sentier « Les Berges », il renseigne sur la faune et la flore de la région de Causapscal, et sur la vie des saumons.

**Réseau pédestre** .................. 4,3 km (mixte/facile/inter.)

**Services et aménagements**

*Autres : passerelle*

**Activités complémentaires**

*Hiver* ☃ TT

**Documentation** .................... Brochure d'interprétation (au bureau d'information touristique)
**Période d'accès** .................. De juin à mi-octobre, du lever au coucher du soleil
**Frais d'accès** ....................... Gratuit
**Voie d'accès** ....................... On laisse sa voiture au kiosque d'information touristique de Causapscal, sur la route 132. Le départ des sentiers se situe au bout de la rue Blanchard, le long de la rivière Causapscal.

**Gestionnaire** ......................... Faucus inc.
**Pour information** ................. (418) 756-5999 ...... (418) 756-6048
www.causapscal.net

# 8  LES SENTIERS PANORAMIQUES

Aménagé par le biais d'un programme de mise en valeur du milieu forestier, ce réseau de sentiers permet de traverser une peupleraie et une érablière. Un trottoir de bois mène à un panorama, d'une hauteur de près de 300 m, sur la rivière Ristigouche et le Nouveau-Brunswick. 🐾

**Réseau pédestre** ................. 9,2 km

| Sentiers et parcours | Longueur | Type | Niveau | Dénivelé |
|---|---|---|---|---|
| Sentier du Chamberland | 2,6 km | Linéaire | Intermédiaire | 190 m |
| Sentier des Peupliers | 1,0 km | Linéaire | Facile | |
| Sentier du Platin | 1,8 km | Linéaire | Intermédiaire | 200 m |
| Sentier du Versant | 2,4 km | Linéaire | Facile | 100 m |
| Sentier de l'Érablière | 1,4 km | Linéaire | Facile | |

**Services et aménagements**

*Autre : trottoir de bois*

**Documentation** .................... Dépliant (à l'hôtel de ville)
**Période d'accès** .................. De mi-juin à mi-octobre ⚠ *Le port d'un dossard est obligatoire pendant la période de chasse.*
**Frais d'accès** ....................... Gratuit
**Voie d'accès** ....................... De Matapédia, prendre la route 132 en direction de Causapscal et parcourir une vingtaine de kilomètres. Tourner à gauche et se rendre à Saint-François d'Assise.

*Gaspésie*                                                                      *171*

Traverser le village et continuer sur le chemin de la Chaîne de Roches jusqu'au rang Saint-Jean. Tourner à gauche sur ce dernier et poursuivre sur 8 km.

**Gestionnaire** ......................... Municipalité de Saint-François-d'Assise
**Pour information** .................. (418) 299-2066, munstfrs@globetrotter.ca

## 9 MONT DIDIER

Le sentier mène à un promontoire avec vue panoramique sur le village de Petite-Vallée.

**Réseau pédestre** .................. 1,0 km (linéaire, intermédiaire, dénivelé max. de 120 m)

**Services et aménagements**

**Activités complémentaires**

**Période d'accès** ................... De mai à octobre, du lever au coucher du soleil
**Frais d'accès** ........................ Gratuit
**Voie d'accès** ......................... De la route 132, au centre du village de Petite-Vallée, prendre la rue Côté jusqu'au cul-de-sac.

**Gestionnaire** ......................... Corporation municipale de Petite-Vallée
**Pour information** .................. (418) 393-2949

## 10 MONT SAINT-PIERRE

Le sommet du mont Saint-Pierre (430 m) surplombe le Saint-Laurent et son golfe. On y voit le village et la vallée de la rivière à Pierre. Le sentier qui mène au sommet emprunte en partie un chemin de gravier. Au sommet même, un sentier, utilisé par les cyclistes et les marcheurs, conduit sur d'autres sommets pour redescendre à la rivière à Pierre. Quant au sentier de la Rivière, il débute à l'auberge de jeunesse Les Vagues.
★ *Capitale du vol libre dans l'est du Canada.*

**Réseau pédestre** .................. 16,0 km

| Sentiers et parcours | Longueur | Type | Niveau | Dénivelé |
|---|---|---|---|---|
| Sentier de la Montagne ................................... 2,5 km ......... Linéaire ....... Difficile ............. 430 m |
| Sentier de la Rivière ....................................... 1,5 km ......... Linéaire ....... Facile |
| Sentier partagé (reliant les sommets) ........... 12,0 km ......... Linéaire ....... Intermédiaire |
| *Note : le sentier de la Montagne est intégré au Sentier international des Appalaches.* |

**Services et aménagements**

**Activités complémentaires**                    *Hiver* 🚶 *16,0 km*

**Documentation** ..................... Dépliant (à l'accueil)
**Période d'accès** ................... De mai à novembre, du lever au coucher du soleil
⚠ *Le port d'un dossard est recommandé pendant la période de chasse.*
**Frais d'accès** ........................ 1,00 $ par personne
**Voie d'accès** ......................... Les sentiers prennent leur départ en bordure de la route 132, à Mont-Saint-Pierre.

Gestionnaire .......................... Corporation du tourisme Mont-Saint-Pierre
**Pour information** ................. (418) 797-2222 ...... (418) 797-2898
ctmsp@hotmail.com

JCT    SENTIER INTERNATIONAL DES APPALACHES

## 11   MONT SAINTE-ANNE ET MONT BLANC

Le mont Sainte-Anne, d'une hauteur de 375 m, regorge de formes géologiques. La formation prédominante du mont Sainte-Anne se retrouve sur sa calotte; il s'agit de la formation Bonaventure. L'ensemble de la montagne est constitué de roches érodées, de fissures et d'éboulis ayant pour causes l'écoulement des eaux, le vent, le gel et le dégel. Tout à côté du mont Sainte-Anne se trouve une seconde table de forme carrée, moins élevée, à laquelle on a donné le nom de Petite Sainte-Anne. Une autre formation spéciale est rattachée au mont Sainte-Anne; il s'agit de la Grotte. Le mont Blanc, quant à lui, jouxte le mont Sainte-Anne et s'élève un peu plus haut. La végétation diffère selon l'altitude. Ainsi, on aura des cédrières à la base de la montagne alors que des épinettes poussent au sommet. Sur ce dernier, on croisera des plantes rares, telles que les plantes endémiques et arctiques-alpines. 🐕

**Réseau pédestre** ................. 13,2 km

| Sentiers et parcours | Longueur | Type | Niveau | Dénivelé |
|---|---|---|---|---|
| Chemin du Mont Sainte-Anne ...................... | 2,5 km ........ | Linéaire ...... | Intermédiaire ...... | 375 m |
| Route du Mont Blanc .................................... | 2,0 km ........ | Linéaire ...... | Intermédiaire ...... | 400 m |
| Chemin de la Grotte .................................... | 1,7 km ........ | Linéaire ...... | Facile/Inter. | |
| Sentier des Pieds Croches ........................ | 1,5 km ........ | Linéaire ...... | Facile/Inter. | |
| Sentier des Sources .................................... | 1,7 km ........ | Linéaire ...... | Facile/Inter. | |

**Services et aménagements**

**Activités complémentaires**

  *Hiver*

**Documentation** ..................... Carte (au bureau d'information touristique)
**Période d'accès** ................... Du 15 mai à novembre, du lever au coucher du soleil
⚠ *Prudence pendant la période de chasse*
**Frais d'accès** ........................ Gratuit
**Voie d'accès** ........................ Du village de Percé, on accède au mont Sainte-Anne et à la Grotte par le chemin situé derrière l'église Saint-Michel. De la route 132 à l'est du village, vis-à-vis l'hôtel du Pic de l'Aurore, prendre la route du Mont-Blanc pour atteindre la montagne du même nom. On atteint la Crevasse par le sentier situé derrière l'auberge Le Gargantua, sur la route des Failles.

Gestionnaire ......................... Ville de Percé
**Pour information** ................. (418) 782-5448, www.rocherperce.com

## 12   PARC DE LA RIVIÈRE MITIS

Autrefois connu sous le nom de Centre d'interprétation du saumon atlantique, le Parc de la Rivière Mitis est situé dans la baie de Mitis. Le public peut emprunter deux sentiers : l'un donnant accès à un belvédère surplombant l'embouchure de la rivière Mitis et à une tour d'observation avec vue sur la baie, l'autre menant à la mer. Cet endroit offre diverses activités d'interprétation qui ont pour but de sensibiliser les visiteurs à l'importance de la conservation du saumon atlantique.

**Réseau pédestre** ................ 2,4 km (boucle, facile)

**Services et aménagements**

*Autres : aire de jeux, boutique*

**Activités complémentaires**

**Documentation** .................... Dépliant (à l'accueil)
**Période d'accès** .................. De mi-juin à début septembre, de 9 h à 17 h 30
**Frais d'accès** ....................... Adulte : 7,00 $
Enfant (6 à 12 ans) : 3,50 $
Enfant (moins de 6 ans) : gratuit
Âge d'Or : 6,00 $
Famille (1 adulte + enfants) : 10,00 $
Famille (2 adultes + enfants) : 15,00 $
**Voie d'accès** ....................... Ce parc est situé à 7 km à l'est de Sainte-Flavie vers Matane, par la route 132.

**Gestionnaire** ........................ Parc de la Rivière Mitis
**Pour information** ................. (418) 775-2969 ...... (418) 775-2221
www.jardinsmetis.com

## 13 PARC DES BOIS ET DES BERGES

Ce parc boisé, situé sur les bords du lac Matapédia, offre plusieurs possibilités de jeux extérieurs. Des bancs de repos ont été aménagés le long des pistes cyclables et pédestres.

**Réseau pédestre** ................ 2,0 km (linéaire, facile)

**Services et aménagements**

*Autres : aire de jeux, passerelle*

**Activités complémentaires**

 **Hiver** 2,0 km + TT

**Période d'accès** .................. De mai à décembre, du lever au coucher du soleil
**Frais d'accès** ....................... Gratuit
**Voie d'accès** ....................... On accède au parc à partir de la route 132, dans l'agglomération urbaine de Val-Brillant.

**Gestionnaire** ........................ Municipalité de Val-Brillant
**Pour information** ................. (418) 742-3212 ...... (418) 742-3300

## 14 PARC DES CASTORS

L'étang formé par le barrage Mathieu-D'Amours compte de nombreuses îles. Celle située le plus au sud accueille chaque année des familles de castors qui entretiennent leurs propres barrages. Ce sont donc eux qui, les premiers, ont aménagé l'île du Castor, permettant à toute une faune d'y trouver gîte et nourriture. Depuis, l'Association Pêcheurs et Chasseurs de la région de Matane a pris en charge le développement de sentiers afin de permettre au public de jouir de cette ressource en nuisant le moins possible à toutes les formes de vie qu'on y retrouve. 🐾

**Réseau pédestre** ................. 1,8 km (mixte, facile)

**Services et aménagements**

*Autres : passerelle*

**Activités complémentaires**

 *Hiver* 🧍❄️ *1,0 km* 🎿 *1,8 km + TT*

**Documentation** .................... Dépliant (à l'accueil et au bureau d'information touristique)
**Période d'accès** .................. Toute l'année, du lever au coucher du soleil
**Frais d'accès** ....................... Gratuit
**Voie d'accès** ....................... Du centre-ville de Matane, prendre la rue Henri-Dunant sur 1 km environ. Le sentier débute au stationnement du camp de l'Association Chasseurs et Pêcheurs.

**Gestionnaire** ....................... Association Chasseurs et Pêcheurs de la région de Matane
**Pour information** ................. (418) 562-2050

## 15  PARC DU BOURG DE PABOS

Le Bourg de Pabos fut classé site archéologique et historique en 1975. Des fouilles ont mis à jour des artéfacts témoignant du mode de vie des pêcheurs du XVIIIe siècle et de l'adaptation du système seigneurial au milieu maritime. Un centre d'interprétation permet au visiteur d'avoir une connaissance éclairée des recherches qui ont été faites dans ce lieu. Le marcheur longera une baie située à l'embouchure de deux rivières à saumons et pourra observer plusieurs types d'oiseaux nichant en ces lieux. 🐾

**Réseau pédestre** ................. 5,0 km

| Sentiers et parcours | Longueur | Type | Niveau |
|---|---|---|---|
| Sentier du rivage ............................................. | 1,0 km ......... | Linéaire ....... | Facile |
| Sentier du barachois ................................. | 4,0 km ......... | Boucle ......... | Facile |

**Services et aménagements**

*Autres : centre d'interprétation*

**Activités complémentaires**

**Documentation** .................... Dépliant (à l'accueil)
**Période d'accès** .................. De mai à novembre, du lever au coucher du soleil
**Frais d'accès** ....................... Gratuit, frais d'accès pour le Centre
**Voie d'accès** ....................... À environ 7 km au sud de Chandler par la route 132, suivre les panneaux indiquant « Bourg de Pabos ».

**Gestionnaire** ....................... Parc du Bourg de Pabos
**Pour information** ................. (418) 689-6043, www.bourg-de-pabos.com

*Gaspésie*

## 16 PARC GRAND-DÉTOUR

Ce parc est situé en bordure de la rivière Matane, où se pratique la pêche au saumon. Un belvédère est aménagé près des fondations d'un ancien barrage.

**Réseau pédestre** ................. 1,0 km (linéaire, facile)

**Services et aménagements**

*Autres : aire de jeux*

**Période d'accès** ................. De mai à octobre, du lever au coucher du soleil
**Frais d'accès** ........................ Gratuit
**Voie d'accès** ........................ De Matane, emprunter la route 195 jusqu'à l'entrée du parc.

**Gestionnaire** ........................ Ville de Matane
**Pour information** ................. (418) 562-2333

## 17 PARC NATIONAL DE L'ÎLE-BONAVENTURE-ET-DU-ROCHER-PERCÉ

Le XXe siècle est marqué par le déclin de la pêche qui a modelé l'histoire de l'île et par l'exode de la population. En 1971, le gouvernement du Québec acquiert l'île pour en faire un parc et la rendre ainsi accessible à tous. Par la suite, en 1985, on lui confère le statut de parc afin de protéger à jamais le majestueux rocher Percé et la colonie aviaire qu'il abrite. Tous les sentiers de l'île mènent à la colonie. Le plus long, le sentier Chemin-du-Roy, longe la falaise, permet un arrêt à la baie des Marigots et donne l'occasion de découvrir les maisons ancestrales ainsi que de magnifiques paysages. ★ *On y trouve la plus grosse colonie de fous de bassan en Amérique du Nord.* ⚠ *Le rocher Percé ne peut se rejoindre à pied qu'à marée basse.*

**Réseau pédestre** ................. 14,9 km

| Sentiers et parcours | Longueur | Type | Niveau | Dénivelé |
|---|---|---|---|---|
| Sentier des Colonies | 2,8 km | Linéaire | Intermédiaire | 135 m |
| Sentier des Mousses | 3,5 km | Linéaire | Intermédiaire | 120 m |
| Sentier Paget | 3,7 km | Linéaire | Intermédiaire | 90 m |
| Sentier Chemin-du-Roy | 4,9 km | Linéaire | Intermédiaire | 75 m |

**Services et aménagements**

*Autres : centre d'interprétation*

**Activités complémentaires**

**Documentation** ..................... Dépliant-carte (à l'accueil)
**Période d'accès** ................. De début juin à mi-octobre, de 9 h à 17 h
**Frais d'accès** ........................ Voir la tarification des parcs nationaux du Québec dans les pages bleues au début du livre
**Voie d'accès** ........................ **Secteur Île Bonaventure :** On y accède par la rue du Quai où se trouvent les billetteries pour les bateaux. **Secteur Rocher Percé :** via la rue du Mont-Joli.

**Gestionnaire** ........................ SÉPAQ
**Pour information** ................. (418) 782-2240, www.parcsquebec.com

# 18 PARC NATIONAL DE LA GASPÉSIE

Le parc national de la Gaspésie, d'une superficie de 802 km², est situé en plein cœur de la péninsule gaspésienne, entre le fleuve Saint-Laurent et la baie des Chaleurs. La partie montagneuse du parc forme une bande de quelques kilomètres de largeur. On y distingue deux grands massifs : les Chic-Chocs et les McGerrigle. Les Chic-Chocs ont un caractère grandiose. Plusieurs de leurs sommets ont plus de 1 000 m. Parmi ceux-ci, on compte les monts Albert et Logan. Les McGerrigle sont séparés du mont Albert par la vallée de la rivière Sainte-Anne. Le mont Jacques-Cartier en fait partie. Un plan d'eau, le lac Cascapédia, mesure environ 145 hectares. On retrouve dans ces lieux la végétation boréale et arctique. Les cerfs de Virginie fréquentent surtout la vallée de la rivière Sainte-Anne et cohabitent avec l'élan d'Amérique (orignal); les caribous fréquentent le mont Jacques-Cartier. Le parc national de la Gaspésie est un des lieux privilégiés pour la longue randonnée puisqu'une douzaine de refuges, du mont Logan, à l'ouest, au poste d'accueil La Galène, à l'est, permettent des randonnées de quelques jours, à plus d'une semaine. ★ *Le mont Jacques-Cartier (1 268 m) est le plus haut sommet du Québec méridional.*

**Réseau pédestre** .................. 140,0 km

| Sentiers et parcours | Longueur | Type | Niveau | Dénivelé |
|---|---|---|---|---|
| Mont Jacques-Cartier | 4,1 km | Linéaire | Intermédiaire | 485 m |
| Mont Xalibu | 5,3 km | Linéaire | Intermédiaire | 400 m |
| Mont Albert (le tour) | 16,8 km | Boucle | Difficile | 870 m |
| Lac aux Américains | 1,3 km | Linéaire | Facile | 80 m |
| Mont Ernest-Laforce | 4,7 km | Boucle | Facile | 200 m |
| Pic du Brûlé | 13,2 km | Boucle | Intermédiaire | 300 m |

*Note : la traversée est-ouest fait partie du Sentier international des Appalaches.*

**Services et aménagements**

*Autres : centre d'interprétation, boutique, location d'équipement, abris*
*Note : certains services peuvent ne pas être ouverts durant les périodes de transition saisonnière*

**Activités complémentaires**

 Hiver 🏃 30,0 km 🍴 ⛷

**Documentation** .................... Carte, journal En coulisses (à l'accueil)
**Période d'accès** .................. Toute l'année, du lever au coucher du soleil
**Frais d'accès** ....................... Voir la tarification des parcs nationaux du Québec dans les pages bleues au début du livre
**Voie d'accès** ....................... **De Sainte-Anne-des-Monts :** emprunter la route 299 vers le sud. L'entrée du parc se situe à 19 km et le centre d'interprétation à 40 km. **De New Richmond :** emprunter la route 299 vers le nord. L'entrée du parc est à 93 km et le Centre d'interprétation à 101 km.

**Gestionnaire** ........................ SÉPAQ
**Pour information** .................. 1 866 727-2427, www.parcsquebec.com

[JCT] RÉSERVE FAUNIQUE DE MATANE
SENTIER INTERNATIONAL DES APPALACHES

## 19 PARC NATIONAL DE MIGUASHA

Le parc national de Miguasha, d'une superficie de 0,8 km², est situé sur la rive nord de l'estuaire de la rivière Ristigouche, dans la baie des Chaleurs. Au début des années 70, le gouvernement du Québec se portait acquéreur d'une portion représentative de ce site fossilifère. Plus tard, en 1985, il recevait le statut de parc. Il y a 370 millions d'années, cet écosystème était un estuaire grouillant de vie et entouré d'une végétation équatoriale. À l'échelle mondiale, peu de sites fossilifères présentent une si grande concentration de spécimens d'une telle qualité de conservation. Le long du sentier, une douzaine de panneaux d'interprétation retracent l'histoire de la vie sur la planète. ★ *Ce lieu a été désigné en 1999 « Site du patrimoine mondial » par l'Unesco.*

**Réseau pédestre** ................ 2,0 km (boucle, facile)

**Services et aménagements**

*Autres : centre d'interprétation, boutique*

**Activités complémentaires**

**Documentation** .................... Dépliant, brochure (à l'accueil)
**Période d'accès** .................. De début juin à mi-octobre, du lever au coucher du soleil
**Frais d'accès** ....................... Voir la tarification des parcs nationaux du Québec dans les pages bleues au début du livre
**Voie d'accès** ........................ À partir de la route 132, de Nouvelle ou d'Escuminac, suivre les indications pour « Parc de Miguasha » sur environ 9 km.

**Gestionnaire** ......................... SÉPAQ
**Pour information** ................. (418) 794-2475 ...... 1 866 MIGUAS
www.parcsquebec.com

## 20 PARC NATIONAL DU CANADA FORILLON

Ce parc national, d'une superficie de 244 km², est bordé par le golfe Saint-Laurent et la baie de Gaspé. Le sentier « Une tournée dans les parages » fera faire au marcheur un saut dans le passé. En effet, il pourra s'y remémorer la vie des habitants de Grande-Grave au début du siècle alors qu'ils capturaient et transformaient la morue. D'autres sentiers, Les Graves et Les Crêtes, lui offriront d'autres découvertes. Celui des Graves mène au bout de la presqu'île de Forillon, le long des anses et des plages de galets, et donne l'occasion d'observer des mammifères marins (phoques et baleines). Les Crêtes donne accès à des vues panoramiques sur la vallée de l'Anse-au-Griffon et sur la mer. ⊁ ★ *Le sentier d'interprétation « Prélude à Forillon » est accessible aux personnes avec une déficience physique ou visuelle.*

**Réseau pédestre** ................ 66,9 km (Multi : 15,6)

| Sentiers et parcours | Longueur | Type | Niveau | Dénivelé |
|---|---|---|---|---|
| Une tournée dans les parages .................. | 3,0 km ........ | Boucle ........ | Facile | |
| Prélude à Forillon ............................................. | 0,6 km ........ | Boucle ........ | Facile | |
| Les Graves ........................................................ | 3,9 km ........ | Linéaire ...... | Intermédiaire | |
| Mont Saint-Alban ............................................ | 9,1 km ........ | Boucle ........ | Intermédiaire ...... | 280 m |
| Les Crêtes ........................................................ | 17,9 km ........ | Linéaire ...... | Difficile ........ | 400 m |
| Les Lacs ............................................................ | 15,8 km ........ | Linéaire ...... | Difficile ........ | 500 m |
| *Note : une distance d'environ 45 km du Sentier international des Appalaches se trouve dans le parc Forillon.* | | | | |

**Services et aménagements**

*Autres : centre d'interprétation, aire de jeux, quai, piscine*

**Activités complémentaires**

 *Hiver* 11,0 km  11,0 km + TT

**Documentation** .................... Carte, guide de référence (à l'accueil)
**Période d'accès** .................. De mai à novembre, du lever au coucher du soleil
**Frais d'accès** (taxes incl.) ..... Adulte : 5,00 $
Aîné : 4,25 $
Enfant (6 à 16 ans) : 2,50 $
Famille : 12,50 $
Tarifs saisonniers et de groupe disponibles
**Voie d'accès** ........................ De la route 132, suivre les indications pour les secteurs nord ou sud.

**Gestionnaire** ........................ Parcs Canada
**Pour information** .................... (418) 368-5505, www.parcscanada.gc.ca

JCT   SENTIER INTERNATIONAL DES APPALACHES

## 21 PLAGE HALDIMAND

La plage Haldimand, d'une longueur de 2 km, est située dans la baie de Gaspé, en face du parc national du Canada Forillon. Du rivage, on peut observer des goélands et des baleines.

**Réseau pédestre** ................. 2,0 km (linéaire, facile)

**Services et aménagements**

*Autres : aire de jeux*

**Activités complémentaires**

**Période d'accès** .................. De juin à octobre, du lever au coucher du soleil
**Frais d'accès** ........................ Gratuit
**Voie d'accès** ........................ Du centre-ville de Gaspé, emprunter la route 132 est sur 8 km.

**Gestionnaire** ........................ Ville de Gaspé
**Pour information** ................. (418) 368-8523 ...... (418) 368-2104
vilgaspe@globetrotter.qc.ca

## 22 POINTE À LA RENOMMÉE

Sur ce site historique (il s'agit de la première station radio-maritime en Amérique du Nord), on emprunte les sentiers sur les caps d'où la vue panoramique sur la mer s'agrémente souvent de la présence de phoques et de baleines. Un promontoire donne une vue sur le golfe Saint-Laurent. Deux sentiers sont tracés en montagne. ★ *Le phare qui avait été déménagé en 1977 dans le Vieux-Port de Québec a repris sa place en 1997.*

Réseau pédestre ................. 20,0 km

| Sentiers et parcours | Longueur | Type | Niveau | Dénivelé |
|---|---|---|---|---|
| Sentier Bord-de-Mer | 6,0 km | Linéaire | Facile | |
| Sentier de la Révolte | 0,9 km | Linéaire | Facile | |
| Sentier des Ascah | 3,6 km | Linéaire | Facile/inter. | 270 m |
| Sentier Canne-de-Roches | 0,8 km | Linéaire | Facile | |

**Services et aménagements**

*Autres : phare, trottoir de bois*

**Activités complémentaires**

Documentation ..................... Dépliant-carte (à l'accueil)
Période d'accès ................. De début juin à mi-octobre, de 9 h à 17 h
Frais d'accès ....................... Gratuit
Voie d'accès ....................... À 6 km environ à l'ouest de l'Anse-à-Valleau par la route 132, prendre la route secondaire sur une distance de 4 km jusqu'au poste d'accueil.

Gestionnaire ......................... Comité local de développement de l'Anse-à-Valleau
Pour information ................. (418) 269-3310

## 23 RÉSERVE FAUNIQUE DE MATANE

Cette réserve compte plusieurs sentiers de randonnée dont celui du mont Blanc, qui conduit au plus haut sommet du territoire de la réserve (1 065 m). On y accède à un plateau nordique, comparable au paysage des sommets des Chic-Chocs. Deux autres sentiers, Vasière de l'Étang à la Truite et Vasière Thibeault, sont dotés de tours d'observation de l'orignal. La fréquentation des sources salines des vasières par ces animaux est une des plus élevées au Québec. Le sentier de la rivière Matane, quant à lui, offre une interprétation de la nature.

Réseau pédestre ................. 115,5 km

| Sentiers et parcours | Longueur | Type | Niveau | Dénivelé |
|---|---|---|---|---|
| Sentier du mont Blanc | 8,0 km | Linéaire | Intermédiaire | 765 m |
| Étang à la Truite | 1,5 km | Linéaire | Facile | |
| Vasière Thibeault | 1,0 km | Linéaire | Facile | |
| Sentier international des Appalaches | 105,0 km | Linéaire | Intermédiaire | 1 000 m |

**Services et aménagements**

*Autres : centre d'interprétation*

**Activités complémentaires**

Documentation ..................... Carte (à l'accueil)
Période d'accès ................. De juin à début octobre, de 7 h à 22 h (été) et de 9 h à 16 h (automne)
⚠ Le port du dossard est obligatoire pendant la période de chasse.

Frais d'accès ........................ Gratuit
Voie d'accès ........................ De Matane, suivre la route 195 sud sur 40 km environ.
On accède à la réserve par l'accueil John.

Gestionnaire ........................ SÉPAQ
Pour information ................. (418) 224-3345 ...... (418) 562-3700, www.sepaq.com

[JCT] PARC NATIONAL DE LA GASPÉSIE
SENTIER INTERNATIONAL DES APPALACHES

## 24 RÉSERVE FAUNIQUE DE PORT-DANIEL

Cette réserve faunique a été créée en 1953 dans le but de protéger le saumon de la rivière Port-Daniel. Celle-ci dévoile au randonneur ses cascades, ses gorges et ses fosses qui, l'automne venu, se transforment en frayères pour le saumon. Un sous-bois abrite un grand nombre de fougères.

Réseau pédestre ................. 8,0 km (linéaire, facile, dénivelé max. de 90 m)

Services et
aménagements

*Autres : aire de jeux, passerelle*

Activités
complémentaires

Documentation ..................... Dépliant-carte, dépliant (à l'accueil)
Période d'accès ................. De début juin à mi-octobre, de 7 h à 19 h
Frais d'accès ........................ Gratuit
Voie d'accès ........................ De la route 132 à Port-Daniel, suivre les indications. Un chemin asphalté long de 8 km mène au poste d'accueil.

Gestionnaire ........................ SÉPAQ
Pour information ................. (418) 396-2789 ...... 1 800 665-6527
www.sepaq.com

## 25 SENTIER DES CAPS DE LA HALTE

Ce sentier est situé à l'intérieur des limites de la municipalité de Caplan. Il longe les caps du littoral de la baie des Chaleurs.

Réseau pédestre ................. 1,0 km (linéaire, facile)

Services et
aménagements

Période d'accès ................. De mai à novembre, du lever au coucher du soleil
Frais d'accès ........................ Gratuit
Voie d'accès ........................ Le sentier débute dans la municipalité de Caplan, au 400, boulevard Perron Ouest.

Gestionnaire ........................ Municipalité de Caplan
Pour information ................. (418) 388-5020 ...... (418) 388-2075
municipalitecaplan.tripod.com

Ce sentier s'inscrit dans le projet de prolongement de l'*Appalachian Trail*. Il commence au mont Katahdin, dans l'état du Maine, et se termine à la pointe de Forillon. Essentiellement pédestre, il est tracé en pleine nature et passe par les plus hauts sommets. Quelques sections se situent en milieu agroforestier. Sur le territoire québécois, le sentier est d'ores et déjà accessible sur toute sa longueur. De Matapédia, il remonte la vallée jusqu'à Amqui avant d'atteindre la rivière Matane. De là, il traverse la réserve faunique de Matane, longe la réserve écologique Fernald et se rend jusqu'au mont Logan. Puis, il franchit le parc national de la Gaspésie sur toute sa longueur en passant par les monts Albert et Jacques-Cartier. Ensuite, il redescend vers Mont-Saint-Pierre et continue entre mer et montagne, de village en village, jusqu'à Rivière-au-Renard. Enfin, il traverse le parc national du Canada Forillon jusqu'à sa pointe, Cap-Gaspé. 🦮 *Des zones d'interdiction existent (ex. : parc national de la Gaspésie et réserve faunique de Matane).*

**Réseau pédestre** ................. 644,3 km

| Sentiers et parcours | Longueur | Type | Niveau | Dénivelé |
|---|---|---|---|---|
| Matapédia ............................................... 50,5 km | ........ | Linéaire | ....... Facile | ................ 220 m |
| La Vallée ............................................... 133,0 km | ........ | Linéaire | ....... Facile | ................ 250 m |
| Réserve faunique de Matane - Ouest ............ 72,0 km | ........ | Linéaire | ....... Inter./Difficile | ...... 800 m |
| Réserve faunique de Matane - Est ............... 34,4 km | ........ | Linéaire | ....... Inter./Difficile | ...... 800 m |
| Parc national de la Gaspésie ..................... 103,1 km | ........ | Linéaire | ....... Inter./Difficile | ...... 900 m |
| Haute-Gaspésie ........................................ 83,7 km | ........ | Linéaire | ....... Inter./Difficile | ...... 900 m |
| Côte-de-Gaspé .......................................... 122,6 km | ........ | Linéaire | ....... Facile/Inter. | ........ 240 m |
| Parc national du Canada Forillon ................. 45,0 km | ........ | Linéaire | ....... Facile/Inter. | ........ 300 m |

**Services et aménagements**

*Note : il faut ajouter à ces aménagements ceux des lieux traversés par ce sentier de longue randonnée (ex. : parc national de la Gaspésie).*

**Activités complémentaires**

 **Hiver** 🎿 *103,1 km + PT*

*Note : il faut ajouter à ces activités celles des lieux traversés par ce sentier de longue randonnée (ex. : parc national de la Gaspésie).*

**Documentation** .................... Cartes par secteur (au bureau du SIA. à Matane, dans différentes boutiques de plein air à Montréal et Québec, et au bureau de la Fédération québécoise de la marche)

**Période d'accès** .................. Du 20 juin au 30 octobre ou, pour certaines sections, suivant les spécifications des lieux traversés.

Du lever au coucher du soleil ou, pour certaines sections, suivant les spécifications des lieux traversés

⚠ *En dehors des lieux traversés où la chasse ne se pratique pas (ex. : parc national de la Gaspésie), des limitations ou interdictions peuvent s'appliquer durant la période de chasse.*

**Frais d'accès** ...................... Gratuit ou suivant les tarifications existant dans certains lieux traversés

**Voie d'accès** ...................... **Accès Matapédia :** le début du sentier se trouve à proximité du bureau d'information touristique.

**Accès Cap-Chat :** à partir de la route 132, emprunter la route qui longe la rivière Cap-Chat et la suivre sur environ 38 km. L'accès au sentier se trouve à environ 100 m après le ruisseau Bascon. Voir aussi les voies d'accès dans les réseaux traversés. Il existe plus de 20 autres points d'accès.

**Gestionnaire** ...................... Sentier international des Appalaches

**Pour information** ................ (418) 562-1240 poste 2299
1 800 665-6527 (Réservation des refuges et des sites de camping)
www.sia-iat.com

[JCT] LE PARC RÉGIONAL DE LA SEIGNEURIE DU LAC MATAPÉDIA
MONT SAINT-PIERRE
PARC NATIONAL DE LA GASPÉSIE
PARC NATIONAL DU CANADA FORILLON
RÉSERVE FAUNIQUE DE MATANE

## 27 SENTIER PÉDESTRE DE BAIE-DES-SABLES

Ce sentier de marche est partagé avec le vélo. Il débute au village de Baie-des-Sables et se rend jusqu'à la halte provinciale. Le sentier a été construit sur une ancienne route et longe le littoral du fleuve Saint-Laurent. Une portion du sentier est en asphalte et une autre en gravier. Des bancs de repos sont installés tout le long du sentier. 🐕 ⚠ *Certains services ne sont accessibles que du 1er mai au 31 octobre.*

**Réseau pédestre** ................ 2,5 km (Multi) (linéaire/facile)

**Services et aménagements**

**Activités complémentaires**       🎿 *Hiver* 🚶 *2,5 km*

**Période d'accès** .................... Toute l'année, du lever au coucher du soleil
**Frais d'accès** ........................ Gratuit
**Voie d'accès** ........................ À 32 km environ à l'est de Sainte-Flavie par la route 132.

**Gestionnaire** ........................ Municipalité de Baie-des-Sables
**Pour information** ................ (418) 772-6218, municipalitebds@globetrotter.net

## 28 SENTIERS ORNITHOLOGIQUES DE POINTE-À-LA-CROIX

Situé en bordure d'un vaste marais, ce réseau de sentiers est propice à l'observation de la vie palustre. On pourra observer les 120 différentes espèces d'oiseaux depuis deux tours d'observation. 🐕

**Réseau pédestre** ................ 8,0 km

| Sentiers et parcours | Longueur | Type | Niveau |
|---|---|---|---|
| Sentier de la Montagne/Sentier des Marais ..... 2,3 km ........ Linéaire ....... Facile |
| Sentier du Belvédère .................................... 0,8 km ........ Linéaire ....... Facile/Inter. |

*Gaspésie*                                                              *183*

**Services et aménagements**

*Autre : passerelle*

**Activités complémentaires**

Documentation ..................... Carte (à l'accueil et à l'hôtel de ville)
Période d'accès ................... Du 15 mai au 15 novembre, du lever au coucher du soleil
Frais d'accès ........................ Gratuit
Voie d'accès ......................... Le sentier est accessible à Pointe-à-la-Croix, à partir de la halte routière qui est situé sur la rue Gaspésienne.

Gestionnaire ........................ Municipalité de Pointe-à-la-Croix
Pour information ................. (418) 788-3222 ...... (418) 788-2011
www.pointe-a-la-croix.com

## 29 SITE HISTORIQUE DU BANC-DE-PASPÉBIAC

Un entrepreneur venu des îles Jersey, Charles Robin, s'établit ici en 1766. Ce fut le point de départ de sa compagnie de commercialisation de la morue séchée qui assura sa fortune et son expansion dans toute la Gaspésie. L'établissement de Robin à Paspébiac se composait de plusieurs bâtiments, exploités avec les frères Le Bouthillier. Le visiteur qui les explore aujourd'hui poursuivra sa randonnée sur la plage et les grèves environnantes.

Réseau pédestre ................. 10,0 km

| Sentiers et parcours | Longueur | Type | Niveau |
|---|---|---|---|
| Sur le site | 1,5 km | Mixte | Facile |
| Sentier de la Grève | 2,0 km | Linéaire | Facile |
| Sentier de la Halte routière | 2,0 km | Linéaire | Facile |
| Sentier du Barachois | 4,5 km | Linéaire | Facile |

**Services et aménagements**

*Autres : centre d'interprétation, boutique, passerelle*

**Activités complémentaires**

Documentation ..................... Dépliant (à l'accueil)
Période d'accès ................... De début juin à mi-octobre, de 9 h à 17 h
Frais d'accès ........................ Adulte : 5,50 $
Aîné et étudiant : 4,50 $
Enfant (moins de 6 ans) : gratuit
Famille : 12,00 $
Voie d'accès ......................... De la route 132 à Paspébiac, tourner à la 3e Rue en direction de la mer.

Gestionnaire ........................ Site historique du Banc-de-Paspébiac
Pour information ................. (418) 752-6229, shbp@globetrotter.net

## 30 SITE PANORAMIQUE LE SOLEIL D'OR

Situé à 335 m d'altitude, le Soleil d'Or propose deux sentiers et une vue plongeante, à partir d'un belvédère, sur la rivière Ristigouche qui sépare le Québec du Nouveau-Brunswick. L'observatoire des Pins marque le début de la descente d'un escalier de 230 marches.

**Réseau pédestre** ................ 2,0 km (mixte, facile)

**Services et aménagements**

*Autres : aire de jeux*

**Activités complémentaires**

 **Hiver**  *2,0 km + TT*

**Période d'accès** ................... Toute l'année, du lever au coucher du soleil
**Frais d'accès** ........................ Gratuit
**Voie d'accès** ........................ De la route 132 près de la frontière du Nouveau-Brunswick, suivre les indications pour L'Ascension-de-Patapédia. Tourner ensuite à droite sur le rang de l'Église Sud vers le site « Soleil d'Or ».

**Gestionnaire** ........................ Municipalité de l'Ascension-de-Patapédia
**Pour information** .................. (418) 299-2024 ...... (418) 299-2441

## 31 SITE RÉCRÉO-TOURISTIQUE DE CAPUCINS

Plusieurs sentiers traversent ce site récréo-touristique. On peut y observer la faune et la flore de la baie et des alentours. Le centre d'interprétation met en valeur l'unique marais salé du côté nord de la péninsule.

**Réseau pédestre** ................. 6,0 km

| Sentiers et parcours | Longueur | Type | Niveau |
|---|---|---|---|
| Sentier d'interprétation de la Baie ................. 2,0 km ........ Linéaire ....... Facile |
| Sentier du Fleuve, du Kiosque et de la Cédrière ............................................. 2,0 km ........ Boucle ......... Facile |
| Sentier des Ponceaux et de la 132 ................. 2,0 km ........ Boucle ......... Facile |

**Services et aménagements**

*Autres : centre d'interprétation, passerelle*

**Activités complémentaires**

**Période d'accès** ................... De juin à octobre, du lever au coucher du soleil
⚠ *Prudence pendant la période de chasse*
**Frais d'accès** ........................ Gratuit, frais pour le centre d'interprétation
**Voie d'accès** ........................ On accède au site récréo-touristique à partir de la route 132, à une douzaine de kilomètres à l'ouest de Cap-Chat.

**Gestionnaire** ........................ Ville de Cap-Chat
**Pour information** ................. (418) 786-5537

## 32 VILLE DE GASPÉ

On peut se promener dans un endroit fréquenté de la ville, entre le bassin du sud-ouest et le havre de Gaspé, en longeant une marina.

**Réseau pédestre** ................. 4,0 km (boucle, facile)

**Services et aménagements**

**Activités complémentaires** _Hiver_  _4,0 km_

**Période d'accès** .................. Toute l'année, du lever au coucher du soleil
**Frais d'accès** ....................... Gratuit
**Voie d'accès** ....................... On y accède en plein centre-ville, en bordure de la route 198.

**Gestionnaire** ......................... Ville de Gaspé
**Pour information** ................. (418) 368-8523 ...... (418) 368-2104
vilgaspe@globetrotter.qc.ca

## 33 ZEC YORK-BAILLARGEON

La zec York-Baillargeon est une zone d'exploitation contrôlée de chasse et de pêche de 64 km², située à l'ouest de Gaspé. Des sentiers donnent accès à plusieurs lacs. On pourra observer une frayère à truites.

**Réseau pédestre** ................. 30,0 km

| Sentiers et parcours | Longueur | Type | Niveau |
|---|---|---|---|
| Broussailles | 5,0 km | Linéaire | Intermédiaire |
| La Chute | 1,0 km | Linéaire | Facile |
| Le Ruisseau | 1,0 km | Linéaire | Facile |
| La Mousse | 5,0 km | Linéaire | Intermédiaire |
| La Tour | 2,5 km | Linéaire | Facile |

**Services et aménagements**
_Autres : chalet communautaire, aire de jeux, plage_

**Activités complémentaires**  _Hiver_  _15,0 km_

**Documentation** .................... Dépliant (à l'accueil)
**Période d'accès** ................. De juin à fin octobre, du lever au coucher du soleil
⚠ _Le port du dossard est obligatoire pendant la période de chasse._
**Frais d'accès** (taxes incl.) ..... 5,00 $ par véhicule
**Voie d'accès** ........................ De Gaspé, prendre la route 198 vers Murdochville sur environ 25 km. Suivre les indications pour la zec et traverser le pont Baillargeon pour atteindre l'accueil.

**Gestionnaire** ......................... Association chasse et pêche de Gaspé inc.
**Pour information** ................. (418) 368-6996, www.gaspesie.com/zecbaillargeon

# Îles-de-la-Madeleine

*Parfum des Îles*

# ÎLES-DE-LA-MADELEINE

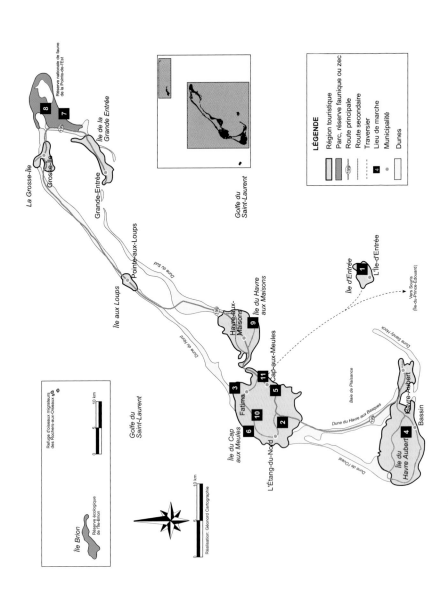

# LIEUX DE MARCHE

**1** BIG HILL

**2** LA BOUILLÉE DE BOIS

**3** LE BARACHOIS

**4** PARC DES BOIS-BRÛLÉS

**5** PARC DES BUCK

**6** PISTE CYCLABLE ET PÉDESTRE DE LA BELLE-ANSE

**7** PLAGE DE LA GRANDE ÉCHOUERIE

**8** RÉSERVE NATIONALE DE FAUNE DE LA POINTE-DE-L'EST

**9** SENTIER DE HAVRE-AUX-MAISONS

**10** SENTIER DE LA BUTTE DU VENT

**11** SENTIER DU LITTORAL

## BIENVENUE DANS LA RÉGION DES ÎLES-DE-LA-MADELEINE

L'archipel des îles de la Madeleine est situé à 215 km de la péninsule gaspésienne. L'ensemble des îles dessine un croissant allongé s'étirant sur 65 km, orienté sud-ouest nord-est dans le golfe Saint-Laurent. On en dénombre douze. Six sont reliées entre elles par d'étroites dunes de sable.

Chaque île est un ensemble de collines aux formes arrondies et souvent dénudées qu'on appelle buttes. Autour de celles-ci s'étalent des petites vallées à fond plat; c'est là que les Madelinots se sont installés. Elles se terminent souvent en falaises rouges aux formes spectaculaires, modelées par la mer.

En 1534, Jacques-Cartier baptise les îles « les Araynes » (du latin arena, sable). Elles ont reçu leur nom actuel en 1663, en l'honneur de Madeleine Fontaine, l'épouse du premier seigneur, François Doublet de Honfleur.

En 1755, lors de la déportation des Acadiens, quelques familles s'y réfugient. C'est le début de la véritable colonisation madelinienne. Par la suite, les habitants auront à subir le joug seigneurial et la domination des marchands.

Aujourd'hui, l'économie repose surtout sur la pêche avec, en tête, celle au homard. La présence des petits ports de pêche le souligne.

L'écologie des îles est fragile à cause des conditions naturelles qui les soumettent aux vents salins et à l'acidité du sol. La végétation la plus caractéristique est celle des dunes. On y retrouve l'ammophile à ligule, cette herbe qui se fixe sur le sable.

Les îles bénéficient d'un climat particulier. Le temps doux de l'été se prolonge jusqu'à la fin de septembre. On peut s'y baigner dans une eau plus chaude que celle des rives du fleuve Saint-Laurent, à cause de la faible amplitude des marées et du fait que l'archipel est situé sur des hauts-fonds.

Il est à noter que les Madelinots vivent à l'heure de l'Atlantique, soit une heure plus tard qu'au Québec.

Pour information sur les îles de la Madeleine
www.tourismeilesdelamadeleine.com
1-877-624-4437

Tourisme
ÎLES DE LA MADELEINE

## 1 BIG HILL

Big Hill est la butte la plus élevée de l'ensemble des îles. Elle est située sur l'île d'Entrée et atteint 174 m d'altitude. On commence la randonnée à partir du port. On emprunte des chemins de gravier, puis on se rend à un pré. On marche à travers celui-ci et on grimpe la butte jusqu'au sommet. On peut voir toutes les Îles-de-la-Madeleine, le fleuve Saint-Laurent et, naturellement, l'île d'Entrée. On peut également observer les oiseaux qui nichent dans la falaise.

**Réseau pédestre** ................ 2,9 km (linéaire, intermédiaire, dénivelé maximum de 175 m)

**Services et aménagements**

**Période d'accès** .................. De mai à octobre, du lever au coucher du soleil
**Frais d'accès** ...................... Gratuit
**Voie d'accès** ........................ On atteint l'île d'Entrée par un bateau-traversier. Du port, suivre le chemin de la Lighthouse vers le sud et tourner à gauche sur le chemin Main. Continuer tout droit et poursuivre sur le chemin Mountain. Franchir ensuite la barrière et se rendre à la montagne en passant par un pré.

**Gestionnaire** ........................ Municipalité de Les Îles-de-la-Madeleine
**Pour information** ................. (418) 986-3100, www.ilesdelamadeleine.com

## 2 LA BOUILLÉE DE BOIS

Ces sentiers forestiers d'interprétation, reliés l'un à l'autre, sont situés dans la municipalité de l'Étang-du-Nord, sur l'île du Cap aux Meules. Ils témoignent des 18 % du territoire madelinot qui sont encore sous couvert forestier malgré la fragile écologie des îles. En effet, les conditions naturelles sont rudes à cause des vents salins et de l'acidité du sol. Le nom des sentiers évoque la végétation que le marcheur côtoiera : kalmias et rabougris à proximité de la lagune du Havre aux Basques, lichens, sphaignes et éricacées.

**Réseau pédestre** .................. 7,0 km

| Sentiers et parcours | Longueur | Type | Niveau |
|---|---|---|---|
| Les Lichens .................................... | 1,5 km ........ | Boucle ........ | Facile |
| Les Sphaignes ................................ | 1,8 km ........ | Boucle ........ | Facile |
| Les Éricacées ................................. | 3,2 km ........ | Boucle ........ | Facile |

**Services et aménagements**

**Activités complémentaires**

**Période d'accès** .................. Toute l'année, du lever au coucher du soleil
⚠ *Prudence pendant la période de chasse*
**Frais d'accès** ....................... Gratuit
**Voie d'accès** ........................ De Cap-aux-Meules, emprunter la route 199 vers l'ouest jusqu'au camping La Martinique.

**Gestionnaire** ........................ Attention Frag'Îles/Municipalité de Les Îles-de-la-Madeleine
**Pour information** ................. (418) 986-6644

## 3 LE BARACHOIS

Ce sentier, situé à l'extrémité sud de la Dune du Nord, fait découvrir les milieux humides des Îles de la Madeleine : pré humide, marais d'eau douce, marais saumâtre et marais salé.

**Réseau pédestre** .................. 2,5 km (linéaire, facile)

**Services et aménagements**

**Activités complémentaires**

**Période d'accès** .................. Toute l'année, du lever au coucher du soleil
⚠ *Prudence pendant la période de chasse*

**Frais d'accès** ........................ Gratuit

**Voie d'accès** ........................ À Fatima, emprunter le chemin de l'Hôpital en direction de la plage de la Dune du Nord.

**Gestionnaire** ........................ Attention Frag'Îles/Municipalité de Les Îles-de-la-Madeleine
**Pour information** .................. (418) 986-6644

## 4 PARC DES BOIS-BRÛLÉS

Le parc est situé sur l'île du Havre Aubert, à la croisée du chemin du Bassin et du chemin de la Montagne. Un sentier mène en montagne, à travers des marais et un ruisseau. 🐾

**Réseau pédestre** .................. 2,3 km (mixte, facile)

**Services et aménagements**
*Autres : aire de jeux*

**Activités complémentaires**

**Période d'accès** .................. De mai à octobre, du lever au coucher du soleil
**Frais d'accès** ........................ Gratuit
**Voie d'accès** ........................ À Havre-Aubert, emprunter le chemin du Bassin jusqu'au Centre multifonctionnel, derrière le terrain de balle-molle.

**Gestionnaire** ........................ Municipalité de Les Îles-de-la-Madeleine
**Pour information** .................. (418) 937-5245

## 5 PARC DES BUCK

Une promenade dans le parc des Buck, au bout du chemin de la Mine, mène à des points de vue sur l'île du Cap aux Meules et les autres îles de l'archipel. 🐾

**Réseau pédestre** .................. 5,5 km

| Sentiers et parcours | Longueur | Type | Niveau |
|---|---|---|---|
| Boucle du Lac ............................................. | 1,4 km ......... | Boucle ......... | Intermédiaire |
| Boucle du Ruisseau et de la Mine .................. | 1,0 km ......... | Boucle ......... | Intermédiaire |
| Sentier du Marécage ................................... | 0,6 km ......... | Boucle ......... | Facile |
| Sentier de la Montagne du Loup .................. | 2,5 km ......... | Boucle ......... | Intermédiaire |

# Lanaudière

*Parc des Chutes à Bull*

# LANAUDIÈRE

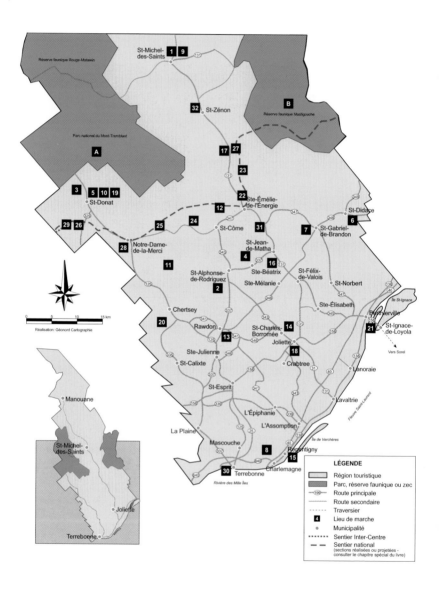

St-Michel-des-Saints **1** **9** (131)

Réserve faunique Rouge-Matawin

**32** St-Zénon

**B** Réserve faunique Mastigouche

Parc national du Mont-Tremblant

**A**

**17** **27**

**23**

**3** **5** **10** **19**
St-Donat

**12**

**22** Ste-Émélie-de-l'Énergie

St-Didace

**6**

**29** **26**

**25** **24**
St-Côme

**31**

**7** St-Gabriel-de-Brandon

**28** Notre-Dame-de-la-Merci

St-Jean-de-Matha

**11**

St-Alphonse-de-Rodriguez

**4**

**16** Ste-Béatrix

St-Félix-de-Valois

St-Norbert

**2** Ste-Mélanie

Ste-Élisabeth

Chertsey

**20**

Rawdon

St-Charles-Borromée **14**

**13**

Joliette

**18**

Berthierville

**21** St-Ignace-de-Loyola

Vers Sorel

Ste-Julienne

St-Calixte

Crabtree

Lanoraie

St-Esprit

Lavaltrie

L'Épiphanie

L'Assomption

La Plaine

Mascouche

**8** Repentigny

**15**

**30** Terrebonne

Charlemagne

Rivière des Mille Îles

Île de Verchères

Fleuve Saint-Laurent

Réalisation: Géonord Cartographie

0    5    10    15 km

Manouane

St-Michel-des-Saints

Joliette

Terrebonne

## LÉGENDE

Région touristique

Parc, réserve faunique ou zec

Route principale

Route secondaire

Traversier

**4** Lieu de marche

• Municipalité

•••••••• Sentier Inter-Centre

— — Sentier national
(sections réalisées ou projetées -
consulter le chapitre spécial du livre)

**Réseau pédestre** ................ 6,5 km

| Sentiers et parcours | Longueur | Type | Niveau |
|---|---|---|---|
| Tour du lac Clair ............................................. | 1,5 km ........ | Boucle ........ | Facile |
| Sentier du lac Beaupré ................................ | 2,0 km ........ | Linéaire ...... | Intermédiaire |
| Tour du lac Beaupré .................................... | 3,0 km ........ | Boucle ........ | Intermédiaire |

**Services et aménagements**

*Autres : aire de jeux, piste d'hébertisme*

**Activités complémentaires**

**Hiver**  *4,0 km*  *3,0 km + PT*

**Documentation** .................... Dépliant (à l'accueil)

**Période d'accès** ................... Toute l'année, de 9 h 30 à 16 h 30

**Frais d'accès** (taxes incl.) ..... 12 ans et plus : 8,00 $
Enfant (4 à 11 ans) : 5,00 $
Enfant (3 ans et moins) : gratuit

**Voie d'accès** ........................ De Joliette, prendre la route 131 nord jusqu'à Saint-Jean-de-Matha. Tourner à gauche sur la route 337 vers Sainte-Béatrix et suivre les indications.

**Gestionnaire** ........................ Havre familial

**Pour information** ................. (450) 883-2271 ...... 1 888 883-2271
www.lequebec.net/havrefamilial

## 5 LE SENTIER DES ÉTANGS

Situé près du village de Saint-Donat, ce sentier côtoie un marais. C'est l'endroit idéal pour faire l'observation des oiseaux. En effet, on y trouve une flore riche et propice à la sauvagine.  *L'hiver, une cabane est installée pour se réchauffer.*

**Réseau pédestre** ................ 3,1 km

| Sentiers et parcours | Longueur | Type | Niveau |
|---|---|---|---|
| Sentier du Colvert ......................................... | 1,2 km ........ | Boucle ........ | Facile |
| Sentier du Grand Héron ................................. | 1,3 km ........ | Boucle ........ | Facile |

**Services et aménagements**

**Activités complémentaires**

**Hiver** *1,9 km*

**Documentation** .................... Liste des oiseaux observés sur place (au bureau d'information touristique de Saint-Donat)

**Période d'accès** ................... Toute l'année, du lever au coucher du soleil

**Frais d'accès** ........................ Gratuit

**Voie d'accès** ........................ De l'autoroute 25, continuer sur la route 125 nord jusqu'à Saint-Donat. À l'église, tourner à droite sur la rue Allard, et à droite encore sur la rue Desrochers. Le sentier se trouve à gauche, au bas de la côte, près du garage municipal.

**Gestionnaire** ........................ Municipalité de Saint-Donat

**Pour information** ................. (819) 424-2833 ...... 1 888 783-6628, www.stdonat.com

## 6   LES JARDINS DU GRAND-PORTAGE

Nichés dans les contreforts des Laurentides, près de Saint-Didace, se trouvent les Jardins du Grand-Portage. Depuis plus de 20 ans, des jardins écologiques tels que des jardins maraîchers, des jardins d'herbes, des jardins anglais, des jardins orientaux, des jardins aquatiques et un verger domestique sont aménagés avec beaucoup d'originalité. Tous ces jardins sont reliés par un sentier sinueux. Il y a aussi un nouveau sentier d'interprétation du boisé de ferme à caractère éducatif.

**Réseau pédestre** ................. 3,4 km (mixte, intermédiaire, dénivelé max. de 100 m)

**Services et aménagements**   

**Activités complémentaires**   

**Documentation** ................... Dépliant (à l'accueil et au kiosque d'information touristique de Lanaudière)
**Période d'accès** .................. De fin juin à fin septembre, de 10 h à 17 h
**Frais d'accès** (taxes incl.) ..... 7,00 $ par personne
**Voie d'accès** ........................ De la sortie 144 de l'autoroute 40, suivre la route 347 jusqu'à Saint-Gabriel-de-Brandon. Prendre ensuite la route 348 est et dépasser Saint-Didace de 5 km. Tourner à droite sur le 1er rang.

**Gestionnaire** ......................... Les Jardins du Grand-Portage
**Pour information** ................. (450) 835-5813, www.intermonde.net/colloidales

## 7   LES SENTIERS BRANDON

Dans un boisé de la paroisse de Saint-Gabriel, des sentiers de ski de fond sont utilisés pour la marche, hors saison. Ils forment un enchevêtrement labyrinthique. On a aménagé des aires de repos et on verra, du haut de deux belvédères, une sablière. *Il n'y a aucune surveillance en dehors de la période hivernale.*

**Réseau pédestre** ................. 14,7 km (boucles, facile)

**Services et aménagements**   
*Autre : abri (chauffé l'hiver)*

**Activités complémentaires**    Hiver  3,0 km   14,7 km

**Documentation** ................... Dépliant-carte (au bureau d'information touristique de Saint-Gabriel-de-Brandon)
**Période d'accès** .................. Toute l'année, du lever au coucher du soleil
**Frais d'accès** ....................... Gratuit
**Voie d'accès** ........................ À partir de Saint-Gabriel-de-Brandon, on accède aux sentiers par la rue Dequoy, près du stade Patrick Gendron.

**Gestionnaire** ......................... Les Sentiers de Brandon inc.
**Pour information** ................. (450) 835-2105, www.tourisme-lanaudiere.qc.ca

## 8  LES SENTIERS DE LA PRESQU'ÎLE

Les Sentiers de la Presqu'île ont été tracés dans une forêt préservée en milieu urbain. Cette forêt est située à Le Gardeur. Elle est composée d'érables, de sapins, de cèdres et aussi de végétation de savane. Un des sentiers est laissé à la disposition des maîtres pouvant y promener leurs chiens sans laisse. 🐕 *Autorisé sur seulement une portion du réseau (7,0 km).*

**Réseau pédestre** ................. 13,0 km

| Sentiers et parcours | Longueur | Type | Niveau |
|---|---|---|---|
| Numéro 1 ......................................... | 2,5 km ........ | Boucle ........ | Facile |
| Numéro 2 ......................................... | 2,6 km ........ | Boucle ........ | Facile |
| Numéro 3 ......................................... | 4,0 km ........ | Boucle ........ | Facile |
| Numéro 4 ......................................... | 3,5 km ........ | Boucle ........ | Facile |

*Note : quelques courtes sections sont partagées avec les vélos*

**Services et aménagements**

**Activités complémentaires**  *Hiver*  *7,5 km*

**Documentation** .................... Dépliant (à l'accueil)
**Période d'accès** ................... Du 1er septembre au début juin, de 8 h à 17 h
**Frais d'accès** ....................... Adulte : 3,50 $
Étudiant (4 à 16 ans) : 2,50 $
Enfant (moins de 4 ans) : gratuit
Chien : 1,50 $
**Voie d'accès** ....................... De l'autoroute 40 ou 640, prendre la sortie 97 et suivre les panneaux indicateurs bleus.

**Gestionnaire** ......................... Les Sentiers de la Presqu'île inc.
**Pour information** ................. (450) 585-0121 ...... (450) 581-6877
pages.infinit.net/sentiers/bienvenu.htm

## 9  LES SENTIERS PANORAMIQUES DE LA BAIE DOMINIQUE

Un sentier débute à la baie Dominique du réservoir Taureau. On se rend en montagne où un belvédère donne sur le réservoir et sur la ville de Saint-Michel-des-Saints. 🐕

**Réseau pédestre** ................. 6,0 km

| Sentiers et parcours | Longueur | Type | Niveau |
|---|---|---|---|
| Sentier de la Baie Dominique ....................... | 3,0 km ........ | Boucle ........ | Intermédiaire |
| Sentier de la Baie Morissette ....................... | 3,0 km ........ | Linéaire ....... | Intermédiaire |

**Services et aménagements**

**Activités complémentaires** *Hiver* 🎿 *6,0 km*

**Documentation** .................... Carte (au bureau de la Chambre de commerce)

**Période d'accès** .................. De mai à octobre, du lever au coucher du soleil
**Frais d'accès** ........................ Gratuit
**Voie d'accès** ........................ De Joliette, suivre la route 131 vers le nord jusqu'à Saint-Michel-des-Saints. Tourner à gauche sur le chemin des Aulnaies et faire 2 km. Tourner ensuite à droite sur le chemin Manwan et faire 0,5 km. Tourner à droite à nouveau sur le chemin Beaulac et faire 4 km. Enfin, tourner à gauche sur le chemin Ferland et faire 1 km.

**Gestionnaire** ........................ Chambre de commerce Haute-Matawinie
**Pour information** .................. (450) 833-1334, www.haute-matawinie.com

## 10  MONT SOURIRE

Au sommet de ce mont, on verra le lac Ouareau, les monts La Réserve et Ouareau, les marais environnants. 🐕 ⭐ *On peut y observer l'urubu à tête rouge.*

**Réseau pédestre** .................. 1,0 km (linéaire, facile/inter., dénivelé max de 120 m)

**Services et aménagements**

**Activités complémentaires**  *Hiver* 🏂 *1,0 km*

**Période d'accès** .................. De mai à octobre, du lever au coucher du soleil
⚠ *Prudence pendant la période de chasse*
**Frais d'accès** ........................ Gratuit
**Voie d'accès** ........................ De l'autoroute 25, poursuivre sur la route 125 nord jusqu'à Saint-Donat. À l'église, prendre à droite le chemin Allard jusqu'au bout, et tourner à droite sur le chemin Ouareau Nord. Au chemin des Cascades, un panneau indique le stationnement.

**Gestionnaire** ........................ Municipalité de Saint-Donat
**Pour information** .................. (819) 424-2833 ...... 1 888 783-6628, www.stdonat.com

## 11  PARC DE LA FORÊT OUAREAU 🏔 SENTIER NATIONAL

Ce lieu comprend deux secteurs qui ne sont pas reliés l'un à l'autre. Dans le secteur Grande-Vallée, certains sommets permettent de voir jusqu'à Montréal. Dans le secteur Forêt Ouareau, le sentier du Massif offre une vue sur le mont Tremblant et la municipalité de Notre-Dame-de-la-Merci. Le sentier du Murmure côtoie la rivière Ouareau. 🐕 *Sauf en période hivernale*

**Réseau pédestre** .................. 73,1 km (Multi : 30,0)

| Sentiers et parcours | Longueur | Type | Niveau | Dénivelé |
|---|---|---|---|---|
| Sentier numéro 1 (Grande-Vallée) | 13,1 km | Linéaire | Intermédiaire | 250 m |
| Sentier numéro 2 (Grande-Vallée) | 5,3 km | Linéaire | Intermédiaire | 145 m |
| Sentier numéro 3 (Grande-Vallée) | 5,8 km | Linéaire | Difficile | 390 m |
| Sentier du Murmure | 6,0 km | Linéaire | Facile | |
| Sentier du Massif | 20,1 km | Linéaire | Intermédiaire | 235 m |
| Sentier Corbeau | 7,6 km | Linéaire | Intermédiaire | 150 m |

| Services et aménagements |  |
|---|---|

*Autres : passerelle, pont suspendu*

| Activités complémentaires |  *Hiver* 🚶 73,1 km |
|---|---|

**Documentation** .................... Dépliant-carte Forêt Ouareau, carte Sentier du Massif (à l'accueil et au dépanneur du secteur de Grande-Vallée)

**Période d'accès** .................. Toute l'année, du lever au coucher du soleil
Stationnement ouvert de 8 h 30 à 16 h 30, du mercredi au dimanche
⚠ *Les randonneurs doivent porter des couleurs voyantes durant la période de chasse.*

**Frais d'accès** (taxes incl.) ..... 2,00 $ par personne

**Voie d'accès** ........................ **Secteur Forêt Ouareau :** de l'autoroute 25, poursuivre sur la route 125 nord. L'entrée se situe à 22 km au nord de Chertsey et à 2,5 km au sud de Notre-Dame-de-la-Merci.
**Secteur Grande-Vallée :** de l'autoroute 25, poursuivre sur la route 125 nord jusqu'à Chertsey. Prendre la rue de l'Église, puis le boulevard Grande-Vallée, et enfin la rue des Pâquerettes où se trouve le stationnement. *Note : d'autres accès sont possibles.*

**Gestionnaire** ........................ Forêt Ouareau/MRC de Matawinie
**Pour information** .................. (819) 424-1865, www.mrcmatawinie.qc.ca

[JCT] SENTIER DES CONTREFORTS

## 12 PARC DES CHUTES À BULL

Ce parc a été aménagé le long de la rivière Boule et de sa chute de 20 m de hauteur (Bull du nom d'un Américain qui l'exploitait) pour commémorer l'époque de la drave. On retrouve, le long des sentiers, des vestiges de cette époque. Des belvédères, une terrasse et des aires de pique-nique ont été aménagés pour s'y détendre et admirer le paysage. 🐴

**Réseau pédestre** ................. 7,0 km

| Sentiers et parcours | Longueur | Type | Niveau | Dénivelé |
|---|---|---|---|---|
| Sentier Belvédère | 2,0 km | Linéaire | Intermédiaire | 100 m |
| Sentier des Cascades et Chutes | 2,0 km | Linéaire | Intermédiaire | |
| Sentier de la Dame | 2,0 km | Linéaire | Intermédiaire | |

| Services et aménagements |  |
|---|---|

*Autres : passerelle, halte historique*

| Activités complémentaires |  |
|---|---|

**Documentation** .................... Dépliant, carte (au poste d'accueil)
**Période d'accès** .................. Du 1er juin au 31 octobre, de 10 h à 16 h 30
**Frais d'accès** (taxes incl.) ..... 2,00 $ par personne
Enfant (moins de 6 ans) : gratuit

**Voie d'accès** ........................ De Joliette, prendre la route 343 jusqu'à Saint-Côme. On accède au parc par le rang des Vennes.

**Gestionnaire** ........................ Parc régional des Chutes à Bull
**Pour information** ................. (450) 883-2726 ...... (450) 883-8467
www.cœur-matawinie.com/chutes_abull-fr.html

## 13 PARC DES CHUTES DORWIN

Dans un sous-bois d'érablière, le long de la rivière Ouareau, on a aménagé de petits sentiers. Un escalier mène à des belvédères donnant sur les chutes.

**Réseau pédestre** ................. 2,5 km (mixte, facile)

**Services et aménagements**

**Activités complémentaires**   Hiver   2,5 km

**Documentation** .................... Carte touristique et dépliant du parc (à l'accueil et au bureau d'information touristique)
**Période d'accès** .................. De mai à la fête du Travail, de 9 h à 19 h
Le reste de l'année, de 10 h à 17 h
⚠ *Le parc ne fournit aucun service durant l'hiver. Toutefois, son stationnement reste accessible.*
**Frais d'accès** (taxes incl.) ..... Adulte : 2,00 $
Enfant (10 à 17 ans) : 1,00 $
Enfant (0 à 9 ans) : gratuit
Tarif de groupe disponible
Frais de stationnement : 2,00 $ à 5,00 $ par véhicule
**Voie d'accès** ........................ De l'autoroute 25, poursuivre sur la route 125, puis bifurquer à droite sur la route 337. Les chutes Dorwin sont situées à l'entrée du village de Rawdon, et les Cascades, 3 km plus loin.

**Gestionnaire** ........................ Chambre de commerce de Rawdon
**Pour information** ................. (450) 834-2282, ccdr@pandore.qc.ca

## 14 PARC LOUIS-QUERBES

Dans un parc naturel à vocation récréative de la ville de Joliette, un sentier en poussière de roche longe la berge de la rivière l'Assomption.

**Réseau pédestre** ................. 1,0 km (Multi)(linéaire, facile)

**Services et aménagements**

*Autres : aire de jeux*

**Activités complémentaires**    Hiver   1,0 km   TT

**Période d'accès** .................. Toute l'année, du lever au coucher du soleil
**Frais d'accès** ........................ Gratuit

**Voie d'accès** ........................ Du centre info-touristique à Joliette, prendre la rue Dollard vers le centre-ville, puis la rue Saint-Charles-Borromée vers le nord. Le stationnement du parc est situé à l'arrière de la cathédrale.

**Gestionnaire** ......................... Ville de Joliette
**Pour information** ................. (450) 753-8050, loisirs@ville.joliette.qc.ca

## 15 PARC RÉGIONAL DE L'ÎLE LEBEL

Ce parc municipal est situé en bordure du fleuve Saint-Laurent et offre une vue sur les îles et la rive sud. Les battures et le boisé de l'île sont propices à l'observation des oiseaux. On y trouve aussi un marécage et une frayère.

**Réseau pédestre** ................. 2,0 km (mixte, facile)

**Services et aménagements**

*Autres : aire de jeux, passerelle*

**Activités complémentaires**

*Hiver* 🏃❄ *2,0 km*

**Période d'accès** ................... Toute l'année, de 7 h à 23 h
**Frais d'accès** ........................ Gratuit
**Voie d'accès** ........................ De la route 138 à Repentigny, emprunter la rue Thouin jusqu'au stationnement.

**Gestionnaire** ......................... Ville de Repentigny
**Pour information** ................. (450) 654-2330, ville.repentigny.qc.ca

## 16 PARC RÉGIONAL DES CHUTES-MONTE-À-PEINE-ET-DES-DALLES

Le parc est sillonné par les méandres de la rivière L'Assomption. Le marcheur peut longer celle-ci sur plusieurs kilomètres. Les chutes Monte-à-Peine et les Dalles sont plus spectaculaires tandis que la chute Desjardins a un caractère plus intime. 🐎

**Réseau pédestre** ................. 17,0 km

| Sentiers et parcours | Longueur | Type | Niveau | Dénivelé |
|---|---|---|---|---|
| Sentier Desjardins | 5,0 km | Linéaire | Facile | 50 m |
| L'Érablière | 2,4 km | Linéaire | Facile | 60 m |
| Le Plateau | 1,1 km | Linéaire | Facile | |
| La Chute | 1,0 km | Boucle | Facile | 50 m |
| La Coulée | 1,5 km | Linéaire | Facile | 70 m |
| Sentier d'interprétation | 1,8 km | Linéaire | Facile | |

**Services et aménagements**

*Autres : passerelle, aire de jeux, jardin, abri*

**Activités complémentaires**

**Documentation** ..................... Dépliant, carte (à l'entrée)
**Période d'accès** ................... Du 1er mai au 1er novembre
**Horaire d'accès** ................... De 9 h à 18 h
De mi-juin à août : de 9 h à 20 h
**Frais d'accès** (taxes incl.) ..... Adulte : 5,00 $
Enfant (6 à 12 ans) : 2,00 $
Enfant (5 ans et moins) : gratuit
Animal domestique : 2,00 $
Groupe 25 personnes et plus : 4,00 $ par personne
Groupe 40 personnes et plus : 3,00 $ par personne
**Voie d'accès** ......................... **Porte Sainte-Mélanie** : de Joliette, prendre la route 131 nord en direction de Saint-Jean-de-Matha. Tourner à gauche sur la route 348 sud et suivre les indications.
**Porte Sainte-Béatrix et Saint-Jean-de-Matha** : de Joliette, prendre la route 131 nord et tourner à gauche à Saint-Jean-de-Matha sur la route 337 sud. Suivre ensuite les indications pour le parc.

**Gestionnaire** ......................... Régie intermunicipale du Parc régional des Chutes-Monte-à-Peine-et-des-Dalles
**Pour information** ................. (450) 883-6060, parcdeschutes@bellnet.ca

## 17 PARC RÉGIONAL DES SEPT-CHUTES DE SAINT-ZÉNON

Des sentiers mènent au mont Brassard et au mont Barrière. On peut aussi suivre la rivière Noire jusqu'à la chute du Voile de la mariée, d'une hauteur de 60 m, ou monter pour effectuer le circuit panoramique. On trouve cinq points de vue dont l'Amphithéâtre donnant sur le lac Guy, et le Balcon du Nord, sur le lac Bouchette.

**Réseau pédestre** ................. 14,9 km

| Sentiers et parcours | Longueur | Type | Niveau | Dénivelé |
|---|---|---|---|---|
| Mont Brassard | 4,5 km | Boucle | Intermédiaire | 250 m |
| Mont Barrière | 4,9 km | Boucle | Intermédiaire | 230 m |
| Lac Rémi | 2,9 km | Boucle | Intermédiaire | |
| L'Érablière | 1,7 km | Boucle | Intermédiaire | |

**Services et aménagements**

Autres : centre d'interprétation, passerelle

**Activités complémentaires**

**Documentation** ..................... Dépliant (à l'accueil)
**Période d'accès** ................... De mai à novembre, de 9 h 30 à 18 h
**Frais d'accès** (taxes incl.) ..... 4,50 $ par personne
Enfant (12 ans et moins) : gratuit
Passe de saison disponible
**Voie d'accès** ......................... De Joliette, suivre la route 131 vers le nord. L'entrée du site se trouve à environ 18 km au nord de Sainte-Émélie-de-l'Énergie.

Gestionnaire ........................ MRC de la Matawinie, Parc régional des Sept-Chutes
Pour information ................. (450) 884-0484 ...... 1 800 264-5441
www.mrcmatawinie.qc.ca

JCT   SENTIER DE LA MATAWINIE
      SENTIER DES NYMPHES

## 18   PARC RIVERAIN BASE-DE-ROC

Le parc se trouve dans la zone urbaine de Joliette. C'est un site naturel, à proximité de la rivière L'Assomption, fréquenté par des oiseaux riverains et terrestres. Une passerelle suspendue a été construite sur les ruines d'un ancien barrage hydroélectrique. Une partie des sentiers est partagée avec les vélos.

**Réseau pédestre** ................. 3,5 km (Multi : 3,3)(linéaire, facile)

**Services et aménagements**

*Autres : passerelle*

**Activités complémentaires**

**Période d'accès** ................... D'avril à décembre, du lever au coucher du soleil
**Frais d'accès** ........................ Gratuit
**Voie d'accès** ........................ De Joliette, prendre la route 158 vers l'ouest. Sortir à l'indication de l'amphithéâtre Lanaudière, tourner à gauche sur la rue Vessot, et encore à gauche sur le boulevard Base-de-Roc. Poursuivre jusqu'à l'entrée principale du parc (1 km).

**Gestionnaire** ........................ Ville de Joliette et la Corporation de l'Aménagement de la Rivière L'Assomption
**Pour information** ................. (450) 755-1651, www.cara.qc.ca

## 19   RAPIDES DES NEIGES

Ce sentier existe depuis plus de 25 ans. Il serpente dans un boisé mixte et longe les rapides de la rivière Ouareau sur une longueur de 2 km. Au bout du sentier, un abri est construit afin de se protéger des intempéries.

**Réseau pédestre** ................. 2,0 km (linéaire, facile)

**Services et aménagements**

*Autres : abri*

**Activités complémentaires**

Hiver  2,0 km + TT

**Période d'accès** ................... Toute l'année, du lever au coucher du soleil
**Frais d'accès** ........................ Gratuit
**Voie d'accès** ........................ Au cœur de Saint-Donat, prendre la rue Allard. Au bout complètement, tourner à droite sur le chemin Ouareau Nord, puis à gauche sur le chemin Saint-Guillaume. Continuer sur 2 km et tourner à droite sur le chemin du Domaine Boisé.

Faire 500 m et tourner à gauche sur le chemin des Merles. Le stationnement se situe au bout de la rue.

**Gestionnaire** ......................... Club de plein air de Saint-Donat inc.
**Pour information** ................. 1 888 783-6628 ..... (819) 424-2833
www.saint-donat.org/pleinair

## 20 SANCTUAIRE MARIE-REINE-DES-CŒURS

Dans ce lieu de repos et de prière, on peut emprunter un chemin asphalté qui monte au sommet d'une colline, d'où l'on peut apercevoir les installations pétrolières de Montréal-Est. À partir de ce chemin reliant plusieurs petites chapelles, on peut emprunter de courts sentiers en forêt, dont l'un longe le lac Beaulne.

**Réseau pédestre** ................. 2,8 km (mixte, facile)

**Services et aménagements**

*Autres : boutique*

**Activités complémentaires**

*Hiver* 🚶 *2,8 km*

**Documentation** .................... Carte (à l'accueil)
**Période d'accès** ................. Toute l'année, du lever au coucher du soleil
**Frais d'accès** ........................ Contribution volontaire
**Voie d'accès** ........................ De l'autoroute 25, poursuivre sur la route 125 nord et tourner à gauche sur la route 335. Un panneau indique l'entrée.

**Gestionnaire** ........................ Sanctuaire Marie-Reine-des-Cœurs
**Pour information** ................. (450) 882-3065

## 21 SENTIER D'INTERPRÉTATION DE LA NATURE DE LA COMMUNE DE BERTHIER

Le sentier est situé dans les îles de Berthier, plus précisément sur l'Île de la Commune et l'Île du Milieu, entre un marais et la commune de Berthier, lieu de pâturage collectif. Trois tours permettent de mieux observer les variétés d'oiseaux et les animaux : chevaux, vaches et moutons. 🐎 ⚠ *Le sentier peut être très boueux* en période de pluie.

**Réseau pédestre** ................. 8,5 km (mixte, facile)

**Services et aménagements**

**Activités complémentaires**

 *Hiver*  *8,5 km*

**Documentation** .................... Dépliant-carte, guide du visiteur (à l'accueil)
**Période d'accès** ................. Toute l'année, du lever au coucher du soleil
**Frais d'accès** ........................ Gratuit
**Voie d'accès** ........................ De Berthierville, emprunter la rue de Bienville (route 158 est). Après le premier pont, faire 200 m environ pour atteindre l'entrée située sur la droite.

**Gestionnaire** ........................ SCIRBI
**Pour information** ................. (450) 836-4447, scirbi.ca

**Accès Est** : De Saint-Donat, suivre la route 125 sud. Le stationnement se situe à droite sur la route 125, à 8 km au sud de Saint-Donat et 9 km au nord de Notre-Dame-de-la-Merci.

**Gestionnaire** ........................ MRC de Matawinie
**Pour information** ................. (450) 834-5441 ....... 1 800 264-5441
www.mrcmatawinie.qc.ca

JCT  BASE DE PLEIN AIR L'INTERVAL (Laurentides)
SENTIER INTER-CENTRE

## 29  SENTIER INTER-CENTRE  ⛰ SENTIER NATIONAL

Les amateurs de longue randonnée apprécient ce sentier s'étendant de Saint-Donat à Lac-Supérieur en passant par Val-Des-Lacs. Le sentier emprunte les terres de la couronne. Il ne comporte pas de difficultés particulières, et est parsemé de lacs et de points de vue dont ceux de la montagne Grise et de la montagne Noire. Cette dernière est la plus haute montagne de Saint-Donat (875 m). On trouvera deux refuges rustiques, l'un au lac de l'Appel, à 14 km du départ de Saint-Donat, et l'autre, le Nordet, situé à 7,5 km après l'Appel. À noter qu'il existe des sentiers d'accès secondaires qui débutent à l'auberge Val-des-Lacs et au lac du Rocher. ★ *Près du sommet de la montagne Noire, on peut voir les vestiges d'un avion militaire canadien qui s'est écrasé le 19 octobre 1943.*

**Réseau pédestre** ................. 32,3 km

| Sentiers et parcours | Longueur | Type | Niveau | Dénivelé |
|---|---|---|---|---|
| Du centre de la nature - UQAM au refuge le Nordet ................................. | 9,4 km | Linéaire | Inter./Difficile | 180 m |
| Du refuge le Nordet au refuge l'Appel ............. | 7,4 km | Linéaire | Inter./Difficile | 240 m |
| Du refuge l'Appel à la montagne Noire ........... | 8,4 km | Linéaire | Inter./Difficile | 300 m |
| De la montagne Noire au chemin Régimbald .. | 7,1 km | Linéaire | Intermédiaire | 450 m |

**Services et aménagements**

**Activités complémentaires**

**Documentation** .................... Carte des sentiers (à la Fédération québécoise de la marche)
**Période d'accès** ................. Toute l'année, du lever au coucher du soleil ⚠ *Port du dossard recommandé pendant la période de chasse*
**Frais d'accès** ....................... Gratuit
Frais pour les refuges (réservation)
**Voie d'accès** ....................... **Accès est :** de l'autoroute 25, continuer sur la route 125 nord. Juste avant Saint-Donat, tourner à gauche sur la route 329, puis à droite sur le chemin Régimbald. Le sentier débute au stationnement situé à 1,5 km.
**Accès ouest :** de l'autoroute 15, poursuivre sur la route 117 nord jusqu'à Saint-Faustin. De là, suivre les indications pour Lac-Supérieur et, juste avant le village, prendre à droite le chemin de la Boulé jusqu'au Centre d'accès à la nature.

*Lanaudière*

**Gestionnaire** ......................... Corporation des sentiers de grande randonnée des Laurentides
**Pour information** ................. 1 888 783-6628 ..... (819) 424-2833
www.intercentre.qc.ca

**[JCT]**  CENTRE D'ACCÈS À LA NATURE - UQAM (Laurentides)
SENTIER DES HAUTS SOMMETS
SENTIER DU MONT-OUAREAU

## `30` SITE HISTORIQUE DE L'ÎLE-DES-MOULINS

Sur cette île située sur la rivière des Mille Îles, diverses activités sont offertes. On assistera ainsi à un spectacle d'animation historique. On pourra voir plusieurs bâtiments datant du XIX$^e$ siècle. Parmi eux, le Bureau seigneurial a été converti en centre d'interprétation et le Moulin neuf présente des expositions. Un sentier fait le tour de l'île en longeant des saules pleureurs.

**Réseau pédestre** ................. 1,3 km (mixte, facile)

**Services et aménagements**

*Autres : centre d'interprétation*

**Activités complémentaires**

 *Hiver* 🚶❄ *1,0 km*

**Documentation** .................... Dépliant (au centre d'interprétation)
**Période d'accès** .................. Toute l'année, de 7 h à 23 h
**Frais d'accès** ....................... Gratuit
**Voie d'accès** ........................ De la sortie 22 est de l'autoroute 25, suivre les indications pour le site.

**Gestionnaire** ........................ Société de développement culturel de Terrebonne
**Pour information** ................. (450) 471-0619, www.ile-des-moulins.qc.ca

## `31` STATION TOURISTIQUE LA MONTAGNE COUPÉE

Des sentiers de ski de fond sont utilisés, hors saison, pour la marche et le vélo de montagne. Certains longent la rivière L'Assomption. D'une tour d'observation, on pourra voir Montréal par temps clair. La station accueille un théâtre d'été. 🐎

**Réseau pédestre** ................. 33,0 km (Multi : 29,0)(mixte, facile/inter., dénivelé max. de 90 m)

**Services et aménagements**

**Activités complémentaires**

*Hiver* 🏃 *33,0 km + TT*

**Documentation** .................... Carte (à l'accueil)
**Période d'accès** .................. De mai à octobre et de décembre à mars, de 9 h à 17 h
**Frais d'accès** (taxes incl.) ..... Adulte : 5,00 $
Enfant (6 à 12 ans) : 3,00 $
**Voie d'accès** ........................ De Joliette, suivre la route 131 nord jusqu'à Saint-Jean-de-Matha où le site est identifié en bordure de la route.

## 32 ZEC LAVIGNE

Sur ce territoire de chasse et de pêche, les randonneurs ont accès aux sentiers, lesquels sont concentrés dans le secteur du lac Sauvage. L'un de ceux-ci conduit à un point de vue sur le lac Clair. 🐕

**Réseau pédestre** .................. 16,6 km

| Sentiers et parcours | Longueur | Type | Niveau | Dénivelé |
|---|---|---|---|---|
| Sentier Sauvage | 2,1 km | Boucle | Facile | |
| Sentier Chanoine | 1,9 km | Boucle | Intermédiaire | 60 m |
| Interprétation des barrages | 6,0 km | Linéaire | Facile | |
| Sentier des Scouts | 1,4 km | Boucle | Intermédiaire | 50 m |
| Montagne Carrée | 0,8 km | Boucle | Difficile | 130 m |
| Point de vue lac Clair | 2,4 km | Boucle | Difficile | |

**Services et aménagements**

🎿 🅿 👫 🪑 🌲 🛖 🏕 🗼

**Activités complémentaires**

🏊 *Hiver* 🎿 16,6 km

**Documentation** .................... Dépliant, cartes (à l'accueil)
**Période d'accès** ................. De début mai à mi-novembre, de 7 h à 22 h
⚠ *Prudence pendant la période de chasse*
**Frais d'accès** (taxes incl.) ..... 6,25 $ par voiture
**Voie d'accès** ......................... De Joliette, prendre la route 131 nord jusqu'à Saint-Zénon. Tourner à gauche sur le rang de l'Arnouche. Deux autres accès sont possibles, soit à Notre-Dame-de-la-Merci et à Saint-Côme.

**Gestionnaire** ......................... Association chasse et pêche Lavigne inc.
**Pour information** ................. (450) 884-5521, www.zeclavigne.com

[JCT] SENTIER DE LA RIVIÈRE SWAGGIN

*Chenille verte*

# *Laurentides*

*Sentier Alléluia*

# LAURENTIDES

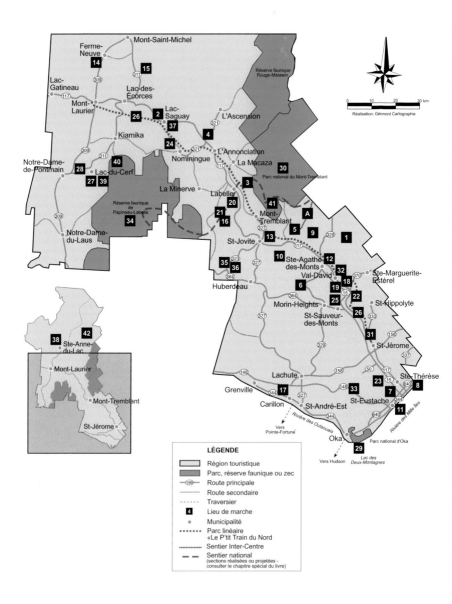

# LIEUX DE MARCHE

1 BASE DE PLEIN AIR L'INTERVAL

2 BOISÉ JOSEPH-B.B.-GAUTHIER

3 CAMP QUATRE-SAISONS

4 CAMPING MUNICIPAL SAINTE-VÉRONIQUE

5 CENTRE D'ACCÈS À LA NATURE – UQAM

6 CENTRE D'ACTIVITÉS DE PLEIN AIR SAINT-ADOLPHE-D'HOWARD

7 CENTRE D'INTERPRÉTATION DE LA NATURE DE BOISBRIAND

8 CENTRE D'INTERPRÉTATION DE LA NATURE DE LORRAINE

9 CENTRE DE VACANCES ET DE PLEIN AIR LE P'TIT BONHEUR

10 CENTRE TOURISTIQUE ET ÉDUCATIF DES LAURENTIDES

11 CIRCUIT HISTORIQUE DU VIEUX SAINT-EUSTACHE

12 CIRCUIT PATRIMONIAL DE SAINTE-AGATHE-DES-MONTS

13 DOMAINE SAINT-BERNARD

14 FORÊT RÉCRÉOTOURISTIQUE DE LA MONTAGNE DU DIABLE

15 LA BAIE DES CANARDS

16 LA CONCEPTION – LABELLE

17 LIEU HISTORIQUE NATIONAL DU CANADA DU CANAL-DE-CARILLON

18 MONT BALDY

19 MONT LOUP-GAROU

20 MONTAGNE DU DÉPÔT ET MONTAGNE DU CARIBOU

21 PARC D'ESCALADE ET DE RANDONNÉE DE LA MONTAGNE D'ARGENT

22 PARC DE LA RIVIÈRE DONCASTER

23 PARC DU DOMAINE VERT

24 PARC ÉCOLOGIQUE LE RENOUVEAU

25 PARC JOHN H. MOLSON

26 PARC LINÉAIRE « LE P'TIT TRAIN DU NORD »

27 PARC MUNICIPAL DE LA BICHE

28 PARC MUNICIPAL MONT LIMOGES

29 PARC NATIONAL D'OKA

30 PARC NATIONAL DU MONT-TREMBLANT

31 PARC RÉGIONAL DE LA RIVIÈRE-DU-NORD

32 PARC RÉGIONAL DUFRESNE – VAL-DAVID – VAL-MORIN

33 PARC RÉGIONAL ÉDUCATIF BOIS DE BELLE-RIVIÈRE

34 RÉSERVE FAUNIQUE DE PAPINEAU-LABELLE

35 SENTIER DE LA TOUR À FEU

36 SENTIER DES VILLAGES

37 SENTIER DU BELVÉDÈRE

38 SENTIER DU LAC BOUCHER

39 SENTIER ÉCOLOGIQUE « LE PETIT CASTOR »

40 SENTIER ÉCOLOGIQUE DU RUISSEAU DU DIABLE

41 STATION MONT-TREMBLANT

42 ZEC NORMANDIE

A SENTIER INTER-CENTRE *(RÉGION LANAUDIÈRE)*

---

## BIENVENUE DANS LA RÉGION DES LAURENTIDES

Lorsqu'on quitte la métropole, après avoir traversé Laval, on ne tarde pas à les apercevoir à l'horizon. Tantôt bleutées, tantôt blanches encore, alors que la neige urbaine a disparu, elles invitent à l'évasion et au repos. Leur colonisation débute au XIXe siècle, surtout avec l'initiative déterminante du curé Antoine Labelle, qui fonde ses paroisses le long de son « P'tit Train du Nord », aujourd'hui transformé en promenade ouverte aux piétons, aux cyclistes et aux skieurs de fond. Puis a suivi l'héroïque époque des bûcherons et de la vie de camp, de Saint-Faustin aux riches forêts du mont Tremblant, jusqu'à Mont-Laurier.

Les premiers villégiateurs, canadiens anglais et américains pour la plupart, s'y installent à partir de la fin du siècle dernier, dotant la région d'installations de plein air, golfs et centres de ski. Ils fondent de nombreuses villes, dont on peut aujourd'hui retracer l'origine (Morin Heights, Weir, Brownsburg).

De Saint-Jérôme à Labelle, en passant par Sainte-Adèle et Sainte-Agathe, se succèdent aujourd'hui stations de ski alpin et de plein air, gîtes, hôtels, restaurants, ainsi que tout un réseau pédestre de montagne. Le paysage alpin commence à Sainte-Adèle par les collines et les chalets qui les parsèment, puis prend de l'ampleur en atteignant Val-David et Saint-Faustin. Les lacs, falaises et montagnes s'y lovent dans le hérissement des conifères, jusqu'aux sommets plus escarpés de la région de Lac-Supérieur. À l'orée du parc du Mont-Tremblant, et peu après son entrée, de hautes falaises isolées nous regardent et nous invitent.

L'attrait supplémentaire de tous ces lieux, faciles à parcourir, est qu'ils se trouvent à moins d'une heure ou deux de Montréal, et d'une population importante, avide de détente et de calme.

# 1  BASE DE PLEIN AIR L'INTERVAL

Cette base est située au cœur d'une vallée, sur le bord du lac Legault et face au mont Kaaïkop, le troisième plus haut de la région. On pourra monter au sommet d'où on apercevra le mont Tremblant, la montagne Noire et Montréal, par temps clair. Il est possible aussi de poursuivre et de faire le tour du mont Kaaïkop. Un autre sentier conduit à un pierrier et on pourra aussi contourner le lac.

**Réseau pédestre** .................. 24,5 km

| Sentiers et parcours | Longueur | Type | Niveau | Dénivelé |
|---|---|---|---|---|
| Mont Kaaïkop .................................. | 2,9 km ........ | Linéaire ...... | Intermédiaire ..... | 340 m |
| Mont Kaaïkop (grande boucle) ..... | 11,8 km ........ | Boucle ........ | Difficile .............. | 340 m |
| Le Tour du Lac ............................. | 3,3 km ........ | Boucle ........ | Facile | |
| Le Ruisseau ................................. | 2,8 km ........ | Boucle ........ | Facile .................. | 50 m |
| Le Pierrier ................................... | 3,7 km ........ | Linéaire ...... | Facile .............. | 110 m |

*Note : une section de 2 km de la grande boucle du mont Kaaïkop fait partie du Sentier national.*

**Services et aménagements**

*Autres : aire de jeux*

**Activités complémentaires**

   Hiver 24,5 km

**Documentation** ..................... Carte, dépliant (à l'accueil)
**Période d'accès** .................. Toute l'année, de 9 h à 17 h
**Frais d'accès** (taxes incl.) ..... 3,50 $ par personne en été
5,00 $ par personne en hiver
**Voie d'accès** ......................... De la sortie 89 de l'autoroute des Laurentides (15), emprunter la route 329 nord sur une distance de 19 km, soit jusqu'au chemin du Lac Creux. Tourner à droite, puis poursuivre sur 7 km en suivant les indications.

**Gestionnaire** ......................... Auberge de plein air L'Interval
**Pour information** ................. (819) 326-4069
www.interval.qc.ca

**JCT**  SENTIER DU MONT-OUAREAU (Lanaudière)

# 2  BOISÉ JOSEPH-B.B.-GAUTHIER

Ce petit sentier, accessible aux piétons et aux cyclistes, prend son départ le long du parc linéaire « Le P'tit Train du Nord ». Il traverse une rivière à truites et est agrémenté d'un belvédère et de tables à pique-nique. 

**Réseau pédestre** .................. 5,5 km (mixte, facile)

**Services et aménagements**

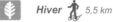    

*Autre : passerelle*

**Activités complémentaires**

Hiver 5,5 km

**Période d'accès** .................... De début juin à fin octobre, du lever au coucher du soleil
⚠ *Prudence pendant la période de chasse*
**Frais d'accès** ........................ Gratuit
**Voie d'accès** .......................... L'entrée du sentier se situe à 1,5 km du village de Lac-Saguay, près de la route 117 et du chemin de la Vieille Route 11.

**Gestionnaire** .......................... Municipalité du village de Lac-Saguay
**Pour information** .................. (819) 278-3972

[JCT] PARC LINÉAIRE « LE P'TIT TRAIN DU NORD »

## 3 CAMP QUATRE-SAISONS 〈SENTIER NATIONAL〉

Cette base de plein air est implantée aux abords du lac Caché, long de 4 km. Située en terrain montagneux, elle est aussi entourée d'autres lacs. Le mont Gorille la surplombe à 545 m d'altitude. Partant du camp accueillant des jeunes, plusieurs sentiers, accessibles à tous, mènent à des belvédères donnant sur le mont Tremblant, le parc du Mont-Tremblant à proximité, et le lac Caché. 🐾

**Réseau pédestre** .................. 17,1 km

| Sentiers et parcours | Longueur | Type | Niveau | Dénivelé |
|---|---|---|---|---|
| Sentier Mont-Gorille | 4,0 km | Linéaire | Inter./Difficile | 250 m |
| Sentier Porte de l'Enfer | 5,6 km | Linéaire | Intermédiaire | |
| Sentier Belvédère | 1,5 km | Boucle | Intermédiaire | 90 m |
| Sentier Cap 360 (Mont Caribou) | 6,0 km | Linéaire | Inter./Difficile | 150 m |

**Services et aménagements** 🏠 🅿 🍴

**Activités complémentaires** *Hiver*  *17,1 km*

**Période d'accès** .................... Toute l'année, du lever au coucher du soleil
⚠ *Prudence pendant la période de chasse*
**Frais d'accès** ........................ Gratuit
**Voie d'accès** .......................... De l'autoroute des Laurentides (15), continuer sur la route 117 vers le nord jusqu'à Labelle. Aux feux de circulation, tourner à droite et suivre les indications du parc national du Mont-Tremblant (secteur du lac Caché) jusqu'au Camp Quatre-Saisons.

**Gestionnaire** .......................... Camp Quatre-Saisons/L'Habitation
**Pour information** .................. (450) 435-5341 ...... (819) 686-2123
www.cam.org/~campqs

[JCT] MONTAGNE DU DÉPÔT ET MONTAGNE DU CARIBOU
PARC NATIONAL DU MONT-TREMBLANT

## 4 CAMPING MUNICIPAL SAINTE-VÉRONIQUE

On a accès aux sentiers à partir du terrain de camping. Ces sentiers sont partagés avec le vélo de montagne. On marchera en terrain montagneux en bordure du lac Tibériade, où l'on trouvera un belvédère donnant un point de vue sur les environs. 🐾

**Réseau pédestre** .................. 17,5 km (Multi)

| Sentiers et parcours | Longueur | Type | Niveau | Dénivelé |
|---|---|---|---|---|
| Sentier numéro 1 | 1,0 km | Boucle | Facile | |
| Sentier numéro 3 | 3,5 km | Boucle | Difficile | |
| Sentier numéro 6 | 6,0 km | Boucle | Difficile | 60 m |
| Sentier numéro 7 | 7,0 km | Boucle | Difficile | |

**Services et aménagements**

Autres : aire de jeux, passerelle

**Activités complémentaires**

Hiver 17,5 km  17,5 km + TT

**Documentation** .................... Carte, dépliant (à l'accueil et aux bureaux municipaux de Sainte-Véronique, Rivière-Rouge et L'Annonciation)

**Période d'accès** ................... Toute l'année, de 8 h à 23 h

**Frais d'accès** (taxes incl.) ..... En saison (de mai à octobre)
Adulte : 2,30 $
Enfant : 1,25 $
Hors-Saison : gratuit

**Voie d'accès** ....................... De l'autoroute des Laurentides (15), poursuivre vers le nord sur la route 117 jusqu'à Sainte-Véronique, à environ 13 km après L'Annonciation. Le camping se situe en bordure du lac Tibériade.

**Gestionnaire** ........................ Camping municipal Sainte-Véronique

**Pour information** .................. (819) 275-2155 ...... (819) 275-3256
www.riviere-rouge.ca

## 5 CENTRE D'ACCÈS À LA NATURE – UQAM

Situé au sud du mont Tremblant, sur les rives de la rivière Archambault et implanté en montagne, ce centre propose un séjour en harmonie avec la nature aux groupes d'étudiants et autres. Tout marcheur peut accéder aux sentiers. Quand on emprunte le sentier des Cascades, un escalier conduit au pied des chutes de la rivière, tandis qu'on se rend en haut de celles-ci par le sentier d'interprétation. On trouvera aussi un canyon. ⚠ *La personne à l'accueil fait également l'entretien des sentiers et n'est donc pas toujours présente.*

**Réseau pédestre** .................. 28,8 km

| Sentiers et parcours | Longueur | Type | Niveau | Dénivelé |
|---|---|---|---|---|
| Sommet de la montagne Grise | 7,0 km | Linéaire | Difficile | 400 m |
| Le Bon Vent | 4,0 km | Boucle | Intermédiaire | 70 m |
| Circuit du Sommet | 8,0 km | Boucle | Difficile | 335 m |
| Circuit de l'Orignal | 4,5 km | Boucle | Intermédiaire | 80 m |
| La Tête Blanche | 5,3 km | Boucle | Difficile | 145 m |

**Services et aménagements**

Autres : aire de jeux

**Activités complémentaires**

Hiver  4,5 km + TT

**Documentation** .................... Carte, dépliant (à l'accueil)

**Période d'accès** ................. De mai à octobre, du lever au coucher du soleil
**Frais d'accès** ...................... Gratuit
**Voie d'accès** ....................... De l'autoroute des Laurentides (15), poursuivre sur la route 117 nord jusqu'à Saint-Faustin. Suivre les indications pour Lac-Supérieur et, avant le village, prendre le chemin de La Boulé Est à droite. L'entrée du Centre se trouve au 612.
**Gestionnaire** ....................... UQAM Centre sportif
**Pour information** ................ (819) 688-3212 ...... (514) 987-3105
www.unites.uqam.ca/sports

JCT  SENTIER INTER-CENTRE (Lanaudière)

## 6  CENTRE D'ACTIVITÉS DE PLEIN AIR  SAINT-ADOLPHE-D'HOWARD

Depuis 1998, la municipalité, avec le Club de plein air Saint-Adolphe-d'Howard, propose un réseau pédestre d'une trentaine de kilomètres, utilisé en période hivernale pour le ski de fond et la raquette. Il est possible de faire une longue randonnée ou une simple promenade en admirant le paysage montagneux des Laurentides. 🐕 *(en hiver, sur les sentiers de raquette seulement)*

**Réseau pédestre** ................. 29,2 km (Multi : 26,4)

| Sentiers et parcours | Longueur | Type | Niveau | Dénivelé |
|---|---|---|---|---|
| La Halte | 1,9 km | Boucle | Intermédiaire | |
| Sapinière | 4,0 km | Boucle | Intermédiaire | 50 m |
| Canadienne et Fleur de Lys | 12,0 km | Linéaire | Intermédiaire | 50 m |
| Le Calvaire | 1,1 km | Boucle | Difficile | 100 m |
| Jaune | 4,3 km | Boucle | Intermédiaire | 50 m |

**Services et aménagements**

**Activités complémentaires**   Hiver 🎿 *25,0 km + PT* ⛏🚻

**Documentation** .................... Carte, dépliant (à l'accueil)
**Période d'accès** .................. Du 15 juin au 15 septembre et du 15 décembre au 15 avril, tous les jours
Mai, octobre et novembre : fin de semaine
**Horaire d'accès** ................... De 8 h au coucher du soleil
**Frais d'accès** ....................... Printemps, été, automne : 3,00 $
Hiver : 7,00 $
17 ans et moins : gratuit
**Voie d'accès** ....................... De la sortie 60 de l'autoroute des Laurentides (15), prendre la route 364 vers l'ouest, puis prendre la route 329 nord jusqu'à Saint-Adolphe-d'Howard. La plupart des sentiers sont accessibles à partir du Centre d'activités de plein air, à l'entrée sud de la municipalité.

**Gestionnaire** ....................... Club de plein air Saint-Adolphe-d'Howard
**Pour information** ................ (819) 327-3519 ...... 1 866 ADOLPHE
www.stadolphedhoward.qc.ca

## 7 CENTRE D'INTERPRÉTATION DE LA NATURE DE BOISBRIAND

Deux circuits auto-guidés sont proposés. L'un instruit sur l'impact qu'a la rivière des Mille Îles sur son environnement. On se rend sur des plates-formes par des sentiers sur pilotis. L'autre nous renseigne sur des thèmes comme les fougères, la roche vivante, etc.

**Réseau pédestre** .................. 1,1 km (boucle, facile)

**Services et aménagements**

*Autres : centre d'interprétation, plate-forme d'observation, quai flottant*

**Activités complémentaires**

**Documentation** .................... Dépliant, brochure d'interprétation incluant carte (à l'accueil)

**Période d'accès** .................. De mai à mi-octobre
De juin à août : 8 h 30 à 20 h
En mai, septembre et octobre : 8 h 30 à 16 h 30

**Frais d'accès** ........................ Gratuit

**Voie d'accès** ........................ De la sortie 19 de l'autoroute des Laurentides (15), emprunter le chemin de la Grande-Côte (route 344) vers l'ouest. Descendre la rue Chauvin, puis prendre l'avenue Chavigny jusqu'au bout.

**Gestionnaire** ........................ Service des loisirs et de l'action communautaire

**Pour information** .................. (450) 435-1954 ...... (450) 437-2727
www.ville.boisbriand.qc.ca

## 8 CENTRE D'INTERPRÉTATION DE LA NATURE DE LORRAINE

La ville de Lorraine a soustrait un boisé de 302 hectares au développement domiciliaire. La rivière aux Chiens le traverse. Des sentiers sont accessibles à partir du centre culturel. On peut observer les oiseaux près des mangeoires et des nichoirs.

**Réseau pédestre** .................. 5,0 km

| Sentiers et parcours | Longueur | Type | Niveau |
|---|---|---|---|
| Éclair | 2,5 km | Boucle | Facile |
| Forêt Noire | 3,8 km | Boucle | Intermédiaire |
| Mille-Feuilles | 4,9 km | Boucle | Intermédiaire |

**Services et aménagements**

**Activités complémentaires**

 *Hiver*   TT

**Documentation** .................... Carte (au centre culturel et au bureau municipal)

**Période d'accès** .................. Toute l'année, du lever au coucher du soleil

**Frais d'accès** ........................ Gratuit

**Voie d'accès** ........................ De la sortie 26 de l'autoroute 640 est, se diriger vers Lorraine. Continuer en direction nord jusqu'au boulevard

---

Montbéliard. Tourner à gauche et prendre la première entrée du centre culturel où un chemin mène au stationnement.

**Gestionnaire** ......................... Ville de Lorraine
**Pour information** ................. (450) 621-8550, loisirs@ville.lorraine.qc.ca

## 9 CENTRE DE VACANCES ET DE PLEIN AIR LE P'TIT BONHEUR

Dans cette base de plein air parsemée de lacs, des sentiers de ski de fond servent pour la marche hors saison. On pourra observer une tourbière et se promener dans un milieu forestier et aquatique. On trouvera les services en bordure du lac aux Quenouilles. ⚠ *Le refuge Maxime n'est pas accessible durant la période estivale.*

**Réseau pédestre** ................. 50,0 km

| Sentiers et parcours | Longueur | Type | Niveau |
|---|---|---|---|
| La Domaniale | 12,5 km | Linéaire | Difficile |
| Les Dentelles | 5,9 km | Linéaire | Difficile |
| La Léveillé | 8,9 km | Boucle | Intermédiaire |
| La Renard | 7,3 km | Boucle | Facile |
| Les Golées | 3,5 km | Linéaire | Facile |
| Les Coteaux | 5,9 km | Mixte | Difficile |

**Services et aménagements**

*Autres : aire de jeux, piste d'hébertisme*

**Activités complémentaires**

 Hiver 🎿 4,0 km + PT 🎿

**Documentation** .................... Dépliant, carte (à la réception de l'auberge)
**Période d'accès** .................. Toute l'année, de 9 h à 16 h
**Frais d'accès** ........................ Adulte : 5,50 $ (½ journée), 7,00 $ (journée)
De 4 à 12 ans : 4,25 $ (½ journée), 5,00 $ (journée)
**Voie d'accès** ........................ De l'autoroute des Laurentides (15), prendre la sortie 89 et suivre la route 329 nord sur 7 km. Tourner à gauche sur le chemin Val-des-Lacs et encore à gauche, 4 km plus loin, sur le chemin P'tit Bonheur. Suivre les indications pour l'auberge.

**Gestionnaire** ........................ Centre de vacances et de plein air Le P'tit Bonheur
**Pour information** ................. (450) 875-5555 ...... 1 800 567-6788
www.ptitbonheur.com

## 10 CENTRE TOURISTIQUE ET ÉDUCATIF DES LAURENTIDES

Ce lieu est le site de l'ancien Centre éducatif forestier des Laurentides dont on a gardé la vocation. Il renferme un réseau de lacs. Des sentiers longent trois d'entre-eux, et des ponts, passerelles et ponceaux permettent de traverser à leurs jonctions. On observe plusieurs écosystèmes : marais, tourbière, sapinière, érablière. En altitude, on pourra voir les montagnes environnantes jusqu'au mont Tremblant. 🐾

**Réseau pédestre** ................. 24,2 km

| Sentiers et parcours | Longueur | Type | Niveau | Dénivelé |
|---|---|---|---|---|
| L'Aquatique | 1,6 km | Boucle | Facile | |
| L'Aventurier | 9,4 km | Boucle | Difficile | 150 m |
| La Sapinière | 1,5 km | Boucle | Facile | |
| L'Érablière | 1,9 km | Boucle | Facile | |
| Le Panoramique | 2,7 km | Boucle | Intermédiaire | 180 m |
| Le Tour du Lac | 5,1 km | Boucle | Facile | |

**Services et aménagements**

*Autres : passerelle, centre d'interprétation, piste d'hébertisme*

**Activités complémentaires**

**Documentation** .................... Carte, dépliant, brochure d'interprétation (à l'accueil)

**Période d'accès** .................. De mai à fin octobre, de 9 h à 17 h 30

**Frais d'accès** ....................... Adulte : 5,00 $
Étudiant/Âge d'or : 4,00 $
6 à 12 ans : 2,50 $
5 ans et moins : gratuit
Passes familiale et saisonnière disponibles
Plus taxes

**Voie d'accès** ......................... **Accès Sainte-Agathe-des-Monts** : de la sortie 83 de l'autoroute des Laurentides (15), tourner à gauche sur la montée Alouette. Continuer sur le chemin du Lac-des-Sables et sur le chemin du Lac-Manitou. Tourner ensuite à gauche sur le chemin du Lac-Caribou.
**Accès Saint-Faustin** : de l'autoroute des Laurentides (15), prendre la route 117. Tourner ensuite au mont Blanc et suivre les indications.

**Gestionnaire** ........................ Centre touristique et éducatif des Laurentides

**Pour information** ................. (819) 326-1606, www.ctel.ca

## 11  CIRCUIT HISTORIQUE DU VIEUX SAINT-EUSTACHE

Ville plus que tricentenaire, Saint-Eustache attira les colons à cause de ses terres fertiles. En 1790, elle se classait 4e en importance au Bas-Canada en termes de population. Son histoire fut marquée par la rébellion des patriotes en 1837 et par la venue du chemin de fer qui la fit entrer dans l'ère industrielle. Le circuit historique est une invitation à la découverte de son passé et de son histoire. Il y a de nombreux points de vue sur la rivière du Chêne et plusieurs éléments patrimoniaux à découvrir. *L'Orchestre symphonique de Montréal fait des enregistrements de disques dans l'église à cause de sa grande qualité acoustique. Le Moulin Légaré (1762) est le plus vieux moulin en Amérique du Nord qui n'a jamais cessé de fonctionner.*

**Réseau pédestre** ................. 1,5 km (linéaire, facile)

**Services et aménagements**

*Autres : musée*

**Activités complémentaires**  *Hiver* 1,5 km

**Documentation** .................... Brochure (au Musée de Saint-Eustache et de ses patriotes)
**Période d'accès** ................... Toute l'année, du lever au coucher du soleil
**Frais d'accès** (taxes incl.) ..... Gratuit (1,50 $ pour la brochure)
**Voie d'accès** ......................... De la sortie 11 de l'autoroute 640, le vieux Saint-Eustache se situe à environ 1 km au sud.

**Gestionnaire** ......................... Ville de Saint-Eustache/Musée de Saint-Eustache et de ses Patriotes
**Pour information** ................. (450) 974-5170, ville.saint-eustache.qc.ca

## 12 CIRCUIT PATRIMONIAL DE SAINTE-AGATHE-DES-MONTS

Parcourant les rues du centre-ville et constitué de 18 bâtiments anciens, ce circuit permet de sensibiliser les visiteurs à la richesse historique de cette ville, surnommée la Reine du Nord. De l'architecture villageoise aux grandes auberges, on est amené à découvrir tout un pan de l'histoire des Pays-d'en-Haut.

**Réseau pédestre** ................. 3,0 km (boucle, facile)

**Services et aménagements**

**Activités complémentaires**  *Hiver*  3,0 km

**Documentation** .................... Dépliant du circuit (au bureau d'information touristique)
**Période d'accès** ................... Toute l'année, du lever au coucher du soleil
**Frais d'accès** ........................ Gratuit
**Voie d'accès** ......................... De l'autoroute des Laurentides (15), prendre la sortie 86 et poursuivre sur la route 117 vers le nord. À l'intersection de la route 329, prendre la rue Principale jusqu'au bout.

**Gestionnaire** ......................... Ville de Sainte-Agathe-des-Monts/Comité du patrimoine de Sainte-Agathe
**Pour information** ................. (819) 326-3731 ...... 1 888 326-0457
www.ste-agathe.org

## 13 DOMAINE SAINT-BERNARD

Anciennement propriété des Frères de l'instruction chrétienne, le Domaine Saint-Bernard est maintenant sous la gouverne d'une fiducie d'utilité sociale, laquelle a comme mission de préserver ce territoire naturel et de l'ouvrir à tous. Les sentiers de ski de fond servent, en été, à la randonnée pédestre. On y trouve aussi une piste d'hébertisme et d'autres activités de plein air.

**Réseau pédestre** ................. 22,1 km (Multi : 8,1)

| Sentiers et parcours | Longueur | Type | Niveau | Dénivelé |
|---|---|---|---|---|
| Saint-Bernard | 3,0 km | Mixte | Intermédiaire | 300 m |
| Onontio | 2,5 km | Boucle | Intermédiaire | 250 m |
| Sentier n⁰ 1 | 6,6 km | Boucle | Facile | |
| Sentier n⁰ 14 | 2,4 km | Boucle | Difficile | 200 m |

**Services et aménagements**

**Activités complémentaires**  *Hiver* 🎿 *2,0 km* 🏃 *10,0 km + PT* ⛄

Documentation ..................... Carte (à l'accueil)
Période d'accès .................. Toute l'année, de 10 h à 17 h
Frais d'accès ...................... 16 ans et plus : 3,00 $ (été)
Gratuit durant l'hiver
Voie d'accès ....................... De Saint-Jovite, emprunter la route 327 vers le nord.
Tourner à droite sur le chemin Saint-Bernard et parcourir
3 km jusqu'au Domaine.

Gestionnaire ........................ Fiducie du Domaine Saint-Bernard
Pour information ................. (819) 425-3588, www.domainesaintbernard.org

## 14 FORÊT RÉCRÉOTOURISTIQUE DE LA MONTAGNE DU DIABLE

Située à Ferme-Neuve, la montagne du Diable est connue aussi sous le nom de mont Sir-Wilfrid-Laurier. Ce vaste territoire de 10 000 hectares est doté d'un réseau de sentiers conçus exclusivement pour la randonnée pédestre et la raquette. On retrouve différents peuplements d'arbres dont la forêt boréale. Les sentiers forment différentes boucles offrant ainsi le choix d'innombrables circuits allant de la promenade à la longue randonnée.
★ *On peut admirer la chute Windigo.*

**Réseau pédestre** ................. 66,5 km

| Sentiers et parcours | Longueur | Type | Niveau | Dénivelé |
|---|---|---|---|---|
| Sentier de l'Érablière (interprétation) | 2,3 km | Boucle | Facile | 70 m |
| Sentier de la Paroi de l'Aube | 4,2 km | Linéaire | Inter./Difficile | 350 m |
| Sentier des Sommets | 35,4 km | Linéaire | Inter./Difficile | 550 m |
| Sentier des Ruisseaux | 10,7 km | Linéaire | Inter./Difficile | 350 m |
| Sentier du lac Walker | 1,9 km | Linéaire | Inter./Difficile | 80 m |

**Services et aménagements**
*Autre : abri, passerelle*

**Activités complémentaires**  *Hiver* 🏃 *61,5 km* ⛄

Documentation ..................... Dépliant-carte (au bureau d'information touristique, au 94, 12e Rue, à Ferme-Neuve)
Période d'accès .................. Toute l'année, du lever au coucher du soleil
Frais d'accès (taxes incl.) ..... 14 ans et plus : 3,00 $
Moins de 14 ans : gratuit
Carte de membre disponible
Voie d'accès ....................... De Mont-Laurier, prendre la route 309 en direction nord jusqu'à Ferme-Neuve. La route 309 deviendra la 12e Rue. Le bureau d'accueil touristique se situe au 94. C'est à cet endroit que l'on indiquera les 5 entrées possibles pour les sentiers.

Gestionnaire ......................... Les Amis de la Montagne du Diable
Pour information ................. (819) 587-3882, www.montagnedudiable.com

## 15 LA BAIE DES CANARDS

La baie des Canards a fait l'étude d'un projet de connaissance visant à intégrer les préoccupations de maintien et de développement des composantes forestières et fauniques du territoire. C'est à partir de ce projet que la municipalité a créé les sentiers et la piste d'hébertisme. Tout au long des sentiers, des panneaux d'interprétation informent sur la diversité des arbres de cette forêt mixte. 🐎

Réseau pédestre ................. 30,4 km (Multi : 24,0) (mixte, facile/intermédiaire, dénivelé maximum de 150 m)

Services et aménagements

Autres : passerelle, piste d'hébertisme
Note : le pavillon d'accueil n'est accessible qu'en hiver.

Activités complémentaires

 Hiver 🎿 6,4 km + TT

Documentation .................... Carte (au bureau municipal et aux kiosques d'information touristique de Mont-Laurier et L'Annonciation)
Période d'accès .................. Toute l'année, du lever au coucher du soleil
⚠ Le dossard est obligatoire en période de chasse.
Frais d'accès ........................ Gratuit
Voie d'accès ........................ De l'autoroute des Laurentides (15), continuer sur la route 117 nord. Au Lac-des-Écorces, prendre la route 311 nord et suivre l'indication sur 18 km pour Chute-Saint-Philippe. Tourner à droite sur le chemin du Progrès, encore à droite sur le chemin du Lac-Marquis et une dernière fois à droite sur le chemin Panorama. Le stationnement se situe sur le petit chemin à gauche.
Gestionnaire ........................ Municipalité Chute-Saint-Philippe/Association des Citoyens de Chute-Saint-Philippe inc.
Pour information ................. (819) 585-2919

## 16 LA CONCEPTION – LABELLE 🚶 SENTIER NATIONAL

Les sentiers L'Héritage et Alléluia font partie du Sentier national. Ils parcourent la forêt et les montagnes, et offrent de nombreux points de vue sur les lacs et la région environnante. On peut même apercevoir le massif du Mont-Tremblant. Pour les randonneurs moins aguerris, une promenade à partir de l'une ou l'autre des extrémités des sentiers permet d'atteindre rapidement les premiers points de vue. 🐎

Réseau pédestre ................. 35,7 km

| Sentiers et parcours | Longueur | Type | Niveau | Dénivelé |
|---|---|---|---|---|
| L'Héritage ...................................................... | 13,0 km ......... | Linéaire ....... | Intermédiaire ...... | 160 m |
| Alléluia ...................................................... | 22,7 km ......... | Linéaire ....... | Intermédiaire ...... | 220 m |

Services et aménagements

| | |
|---|---|
| **Documentation** .................... | Carte incluse dans la pochette du Sentier national au Québec (au bureau de la Fédération québécoise de la marche) |
| **Période d'accès** ................... | De mi-mai à mi-octobre, du lever au coucher du soleil |
| | ⚠ *Le port du dossard est obligatoire pendant la période de chasse.* |
| **Frais d'accès** ........................ | Gratuit |
| **Voie d'accès** ........................ | **Entrée Lac Brochet** : emprunter l'autoroute des Laurentides (15) nord, puis la route 117 nord. Prendre ensuite la deuxième sortie à gauche de la route 117 nord, après avoir traversé la rivière Rouge. À l'arrêt, tourner à droite sur le chemin des Érables et faire 4 km. Tourner à droite sur le chemin du Lac-Cameron et continuer sur 800 m. Tourner encore à droite sur le chemin du Lac-Labelle et faire 3,9 km, soit jusqu'à l'entrée du stationnement situé à droite. |
| | **Entrée Lac Boisseau** : emprunter l'autoroute des Laurentides (15) nord, puis la route 117 nord. Prendre ensuite la deuxième sortie à gauche de la route 117 nord, après avoir traversé la rivière Rouge. Au clignotant, tourner à droite sur le chemin des Érables et continuer sur 4,1 km. À l'arrêt, tourner à droite sur le chemin des Chênes Est et continuer jusqu'au stationnement, situé 7 km plus loin. |
| | **Entrée Nord-Est** : emprunter l'autoroute des Laurentides (15) nord, puis la route 117 nord jusqu'à Labelle. Aux feux de circulation, tourner à gauche sur la rue du Pont. À l'arrêt, tourner à gauche sur la rue de l'Église et continuer jusqu'au champ de tir. Suivre les indications pour le sentier. |
| **Gestionnaire** ........................ | Sentier national au Québec |
| **Pour information** .................. | (819) 425-6289, www.municipalite.labelle.qc.ca |

JCT    MONTAGNE DU DÉPÔT ET MONTAGNE DU CARIBOU

## 17  LIEU HISTORIQUE NATIONAL DU CANADA DU CANAL-DE-CARILLON

Afin de contourner les rapides de Long-Sault, un premier canal fut construit en 1833 sur la rivière des Outaouais. Il ouvrait l'axe intérieur de navigation Montréal-Ottawa-Kingston. Ce canal fut remplacé en 1963 par le canal actuel. Celui-ci, jumelé au barrage hydroélectrique de Carillon qu'on pourra visiter, comprend une seule écluse permettant aux embarcations de franchir une dénivellation de 20 m en une vingtaine de minutes seulement. Témoins du passé, la caserne et la maison du percepteur présentent des expositions. On verra aussi la maison du surintendant.

| | |
|---|---|
| **Réseau pédestre** .................. | 1,0 km (mixte, facile) |

| | |
|---|---|
| **Services et aménagements** |    |
| | *Autres : centre d'interprétation* |
| **Activités complémentaires** |  |
| **Documentation** .................... | Brochure (à l'accueil) |

*Laurentides*                                                                                               *235*

| Période d'accès | De fin juin à début septembre, de 8 h à 20 h |
|---|---|
| Frais d'accès | 4,00 $ par automobile |
| | 2,00 $ par motocyclette |
| Voie d'accès | **Accès 1 :** de l'autoroute 640, continuer vers l'ouest sur la route 344 jusqu'à Carillon. **Accès 2 :** de l'autoroute 40 près de l'Ontario, se rendre à Pointe-Fortune où on peut prendre le traversier. |

| Gestionnaire | Parcs Canada |
|---|---|
| Pour information | (450) 537-3534 ...... (450) 447-4888 |
| | www.pc.gc.ca/lhn-nhs/qc/canalcarillon |

## 18 MONT BALDY

On traverse d'abord un boisé et une sablière avant d'entreprendre cette montée un peu raide par endroits. Le sommet procure une vue sur les monts Alouette, Olympia et la ville de Sainte-Adèle. 🐕

**Réseau pédestre** ................. 13,0 km

| Sentiers et parcours | Longueur | Type | Niveau | Dénivelé |
|---|---|---|---|---|
| Mont Baldy | 3,0 km | Linéaire | Difficile | 80 m |
| L'Adéloise | 10,0 km | Linéaire | Intermédiaire | |

**Services et aménagements**   ⭐ 🅿 🏕

| Documentation | Carte du réseau plein air Sainte-Adèle (au bureau d'information touristique) |
|---|---|
| Période d'accès | De mai à novembre, du lever au coucher du soleil |
| Frais d'accès | Gratuit |
| Voie d'accès | De la sortie 69 de l'autoroute des Laurentides (15), prendre le chemin Pierre-Péladeau Est sur 3 km. Le sentier débute au fond du stationnement du Pavillon des arts de Sainte-Adèle. |

| Gestionnaire | Service des loisirs de Sainte-Adèle |
|---|---|
| Pour information | (450) 229-9605 |

JCT    PARC LINÉAIRE « LE P'TIT TRAIN DU NORD »

## 19 MONT LOUP-GAROU

Dans la région montagneuse de Sainte-Adèle, cet ancien chemin de bois mène au sommet du mont Loup-Garou.

**Réseau pédestre** ................. 4,0 km (Multi) (linéaire, intermédiaire, dénivelé max. de 120 m)

**Services et aménagements**   🏠 🅿 🪑

| Documentation | Carte (au bureau touristique de Sainte-Adèle) |
|---|---|
| Période d'accès | Printemps, été et automne, du lever au coucher du soleil |
| Frais d'accès | Gratuit |

| Sentiers et parcours | Longueur | Type | Niveau |
|---|---|---|---|
| Dans la MRC Rivière-du-Nord | 14,4 km | Linéaire | Facile |
| Dans la MRC Pays-d'en-Haut | 21,2 km | Linéaire | Facile |
| Dans la MRC des Laurentides | 76,0 km | Linéaire | Facile |
| Dans la MRC Antoine-Labelle | 88,8 km | Linéaire | Facile |

**Services et aménagements**

**Activités complémentaires**

 Hiver 🚶❄ 14,0 km

**Documentation** .................... Guide de services (dans les bureaux d'information touristique)

**Période d'accès** .................. D'avril à octobre, du lever au coucher du soleil

**Frais d'accès** ........................ Vérifier pour le stationnement

**Voie d'accès** ........................ De très nombreux accès sont possibles tout le long du parcours, de Saint-Jérôme à Mont-Laurier.

**Gestionnaire** ........................ Coalition du parc linéaire « Le P'tit Train du Nord »

**Pour information** .................. (450) 436-8532 ...... 1 800 561-NORD
www.laurentides.com

[JCT] BOISÉ JOSEPH-B.-B.-GAUTHIER
MONT BALDY
MONTAGNE DU DÉPÔT ET MONTAGNE DU CARIBOU
PARC DE LA RIVIÈRE DONCASTER
PARC RÉGIONAL DE LA RIVIÈRE-DU-NORD
PARC RÉGIONAL DUFRESNE - VAL-DAVID - MORIN

## 27 PARC MUNICIPAL DE LA BICHE

Le parc est situé sur une presqu'île à l'extrémité nord du Grand lac du Cerf. Il est localisé à l'intérieur des limites d'un ravage de cerf de Virginie nommé Kiamika-Lac-du-Cerf. Le réseau de sentiers s'étend sur les terres du domaine privé de la Corporation catholique romaine de Mont-Laurier. Le sentier passe dans une forêt de pins rouges et va rejoindre les trois plages sablonneuses du Grand lac du Cerf.

**Réseau pédestre** .................. 10,0 km (Multi) (mixte, facile)

**Services et aménagements**

*Autres : piste d'hébertisme écologique, plage, quai, abri*

**Activités complémentaires**

 Hiver 🎿 10,0 km + TT

**Documentation** .................... Brochure incluant carte (au bureau municipal et au bureau d'information touristique de Lac-du-Cerf et de Mont-Laurier)

**Période d'accès** .................. Toute l'année, du lever au coucher du soleil
De juin à septembre : de 10 h à 20 h
⚠ *Le port du dossard est obligatoire pendant la période de chasse.*

**Frais d'accès** ........................ Des frais sont applicables de juin à septembre (vérifier auprès de l'information)

**Voie d'accès** ........................ De l'autoroute des Laurentides (15), continuer sur la route 117 nord. Au Lac-des-Écorces, près de Mont-Laurier, emprunter la route 311 sud sur 37 km. Dans la municipalité de Lac-du-Cerf, tourner à gauche à l'intersection sur le chemin de l'Église et poursuivre jusqu'à l'accueil qui se trouve à 4,3 km. Plusieurs autres accès sont possibles.

**Gestionnaire** ........................ Municipalité de Lac-du-Cerf/Plein Air Lac-du-Cerf inc.
**Pour information** ................. (819) 623-4544 ...... (819) 597-2366
www.hauteslaurentides.com

## 28 PARC MUNICIPAL MONT LIMOGES

Cette montagne a été baptisée ainsi en l'honneur de Joseph-Eugène Limoges, deuxième évêque de Mont-Laurier. Situé entre les deux lacs du Cerf, le mont Limoges s'élève à 415 m d'altitude. Tout au long du parcours, on côtoie une forêt composée d'érables à sucre, de hêtres, de bouleaux blancs et de sapins. Durant la balade, on peut observer les vestiges d'une ancienne érablière. Sur la montagne, trois belvédères offrent une vue sur Mont-Laurier, la montagne du Diable, la rivière du Lièvre et sur une multitude de lacs et de montagnes de la région environnante. La première partie du sentier se fait aisément mais la portion finale demande plus d'effort, surtout lorsqu'on accède au sommet par les escaliers qui font 164 m de hauteur. Le marcheur pourra faire une halte au relais Au Toit Bleu qui et situé en haut de la montagne. ★ *En 1969, on a découvert des sphérolites.*

**Réseau pédestre** ................. 5,0 km (mixte, facile/intermédiaire)

**Services et aménagements**

*Autres : abri*

**Activités complémentaires**

 *Hiver* 🚶 *5,0 km + TT*

**Documentation** .................... Brochure incluant carte (au bureau d'information touristique)
**Période d'accès** .................. Toute l'année, du lever au coucher du soleil
⚠ *Le port du dossard est obligatoire pendant la période de chasse.*
**Frais d'accès** ........................ Des frais sont applicables (vérifier auprès de l'information)
**Voie d'accès** ........................ De l'autoroute des Laurentides (15), continuer sur la route 117 vers le nord. Au Lac-des-Écorces, près de Mont-Laurier, emprunter la route 311 sud. Après le village de Lac-du-Cerf, prendre le chemin Dicaire, puis le chemin Saint-Louis. À l'intersection du sentier « Baie Laplante », tourner à gauche et poursuivre sur 2,7 km, soit jusqu'au stationnement.

**Gestionnaire** ........................ Municipalité de Lac-du-Cerf/Plein Air Lac-du-Cerf inc.
**Pour information** ................. (819) 623-4544 ...... (819) 597-2366
www.hauteslaurentides.com

## 29 PARC NATIONAL D'OKA

D'une superficie de 24 km², ce territoire, situé sur les bords du lac des Deux Montagnes, offre des paysages variés : collines, marais, vaste plan d'eau ainsi qu'une longue plage de sable fin. Le sentier écologique de la Grande Baie donne accès à une tour d'observation. On pourra aussi parcourir le sentier historique du Calvaire d'Oka, en effectuant un ancien chemin de croix ponctué d'oratoires et de chapelles d'inspiration romane. ★ *Un trottoir flottant de 500 m a été aménagé sur la Grande Baie afin d'offrir un contact plus intime avec le marais.*

**Réseau pédestre** .................. 23,8 km (Multi : 12,0)

| Sentiers et parcours | Longueur | Type | Niveau |
|---|---|---|---|
| Sentier écologique de la Grande Baie ............. 3,0 km ......... Boucle ......... Facile |
| Sentier de l'Érablière ....................................... 1,5 km ......... Boucle ......... Facile |
| Sentier historique du Calvaire d'Oka .............. 5,5 km ......... Boucle ......... Intermédiaire |
| Sentier de la Sauvagine .............................. 12,0 km ......... Boucle ......... Facile |
| Sentier ornithologique ...................................... 1,8 km ......... Mixte ........... Facile |

**Services et aménagements**

*Autres : passerelle, aire de jeux, plage, tente prospecteur (hiver)*

**Activités complémentaires**

 Hiver  6,2 km  6,5 km

**Documentation** ..................... Dépliant-carte, journal du parc, brochures d'interprétation de la nature et de l'histoire (à l'accueil)

**Période d'accès** ................... Toute l'année, de 8 h au coucher du soleil

**Frais d'accès** ........................ Voir la tarification des parcs nationaux du Québec dans les pages bleues au début du livre

**Voie d'accès** ........................ De l'autoroute 640, poursuivre vers l'ouest sur la route 344 et suivre les indications sur environ 5 km.

**Gestionnaire** ......................... SÉPAQ
**Pour information** .................. (450) 479-8365 ...... 1 888 PARC OKA
www.parcsquebec.com

## **30** PARC NATIONAL DU MONT-TREMBLANT  Parcs Québec  SENTIER NATIONAL

Le parc national du Mont-Tremblant, doyen des parcs du Québec, couvre une superficie de 1 490 km². Il est bordé par la réserve faunique Rouge-Matawin au nord, et chevauche les régions touristiques des Laurentides et de Lanaudière. Il constitue un échantillon représentatif de la chaîne des Laurentides. C'est un paysage de collines arrondies alternant avec des sommets élevés, des gorges où dévalent des ruisseaux, et de larges vallées où reposent des lacs limpides. Le sentier de l'Envol, un des sentiers d'auto-interprétation, révèle quelques-uns des secrets de l'érablière à bouleau jaune, représentative des forêts du parc. Celui-ci comprend trois secteurs : la Diable, la Pimbina, l'Assomption. Le secteur de la Diable se distingue par la magnifique vallée de la Diable que domine le massif du mont Tremblant, s'élevant à 935 m. À voir aussi, les eaux de la Diable projetées en chute libre dans des gorges étroites. La chute aux Rats, du secteur de la Pimbina, est un endroit de villégiature par excellence. On pourra la contempler, d'un escalier qui borde ses 17 m de cascades. Le secteur de l'Assomption, avec son milieu préservé où croît la flore indigène, est le paradis des canoteurs par la présence de lacs paisibles et de la rivière l'Assomption. Pour la longue randonnée, une variété de sentiers, de 10 à 20 km chacun, se relient pour offrir aux marcheurs un parcours de 85 km qui traverse le parc d'est en ouest.

*Laurentides*

**Réseau pédestre** ................ 171,8 km (Multi : 41,5)

| Sentiers et parcours | Longueur | Type | Niveau | Dénivelé |
|---|---|---|---|---|
| Sentier du Centenaire | 9,2 km | Linéaire | Difficile | 400 m |
| Le Carcan | 7,2 km | Linéaire | Difficile | 400 m |
| La Chute-aux-Rats | 5,0 km | Linéaire | Facile | 50 m |
| Sentier du Toit-des-Laurentides | 7,0 km | Linéaire | Difficile | 595 m |
| Grande Randonnée Pédestre | 78,4 km | Mixte | Intermédiaire | 300 m |
| La Corniche | 1,6 km | Linéaire | Intermédiaire | 180 m |
| La Roche | 2,5 km | Linéaire | Intermédiaire | 220 m |
| L'Ours | 16,9 km | Linéaire | Intermédiaire | 220 m |

**Services et aménagements**

**Activités complémentaires**

*Hiver* ❄ 2,5 km 🚶 15,7 km + PT

**Documentation** .................... Dépliant-carte, brochure d'interprétation, journal du parc (à l'accueil)

**Période d'accès** ................... Toute l'année

**Horaire d'accès** ................... De 8 h à 21 h (de mi-mai à mi-octobre)
De 9 h à 16 h (de mi-octobre à mi-mai)

**Frais d'accès** ....................... Voir la tarification des parcs nationaux du Québec dans les pages bleues au début du livre

**Voie d'accès** ........................ **Secteur de la Diable** : de l'autoroute des Laurentides (15), continuer sur la route 117 nord et prendre la sortie Saint-Faustin-Lac-Carré. Suivre les indications pour Lac-Supérieur, puis celles pour le secteur de la Diable sur 2 km.
**Secteur de la Pimbina** : de l'autoroute 25, continuer sur la route 125 nord, dépasser le village de Saint-Donat, puis suivre les indications pour le secteur de la Pimbina sur 13 km.
**Secteur de l'Assomption** : de l'autoroute 31 à Joliette, prendre la route 343 jusqu'à Saint-Côme, puis suivre les indications pour le secteur de l'Assomption sur 18 km..

**Gestionnaire** ........................ SÉPAQ

**Pour information** ................. (819) 688-2281 ...... 1 877 688-2289
www.parcsquebec.com

JCT  CAMP QUATRE-SAISONS
STATION MONT-TREMBLANT

## 31  PARC RÉGIONAL DE LA RIVIÈRE-DU-NORD

Dans ce parc, la marche est souvent ponctuée de panneaux d'interprétation. On pourra emprunter un sentier que les draveurs utilisaient pour descendre à une pulperie dont on verra les vestiges ainsi que les chutes Wilson. Les lieux possèdent aussi ceux d'une ancienne centrale hydroélectrique. À l'étang, on observera les oiseaux et un barrage de castors. Un autre sentier longe la rivière du Nord. Des abris en bois rond permettent de pique-niquer à l'aise. ★ *Un sentier (le sentier sensoriel) se fait les yeux bandés en se guidant avec une corde.*

**Réseau pédestre** .................. 32,0 km (Multi : 9,2)

| Sentiers et parcours | Longueur | Type | Niveau |
|---|---|---|---|
| L'Écolo .................................................. | 1,8 km ......... | Linéaire ....... | Facile |
| Le Cheminot ........................................ | 5,8 km ......... | Linéaire ....... | Facile |
| Le Draveur .......................................... | 2,7 km ......... | Boucle ........ | Intermédiaire |
| Le Héron ............................................. | 5,2 km ......... | Boucle ........ | Facile |
| La Sarcelle ......................................... | 4,0 km ......... | Boucle ........ | Intermédiaire |
| Le Saule Arché .................................... | 1,9 km ......... | Boucle ........ | Intermédiaire |

**Services et aménagements**

*Autres : aire de jeux, abri, passerelle, ponton*

**Activités complémentaires**

 *Hiver* 🚶❄ 16,0 km  TT 🚻

**Documentation** .................... Dépliant-carte, dépliant sur les oiseaux, dépliant sur la pulperie (à l'accueil)

**Période d'accès** ................... Toute l'année

**Horaire d'accès** ................... De 9 h à 19 h (été)
De 9 h à 17 h (hiver)

**Frais d'accès** (taxes incl.) ..... Adulte : 4,00 $
Adulte (résident MRC Rivière-du-Nord) : 2,00 $
Enfant (0 à 17 ans) : gratuit
Passe saisonnière : 25,00 $
Passe annuelle : 40,00 $

**Voie d'accès** ........................ De l'autoroute des Laurentides (15)
• **De la sortie 45 sud**, montée Sainte-Thérèse. Tourner à gauche au bout de la sortie puis, aux 2e feux de circulation, tourner encore à gauche sur le boulevard de La Salette. Tourner une dernière fois à gauche sur le boulevard International.
• **De la sortie 45 nord**, boulevard de La Salette. Tourner à gauche aux feux de circulation, puis tourner à droite aux feux suivants sur le boulevard International.

**Gestionnaire** ........................ Régie intermunicipale du Parc régional de la Rivière-du-Nord

**Pour information** .................. (450) 431-1676, parcrivierenord@bellnet.ca

[JCT] PARC LINÉAIRE « LE P'TIT TRAIN DU NORD »

## 32  PARC RÉGIONAL DUFRESNE – VAL-DAVID – VAL-MORIN

Ce parc est situé en terrain montagneux. En effet, on y trouve plusieurs monts dont Plante, Saint-Aubin, Condor et King. Les marcheurs auront l'occasion de longer et de surplomber des parois d'escalade, cette activité étant pratiquée sur ces lieux. Les sentiers débutent au village de Val-David, où coule la rivière du Nord. Ils sont utilisés pour le ski de fond et la raquette, l'hiver, et sont quelquefois partagés avec le vélo de montagne, à d'autres saisons.

**Réseau pédestre** ................. 21,0 km (Multi : 9,0)

| Sentiers et parcours | Longueur | Type | Niveau | Dénivelé |
|---|---|---|---|---|
| La Maple Leaf | 2,0 km | Boucle | Intermédiaire | 90 m |
| Mont Condor | 5,0 km | Boucle | Inter./Difficile | 155 m |
| Mont Césaire | 4,0 km | Boucle | Intermédiaire | 140 m |
| Mont King | 6,0 km | Boucle | Intermédiaire | 130 m |
| La Sapinière | 1,5 km | Boucle | Facile | |

**Services et aménagements**

*Autres : abri, passerelle*

**Activités complémentaires**

*Hiver*  10,0 km

**Documentation** .................... Dépliant-carte (au bureau d'information touristique)
**Période d'accès** ................. Toute l'année, de 8 h à 21 h
**Frais d'accès** ........................ Gratuit
**Voie d'accès** ........................ De la sortie 76 de l'autoroute des Laurentides (15), tourner à droite sur la route 117 nord vers Val-David. Continuer sur 4,5 km et tourner à droite sur le chemin de l'Église. Tourner ensuite sur le chemin de la Sapinière, à gauche sur la rue Sarazin et finalement à droite sur la rue de l'Aiguille. L'entrée des sentiers se situent à gauche près d'un cabanon.

**Gestionnaire** ......................... Municipalité de Val-David
**Pour information** ................. (819) 322-2900 poste 235, www.valdavid.com

[JCT] PARC LINÉAIRE « LE P'TIT TRAIN DU NORD »

## 33 PARC RÉGIONAL ÉDUCATIF BOIS DE BELLE-RIVIÈRE

Rouvert à l'été 1997 sur l'ancien site du Centre éducatif forestier du Bois de Belle-Rivière, ce boisé offre une grande diversité de milieux où se promener. Sa composante forestière est dotée d'une érablière à caryers, d'une prucheraie et d'une cédrière. Il est possible aussi d'y admirer un jardin forestier et un jardin ornemental. On peut finir sa randonnée par une baignade à la plage Naya.  *Autorisé seulement sur une portion du réseau (11,0 km).* ⚠ *On peut rencontrer des chevaux sur le sentier principal.*

**Réseau pédestre** ................. 10,4 km (Multi : 6,0)

| Sentiers et parcours | Longueur | Type | Niveau |
|---|---|---|---|
| Sentier principal | 6,0 km | Mixte | Facile |
| Le Sylvestre | 1,8 km | Boucle | Facile |
| La Prucheraie | 1,0 km | Boucle | Facile |

**Services et aménagements**

*Autres : passerelle, piste d'hébertisme, aire de jeux, plage*

**Activités complémentaires**     *Hiver* 6,0 km 3,0 km

⚠ *La location de raquettes n'est disponible que pour les enfants*

**Documentation** .................... Dépliant-carte (à l'accueil)
**Période d'accès** .................. Toute l'année, de 9 h à 17 h
De mi-juin à septembre, de 9 h à 17 h en semaine et de 9 h à 19 h la fin de semaine
**Frais d'accès** (taxes incl.) ..... Adulte : 3,00 $
Enfant (6 à 16 ans) : 1,00 $
Laissez-passer annuel disponible
Frais de 1,00 $ pour l'accès à la plage, l'été
**Voie d'accès** ....................... De Saint-Eustache, suivre la route 148 vers l'ouest jusqu'à l'entrée du Bois indiquée en bordure de la route.

**Gestionnaire** ........................ Corporation pour la protection de l'environnement à Mirabel
**Pour information** ................. (450) 258-4924, www.ville.mirabel.qc.ca

## 34  RÉSERVE FAUNIQUE DE PAPINEAU-LABELLE

Créée en 1971, cette réserve faunique possède une superficie de 1 628 km². Son territoire présente un relief de montagnes très anciennes atteignant une altitude moyenne de 500 m. Il compte 700 plans d'eau. On y retrouve des populations importantes de cerfs de Virginie, d'orignaux et de castors. Les sentiers de randonnée localisés aux monts Bondy et Devlin donnent accès à des points de vue. 🐕 *Dans les sentiers seulement*

**Réseau pédestre** ................. 22,5 km

| Sentiers et parcours | Longueur | Type | Niveau | Dénivelé |
|---|---|---|---|---|
| Mont Bondy ................................... | 1,6 km ........ | Linéaire ....... | Intermédiaire ...... | 125 m |
| Mont Devlin ................................... | 4,5 km ........ | Linéaire ....... | Intermédiaire ...... | 185 m |
| Sentier du Mont Resther ............... | 3,4 km ........ | Mixte ........... | Facile/Inter. ........ | 130 m |

**Services et aménagements**
*Autres : passerelle*

**Activités complémentaires**

**Documentation** .................... Carte (à l'accueil)
**Période d'accès** ................. De mai à septembre (vérifier pour l'automne)
De 7 h à 21 h
⚠ *La marche est interdite pendant la période de chasse au gros gibier.*
**Frais d'accès** ....................... Frais de stationnement
**Voie d'accès** ....................... **Accueil Gagnon :** de la route 148 à Papineauville, prendre la route 321 nord jusqu'à Duhamel. Prendre ensuite le chemin du Lac-Gagnon sur une quinzaine de kilomètres, soit jusqu'à l'accueil. **Accueil Pie-IX :** de la route 117, à 3 km au nord de L'Annonciation, prendre la route 321 sud jusqu'à Lac-Nominingue et suivre les indications sur une vingtaine de kilomètres. *Note : plusieurs autres accès sont possibles.*

Gestionnaire ......................... SÉPAQ
Pour information ................. (819) 454-2011 poste 33, www.sepaq.com

## 35 SENTIER DE LA TOUR À FEU

Par un sentier en montagne, on a accès à une tour désaffectée datant de 1930 et servant à cette époque à la surveillance des feux de forêts. On gravira un total de 700 marches aménagées le long du parcours et on aura un panorama sur la région environnante. 🐾

**Réseau pédestre** ................. 1,5 km (linéaire, facile/inter., dénivelé max. de 140 m)

**Services et aménagements**

*Autres : passerelle*

**Activités complémentaires**

**Documentation** .................... Carte routière d'Amherst sur laquelle le sentier est localisé (au bureau municipal)
**Période d'accès** .................. De mai à novembre, du lever au coucher du soleil
**Frais d'accès** ........................ Gratuit
**Voie d'accès** ........................ De Mont-Tremblant, emprunter la route 323 jusqu'à Saint-Rémi-d'Amherst. Prendre la rue Saint-Louis et continuer jusqu'au stationnement.

**Gestionnaire** ........................ Municipalité d'Amherst
**Pour information** ................. (819) 687-3355 ...... (819) 687-2939

## 36 SENTIER DES VILLAGES

Un sentier à travers bois relie les villages de Saint-Rémi-d'Amherst et de Vendée, en contournant plusieurs lacs. On gravira des montagnes plus abruptes dans la première moitié du parcours menant au lac Wagamung où un abri a été aménagé. Pour franchir cette distance, on pourra aussi utiliser un autre chemin moins accidenté. 🐾

**Réseau pédestre** ................. 17,0 km

| Sentiers et parcours | Longueur | Type | Niveau |
|---|---|---|---|
| De Saint-Rémi au lac Wagamung ................. 8,0 km ........ Linéaire ....... Difficile |
| Du lac Wagamung à Vendée ........................ 9,0 km ........ Linéaire ....... Intermédiaire |

**Services et aménagements**

*Autres : abri*

**Activités complémentaires**
 Hiver 🎿 *17,0 km*

**Documentation** .................... Carte routière d'Amherst sur laquelle le sentier est localisé (au bureau municipal)
**Période d'accès** .................. Toute l'année, du lever au coucher du soleil
⚠ *Prudence pendant la période de chasse*
**Frais d'accès** ........................ Gratuit
**Voie d'accès** ........................ **Accès sud :** de Mont-Tremblant, prendre la route 323 jusqu'à Saint-Rémi-d'Amherst et suivre les indications à

partir du quai public au centre du village. **Accès nord :** continuer sur la route 323 et prendre le chemin de Vendée jusqu'au village où un panneau indique l'entrée du sentier.

**Gestionnaire** ........................ Municipalité d'Amherst
**Pour information** ................ (819) 687-3355 ...... (819) 687-2939

## 37 SENTIER DU BELVÉDÈRE

Ce sentier débute à la plage municipale de Lac-Saguay. On montera jusqu'à un belvédère d'où on apercevra le village et le lac du même nom.

**Réseau pédestre** ................ 1,0 km (linéaire, intermédiaire, dénivelé max. de 80 m)

**Services et aménagements**

**Activités complémentaires**

**Période d'accès** ................... De mai à novembre, du lever au coucher du soleil
**Frais d'accès** ........................ Gratuit
**Voie d'accès** ........................ De l'autoroute des Laurentides (15), poursuivre sur la route 117 vers le nord jusqu'à Lac-Saguay, à environ 25 km au nord de L'Annonciation. L'accès se fait par le chemin de la Plage.

**Gestionnaire** ........................ Municipalité du village de Lac-Saguay
**Pour information** ................ (819) 278-3972

## 38 SENTIER DU LAC BOUCHER

Le sentier fait le tour du lac Boucher. Il est tracé en pleine forêt mais, durant tout le parcours, on a une vue constante sur le lac. Le sentier est en terre battue mais une partie est recouverte de poussière de roche. Le territoire est vallonné quelque peu. Des panneaux d'interprétation de la nature se trouvent le long du sentier. On peut observer un barrage et une hutte de castor.

**Réseau pédestre** ................ 6,0 km (Multi) (boucle, facile/intermédiaire)

**Services et aménagements**
*Autres : passerelle*

**Activités complémentaires**          *Hiver* 6,0 km + TT

**Documentation** .................... Carte (au bureau municipal)
**Période d'accès** ................... Toute l'année, du lever au coucher du soleil
⚠ *Prudence pendant la période de chasse*
**Frais d'accès** ........................ Gratuit
**Voie d'accès** ........................ De Mont-Laurier, suivre la route 309 nord jusqu'à Sainte-Anne-du-Lac. Prendre ensuite la montée des Lacs vers l'ouest et continuer sur 6 km. Suivre les indications pour le sentier du lac Boucher.

*Laurentides*                                                          *249*

Gestionnaire ......................... Municipalité de Sainte-Anne-du-Lac
**Pour information** ................. (819) 586-2110
sainte.anne.du.lac.municipalite@sympatico.ca

## 39 SENTIER ÉCOLOGIQUE « LE PETIT CASTOR »

Au courant de l'été 1972, la municipalité de Lac-du-Cerf se donne pour mission de faire revivre son histoire en aménageant un premier bout de sentier. Aujourd'hui, les sentiers font découvrir les activités pratiquées par les Algonquins de l'époque ainsi que le début des coupes forestières. Le sentier longe le ruisseau Longeau qui est agrémenté de cascades et de chutes. Plus loin, le marcheur croisera une ancienne demeure datant de 1918. De plus, le belvédère de l'Éssoufflé offre un point de vue sur le Grand et le Petit lac du Cerf, le mont Limoges et le lac Lefebvre. Des escaliers et des paliers facilitent le parcours.

**Réseau pédestre** ................. 6,5 km (mixte, facile/inter., dénivelé max. de 115 m)

**Services et aménagements**

*Autre : passerelle, quai*

**Activités complémentaires**

*Hiver* 🚶 *6,5 km + TT*

**Documentation** ..................... Brochure incluant carte (au bureau d'information touristique)

**Période d'accès** ................... Toute l'année, du lever au coucher du soleil

⚠ *Le port du dossard est obligatoire en période de chasse.*

**Frais d'accès** ........................ Des frais sont applicables (voir auprès de l'information)

**Voie d'accès** ........................ De l'autoroute des Laurentides (15), continuer sur la route 117 nord. Au Lac-des-Écorces, suivre les indications pour la route 311 sud sur 37 km. À la municipalité de Lac-du-Cerf, tourner à gauche sur la montée Léonard et continuer sur 5,2 km. La montée Léonard change de nom pour chemin du Tour du Lac. Le stationnement est en bordure de la route. D'autres accès sont possibles aussi.

**Gestionnaire** ......................... Municipalité de Lac-du-Cerf/Plein Air Lac-du-Cerf inc.
**Pour information** ................. (819) 623-4544 ...... (819) 597-2366
www.hauteslaurentides.com

## 40 SENTIER ÉCOLOGIQUE DU RUISSEAU DU DIABLE

Ce sentier, partagé avec des vélos, est situé dans la réserve faunique Papineau-Labelle. Il passe à proximité d'une rivière et offre une vue sur une cascade. 🐴

**Réseau pédestre** ................. 3,0 km (Multi)(boucle, facile)

**Services et aménagements**

**Activités complémentaires**

**Documentation** ..................... Dépliant, carte (au bureau municipal de Kiamika)

**Période d'accès** .................. De mai à novembre, du lever au coucher du soleil
⚠ *La randonnée est interdite pendant la période de chasse au gros gibier.*
**Frais d'accès** ....................... Gratuit
**Voie d'accès** ....................... De Mont-Laurier, prendre la route 117 jusqu'à Lac-des-Écorces. Tourner à droite sur la route 311 vers le sud. 1 km après le village de Kiamika, prendre à gauche le chemin du Lac-Kar-Ha-Kon et poursuivre sur un peu plus de 6 km.
**Gestionnaire** ....................... Municipalité de Kiamika
**Pour information** ................. (819) 585-3225, mun.kiamika@reseau.com

## 41 STATION MONT-TREMBLANT

Ce lieu de villégiature, situé en bordure du lac Tremblant, offre plusieurs sentiers sur le massif du même nom. Le sentier Les Ruisseaux, à la base de la montagne, est un sentier familial qui traverse de nombreux cours d'eau, et conduit à des chutes et à un belvédère. Au sommet du mont Tremblant (915 m), une tour d'observation donne un panorama de 360 degrés. De là, le sentier Les Sommets longe la crête de trois pics : Edge, Pangman et Johannsen (935 m). Ce dernier est le plus haut point de la région des Laurentides. D'autres sentiers sont tracés en forêt. ★ *Au pic Johannsen, les geais gris viennent manger dans notre main.*

**Réseau pédestre** ................. 47,6 km

| Sentiers et parcours | Longueur | Type | Niveau | Dénivelé |
|---|---|---|---|---|
| Les Sommets | 4,5 km | Linéaire | Intermédiaire | 110 m |
| Le Grand Brûlé | 6,5 km | Linéaire | Intermédiaire | 650 m |
| Le Manitou (sentier d'interprétation) | 1,0 km | Boucle | Facile | |
| Le Johannsen | 3,5 km | Linéaire | Difficile | 485 m |
| Les Caps | 5,0 km | Linéaire | Difficile | 650 m |
| Le Bon Vivant | 2,5 km | Linéaire | Intermédiaire | |

**Services et aménagements**

🏕 🅿 👬 🍴 🍽 ⛱ 🛏 🏕 ⛲

Autres : centre d'interprétation, aire de jeux, boutique, télésiège

**Activités complémentaires**

🌿 🏔 *Hiver* 🎿 *30,0 km + PT* ⛷

**Documentation** .................... Dépliant-carte (à l'accueil)
**Période d'accès** .................. Toute l'année, du lever au coucher du soleil
**Frais d'accès** ....................... Gratuit
Frais pour le télésiège
**Voie d'accès** ....................... De l'autoroute des Laurentides (15), continuer vers le nord sur la route 117. Passé Saint-Jovite, tourner à droite sur la montée Ryan et suivre les indications sur une dizaine de kilomètres.
**Gestionnaire** ....................... Station Mont-Tremblant
**Pour information** ................. (819) 681-2000 ...... 1 888 736-2526, www.tremblant.ca

JCT  PARC NATIONAL DU MONT-TREMBLANT

Le sentier des Draveurs longe la rivière du Lièvre et s'étend du poste d'accueil des chutes Maclean au lac Bacon. Le sentier rend hommage aux draveurs et travailleurs qui ont ouvert le territoire des Hautes-Laurentides au début de la colonisation. Le long des sentiers on trouve des panneaux d'interprétation qui traitent d'histoire, d'écologie, de pêche, de chasse, de trappe et de canotage. 🐎

**Réseau pédestre** .................. 55,0 km

| Sentiers et parcours | Longueur | Type | Niveau |
|---|---|---|---|
| Sentier des Draveurs .................................. | 55,0 km ......... | Linéaire ....... | Intermédiaire |

**Services et aménagements**

*Autres : passerelle*

**Activités complémentaires**

**Période d'accès** .................. De mai à octobre, de 7 h à 22 h

⚠ *La randonnée est interdite pendant la période de chasse au gros gibier.*

**Frais d'accès** (taxes incl.) ..... 6,00 $ par voiture

**Voie d'accès** ........................ De Mont-Laurier prendre la route 309 nord via Mont-Saint-Michel et suivre la route de Parent jusqu'au kilomètre 52. Il y a environ 100 km de distance entre Mont-Laurier et le poste d'accueil de la zec.

**Gestionnaire** ......................... Zec Normandie
**Pour information** .................. (819) 623-9709, www.zecnormandie.zecquebec.com

# 1 BOISÉ CHOMEDEY

Ce boisé protégé est principalement composé d'érables noirs.

**Réseau pédestre** ............... 1,7 km (mixte, facile)

**Services et aménagements**

**Période d'accès** ................... Toute l'année, du lever au coucher du soleil
**Frais d'accès** ....................... Gratuit
**Voie d'accès** ....................... De l'autoroute des Laurentides (15), sortir au boulevard Cartier Ouest. Prendre le boulevard Daniel-Johnson vers la droite. L'entrée du sentier est au bout du boulevard.
*Transports publics* ............... *Du métro Henri-Bourassa, prendre l'autobus 24 et descendre au boulevard Daniel-Johnson, peu après le Parc scientifique et de haute technologie.*

**Gestionnaire** ........................ Bureau municipal des loisirs de Laval secteur 3
**Pour information** ................. (450) 978-8903, www.ville.laval.qc.ca

# 2 BOISÉ PAPINEAU

Ce boisé d'un kilomètre carré est un coin de forêt mature, de marais et de champs en pleine ville. Il renferme, entre autres, une érablière à caryer. Sa flore printanière est très riche. Le grand duc d'Amérique et le renard roux y sont fréquemment observés. Un belvédère surplombe le marais principal et ses grandes quenouilles. ★ *Ce boisé renferme une forêt de hêtres bicentenaires.*

**Réseau pédestre** ................. 7,0 km (mixte, facile)

**Services et aménagements**

*Autres : passerelle*

**Activités complémentaires**

 *Hiver* 7,0 km

**Documentation** ................... Guide « Marcher et découvrir Laval » (au bureau municipal de loisirs et dans les bibliothèques de Laval)
**Période d'accès** .................. Toute l'année, du lever au coucher du soleil
**Frais d'accès** ....................... Gratuit
**Voie d'accès** ....................... De l'autoroute 19, prendre la sortie 7 et emprunter le boulevard Saint-Martin vers l'est. Le stationnement se situe derrière le pavillon d'accueil, au 3235, boulevard Saint-Martin.
*Transports publics* ............... *Du métro Henri-Bourassa, prendre l'autobus 50 jusqu'à l'entrée du Boisé sur le boulevard Saint-Martin.*

**Gestionnaire** ........................ Association pour la conservation du Boisé Papineau
**Pour information** ................. (450) 662-4901 ...... (450) 668-3607

[JCT] MARCHER ET DÉCOUVRIR LAVAL - SECTEUR 1

## 3  CENTRE DE LA NATURE DE LAVAL

Dans cette ancienne carrière transformée en parc récréatif de 50 hectares, on peut faire d'agréables promenades en famille parmi les étangs fleuris et les multiples jardins, dont celui des plantes médicinales et la serre de plantes tropicales. La petite ferme abrite plusieurs animaux. Un petit lac, des étangs et un ruisseau comblent les sens. Le jardin Laurent-Brisson renferme 130 variétés de plantes indigènes. On aura même un point de vue, du haut d'une butte, sur les Montérégiennes au sud et le contrefort laurentien au nord. Ajoutons deux autres attractions très populaires : le parc des chevreuils et le village des arts.

**Réseau pédestre** ................ 6,5 km

| Sentiers et parcours | Longueur | Type | Niveau |
|---|---|---|---|
| Tour du lac ......................... | 0,8 km ........ | Boucle ........ | Facile |
| Le Grand Tour ..................... | 4,5 km ........ | Boucle ........ | Facile |
| Sentier d'interprétation ....................... | 1,2 km ........ | Boucle ........ | Facile |

**Services et aménagements**

*Autres : aire de jeux, ferme, serre, observatoire astronomique, sentier d'hébertisme, piscine*

**Activités complémentaires**

 *Hiver*  *4,0 km*  *TT*

**Documentation** .................... Dépliant-carte (à l'accueil)
**Période d'accès** .................. Toute l'année, de 8 h à 22 h
**Frais d'accès** ....................... Tarification aux groupes
Stationnement : 5,00 $ par véhicule les fins de semaine, les jours fériés et lors d'événements spéciaux
**Voie d'accès** ....................... De la sortie 6 de l'autoroute 25, emprunter le boulevard Saint-Martin vers l'ouest. À la première jonction, prendre à gauche le boulevard Lesage et, tout de suite après, prendre à gauche à nouveau sur l'avenue du Parc. L'accueil est situé au 901.
*Transports publics* .............. *Du métro Henri-Bourassa, prendre l'autobus 48 vers Saint-Vincent-de-Paul. Descendre au coin du boulevard de la Concorde et de l'avenue du Parc. Monter cette dernière pour se rendre à l'entrée du parc.*

**Gestionnaire** ....................... Ville de Laval/Centre de la Nature
**Pour information** (450) 662-4942, www.ville.laval.qc.ca

## 4  L'ORÉE DES BOIS

Ce sentier de gravier fin parcourt une érablière à caryer. L'endroit est très riche en espèces végétales peu communes comme le caryer ovale et le micocoulier occidental.

**Réseau pédestre** ................ 1,5 km (boucle, facile)

**Services et aménagements**

**Activités**
**complémentaires**      *Hiver*  *1,5 km + TT*

**Documentation** ..................... Guide « Marcher et découvrir Laval » (au bureau municipal de loisirs et dans les bibliothèques de Laval)

**Période d'accès** ................... Toute l'année, du lever au coucher du soleil

**Frais d'accès** ........................ Gratuit

**Voie d'accès** ........................ De la sortie 17 de l'autoroute 13, prendre le boulevard Sainte-Rose vers l'ouest. Tourner à droite sur la 43$^e$ Avenue, à gauche sur la rue Séguin, et à droite sur la 37$^e$ Avenue. Le sentier se trouve au bout de l'avenue.

*Transports publics* ............... *Du métro Henri-Bourassa, prendre l'autobus 72 jusqu'à l'arrêt au coin de la 40$^e$ Avenue et du boulevard Sainte-Rose.*

**Pour information** .................. (450) 978-8904, www.ville.laval.qc.ca

## 5   MARCHER ET DÉCOUVRIR LAVAL - SECTEUR 1

Ce secteur est situé à la pointe est de l'île, au confluent de la rivière des Mille Îles et de la rivière des Prairies, et s'étend vers l'ouest jusqu'à l'autoroute 19 et le boulevard Sainte-Marie. Il comprend trois unités communautaires : Saint-François/Duvernay-Est, Saint-Vincent-de-Paul et Duvernay/Val-des-Brises. Quatre parcours, d'une longueur de 3,5 à 6,1 km, conduisent le marcheur à la découverte du patrimoine architectural et historique. On arpentera, entre autres, la plus vieille paroisse de l'île, Saint-François-de-Sales. 🐕 *Sauf la section située dans le Boisé Papineau*

**Réseau pédestre :** ............... 21,4 km (Multi) (mixte, facile)

**Services et**
**aménagements**     

**Activités**
**complémentaires**       *Hiver*  *21,4 km*

**Documentation** ..................... Brochure « Marcher et découvrir Laval » (à la bibliothèque ou au bureau municipal de loisirs)

**Période d'accès** ................... Toute l'année, du lever au coucher du soleil

**Frais d'accès** ........................ Gratuit

**Voie d'accès** ........................ Le 1$^{er}$ parcours débute à l'église de Saint-François-de-Sales, au 7070 du boulevard des Mille-Îles; le 2$^e$ au stationnement de la berge du Vieux Moulin, à l'angle du boulevard Lévesque et de la montée du Moulin; le 3$^e$ à l'église de Saint-Vincent-de-Paul, au 5443 du boulevard Lévesque Est; et le 4$^e$ à l'angle du boulevard Lévesque Est et de la rue du Barrage.

*Transports publics* ............... *Du métro Henri-Bourassa : 1$^{er}$ parcours : prendre l'autobus 25 Saint-François et descendre à l'arrêt Masson/ des Mille-Îles; 2$^e$ parcours : prendre l'autobus 52 Saint-François et descendre à l'arrêt du Moulin/Lévesque; 3$^e$ parcours : prendre l'autobus 52 Saint-François et descendre à l'arrêt Lévesque/Jean-Eudes-Blanchard; 4$^e$ parcours : prendre l'autobus 28 Saint-Vincent-de-Paul et descendre à l'arrêt Lévesque/du Barrage.*

**Gestionnaire** ........................ Ville de Laval

**Pour information**      (450) 662-4901, www.ville.laval.qc.ca

[JCT]   BOISÉ PAPINEAU

---

*Laval*

## 6  MARCHER ET DÉCOUVRIR LAVAL - SECTEUR 2

Ce secteur est situé au centre-sud de l'île. Il est borné par l'autoroute Papineau (19) à l'est, l'autoroute des Laurentides (15) à l'ouest, la rivière des Prairies au sud, et l'autoroute Laval (440) et la servitude d'Hydro-Québec au nord. Il comprend quatre unités communautaires : Pont-Viau, Laval-des-Rapides Est, Laval-des-Rapides Ouest et Renaud-Coursol. Six parcours de marche, de 1,1 à 5 km, amènent le visiteur vers différents attraits : bâtiments municipaux et historiques, parcs urbains, marina, rivière, etc. 🐾 *Sauf la section située dans le Parc des Prairies*

**Réseau pédestre :** ............... 18,7 km (Multi) (mixte, facile)

**Services et aménagements**

**Activités complémentaires**

 *Hiver* 🎿❄ 18,7 km

**Documentation** ..................... Brochure « Marcher et découvrir Laval » (à la bibliothèque ou au bureau municipal de loisirs)

**Période d'accès** ................... Toute l'année, du lever au coucher du soleil

**Frais d'accès** ........................ Gratuit

**Voie d'accès** ........................ Le 1er parcours débute à l'église Saint-Christophe, au 38 du boulevard Lévesque Est; le 2e au parc Gagné, au bord de la rivière des Prairies et à l'est de la ligne de chemin de fer du Canadien Pacifique; le 3e au stationnement du parc des Prairies, à l'angle du boulevard Cartier et de la 15e Avenue; le 4e à l'angle des rues Dussault et Laurier; le 5e au Pavillon des Charmilles, au 1487 du boulevard des Laurentides; et le 6e en face du 1610 de la rue Wilfrid-Pelletier.

*Transports publics* .............. *Du métro Henri-Bourassa : 1er parcours : prendre l'autobus 20 Chomedey et descendre à l'arrêt des Laurentides/Cartier; 2e parcours : prendre l'autobus 20 Chomedey et descendre à l'arrêt des Prairies/du Crochet; 3e parcours : prendre l'autobus 20 Chomedey et descendre en face du 227 du boulevard des Prairies; 4e parcours : prendre l'autobus 24 Chomedey et descendre à l'arrêt Cartier/Dussault; 5e parcours : prendre l'autobus 72 Gare Sainte-Dorothée et descendre à l'arrêt des Laurentides/Morane; 6e parcours : prendre l'autobus 60 Chomedey et descendre à l'arrêt de l'Avenir/Saint-Martin.*

**Gestionnaire** ......................... Ville de Laval

**Pour information**            (450) 662-4902, www.ville.laval.qc.ca

[JCT]  PARC DES PRAIRIES

## 7  MARCHER ET DÉCOUVRIR LAVAL - SECTEUR 3

Ce secteur est encadré par la rivière des Prairies et trois autoroutes : Chomedey (13), Laval (440) et des Laurentides (15). Il comprend quatre unités communautaires : Chomedey-Est, Chomedey-Sud, Chomedey-Ouest et Chomedey-Nord. Six parcours, d'une longueur de 1,6 à 3,5 km, guident le promeneur à travers les rues des anciennes municipalités de l'Abord-à-Plouffe, Saint-Martin et Renaud. Quelques maisons anciennes

méritent l'attention. On passera, entre autres, devant le musée Armand-Frappier.
*Sauf sur une partie des 3ᵉ et 4ᵉ parcours*

**Réseau pédestre :** ............... 15,7 km (Multi) (mixte, facile)

**Services et aménagements**

**Activités complémentaires**
 *Hiver* $\mathring{\text{⋇}}$ 15,7 km

**Documentation** .................... Brochure « Marcher et découvrir Laval » (à la bibliothèque ou au bureau municipal de loisirs)

**Période d'accès** ................... Toute l'année, du lever au coucher du soleil

**Frais d'accès** ........................ Gratuit

**Voie d'accès** ........................ Le 1ᵉʳ parcours débute en face du 56 de la 66ᵉ Avenue; le 2ᵉ à l'église Saint-Maxime, sur le boulevard Lévesque Ouest entre les 77ᵉ et 80ᵉ Avenues; le 3ᵉ à l'île Paton par la promenade des Îles; le 4ᵉ au stationnement municipal de l'île Paton; le 5ᵉ près du parc-école Western Laval High School, à l'angle du chemin du Souvenir et de l'avenue Clarendon; et le 6ᵉ à l'église Saint-Martin, au 4080 du boulevard Saint-Martin Ouest.

***Transports publics*** .............. *Du métro Henri-Bourassa : 1ᵉʳ parcours : prendre l'autobus 24 Chomedey et descendre à l'arrêt Cartier/ 68ᵉ; 2ᵉ parcours : prendre l'autobus 44 Gare Sainte-Dorothée et descendre à l'arrêt Lévesque/80ᵉ; 3ᵉ parcours : prendre l'autobus 20 Chomedey et descendre à l'arrêt des Îles/des Cageux; 4ᵉ parcours : prendre l'autobus 20 Chomedey et descendre à l'arrêt des Îles/ Paton; 5ᵉ parcours : prendre l'autobus 24 Chomedey et descendre à l'arrêt Notre-Dame/Clarendon; 6ᵉ parcours : prendre l'autobus 46 Saint-Eustache et descendre à l'arrêt Saint-Martin/Favreau.*

**Gestionnaire** ........................ Ville de Laval

**Pour information** (450) 978-8903, www.ville.laval.qc.ca

[JCT]  PARC SCIENTIFIQUE ET DE HAUTE TECHNOLOGIE

## 8 MARCHER ET DÉCOUVRIR LAVAL - SECTEUR 4

Ce secteur couvre la pointe ouest de l'île et s'étend vers l'est jusqu'à l'autoroute Chomedey (13). Il est entouré par la rivière des Prairies, le lac des Deux Montagnes et la rivière des Mille Îles. Il comprend quatre unités communautaires : Sainte-Dorothée, Laval/Les Îles, Laval-Ouest et Fabreville-Ouest. Six parcours, mesurant de 1,8 à 6,4 km, permettent d'explorer l'héritage patrimonial de vieux quartiers et des îles de Laval.

**Réseau pédestre :** ............... 23,7 km (Multi) (mixte, facile)

**Services et aménagements**

**Activités complémentaires**
 *Hiver* $\mathring{\text{⋇}}$ 23,7 km

**Documentation** ..................... Brochure « Marcher et découvrir Laval » (à la bibliothèque ou au bureau municipal de loisirs)

**Période d'accès** ................... Toute l'année, du lever au coucher du soleil

**Frais d'accès** ........................ Gratuit

**Voie d'accès** ........................ Le 1$^{er}$ parcours débute à l'église Sainte-Dorothée, au 655 de la rue Principale; le 2$^e$ au stationnement du club de curling de Laval-sur-le-Lac, au 10 de l'avenue des Pins; le 3$^e$ au stationnement de l'église Notre-Dame-de-l'Espérance, dans l'île Bigras; le 4$^e$ à l'angle de la 55$^e$ Avenue et de la promenade Riviera; le 5$^e$ à l'angle de la 10$^e$ Rue et de la promenade Riviera; et le 6$^e$ au stationnement de l'église Saint-Édouard-de-Fabreville, à l'angle de la 18$^e$ Avenue et du boulevard Frenette.

**Transports publics** .............. *Du métro Henri-Bourassa : 1$^{er}$ parcours : prendre l'autobus 46 Saint-Eustache et descendre à l'arrêt Principale/Noël; 2$^e$ parcours : prendre l'autobus 72 Gare Sainte-Dorothée et descendre à l'arrêt Les Érables/Les Pins; 3$^e$ parcours : prendre l'autobus 44 Gare Sainte-Dorothée et descendre à l'arrêt du Bord de l'Eau/Dupont; 4$^e$ parcours : prendre l'autobus 72 Gare Sainte-Dorothée et descendre à l'arrêt Sainte-Rose/55$^e$; 5$^e$ parcours : prendre l'autobus 46 Saint-Eustache et descendre à l'arrêt Arthur-Sauvé/12$^e$ Rue; 6$^e$ parcours : prendre l'autobus 72 Gare Sainte-Dorothée et descendre à l'arrêt Sainte-Rose/14$^e$.*

**Gestionnaire** ........................ Ville de Laval

**Pour information**      (450) 978-8904, www.ville.laval.qc.ca

## 9   MARCHER ET DÉCOUVRIR LAVAL - SECTEUR 5

Ce secteur est entouré par la rivière des Mille Îles et trois autoroutes : Chomedey (13), Laval (440) et des Laurentides (15). Il comprend deux unités communautaires : Fabreville-Est et Sainte-Rose. Trois parcours de marche, d'une longueur de 4,5 à 7,4 km, mènent en bordure de la rivière des Mille Îles, dans un coin retiré et calme de Laval ainsi que dans le Vieux-Sainte-Rose. Bâtiments anciens et modernes se côtoient. 🐕

**Réseau pédestre** : ............... 16,9 km (Multi) (mixte, facile)

**Services et aménagements**

**Activités complémentaires**    *Hiver* 🚶✳ 16,9 km

**Documentation** ..................... Brochure « Marcher et découvrir Laval » (à la bibliothèque ou au bureau municipal de loisirs)

**Période d'accès** ................... Toute l'année, du lever au coucher du soleil

**Frais d'accès** ........................ Gratuit

**Voie d'accès** ........................ Le 1$^{er}$ parcours débute à la ferme Sainte-Thérèse, à l'angle des boulevards Sainte-Rose et Mattawa; le 2$^e$ à la bibliothèque Gabrielle-Roy, au 3505 du boulevard Dagenais; et le 3$^e$ à l'église Sainte-Rose-de-Lima, au 219 du boulevard Sainte-Rose.

**Transports publics** .............. *Du métro Henri-Bourassa : 1$^{er}$ parcours : prendre*

*l'autobus 72 Gare Sainte-Dorothée et descendre à l'arrêt Sainte-Rose/de Gênes; 2ᵉ parcours : prendre l'autobus 55 Laval-Ouest et descendre à l'arrêt Anik/Montrougeau; 3ᵉ parcours : prendre l'autobus 72 Gare Sainte-Dorothée et descendre à l'arrêt Sainte-Rose/Cantin.*

**Gestionnaire** ........................ Ville de Laval
**Pour information**                (450) 978-8904, www.ville.laval.qc.ca

JCT    PARC DE LA RIVIÈRE DES MILLE ÎLES

## 10   MARCHER ET DÉCOUVRIR LAVAL - SECTEUR 6

Ce secteur est situé au centre-nord de l'île. Il est borné au nord par la rivière des Mille Îles, au sud par l'autoroute 440, à l'est par le chemin de fer du Canadien Pacifique et l'autoroute Papineau (19), et à l'ouest par le boulevard Sainte-Marie. Il comprend trois unités communautaires : Auteuil, Saint-Bruno et Vimont. Trois parcours, de 1,2 à 4,6 km de longueur, font découvrir l'avenue des Perron, un développement domiciliaire dont les maisons on la forme d'alvéoles, et un ancien rang devenu boulevard. 🐎

**Réseau pédestre :** ............... 8,3 km (Multi) (mixte, facile)

**Services et aménagements**        🅿 🚻 🥤 ✕ 🛏

**Activités complémentaires**         **Hiver** 🎿❄ 8,3 km

**Documentation** .................... Brochure « Marcher et découvrir Laval » (à la bibliothèque ou au bureau municipal de loisirs)
**Période d'accès** ................... Toute l'année, du lever au coucher du soleil
**Frais d'accès** ........................ Gratuit
**Voie d'accès** ........................ Le 1ᵉʳ parcours débute à l'angle de l'avenue des Perron et du boulevard des Laurentides; le 2ᵉ à l'église Saint-Bruno, au 2287 rue Aladin; et le 3ᵉ à l'angle des boulevards Saint-Elzéar Est et des Laurentides.
***Transports publics** .............. Du métro Henri-Bourassa : 1ᵉʳ parcours : prendre l'autobus 31 Auteuil et descendre à l'arrêt des Laurentides/des Perron; 2ᵉ parcours : prendre l'autobus 72 Gare Sainte-Dorothée, descendre à l'arrêt des Laurentides/de Belgrade, puis prendre l'autobus 27 Vimont en direction métro Henri-Bourassa et descendre à l'arrêt du Rucher/Aladin; 3ᵉ parcours : prendre l'autobus 72 Gare Sainte-Dorothée et descendre à l'arrêt des Laurentides/Saint-Elzéar.*

**Gestionnaire** ........................ Ville de Laval
**Pour information**                (450) 662-4906, www.ville.laval.qc.ca

JCT    PARC DE LA RIVIÈRE DES MILLE ÎLES

## 11   PARC DE LA RIVIÈRE DES MILLE ÎLES

La rivière des Mille Îles présente un milieu humide typique des zones du sud du Québec. On peut, en canot ou en pédalo, atteindre différentes îles pour marcher. Près de l'île Locas, un belvédère d'observation flottant est accessible, près d'une immense aire marécageuse isolée. De plus, une hutte à castor se trouve tout près, entre l'île Chabot et l'île Locas. On peut continuer vers l'est et accoster à l'île Darling et au bois de Rosemère, où deux passerelles traversent un boisé marécageux. 🐎 ⭐ *L'île des Juifs et l'île Darling ont été décrétées refuge faunique par le gouvernement du Québec en raison de leur grande valeur écologique.* ⚠ *Il est possible de marcher sur la rivière en hiver en respectant les endroits délimités par le parc pour des raisons de sécurité.*

**Réseau pédestre** .................. 7,8 km

| Sentiers et parcours | Longueur | Type | Niveau |
|---|---|---|---|
| Île des Juifs | 1,8 km | Mixte | Facile |
| Île aux Fraises | 0,6 km | Mixte | Facile |
| Marécage Tylee | 1,5 km | Mixte | Facile |
| Ferme Sainte-Thérèse | 0,8 km | Linéaire | Facile |

**Services et aménagements**

*Autres : centre d'interprétation, passerelle*

**Activités complémentaires**

*Hiver* 🚶❄ 7,8 km 🎿 7,8 km

**Documentation** .................... Dépliant-carte, brochure (à l'accueil)

**Période d'accès** .................. De mai à fin septembre et de décembre à mars
De 9 h à 18 h

**Frais d'accès** ....................... Frais de location d'embarcation pour atteindre les îles

**Voie d'accès** ........................ De l'autoroute 15, prendre la sortie 16 et emprunter le boulevard Sainte-Rose vers l'est. Le parc est situé 700 m plus loin.

**Transports publics** .............. *Du métro Henri-Bourassa, prendre l'autobus 72 en direction du boulevard Sainte-Rose, et descendre à l'arrêt passé celui du boulevard Curé-Labelle.*

**Gestionnaire** ......................... Éco-Nature de Laval inc.

**Pour information** ................. (450) 622-1020, www.parc-mille-iles.qc.ca

[JCT] MARCHER ET DÉCOUVRIR LAVAL - SECTEURS 5 ET 6

## 12 PARC DES PRAIRIES

Le parc des Prairies est le fruit d'un travail de renaturalisation. Les promeneurs peuvent emprunter des circuits de promenade ou la piste cyclable qui constitue un tronçon de la Route Verte. Près d'une grande clairière donnant sur la rivière des Prairies, on trouve plusieurs bâtiments historiques. 🐎

**Réseau pédestre** .................. 3,5 km (Multi : 2,5)

| Sentiers et parcours | Longueur | Type | Niveau |
|---|---|---|---|
| Piste asphaltée | 2,5 km | Boucle | Facile |
| Sentier de marche | 1,0 km | Boucle | Facile |

**Services et aménagements**

*Autres : aire de jeux*

**Activités complémentaires**  Hiver  1,0 km  TT

**Documentation** .................... Guide « Marcher et découvrir Laval » (au bureau municipal de loisirs et dans les bibliothèques de Laval)

**Période d'accès** ................... Toute l'année

**Horaire d'accès** ................... De 7 h à 22 h de mi-avril à début octobre
De 7 h à 19 h du début octobre à mi-avril

**Frais d'accès** ........................ Gratuit

**Voie d'accès** ........................ De la sortie 7 de l'autoroute 15, prendre le boulevard des Prairies vers l'est. L'entrée principale se trouve au coin de l'avenue du Crochet.

*Transports publics* ............... *Du métro Henri-Bourassa, prendre l'autobus 20 et descendre à l'entrée de l'avenue du Crochet.*

**Gestionnaire** ......................... Ville de Laval

**Pour information** .................. (450) 662-4902

JCT   MARCHER ET DÉCOUVRIR LAVAL - SECTEUR 2

## 13  PARC SCIENTIFIQUE ET DE HAUTE TECHNOLOGIE

Ce parc jouxte un complexe de recherche scientifique. Son aménagement est conçu dans un ensemble forestier exceptionnel en milieu urbain, qui recèle un échantillon de végétation caractéristique du sud du Québec. Il n'est pas rare d'y voir le grand duc et le renard roux.

**Réseau pédestre** ................. 1,5 km (linéaire, facile)

**Services et aménagements**

**Documentation** .................... Guide « Marcher et découvrir Laval » (au bureau municipal de loisirs et dans les bibliothèques de Laval)

**Période d'accès** ................... De début mai à fin octobre

**Horaire d'accès** ................... Du lever au coucher du soleil

**Frais d'accès** ........................ Gratuit

**Voie d'accès** ........................ On peut accéder à ce parc à la jonction des boulevards Cartier et Armand-Frappier, immédiatement à l'ouest de l'autoroute 15.

*Transports publics* ............... *Du métro-Henri Bourassa, prendre l'autobus 24 et descendre au parc scientifique.*

**Gestionnaire** ......................... La Cité de la Biotechnologie

**Pour information** .................. (450) 978-8903 ...... (450) 681-0003
www.citebiotech.com

JCT   MARCHER ET DÉCOUVRIR LAVAL - SECTEUR 3

*Vert luisant*

# *Manicouagan*

*Monts Severson*

# MANICOUAGAN

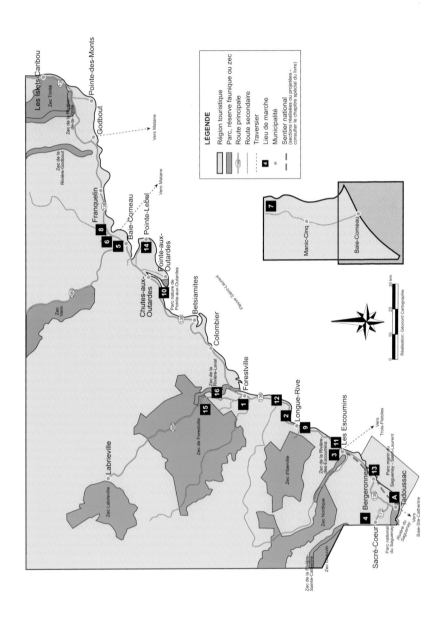

## LÉGENDE

Région touristique
Parc, réserve faunique ou zec
Route principale
Route secondaire
Traversier
Lieu de marche
Municipalité
Sentier national
(sections réalisées ou projetées - consulter le chapitre spécial du livre)

Les Islets-Caribou
Zec Trinité
Pointe-des-Monts
Godbout
Vers Matane
Zec de la Rivière-de-la-Trinité
Zec de la Rivière-Godbout
Franquelin
Baie-Comeau
Pointe-Lebel
Pointe-aux-Outardes
Zec Varin
Chutes-aux-Outardes
Parc nature de Pointe-aux-Outardes
Betsiamites
Colombier
Fleuve Saint-Laurent
Zec de la Rivière-Laval
Forestville
Longue-Rive
Zec de Forestville
Labrieville
Zec d'Iberville
Zec Labrieville
Zec de la Rivière-des-Escoumins
Les Escoumins
Vers Trois-Pistoles
Zec Nordique
Zec Chauvin
Bergeronnes
Parc marin du Saguenay - Saint-Laurent
Tadoussac
Vers Saguenay - Saint-Laurent
Sacré-Coeur
Parc national du Saguenay
Zec de la Rivière-Sainte-Catherine
Rivière du Saguenay
Vers Baie-Ste-Catherine

Manic-Cinq
Baie-Comeau

0   10   20   30 km
Réalisation: Géonord Cartographie

# LIEUX DE MARCHE

**1** BAIE-VERTE FORESTVILLE

**2** CENTRE D'INTERPRÉTATION DES MARAIS SALÉS

**3** COMMUNAUTÉ INNU ESSIPIT

**4** FERME 5 ÉTOILES

**5** LES SENTIERS DE LA RIVIÈRE AMÉDÉE

**6** LES SENTIERS NORDFOND

**7** MONTS GROULX

**8** PARC BORÉAL DU SAINT-LAURENT

**9** PARC DU LITTORAL

**10** PARC NATURE DE POINTE-AUX-OUTARDES

**11** PROMENADE LES ESCOUMINS

**12** SENTIER PÉDESTRE DE SAINTE-ANNE-DE-PORTNEUF

**13** SENTIER POLYVALENT DU CLUB LE MORILLON

**14** SENTIERS DE MANICOUAGAN

**15** ZEC DE FORESTVILLE

**16** ZEC DE LA RIVIÈRE LAVAL

**A** PARC NATIONAL DU SAGUENAY *(RÉGION SAGUENAY – LAC-SAINT-JEAN)*

## BIENVENUE DANS LA RÉGION DE MANICOUAGAN

La région de Manicouagan donne accès à 300 km de rives baignées par les eaux du fleuve Saint-Laurent. La fréquenter est une occasion de bénéficier de ses plages à perte de vue, de ses falaises et de ses rivières se déversant dans le fleuve. On verra aussi s'ébattre les mammifères marins : baleines, bélugas et autres. Pour les observer de plus près, des croisières sont organisées en plusieurs endroits de la côte dont Tadoussac, Grandes-Bergeronnes, Les Escoumins ainsi que Pointe-des-Monts.

De Tadoussac, où se trouve une enclave du parc du Saguenay, en se dirigeant vers Baie-Comeau, on croise plusieurs sites touristiques : Les Escoumins, Sault-au-Mouton, Pointe-aux-Outardes où un marais salé attire 175 espèces d'oiseaux en période de migration et de nidification, et aussi Pointe-Lebel.

L'arrière-pays se déploie jusqu'au Nouveau-Québec et ses rivières dont on a développé le potentiel hydroélectrique. À Manic-5, le barrage Daniel-Johnson est le plus grand barrage à voûtes multiples et contreforts au monde. Près du réservoir Manicouagan, les monts Groulx constituent un territoire privilégié pour les amateurs de trekking. Plusieurs de leurs sommets atteignent plus de 1 000 m et leur végétation varie de la forêt boréale à la toundra arctique.

L'industrie du bois est toujours florissante dans la région. À celle-ci s'ajoute le développement industriel minier dont Baie-Comeau porte le flambeau.

## 1 BAIE-VERTE FORESTVILLE

Le réseau de sentiers, situé en bordure du fleuve et du lac Forest, permet la découverte de paysages variés. Sur le site, de nombreuses espèces d'oiseaux ont trouvé refuge.

**Réseau pédestre** ............... 6,2 km

| Sentiers et parcours | Longueur | Type | Niveau |
|---|---|---|---|
| Le Sommet | 1,2 km | Boucle | Facile |
| Le Bord de l'Eau | 1,4 km | Boucle | Facile |
| Le Contour | 1,3 km | Mixte | Facile |

**Services et aménagements**

**Activités complémentaires**  *Hiver*  6,2 km

**Documentation** .................... Dépliant-carte (à l'accueil et au bureau d'information touristique)
**Période d'accès** ................... Toute l'année, du lever au coucher du soleil
**Frais d'accès** ........................ Gratuit
**Voie d'accès** ......................... De la route 138 à Forestville, prendre la 1$^{re}$ Avenue le long de laquelle se situent trois accès.

**Gestionnaire** ......................... Corporation de développement de la Baie-Verte
**Pour information** ................. (418) 587-2285 ...... (418) 587-2109

## 2 CENTRE D'INTERPRÉTATION DES MARAIS SALÉS

Un sentier d'interprétation permet d'explorer et d'observer la faune et la flore du marais salé.

**Réseau pédestre** ................. 1,0 km (boucle, facile)

**Services et aménagements**

*Autres : centre d'interprétation, passerelle*

**Activités complémentaires**

**Documentation** .................... Dépliant (à l'accueil)
**Période d'accès** ................... Du 15 mai au 15 septembre, de 9 h à 18 h
**Frais d'accès** (taxes incl.) ..... Adulte : 2,00 $
Enfant : 1,00 $
**Voie d'accès** ......................... Des Escoumins, suivre la route 138 vers l'est jusqu'à Longue-Rive où se trouve le centre d'interprétation.

**Gestionnaire** ......................... Municipalité de Longue-Rive
**Pour information** ................. (418) 231-1077 ...... (418) 231-2344

---

*Manicouagan*

## 3 COMMUNAUTÉ INNU ESSIPIT

Situé sur un territoire montagnais, ce lieu de marche est à l'embouchure de la rivière des Escoumins. Un sentier pédestre mène à une tour pour l'observation de la vie du littoral et des mammifères marins. 🐴

**Réseau pédestre** ................. 3,0 km (mixte, facile)

**Services et aménagements**

*Autres : aire de jeux*

**Période d'accès** ................... De mai à octobre, du lever au coucher du soleil
**Frais d'accès** ........................ Gratuit
**Voie d'accès** ........................ De Tadoussac, prendre la route 138 est jusqu'aux Escoumins. La communauté est située juste à côté.

**Gestionnaire** ........................ Conseil de la Première nation des Innus Essipit
**Pour information** ................. 1 888 868-6666 ..... (418) 233-2266
www.essipit.com

## 4 FERME 5 ÉTOILES

Cette ferme familiale, d'une superficie de 365 hectares, donne directement sur le fjord du Saguenay. Elle offre plusieurs sentiers de découverte d'un lac, du fjord, de la montagne et de la forêt. 🐴 ⭐ *Service de navette terrestre (Baie-Sainte-Marguerite/Tadoussac) en collaboration avec le parc national du Saguenay.*

**Réseau pédestre** ................. 19, 0 km

| Sentiers et parcours | Longueur | Type | Niveau | Dénivelé |
|---|---|---|---|---|
| Sentier du Lac | 1,0 km | Boucle | Facile | 80 m |
| Sentier des Parcs | 2,0 km | Boucle | Facile | 80 m |
| Sentier Ferme-Fjord | 6,0 km | Linéaire | Facile | 150 m |
| Sentier de l'Érablière | 3,0 km | Boucle | Intermédiaire | 150 m |
| Sentier Fjord-Montagne | 7,0 km | Boucle | Intermédiaire | 150 m |

**Services et aménagements**

**Activités complémentaires**

 *Hiver*  10,0 km

**Documentation** .................... Dépliant (à l'accueil)
**Période d'accès** .................. Toute l'année, du lever au coucher du soleil
**Frais d'accès** ........................ 3,00 $ par personne (plus taxes)
**Voie d'accès** ........................ De Tadoussac, prendre la route 172 sur 20 km environ.

**Gestionnaire** ........................ Ferme 5 étoiles
**Pour information** ................. (418) 236-4551 ..... 1 877 236-4551
www.ferme5etoiles.com

JCT  PARC NATIONAL DU SAGUENAY (*SAGUENAY – LAC-SAINT-JEAN*)

## 5   LES SENTIERS DE LA RIVIÈRE AMÉDÉE

Ce réseau de sentiers se développe sur les deux côtés de la rivière Amédée, au nord du secteur Mingan de Baie-Comeau, et ce, jusqu'au lac Amédée. À l'extrémité du sentier de l'Observatoire, on aura un point de vue sur la rivière et la ville. 🐎

**Réseau pédestre** ................ 31,4 km (Multi : 15,0)

| Sentiers et parcours | Longueur | Type | Niveau |
|---|---|---|---|
| L'Amicale | 2,2 km | Linéaire | Facile |
| La Boucle | 2,0 km | Boucle | Intermédiaire |
| Le Côteau | 7,0 km | Boucle | Intermédiaire |
| Le Déversoir | 9,4 km | Boucle | Facile |
| Le Manège | 5,5 km | Boucle | Facile |
| L'Observatoire | 1,6 km | Linéaire | Difficile |

**Services et aménagements**

**Documentation** .................... Carte dans le répertoire de la ville (au bureau municipal)
**Période d'accès** .................. De mai à novembre, du lever au coucher du soleil
**Frais d'accès** ........................ Gratuit
**Voie d'accès** ........................ On accède aux sentiers en plein centre-ville de Baie-Comeau.

**Gestionnaire** ........................ Ville de Baie-Comeau
**Pour information** ................ (418) 296-8350

## 6   LES SENTIERS NORDFOND

Les pistes de ce réseau, d'abord identifiées au ski de fond, longent en partie la rivière aux Anglais, puis s'en écartent à quelques reprises pour s'élever dans la montagne. 🐎

**Réseau pédestre** ................ 33,5 km

| Sentiers et parcours | Longueur | Type | Niveau |
|---|---|---|---|
| Grand Boulevard | 7,3 km | Linéaire | Facile |
| Canadienne | 3,7 km | Linéaire | Intermédiaire |
| Montagnarde | 2,1 km | Boucle | Intermédiaire |
| Côte | 1,9 km | Boucle | Intermédiaire |

**Services et aménagements**

**Documentation** .................... Carte dans le répertoire de la ville (au bureau municipal)
**Période d'accès** .................. De mai à octobre, de 9 h à 16 h
**Frais d'accès** ........................ Gratuit
**Voie d'accès** ........................ De Baie-Comeau, suivre la route 138 est sur 10 km environ. Prendre ensuite un chemin sur la gauche et suivre les indications pour le centre de ski Mont Ti-Basse. Parcourir environ 2 km. L'entrée du lieu se situe sur la droite avant un petit pont.

**Gestionnaire** ........................ Ville de Baie-Comeau
**Pour information** ................ (418) 296-8350

*Manicouagan*     

## 7 MONTS GROULX

Les monts Groulx (monts Uapashké) constituent une des plus importantes chaînes de montagnes au Québec. Leur altitude varie de 600 à 1 098 m et le massif couvre une superficie de près de 5 000 km². Le départ du sentier se trouve au km 335 de la route 389. Le camp Nomade marque le début d'une première section balisée qui permet d'atteindre l'abri du lac Quintin. La randonnée se poursuit sur une distance de 20 km dans un territoire non balisé, nécessitant l'utilisation d'une carte et d'une boussole. Le parcours traverse diverses zones climatiques et végétales, amenant le visiteur de la forêt boréale à la taïga et à la toundra arctique sur les sommets. On peut observer de nombreux lacs glaciaires, ainsi que le réservoir Manicouagan. Les deux principaux sommets, à l'ouest du massif, sont ceux du mont Veyrier et du mont Jauffret. Quelques kilomètres au nord de ce dernier, on retrouvera la forêt et un sentier balisé jusqu'à la route 389, au km 365. Il est possible de faire ce circuit en quatre jours. 🐕 *Avec un chien, il est particulièrement recommandé de faire attention aux porcs-épics.* ⚠ *Il est recommandé de posséder une solide expérience de la randonnée hors-piste, car le brouillard y est fréquent et les conditions, parfois difficiles.*

**Réseau pédestre** ................. 40,0 km

| Sentiers et parcours | Longueur | Type | Niveau | Dénivelé |
|---|---|---|---|---|
| Paul Provencher | 12,0 km | Linéaire | Difficile | 600 m |
| Jauffret | 7,0 km | Linéaire | Difficile | 600 m |

*Note : la section de 20 km non balisée va du lac Quintin au mont Jauffret.*

**Services et aménagements**  🅿 ⛺

**Activités complémentaires**  *Hiver* 🎿 *40,0 km + TT*

**Documentation** .................... Tracé disponible à la Fédération, carte-guide disponible au bureau d'information touristique de Manicouagan

**Période d'accès** .................. Toute l'année, du lever au coucher du soleil

**Frais d'accès** ........................ Gratuit

**Voie d'accès** ........................ De Baie-Comeau, suivre la route 389 vers le nord jusqu'au km 335 indiqué en bordure de la route. Le stationnement se trouve du côté droit de la route.

**Pour information** ................. (418) 294-2876 ...... 1 888 463-5319
montsgroulx@hotmail.com

## 8 PARC BORÉAL DU SAINT-LAURENT

Ce réseau de sentiers, sur un territoire de 127 km², est aménagé dans des collines bordant l'estuaire du Saint-Laurent. Plusieurs itinéraires sont possibles, en forêt et sur des promontoires rocheux, offrant des panoramas sur la mer et la côte. L'un des sentiers est tracé dans les éboulis et la falaise surplombant la mer. 🐕 ⚠ *Le parc est en développement et ouvrira officiellement ses portes pour la saison 2005. En attendant cette date, les sentiers sont accessibles à la randonnée pédestre mais il n'y a aucun service.* ⚠ *Une section des sentiers est fortement déconseillée aux personnes souffrant de vertige ou lorsqu'il pleut.*

**Réseau pédestre** ................. 25,0 km

| Sentiers et parcours | Longueur | Type | Niveau | Dénivelé |
|---|---|---|---|---|
| Anse-à-Moreau ........................................ | 10,5 km ........ | Mixte .......... | Facile .............. | 170 m |
| Baie-des-Anglais ..................................... | 9,0 km ........ | Mixte .......... | Facile ................. | 70 m |
| Bord de mer ............................................ | 13,2 km ........ | Boucle ........ | Difficile .............. | 170 m |
| Étang au havre ...................................... | 7,2 km ........ | Linéaire ...... | Intermédiaire ....... | 70 m |
| Lac-aux-Canards ................................... | 7,0 km ........ | Linéaire ...... | Facile .................. | 70 m |
| Pointe Saint-Pancrace ........................... | 13,6 km ........ | Linéaire ...... | Intermédiaire ....... | 70 m |
| *Note : Il s'agit ici de parcours empruntant plusieurs sentiers. Une fois le parc officiellement ouvert, ces noms seront remplacés par les noms et les longueurs des sentiers.* | | | | |

**Services et aménagements**

**Activités complémentaires** *Hiver*  *20,0 km + TT*

**Documentation** .................... Carte des sentiers (à l'accueil)
**Période d'accès** .................. Toute l'année, du lever au coucher du soleil
**Frais d'accès** ....................... Gratuit pour la saison 2004
**Voie d'accès** ....................... De Baie-Comeau, prendre la route 138 est sur environ 17 km. Un panneau indiquant le stationnement est installé un peu en retrait de la route, sur la droite.

**Gestionnaire** ....................... Parc boréal du Saint-Laurent
**Pour information** ................. (418) 296-0177, www.projetparcboreal.com

## 9 PARC DU LITTORAL

Ce parc, situé à proximité du fleuve Saint-Laurent, longe la rivière Sault-au-Mouton, autrefois appelée « Kaouasagiskaket » par les Amérindiens, ce qui signifie « rivière qui reluit sur les rochers ». On trouve dans ce parc des sentiers avec vue sur le fleuve.

**Réseau pédestre** ................. 1,0 km (linéaire, facile)

**Services et aménagements**
*Autres : passerelle*

**Activités complémentaires**

**Documentation** .................... Carte (à l'accueil)
**Période d'accès** .................. Du 1er mai au 31 octobre, du lever au coucher du soleil
**Frais d'accès** ....................... Gratuit
**Voie d'accès** ....................... Des Escoumins, suivre la route 138 vers l'est jusqu'à Longue-Rive. Le parc du littoral est à l'entrée du pont.

**Gestionnaire** ....................... Municipalité de Longue-Rive
**Pour information** ................. (418) 231-2344

## 10   PARC NATURE DE POINTE-AUX-OUTARDES

Le parc occupe une superficie de 1 km², au confluent de la rivière aux Outardes et du fleuve Saint-Laurent. Plus de la moitié des espèces d'oiseaux connus au Québec y nichent ou y font escale dans leur migration. On y explorera aussi un marais salé, des dunes et une plage. ★ *Une partie des sentiers est un long trottoir de bois serpentant dans les dunes. Le marais salé est le quatrième en importance au Québec pour sa superficie.*

**Réseau pédestre** ................. 5,7 km

| Sentiers et parcours | Longueur | Type | Niveau |
|---|---|---|---|
| Sentier du Renard ............................... | 2,4 km ........ | Boucle ........ | Facile |
| Sentier du Lièvre ................................ | 1,8 km ........ | Boucle ........ | Facile |
| Sentier de l'Écureuil ......................... | 1,5 km ........ | Boucle ........ | Facile |

**Services et aménagements**

*Autres : aire de jeux*

**Activités complémentaires**

      Hiver  5,7 km

**Documentation** ..................... Dépliant, carte (à l'accueil)
**Période d'accès** ................... Du 15 mai au 15 octobre, du lever au coucher du soleil
**Frais d'accès** (taxes incl.) ..... Adulte : 5,00 $
                           Âge d'Or/Étudiant : 4,00 $
                           Enfant (6 à 12 ans) : 2,00 $
                           Enfant (moins de 5 ans) : gratuit
**Voie d'accès** ......................... De Chute-aux-Outardes, prendre la route 138 est sur 17 km environ et tourner à droite à l'indication de Pointe-aux-Outardes. Poursuivre jusqu'au bout, tourner à nouveau à droite et continuer sur 3 km, soit jusqu'à l'entrée du parc.

**Gestionnaire** ......................... Parc Nature de Pointe-aux-Outardes
**Pour information** ................. (418) 567-4227 ...... (418) 567-4226
                                  www.virtuel.net/prpao

## 11   PROMENADE LES ESCOUMINS

Ce parcours débute au centre du village des Escoumins. Il permet d'informer le promeneur sur le milieu naturel et divers aspects de la vie du village par le biais d'îlots thématiques répartis en quatre endroits différents de la municipalité. Ainsi, on pourra marcher jusqu'à la Pointe-à-la-Croix et profiter d'un large coup d'œil sur les environs. Un autre itinéraire, la Promenade des Moulins, permet de longer la baie des Escoumins. 🐕

**Réseau pédestre** ................. 5,0 km (linéaire, facile)

**Services et aménagements**

*Autres : passerelle*

**Activités complémentaires**

**Documentation** ..................... Carte du village (au bureau d'information touristique)

**Période d'accès** .................. De mai à octobre, du lever au coucher du soleil
**Frais d'accès** ........................ Gratuit
**Voie d'accès** ........................ De Tadoussac, suivre la route 138 est jusqu'aux Escoumins. Passer le pont de la rivière des Escoumins et tourner à gauche sur la rue de la Rivière. Le stationnement se trouve dans le parc des Chutes, au bout de de la rue.

**Gestionnaire** ........................ Municipalité Les Escoumins
**Pour information** ................. (418) 233-2766 ...... (418) 233-2663
www.ihcn.qc.ca/escoumins

## **12** SENTIER PÉDESTRE DE SAINTE-ANNE-DE-PORTNEUF

Situé sur une crête longeant le fleuve, ce sentier serpente jusqu'à un belvédère. Un escalier permet de descendre à la plage qu'on peut parcourir d'est en ouest.

**Réseau pédestre** ................. 7,4 km (linéaire, facile)

**Services et aménagements**

*Autres : abris*

**Période d'accès** .................. De juin à novembre, du lever au coucher du soleil
**Frais d'accès** ........................ Gratuit
**Voie d'accès** ........................ On accède à ce sentier à Sainte-Anne-de-Portneuf, soit à partir de la route 138, soit par la plage.

**Gestionnaire** ........................ Municipalité de Sainte-Anne-de-Portneuf
**Pour information** ................. (418) 238-2642, www.fjord-best.com/portneuf

## **13** SENTIER POLYVALENT DU CLUB LE MORILLON

Le sentier, accessible aux cyclistes et aux piétons, prend son départ à la marina de Bergeronnes et se termine aux Escoumins. Il parcourt des terres publiques et privées, notamment un terrain de camping, en longeant la rive du Saint-Laurent. Il offre plusieurs points de vue sur le fleuve à travers des forêts de conifères et des tourbières.

**Réseau pédestre** ................. 16,0 km (Multi) (linéaire, facile)

**Services et aménagements**

*Autres : centre d'interprétation*

**Activités complémentaires**
 *Hiver* 10,0 km + PT

**Documentation** ..................... Carte (bureau d'information touristique)
**Période d'accès** .................. Toute l'année, du lever au coucher du soleil
**Frais d'accès** ........................ Gratuit
**Voie d'accès** ........................ De la route 138 à Bergeronnes, on peut accéder au sentier par le chemin du Cap-de-Bon-Désir, par le chemin de l'Anse-à-la-Cave, ou encore à la marina.

**Gestionnaire** ........................ Club plein air Le Morillon
**Pour information** ................. (418) 232-6595

## 14 SENTIERS DE MANICOUAGAN

Le delta de sable de la rivière Manicouagan, formé il y a 3 000 ans par la coulée des eaux glaciaires, recèle des milieux forestiers et marins particuliers. Les sentiers permettent de découvrir les diverses formes actuelles de ce royaume de sable : forêt, marais, champs, plage et dunes de sable.

**Réseau pédestre** ................. 5,0 km (Multi)

| Sentiers et parcours | Longueur | Type | Niveau |
|---|---|---|---|
| Des champs ..................................................... | 1,0 km ........ | Linéaire | ....... Facile |
| La Traverse ..................................................... | 1,3 km ........ | Linéaire | ....... Facile |
| Le Raccourci .................................................... | 0,8 km ........ | Linéaire | ....... Facile |
| Du cimetière ................................................... | 1,0 km ........ | Linéaire | ....... Facile |

**Services et aménagements**

*Autres : aire de jeux*

**Activités complémentaires**
 *Hiver*  *5,0 km + TT*

**Documentation** ..................... Dépliant-carte (à l'accueil)
**Période d'accès** ................... Du 20 mai au 1er octobre, de 8 h à 23 h
⚠ *Le port d'un dossard est obligatoire pendant la période de chasse.*
**Frais d'accès** (taxes incl.) ..... Stationnement : 2,50 $
**Voie d'accès** .......................... De Baie-Comeau, prendre la route 138 ouest sur 3 km, tourner à gauche et poursuivre sur 11 km en direction de Pointe-Lebel. L'accueil se situe au Camping de la Mer.

**Gestionnaire** ......................... Camping de la Mer
**Pour information** ................. (418) 589-6576, campingdelamer@globetrotter.net

## 15 ZEC DE FORESTVILLE

Située au centre du bouclier canadien, cette zone d'exploitation contrôlée couvre une superficie de 1 328 km². On y pratique surtout la chasse et la pêche, mais on peut aussi y faire d'autres activités de plein air telles que le camping et la randonnée pédestre.

**Réseau pédestre** ................. 23,0 km

| Sentiers et parcours | Longueur | Type | Niveau |
|---|---|---|---|
| Sentier du lac Jumeaux ............................... | 10,0 km ........ | Boucle ......... | Intermédiaire |
| Sentier du lac Cassette ............................... | 10,0 km ........ | Linéaire | ....... Facile |
| Sentier en Dent de chien ............................ | 3,0 km ........ | Linéaire | ....... Facile |

**Services et aménagements**

**Activités complémentaires**
*Hiver*  *23,0 km*

**Documentation** ..................... Carte, dépliant (à l'accueil)
**Période d'accès** ................. De juin à novembre, du lever au coucher du soleil
⚠ *Le port d'un dossard est obligatoire pendant la période de chasse.*
**Frais d'accès** (taxes incl.) ..... 5,50 $ par véhicule
**Voie d'accès** ....................... De Forestville, emprunter la route 385 sur 12 km environ, soit jusqu'à l'entrée du territoire.

**Gestionnaire** ........................ Association de chasse et pêche de Forestville inc.
**Pour information** .................. (418) 587-4000 ...... 1 888 587-0112
zecforestville@globetrotter.net

## 16 ZEC DE LA RIVIÈRE LAVAL

Le sentier débute près du chalet principal et longe la rivière Laval, caractérisée par un parcours en méandres, le long d'une vallée encaissée. Elle est jalonnée de fosses à saumons. Selon les précipitations, elle est sujette à des fluctuations importantes. 🐾

**Réseau pédestre** ................. 11,5 km (linéaire, facile)

**Services et aménagements**

**Activités complémentaires**
*Hiver*  *11,5 km*

**Documentation** ..................... Carte, dépliant (à l'accueil)
**Période d'accès** ................. Toute l'année, du lever au coucher du soleil
⚠ *La randonnée est interdite pendant la période de chasse à l'orignal.*
**Frais d'accès** ....................... Gratuit
**Voie d'accès** ....................... De Forestville, suivre la route 138 est sur 15 km. L'entrée principale est identifiée « Association chasse et pêche Forestville Zec Laval ».

**Gestionnaire** ........................ Association de chasse et pêche de Forestville inc.
**Pour information** .................. (418) 587-4000 ...... 1 888 587-0112

*Manicouagan* 279

*Serpent d'eau*

# Mauricie

PHOTO : LMI – SERGE GAUTHIER

*Sentier de la Rivière Shawinigan*

# MAURICIE

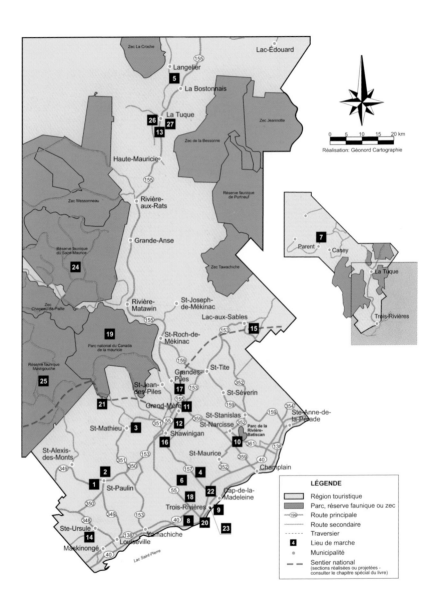

Zec La Croche
Lac-Édouard
(155)
Langelier
**5**
La Bostonnais
La Tuque
**26** **27**
**13**
Zec Jeannotte
Zec de la Bessonne
Haute-Mauricie
(155)
Rivière-aux-Rats
Zec Wessonneau
Réserve faunique de Portneuf
Grande-Anse
Réserve faunique du Saint-Maurice
**24**
Zec Tawachiche
Rivière-Matawin
St-Joseph-de-Mékinac
Lac-aux-Sables
Zec Chapeau-de-Paille
(155)
St-Roch-de-Mékinac
(153) **15**
**19**
Parc national du Canada de la mauricie
(159)
St-Tite
Réserve faunique Mastigouche
Grandes-Piles
**17** (153)
St-Sévèrin
**25**
St-Jean-des-Piles
(155)
(352)
(159)
(354)
Grand-Mère **11**
St-Stanislas
Ste-Anne-de-la-Pérade
**21**
(159)
St-Mathieu **3** (351) **55** **12** (359) St-Narcisse
(352)
Parc de la Rivière-Batiscan
(361)
(55)
Shawinigan
**16**
**10**
(138)
St-Maurice
(359)
St-Alexis-des-Monts
(351) (350)
(153)
(157) **4** (152)
Champlain
(40)
(349)
**2**
**6**
**1** St-Paulin
(55)
**18** **22** Cap-de-la-Madeleine
(350)
Trois-Rivières **9**
(349) (153)
**8** **20**
Ste-Ursule
(348)
(40) **23**
**14**
(138) Yamachiche
Maskinongé
Louiseville
(40)
Lac Saint-Pierre

Parent **7**
Casey
La Tuque
Trois-Rivières

## LÉGENDE

Région touristique
Parc, réserve faunique ou zec
—(199)— Route principale
Route secondaire
Traversier
**4** Lieu de marche
• Municipalité
**– –** Sentier national
(sections réalisées ou projetées - consulter le chapitre spécial du livre)

0  5  10  15  20 km
Réalisation: Géonord Cartographie

# LIEUX DE MARCHE

**1** AUBERGE LE BALUCHON, GASTRONOMIE, SPA, PLEIN AIR & CULTURE

**2** AUX BERGES DU LAC CASTOR

**3** GÎTE L'HERBARIUM

**4** LE DOMAINE DE LA FORÊT PERDUE

**5** LE PETIT NIRVANA

**6** LIEU HISTORIQUE NATIONAL DU CANADA DES FORGES-DU-SAINT-MAURICE

**7** MONTAGNE DU RADAR

**8** MOULIN SEIGNEURIAL DE POINTE-DU-LAC

**9** PARC DE L'ÎLE SAINT-QUENTIN

**10** PARC DE LA RIVIÈRE BATISCAN

**11** PARC DE LA RIVIÈRE GRAND-MÈRE

**12** PARC DE LA RIVIÈRE SHAWINIGAN

**13** PARC DES CHUTES DE LA PETITE RIVIÈRE BOSTONNAIS

**14** PARC DES CHUTES DE SAINTE-URSULE

**15** PARC DES CHUTES DU 5,00 $ CANADIEN

**16** PARC DES CHUTES SHAWINIGAN

**17** PARC ÉTIENNE-BELLEMARE

**18** PARC LINÉAIRE TROIS-RIVIÈRES

**19** PARC NATIONAL DU CANADA DE LA MAURICIE

**20** PARC PORTUAIRE/VIEUX TROIS-RIVIÈRES

**21** PARC RÉCRÉOFORESTIER SAINT-MATHIEU

**22** PISTE CHATEAUDUN

**23** PROMENADE DE LA POÉSIE

**24** RÉSERVE FAUNIQUE DU SAINT-MAURICE

**25** RÉSERVE FAUNIQUE MASTIGOUCHE

**26** SENTIER HAUTE-MAURICIE

**27** SENTIER PETITE-RIVIÈRE-BOSTONNAIS

## BIENVENUE DANS LA RÉGION DE LA MAURICIE

Territoire bordant la rive nord du fleuve Saint-Laurent, la Mauricie est enclavée entre les régions de Québec, de Lanaudière et du Saguenay – Lac-Saint-Jean, et s'étire jusqu'aux limites de l'Abitibi-Témiscamingue.

Cette région est traversée par la rivière Saint-Maurice dont elle tire son nom. Cet important cours d'eau a d'ailleurs favorisé un formidable essor industriel. L'exploitation forestière y a été florissante et a fait de Trois-Rivières, ville avantageusement située au confluent de la Saint-Maurice et du Saint-Laurent, un joueur majeur dans l'industrie papetière. Un peu plus en amont de cette rivière comportant des chutes en plusieurs endroits, des installations hydroélectriques ont été construites et la ville de Shawinigan y a connu des années de prospérité au point d'être surnommée « ville-lumière ».

Métropole régionale et moteur important de la Mauricie, Trois-Rivières est aussi une ville à laquelle est associé un héritage historique important. Fondée en 1634, elle est la deuxième plus ancienne ville du Canada. Des traces de son passé y sont encore visibles comme on peut le constater au site des Forges-du-Saint-Maurice.

La Mauricie a de quoi assouvir l'appétit des amateurs de plein air et de randonnée pédestre. Le parc national du Canada de la Mauricie, notamment, est une destination très fréquentée par les marcheurs. D'autres lieux de marche offrent également d'intéressantes découvertes; le parc de la Rivière Batiscan où l'on peut marcher sur le site d'un ancien barrage, le parc des Chutes de Sainte-Ursule où l'on est amené à observer l'ancien lit de la rivière qui a été complètement détournée de son cours, il y plus de 300 ans, le sentier Haute-Mauricie, inauguré en 1998, qui ravira les amateurs de longue randonnée. Pour ceux qui préfèrent les promenades en milieu urbain, Trois-Rivières recèle de charmants lieux à découvrir via divers circuits au cœur de la ville. Et si entre les deux votre cœur balance, l'île Saint-Quentin conjugue le tout, en offrant à la fois une bouffée de plein air et une touche d'urbanité.

# 1 AUBERGE LE BALUCHON, GASTRONOMIE, SPA, PLEIN AIR ET CULTURE

On y marche sur des sentiers près de la rivière du Loup qui coule dans un paysage vallonné. On peut y admirer chutes et cascades. La seigneurie Volant nous replonge à l'époque de la Nouvelle-France, et fait revivre l'ambiance et le décor de la vie des gens au cours des trois derniers siècles. 🐕

**Réseau pédestre** ................ 36,5 km (Multi : 29,5)

| Sentiers et parcours | Longueur | Type | Niveau |
|---|---|---|---|
| Trottoir de bois | 2,0 km | Linéaire | Facile |
| Chemin des Mouliniers | 4,0 km | Linéaire | Intermédiaire |
| Chemin des Capots blancs | 8,5 km | Mixte | Intermédiaire |
| Chemin des Embuscades | 5,0 km | Boucle | Difficile |
| Chemin des Abatis | 4,0 km | Boucle | Facile |
| Chemin de la Pinière | 2,0 km | Boucle | Intermédiaire |

**Services et aménagements**

*Autres : passerelle, bâtiments anciens*

**Activités complémentaires**

Hiver  13,5 km  10,0 km

**Documentation** .................... Carte, dépliant (à l'accueil)
**Période d'accès** ................... Toute l'année, de 9 h à 17 h
**Frais d'accès** (plus taxes) .... 4,90 $ par personne (été)
8,25 $ par personne (hiver)
**Voie d'accès** ........................ De Louiseville, suivre la route 349 nord jusqu'à Saint-Paulin. Continuer tout droit jusqu'au chemin des Trembles. Tourner à droite et poursuivre sur 1 km.

**Gestionnaire** ........................ Concept éco plein air Le Baluchon inc.
**Pour information** ................. (819) 268-2555 ...... 1 800 789-5968
www.baluchon.com

# 2 AUX BERGES DU LAC CASTOR

Le réseau de sentiers a été aménagé autour du lac Castor, au cœur de la forêt mauricienne. Les sentiers sont agrémentés de panneaux d'interprétation de la nature et une couleur culturelle – conte et poésie – enjolive le tout.

**Réseau pédestre** ................ 25,0 km

| Sentiers et parcours | Longueur | Type | Niveau | Dénivelé |
|---|---|---|---|---|
| La symphonie de la Grenouille masquée | 1,6 km | Boucle | Facile | |
| Le menuet de la Grande Ourse | 2,1 km | Boucle | Facile | |
| Le tango de la Forêt boréale | 4,3 km | Boucle | Facile | |
| La valse de l'Érable enjoué | 5,4 km | Boucle | Intermédiaire | 75 m |
| Le reel de la Chanterelle rieuse | 3,8 km | Boucle | Intermédiaire | 50 m |
| La gigue du Chevr'œil écervelé | 5,0 km | Boucle | Intermédiaire | 75 m |

*Mauricie*                                                    *285*

**Services et aménagements**

**Activités complémentaires**

 *Hiver*  25,0 km

**Documentation** ........................ Carte, dépliant (à l'accueil)
**Période d'accès** .................. Toute l'année, du lever au coucher du soleil
⚠ *Prudence pendant la période de chasse*
**Frais d'accès** (taxes incl.) ..... 3,00 $ par adulte
**Voie d'accès** ......................... De Louiseville, prendre la route 349 nord jusqu'à Saint-Paulin. Continuer tout droit jusqu'au chemin des Allumettes, puis suivre les indications.

**Gestionnaire** ......................... Aux berges du Lac Castor
**Pour information** ................. (819) 268-3339, www.laccastor.com

## 3   GÎTE L'HERBARIUM

Les sentiers débutent au jardin du gîte l'Herbarium. On passera par une plantation de conifères de 35 ans pour se rendre à la rivière Shawinigan.

**Réseau pédestre** ................. 3,5 km (mixte, facile)

**Services et aménagements**

**Activités complémentaires**

*Hiver* 3,5 km + PT

**Documentation** ........................ Dépliant (à l'accueil)
**Période d'accès** .................. De juin à octobre, du lever au coucher du soleil
**Frais d'accès** (taxes incl.) ..... Stationnement : 2,00 $ par véhicule
**Voie d'accès** ......................... De l'autoroute 55 nord, prendre la sortie 217 et suivre la route 351 sud vers Saint-Mathieu sur 12 km. Tourner à droite sur le chemin Saint-François et parcourir 4 km avant de tourner à gauche sur le chemin Principal. Un kilomètre plus loin, prendre à droite le chemin Saint-Paul.

**Gestionnaire** ......................... Anne-Marie Groleau
**Pour information** ................. (819) 532-2461

## 4   LE DOMAINE DE LA FORÊT PERDUE

Dans cette plantation forestière, on part à l'aventure dans un labyrinthe de sentiers où jeunes et vieux s'amusent. Le domaine comprend aussi des lacs pour la pêche et un enclos de chevreuils. Diverses activités de découverte de la nature sont organisées pour la famille. Une partie importante de ce réseau est à usage multifonctionnel. ⚠
*L'accès au labyrinthe est conditionnel à l'achat de produits de la ferme.*

**Réseau pédestre** ................. 10,0 km (Multi : 8,0) (mixte, facile)

**Services et aménagements**

**Activités**
**complémentaires**          *Hiver* 🎿❄ *10,0 km* 🚶 *PT*

**Documentation** .................... Dépliant (à l'accueil)
**Période d'accès** ................. Toute l'année
                                       De 10 h à 16 h (printemps, été, automne)
                                       De 10 h à 22 h (hiver)
**Frais d'accès** ...................... Adulte : 10,00 $
                                       Enfant : 8,00 $
                                       *Note : le visiteur achète en fait un produit de la ferme,*
                                       *ce qui lui donne accès aux sentiers.*
**Voie d'accès** ...................... De la sortie 203 de l'autoroute 40, emprunter la route
                                       157 nord sur 12 km environ. Au clignotant, tourner à droite
                                       sur le rang Saint-Félix et poursuivre jusqu'à l'entrée.

**Gestionnaire** ........................ Domaine de la forêt perdue
**Pour information** ................. 1 800 60-FORET ... (819) 376-1613
                                       www.domainedelaforetperdue.com

## 5  LE PETIT NIRVANA

Le site a été construit avec beaucoup d'originalité. Les aménagements sont tous fabriqués en bois rond et se fondent dans la nature. La maison des propriétaires est également faite en bois rond et sert de pavillon d'accueil. Il est permis de la visiter. Des passerelles traversent deux ruisseaux. Le sentier est vallonné et passe à l'intérieur d'une forêt mixte. De nombreux plateaux naturels donnent une vue sur les environs, notamment sur une érablière. Une aire de jeux, toujours en bois rond, se trouve sur un de ces plateaux. Un tunnel de 9 m a été creusé dans la montagne. Des dessins traditionnels celtiques sont peints sur les parois. À la sortie du tunnel, on descend quelques marches pour se rendre à un étang de castor. Une passerelle de 21 m de longueur traverse l'étang. On peut aussi observer les oiseaux d'une des trois caches sur le site.

**Réseau pédestre** ................. 5,0 km (mixte, intermédiaire)

**Services et**
**aménagements**
                          *Autres : passerelle, abri, aire de jeux*

**Activités**
**complémentaires**          🌲  *Hiver* 🚶 *4,0 km*

**Documentation** .................... Dépliant (à l'accueil)
**Période d'accès** ................. Toute l'année, du lever au coucher du soleil
**Frais d'accès** ...................... Adulte : 3,00 $
                                       Enfant (12 ans et moins) : gratuit
**Voie d'accès** ...................... De Shawinigan, suivre la route 155 nord jusqu'à La Tuque.
                                       Tourner à gauche sur le chemin La Croche et rouler
                                       jusqu'au village. Prendre ensuite le rang Ouest sur 18 km.
                                       Le Petit Nirvana se situe au 99, rang Ouest.

**Gestionnaire** ........................ Le Petit Nirvana
**Pour information** ................. (819) 523-7941, lepetitnirvana@hotmail.com

*Mauricie*                                                                          *287*

**LIEU HISTORIQUE NATIONAL DU CANADA DES FORGES-DU-SAINT-MAURICE**

Dans ce lieu, bordé par la rivière Saint-Maurice, se développa la première industrie sidérurgique au Canada, entre les années 1730 et 1883. Le haut fourneau est aujourd'hui un centre d'exposition et d'interprétation. Dans la grande maison, un spectacle son et lumière anime une maquette avec personnages, reconstituant une journée du mois d'août 1845. Un circuit piétonnier nous permet de découvrir d'autres vestiges industriels tels que la forge basse, le moulin, la forge haute et les habitations d'ouvriers. Un autre sentier surplombe la rivière Saint-Maurice. 🏃

**Réseau pédestre** .................. 2,5 km

| Sentiers et parcours | Longueur | Type | Niveau |
|---|---|---|---|
| Sentier-nature .............................................. | 1,5 km ......... | Linéaire ....... | Facile |
| Circuit historique ........................................... | 1,0 km ......... | Boucle ......... | Facile |

**Services et aménagements**

*Autres : centre d'interprétation*

**Activités complémentaires**

**Documentation** ..................... Dépliant, carte (à l'accueil)

**Période d'accès** .................. De mi-mai à la fête du Travail, de 9 h 30 à 17 h 30
De septembre à la mi-octobre, de 9 h 30 à 16 h 30

**Frais d'accès** (taxes incl.) ..... Adulte : 4,00 $, annuel : 10,00 $
Aîné : 3,00 $, annuel : 7,50 $
Enfant (6 à 16 ans) : 2,00 $, annuel : 4,50 $
Moins de 6 ans : gratuit
Famille : 9,00 $, annuel : 22,00 $

**Voie d'accès** ......................... À partir de la sortie 191 de l'autoroute 55, suivre les indications pour le site.

**Gestionnaire** ......................... Lieu historique national du Canada des Forges-du-Saint-Maurice

**Pour information** ................. (819) 378-5116, www.pc.gc.ca/forges

[JCT] PARC LINÉAIRE TROIS-RIVIÈRES

## 7 MONTAGNE DU RADAR

Cette montagne fut jadis le site d'installations militaires. Un chemin forestier se rend au sommet d'où on peut admirer le paysage sur 20 km à la ronde. 🏃

**Réseau pédestre** .................. 5,0 km (linéaire, facile, dénivelé max. de 90 m)

**Services et aménagements**

**Activités complémentaires**

*Hiver* 🎿 *5,0 km + TT*

**Période d'accès** .................. Toute l'année, du lever au coucher du soleil
⚠ *Le port du dossard est obligatoire pendant la période de chasse.*

**Frais d'accès** ........................ Gratuit
**Voie d'accès** ........................ De Parent, prendre la route forestière RO-450, puis à gauche la RO-400. Poursuivre jusqu'à l'indication « Base du Radar ».

**Gestionnaire** ........................ Ville de La Tuque
**Pour information** ................. (819) 676-8800 ...... (819) 523-5930
www.tourismehsm.qc.ca

## 8 MOULIN SEIGNEURIAL DE POINTE-DU-LAC

Construit en 1721, ce moulin à farine est devenu monument historique en 1975. Sur le site, on trouve un sentier qui fait le tour d'un bassin. On a également accès à des sentiers pédestres situés dans la forêt avoisinante. Ces derniers sont la propriété de l'auberge du Lac Saint-Pierre.

**Réseau pédestre** ................. 7,0 km (mixte, facile)

**Services et aménagements**

*Autres : centre d'interprétation*

**Activités complémentaires**

 *Hiver* PT

**Documentation** .................... Dépliant (à l'accueil)
**Période d'accès** ................... De fin mai à fin septembre, de 10 h à 17 h
**Frais d'accès** (taxes incl.) ..... Adulte : 3,00 $
Étudiant et Âge d'Or : 2,00 $
Enfant (8 ans et moins) : gratuit
**Voie d'accès** ........................ On accède au moulin en plein cœur du village de Pointe-du-Lac, par la route 138. On peut aussi y accéder par la sortie 189 de l'autoroute 40.

**Gestionnaire** ........................ Corporation du Moulin Seigneurial
**Pour information** ................. (819) 377-1396 ...... (418) 362-2051
www.mediat-muse.qc.ca

## 9 PARC DE L'ÎLE SAINT-QUENTIN

L'île Saint-Quentin est située au confluent de la rivière Saint-Maurice et du fleuve Saint-Laurent. Des jardins thématiques ont été aménagés le long des sentiers écologiques. Le sentier panoramique et la passerelle de 750 m de longueur sont accessibles durant la période hivernale. Des mangeoires et des nichoirs ont été installés pour les oiseaux. Une piste cyclable, accessible aux marcheurs, fait le tour de l'île.

**Réseau pédestre** ................. 5,8 km (Multi : 2,5)

| Sentiers et parcours | Longueur | Type | Niveau |
|---|---|---|---|
| Sentiers pédestres .................... | 2,0 km ...... | Linéaire ...... | Facile |
| Sentier Panoramique et Passerelle ...... | 1,3 km ...... | Boucle ...... | Facile |

**Services et aménagements**

*Autres : piscine, plage, piste d'hébertisme, passerelle*

| Activités complémentaires |    *Hiver*  *2,0 km*  *5,8 km* |
|---|---|

**Documentation** .................... Dépliant-carte, brochure (à l'accueil)
**Période d'accès** .................. De mai à octobre et de décembre à mars
De 9 h à 22 h (mai à octobre)
De 10 h à 17 h (décembre à mars)
**Frais d'accès** (taxes incl.) ..... Adulte : 3,50 $
Âge d'Or : 3,00 $
Enfant (2 à 12 ans) : 1,00 $
Automobile : 2,00 $
**Voie d'accès** ........................ De l'autoroute 40, sortir au boulevard des Chenaux et tourner à droite sur celui-ci. Tourner ensuite à gauche sur le pont Duplessis et prendre la sortie « Île Saint-Quentin ».

**Gestionnaire** ......................... Corporation pour le développement de l'Île Saint-Quentin
**Pour information** ................. (819) 373-8151, www.ile-st-quentin.qc.ca

## 10  PARC DE LA RIVIÈRE BATISCAN

Le parc est traversé par la rivière Batiscan sur une longueur de 10 km environ. De nombreux belvédères permettent d'admirer les chutes et les rapides. On pourra voir, dans le secteur Murphy, les vestiges d'une exploitation forestière du XIXᵉ siècle appartenant à la famille Price, et dans le secteur Barrage, une partie de l'ancienne centrale construite en 1897 et classée monument historique en 1963.   *On peut pénétrer dans une grande marmite naturelle de 4 m de diamètre et vieille de 11 500 ans.*

**Réseau pédestre** ................. 25,0 km (Multi : 20,0)

| Sentiers et parcours | Longueur | Type | Niveau | Dénivelé |
|---|---|---|---|---|
| Le Portage .......................................... | 5,0 km ........ | Linéaire ....... | Facile .................. | 80 m |
| Le Buis .............................................. | 4,3 km ......... | Linéaire ....... | Intermédiaire ........ | 80 m |
| Le Doré .............................................. | 1,1 km ......... | Linéaire ....... | Facile | |
| La Marmite ........................................ | 0,4 km ........ | Linéaire ....... | Facile | |
| La Gélinotte ....................................... | 3,4 km ........ | Linéaire ....... | Facile | |

| Services et aménagements |     |
|---|---|

*Autres : centre d'interprétation, aire de jeux, passerelle*

| Activités complémentaires |    |
|---|---|

**Documentation** .................... Brochure avec carte (à l'accueil)
**Période d'accès** .................. De mi-mai à mi-octobre, de 8 h 30 à 21 h
**Frais d'accès** (taxes incl.) ..... Adulte : 4,50 $
Enfant (6 à 17 ans) : 2,25 $
Enfant (5 ans et moins) : gratuit
**Voie d'accès** ........................ De la sortie 229 de l'autoroute 40, suivre la route 361 vers le nord sur 17 km. Prendre ensuite le chemin du Barrage à droite sur 3 km.

**Gestionnaire** ......................... La corporation du Parc de la rivière Batiscan inc.
**Pour information** ................. (418) 328-3599, www.parcbatiscan.com

## 11 PARC DE LA RIVIÈRE GRAND-MÈRE

Le sentier du parc est entièrement recouvert d'asphalte et est partagé avec le vélo. La rivière Grand-Mère passe à l'intérieur du parc. Le sentier franchit deux petites passerelles pour se rendre à une chute. En période estivale, on peut observer les canards.

**Réseau pédestre** .................. 4,0 km (Multi) (boucle, facile)

**Services et aménagements**

*Autres : passerelle*

**Période d'accès** ................... D'avril à novembre, du lever au coucher du soleil
**Frais d'accès** ........................ Gratuit
**Voie d'accès** ........................ De Shawinigan, prendre l'autoroute 55 nord, puis la sortie 226. Tourner ensuite à gauche sur la 12e Avenue. L'entrée du parc se situe au coin de la 7e Rue.

**Gestionnaire** ......................... Ville de Shawinigan
**Pour information** ................. (819) 538-2358, www.ville.shawinigan.qc.ca

## 12 PARC DE LA RIVIÈRE SHAWINIGAN

Ce parc linéaire, situé dans la ville de Shawinigan, longe la rivière du même nom. On marchera dans des boisés et on aura accès à plusieurs chutes.

**Réseau pédestre** ................. 3,0 km (Multi) (mixte, facile)

**Services et aménagements**

**Période d'accès** ................... De mai à octobre, du lever au coucher du soleil
**Frais d'accès** ........................ Gratuit
**Voie d'accès** ........................ L'entrée du parc se situe immédiatement à la sortie 217 de l'autoroute 55.

**Gestionnaire** ......................... Ville de Shawinigan
**Pour information** ................. (819) 536-5545

## 13 PARC DES CHUTES DE LA PETITE RIVIÈRE BOSTONNAIS

On peut marcher sur les deux rives de la rivière Bostonnais, et avoir accès à des belvédères et à un escalier aménagé le long des chutes qui sont parmi les plus hautes du Québec (35 m). À cet endroit, on pratiquait autrefois la drave et le commerce de la fourrure. Un centre d'interprétation nous fait remonter à cette époque. On aura aussi l'occasion de voir des expositions thématiques reflétant la région. D'autres activités récréatives et culturelles sont organisées.

**Réseau pédestre** ................. 2,7 km (mixte, facile/intermédiaire)

**Services et aménagements**

*Autres : centre d'interprétation, aire de jeux, passerelle*

**Activités
complémentaires**  **Hiver** 🚶 *2,7 km + TT*

**Documentation** .................... Brochure, dépliant-carte (à l'accueil)
**Période d'accès** .................. Toute l'année, du lever au coucher du soleil
**Frais d'accès** ........................ Gratuit
**Voie d'accès** ........................ L'entrée du parc est située à environ 6 km au sud de La
Tuque, le long de la route 155.

**Gestionnaire** ........................ Ville de La Tuque
**Pour information** .................. (819) 523-5930 ...... (819) 676-8800
www.tourismehsm.qc.ca

## 14 PARC DES CHUTES DE SAINTE-URSULE

Les chutes de Sainte-Ursule étaient autrefois le site d'une exploitation industrielle intense. On y trouvait l'un des premiers moulins à pulpe du Québec. Au centre d'accueil de l'endroit, on verra des photographies rappelant cette époque. Une exposition interactive sensibilise le public à la protection de l'environnement. En été, on peut, en descendant le long de l'ancien lit de la rivière Maskinongé, admirer les sept chutes de la rivière actuelle, d'une hauteur de 70 mètres. En saison, une navette permet de revenir au point de départ. D'autres sentiers sont aussi accessibles. 🐎 ⭐ *La déviation de la rivière, datant du tremblement de terre de 1663, est bien visible.*

**Réseau pédestre** .................. 3,0 km (mixte, intermédiaire, dénivelé maximum de 60 m)

**Services et
aménagements**
*Autres : passerelle, aire de jeux*

**Activités
complémentaires**    **Hiver** 🚶❄ *2,0 km* 🚶 *3,0 km + TT*

**Documentation** .................... Carte, dépliant (à l'accueil)
**Période d'accès** .................. Toute l'année
De 10 h à 18 h (été)
De 9 h à 16 h 30 (hiver)
**Frais d'accès** (taxes incl.) ..... Adulte : 5,00 $
Âge d'Or : 4,00 $
11 à 17 ans : 3,75 $
5 à 10 ans : 2,75 $
Moins de 5 ans : gratuit
**Voie d'accès** ........................ De la route 138 à Louiseville, emprunter la route 348
vers l'ouest sur environ 10 km, soit jusqu'au parc.

**Gestionnaire** ........................ Parc des Chutes de Sainte-Ursule inc.
**Pour information** .................. (819) 228-3555 ...... 1 800 660-6160
www.chutes-ste-ursule.com

## 15 PARC DES CHUTES DU 5,00 $ CANADIEN

Ce sentier longe la rivière Batiscan et mène à une chute qui figurait sur les billets de 5,00 $ pendant les années 50. 🐎

**Réseau pédestre** ................. 1,0 km (mixte, facile/intermédiaire)

**Services et aménagements**

*Autres : passerelle*

**Période d'accès** ................. De mai à décembre, du lever au coucher du soleil
**Frais d'accès** ....................... Gratuit
**Voie d'accès** ....................... De la sortie 254 de l'autoroute 40, prendre la route 363 vers le nord jusqu'au clignotant et, de là, prendre la route 367 vers le sud sur une dizaine de kilomètres, soit jusqu'à Notre-Dame-de-Montauban.

**Gestionnaire** ....................... Municipalité de Notre-Dame-de-Montauban
**Pour information** ................. (418) 336-2640, mun.ndmtb@globetrotter.net

## 16 PARC DES CHUTES SHAWINIGAN

Ce parc, presqu'entièrement baigné par la rivière Saint-Maurice, est situé près du centre-ville de Shawinigan. Il comporte deux secteurs. Le secteur nord, l'île Melville, contient une partie du sentier des Chutes. Lorsque les évacuateurs de crues fonctionnent, le lit asséché de la rivière offre un spectacle saisissant avec ses escarpements, marmites et gradins dans le roc. On trouve aussi sur cette île un enclos où vivent des cerfs de Virginie en milieu naturel. Le secteur sud-ouest contient l'autre partie du sentier des Chutes. Un belvédère donne sur le Trou du Diable.

**Réseau pédestre** ................. 10,0 km

| Sentiers et parcours | Longueur | Type | Niveau |
|---|---|---|---|
| Sentier des Cerfs .................... 3,0 km | | Boucle | Facile |
| Sentier historique des Chutes .......... 7,0 km | | Linéaire | Intermédiaire |

**Services et aménagements**

*Autres : aire de jeux, passerelle, quai, piscine, parcours d'arbre en arbre*

**Activités complémentaires**

*Hiver*  3,0 km   10,0 km + PT

**Documentation** ..................... Dépliant-carte, dépliant (à l'accueil)
**Période d'accès** ................. Toute l'année, du lever au coucher du soleil
**Frais d'accès** ....................... Gratuit
**Voie d'accès** ....................... De la sortie 211 de l'autoroute 55, emprunter la route 153 vers le nord. Tourner à droite sur la route 157 et poursuivre jusqu'à l'entrée du parc.

**Gestionnaire** ....................... Corporation du Parc des Chutes Shawinigan inc.
**Pour information** ................. (819) 536-7155 (été)...(819) 536-0222 www.campingquebec.com/parcdeschutes

## 17 PARC ÉTIENNE-BELLEMARE

Le parc est situé en bordure de la rivière Saint-Maurice et est entouré d'une crête de collines. Des belvédères offrent un panorama sur la rivière et le village de Grandes-Piles. On pourra admirer des sculptures sur bois grandeur nature. On aura accès au quai.

**Réseau pédestre** .................. 1,5 km (mixte, facile)

**Services et aménagements**

♦ P ⚏ 🚻

*Autres : quai*

**Période d'accès** .................. De mai à octobre, du lever au coucher du soleil
**Frais d'accès** ........................ Gratuit
**Voie d'accès** ......................... De Grand-Mère, suivre les indications pour Saint-Jean-des-Piles. L'entrée du parc est identifiée à l'entrée du village.

**Gestionnaire** .......................... Ville de Shawinigan
**Pour information** .................. (819) 536-5545

## 18 PARC LINÉAIRE TROIS-RIVIÈRES

Ce parc linéaire, partagé avec les cyclistes, traverse la ville de Trois-Rivières du sud au nord. Il débute près du centre-ville, à la hauteur du terrain d'Exposition. On passera par l'université avant d'atteindre le parc Lambert, où on aura accès à des services.

**Réseau pédestre** .................. 11,5 km (Multi) (linéaire, facile)

**Services et aménagements**

🏠 P 🚹🚺 ☎ ⚏

*Autres : aire de jeux*

**Période d'accès** .................. D'avril à novembre, du lever au coucher du soleil
**Frais d'accès** ........................ Gratuit
**Voie d'accès** ......................... Le départ se situe au parc Fortin, à proximité du terrain de l'Exposition, au cœur de Trois-Rivières.

**Gestionnaire** .......................... Ville de Trois-Rivières
**Pour information** .................. (819) 372-4621

JCT LIEU HISTORIQUE NATIONAL DU CANADA
DES FORGES-DU-SAINT-MAURICE

## 19 PARC NATIONAL DU CANADA DE LA MAURICIE

Ce parc de conservation a été créé en 1970 pour protéger un échantillon représentatif du bouclier canadien. Il constitue un exemple typique des Laurentides québécoises qui se distinguent des basses terres du Saint-Laurent par leur relief accidenté fait de collines arrondies, sillonnées de rivières, de nombreuses cascades et parsemées de lacs. Le parc comprend trois secteurs, dont deux principalement sont accessibles pour la marche : le secteur Rivière-à-la-Pêche et le secteur Shewenegan Esker. Dans le premier, un belvédère donne sur le lac Rosoy et la rivière Saint-Maurice. Ce secteur comprend plusieurs kilomètres de sentiers dont certains sont partagés avec le vélo de montagne.

Dans le second, un sentier nous mène à des falaises et à des cascades, tandis que par un autre, on parvient au quai flottant d'une tourbière. Le Sentier Laurentien a été ouvert dans l'arrière pays et permet d'effectuer une longue randonnée en totale autonomie.

**Réseau pédestre** ................ 170,7 km

| Sentiers et parcours | Longueur | Type | Niveau | Dénivelé |
|---|---|---|---|---|
| Réseau Rivière-à-la-Pêche | 50,0 km | Mixte | Facile/Inter. | 200 m |
| Le Sentier Laurentien | 75,0 km | Linéaire | Difficile | 300 m |
| Deux Criques | 14,5 km | Boucle | Intermédiaire | 200 m |
| Vieux-Brûlis | 13,0 km | Boucle | Intermédiaire | 100 m |
| Les Falaises | 3,7 km | Boucle | Intermédiaire | 100 m |
| Les Cascades | 2,0 km | Boucle | Facile | 100 m |

**Services et aménagements**

*Autres : centre d'interprétation, abri*

**Activités complémentaires**

 *Hiver* 4,0 km

**Documentation** ..................... Carte, journal (à l'accueil)

**Période d'accès** .................. De mai à octobre, de 7 h à 22 h

**Frais d'accès** (taxes incl.) ..... Adulte : 3,00 $
Âge d'Or (65 ans et plus) : 4,25 $
Étudiant (6 à 16 ans) : 2,50 $
Enfant (moins de 6 ans) : gratuit
Famille : 12,50 $
Passe de saison disponible
L'inscription pour parcourir le Sentier Laurentien est de 32,00 $ par personne. Les frais de réservation sont de 7,00 $ et le droit d'entrée n'est pas inclus. Réservation obligatoire au (819) 533-7272.

**Voie d'accès** ........................ De l'autoroute 55 nord, prendre la sortie 226 en direction de Saint-Jean-des-Piles.

**Gestionnaire** ........................ Parcs Canada
**Pour information** ................. (819) 538-3232, www.parcscanada.gc.ca

## 20 PARC PORTUAIRE/VIEUX TROIS-RIVIÈRES

Un circuit patrimonial s'effectue à travers 18 endroits où sont situés des panneaux d'interprétation historique. Un audio-guide décrit les lieux et leur histoire. On débutera sur le belvédère de la terrasse Turcotte. Des promenades sur trois niveaux donnent sur le fleuve. Ensuite, on visitera le quartier historique où les bâtiments datent du XVIIIe siècle pour achever le circuit au centre-ville, quartier des affaires et des restaurants.

**Réseau pédestre** ................. 3,0 km (boucle, facile)

**Services et aménagements**

**Activités complémentaires**    *Hiver*  *3,0 km*

**Documentation** ..................... Dépliant-carte, guide du promeneur (à l'accueil)
**Période d'accès** ................... Toute l'année, de 8 h à 20 h (été)
**Frais d'accès** ........................ Gratuit
**Voie d'accès** ......................... De l'autoroute 40, prendre la sortie 199 et suivre les indications pour le centre-ville.

**Gestionnaire** ......................... Office de tourisme et des congrès de Trois-Rivières
**Pour information** ................. (819) 375-1122, www.v3r.net

## 21  PARC RÉCRÉOFORESTIER SAINT-MATHIEU

D'une superficie de 127 km², le parc est situé au cœur de la forêt laurentienne. Au début du XXᵉ siècle, ce territoire était occupé par des clubs de chasse qui accueillaient surtout des visiteurs américains. Aujourd'hui, plusieurs activités de plein air sont pratiquées dont la randonnée pédestre l'été et la raquette en saison hivernale. 🐕
★ *Il y a un amphithéâtre en milieu forestier unique en Amérique.*

**Réseau pédestre** ................. 69,4 km

| Sentiers et parcours | Longueur | Type | Niveau | Dénivelé |
|---|---|---|---|---|
| Le Mongrain | 3,7 km | Boucle | Facile | |
| Sentier d'interprétation | 7,0 km | Boucle | Intermédiaire | 100 m |
| Le Lac en Cœur | 9,5 km | Boucle | Intermédiaire | |
| Jetée Plate | 6,7 km | Boucle | Inter./Difficile | |
| La Paroi | 3,4 km | Mixte | Inter./Difficile | 150 m |
| La Chute du Diable | 9,0 km | Boucle | Difficile | 200 m |

**Services et aménagements**

*Autres : passerelle*
*Note : les services sont disponibles à l'auberge du Trappeur*

**Activités complémentaires**     *Hiver*  *69,4 km + TT*

**Documentation** ..................... Carte, brochure (à l'accueil)
**Période d'accès** ................... Toute l'année, du lever au coucher du soleil
⚠ *Prudence pendant la période de chasse. Une partie du réseau est interdite durant cette période.*
**Frais d'accès** ........................ Gratuit
**Voie d'accès** ......................... De l'autoroute 55 nord, prendre la sortie 217 et poursuivre sur la route 351 sud sur 12 km environ. Tourner ensuite à droite sur le chemin Saint-François. Continuer sur 4 km et traverser le petit pont se situant sur la droite. Suivre les indications pour le parc national du Canada de la Mauricie sur 5,8 km. Le sentier débute en face de l'auberge du Trappeur.

**Gestionnaire** ......................... Coopérative forestière du Bas-Saint-Maurice
**Pour information** ................. (819) 535-6262, www.bonjourmauricie.com

# *Montérégie*

Monarque

# MONTÉRÉGIE

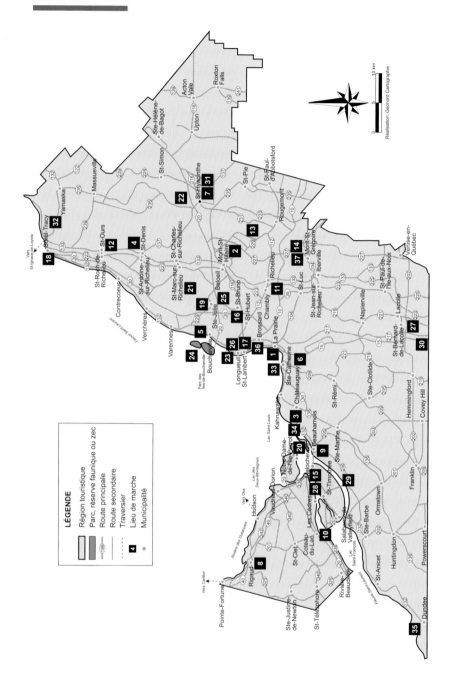

*Répertoire des lieux de marche au Québec*

# LIEUX DE MARCHE

1. ARRONDISSEMENT HISTORIQUE DE LA PRAIRIE
2. CENTRE DE LA NATURE MONT-SAINT-HILAIRE
3. CENTRE ÉCOLOGIQUE FERNAND-SÉGUIN
4. CIRCUIT HISTOIRE ET PATRIMOINE DE SAINT-DENIS-SUR-RICHELIEU
5. CIRCUIT PATRIMONIAL DE BOUCHERVILLE
6. ÉCOMUSÉE DE SAINT-CONSTANT
7. JARDIN DANIEL A. SÉGUIN
8. L'ESCAPADE – LES SENTIERS DU MONT RIGAUD
9. LE BOIS ROBERT
10. LIEU HISTORIQUE NATIONAL DU CANADA DE COTEAU-DU-LAC
11. LIEU HISTORIQUE NATIONAL DU CANADA DU CANAL-DE-CHAMBLY
12. LIEU HISTORIQUE NATIONAL DU CANADA DU CANAL-DE-SAINT-OURS
13. MONT ROUGEMONT
14. MONT SAINT-GRÉGOIRE
15. PARC ARCHÉOLOGIQUE DE LA POINTE-DU-BUISSON
16. PARC DE LA CITÉ
17. PARC DE LA VOIE MARITIME – SAINT-LAMBERT
18. PARC DE PLEIN AIR SOREL-TRACY
19. PARC EDMOUR-J.-HARVEY
20. PARC HISTORIQUE POINTE-DU-MOULIN
21. PARC LE ROCHER
22. PARC LES SALINES
23. PARC MARIE-VICTORIN ET PROMENADE RENÉ-LÉVESQUE
24. PARC NATIONAL DES ÎLES-DE-BOUCHERVILLE
25. PARC NATIONAL DU MONT-SAINT-BRUNO
26. PARC RÉGIONAL DE LONGUEUIL
27. PARC RÉGIONAL DE SAINT-BERNARD
28. PARC RÉGIONAL DES ÎLES DE SAINT-TIMOTHÉE
29. PARC RÉGIONAL DU CANAL BEAUHARNOIS
30. PISCICULTURE DE LA FRONTIÈRE
31. PROMENADE GÉRARD-COTÉ
32. RANDONNÉE DU PATRIMOINE DE SOREL
33. RÉCRÉ-O-PARC DE SAINTE-CATHERINE
34. REFUGE FAUNIQUE MARGUERITE-D'YOUVILLE
35. RÉSERVE NATIONALE DE FAUNE DU LAC SAINT-FRANÇOIS
36. SENTIERS POLYVALENTS DE BROSSARD
37. VERGER MONNOIR

## BIENVENUE DANS LA RÉGION DE LA MONTÉRÉGIE

La Montérégie présente un paysage de plaines et de douces collines, dont les monts les plus connus sont Saint-Hilaire, Saint-Bruno et Saint-Grégoire, fruit d'extrusions de lave qui ont durci et se sont arrondies avec l'érosion glaciaire et le climat.

Témoin d'un pan de l'histoire du Canada par des sites historiques tels que le fort Chambly et le fort Lennox, c'est aussi une région intimement liée au souvenir des Patriotes.

Le Suroît est ce vaste territoire que baignent les lacs des Deux-Montagnes, Saint-François et Saint-Louis. S'avançant dans ce dernier, la pointe de l'île Perrot et son moulin datant du XVIIIᵉ siècle nous font découvrir un coin naturel isolé. Plusieurs petits parcs, le long du fleuve, nous invitent à l'archéologie et à l'histoire.

Le secteur Rive-Sud, quant à lui, possède un passé plus ancien, qu'on retrouve en parcourant les vieilles rues de La Prairie, de Boucherville ou de Longueuil. Reposant au milieu du fleuve, face à l'est de l'île de Montréal, les îles de Boucherville nous séduisent par leurs prés verts et leurs marais.

La Vallée du Richelieu, autre secteur, fut le théâtre principal de la rébellion de 1837. La vigne et les vergers y abondent. Les grandes Montérégiennes s'y profilent au milieu de la plaine. Les marcheurs et cyclistes se donnent rendez-vous au canal de Chambly, le long du chemin de halage. C'est également ici que se retrouvent plusieurs témoignages de l'architecture militaire.

La région Yamaska enfin, dominée par l'agriculture, est toujours reconnue comme le « pays de la pomme ». Elle vous propose aussi la découverte de la capitale agroalimentaire du Québec, Saint-Hyacinthe, avec son marché public, le plus vieux encore en service au Québec.

# 1   ARRONDISSEMENT HISTORIQUE DE LA PRAIRIE

Un dépliant nous guide pour effectuer un circuit dans le Vieux-La Prairie. Plusieurs bâtiments sont témoins de l'évolution du cadre de vie des habitants de ce village, habité depuis 1667. On visitera le vieux marché, converti en centre d'interprétation de l'histoire et de la généalogie. Sur le parcours, le jardin privé de monsieur Roy est ouvert au public ainsi que la crypte de l'église. 🐕

**Réseau pédestre** .................. 3,5 km (mixte, facile)

**Services et aménagements**

*Autres : centre d'interprétation*

**Activités complémentaires**

**Documentation** .................... Dépliant-carte, brochure (à l'accueil)
**Période d'accès** ................... Toute l'année
De septembre à mai : mardi, mercredi et jeudi, de 9 h à 17 h
De juin à août :
du lundi au vendredi, de 9 h à 17 h
samedi et dimanche, de 13 h à 17 h
**Frais d'accès** ........................ Gratuit
**Voie d'accès** ........................ De l'autoroute 15 et 132 ouest, prendre la sortie Salaberry vers La Prairie. Passer sous le viaduc Salaberry, reprendre l'autoroute en direction est, et sortir à la rue Saint-Henri. Tourner à gauche sur la rue Saint-Ignace, puis à droite sur la rue Saint-Georges. L'accueil est situé au 249, rue Sainte-Marie.

**Gestionnaire** ........................ Société historique de La Prairie-de-la-Magdeleine
**Pour information** .................. (450) 659-1393, www.laprairie-shlm.com

# 2   CENTRE DE LA NATURE MONT-SAINT-HILAIRE

Ce centre de conservation de la nature est dans le domaine Gault, propriété de l'Université McGill. Il correspond à la partie de celui-ci ouverte au public, l'autre étant consacrée à la recherche. Le mont Saint-Hilaire fait partie des 10 collines montérégiennes. En 1978, il est devenu le premier site au Canada à être désigné Réserve de la biosphère par l'Unesco. Surplombant le lac glaciaire Hertel, trois sommets offrent des vues spectaculaires sur toute la région. Des pistes mènent à chacun, dont le Pain de sucre, qui atteint 415 m d'altitude.
⭐ *Le sommet Burned Hill est un point d'observation privilégié des urubus à tête rouge.*

**Réseau pédestre** .................. 20,5 km

| Sentiers et parcours | Longueur | Type | Niveau | Dénivelé |
|---|---|---|---|---|
| Pain de sucre | 2,6 km | Linéaire | Intermédiaire | 255 m |
| Dieppe | 3,6 km | Linéaire | Intermédiaire | 220 m |
| Rocky | 8,7 km | Boucle | Intermédiaire | 240 m |
| Burned Hill | 1,6 km | Linéaire | Facile | 160 m |
| La Passerelle (trottoir de bois) | 0,4 km | Linéaire | Facile | |
| Sentier mauve | 3,0 km | Linéaire | Facile | |

*Montérégie*       

**Services et aménagements**

*Autre : trottoir de bois*

**Activités complémentaires**

 *Hiver* ❄️🚶 *1,0 km* 🚴 *14,0 km* ⛄

*Note : en plus du 1,0 km aménagé pour la marche hivernale, l'affluence importante dans ce lieu amène un tassement rapide de la neige et rend accessible plus de 12,0 km du réseau à cette pratique.*

**Documentation** .................... Dépliant-carte (été-hiver) (à l'accueil)
**Période d'accès** .................. Toute l'année, de 8 h à 1 heure avant le coucher du soleil
**Frais d'accès** (taxes incl.) ..... 65 ans et plus : 2,00 $
18 à 64 ans : 4,00 $
6 à 17 ans : 2,00 $
0 à 5 ans : gratuit
Carte annuelle disponible
**Voie d'accès** ........................ De la route 116 à Saint-Hilaire, emprunter la rue Fortier qui devient le chemin Ozias-Leduc. Tourner à gauche sur le chemin de la Montagne, et à gauche à nouveau sur le chemin des Moulins par lequel on accède au Centre. De l'autoroute 20, emprunter la sortie 113 et suivre les indications.

**Gestionnaire** ........................ Centre de la nature Mont-Saint-Hilaire
**Pour information** ................. (450) 467-1755, www.centrenature.qc.ca

## 3  CENTRE ÉCOLOGIQUE FERNAND-SÉGUIN

Ce centre, situé à Châteauguay, est implanté dans une érablière à caryer. Les sentiers servent aussi pour le ski de fond l'hiver. Parmi eux, le Trille est un sentier d'auto-interprétation. Au printemps et à l'automne, des activités éducatives sont organisées.

**Réseau pédestre** ................. 7,6 km

| Sentiers et parcours | Longueur | Type | Niveau |
|---|---|---|---|
| Le Trille | 1,8 km | Boucle | Facile |
| Piste numéro 1 | 1,0 km | Boucle | Facile |
| Piste numéro 2 | 2,3 km | Boucle | Facile |
| Piste numéro 3 | 2,5 km | Boucle | Facile |

**Services et aménagements**

**Activités complémentaires**

 *Hiver* 🚶 *3,5 km* ⛄

**Documentation** .................... Carte (à l'accueil)
**Période d'accès** .................. Toute l'année, mais avec services de mi-avril à fin octobre, de 10 h à 17 h
**Frais d'accès** ........................ Gratuit
**Voie d'accès** ........................ De la route 138 à Châteauguay, emprunter le boulevard René-Lévesque en direction ouest. Tourner à gauche sur le boulevard Brisebois et continuer jusqu'au bout.

Gestionnaire ........................ Municipalité de Châteauguay
**Pour information** ................. (450) 698-3123 ...... (450) 698-3100

## **4** CIRCUIT HISTOIRE ET PATRIMOINE DE SAINT-DENIS-SUR-RICHELIEU

Le circuit permet au marcheur de découvrir les rues et les maisons de l'ancien bourg de Saint-Denis. On verra ainsi l'église datant de 1792. À la Maison nationale des Patriotes, centre d'interprétation où l'on se procurera le dépliant pour s'auto-guider, on retrace l'histoire de ceux-ci, dont la bataille de 1837. 🐎

**Réseau pédestre** ................. 1,0 km (mixte, facile)

**Services et aménagements**

*Autres : centre d'interprétation, boutiques*

**Activités complémentaires**

**Documentation** .................... Dépliant-carte (à la Maison nationale des Patriotes)
**Période d'accès** ................... Du 1er mai au 1er décembre, de 10 h à 17 h
**Frais d'accès** ........................ Gratuit, tarification pour groupe
**Voie d'accès** ........................ De la sortie 113 de l'autoroute 20, suivre la route 133 vers le nord jusqu'à Saint-Denis-sur-Richelieu. Le circuit débute au stationnement de l'église.

**Gestionnaire** ........................ Corporation Les Patriotes du Pays/Maison nationale des Patriotes
**Pour information** ................. (450) 787-3623, www.mndp.qc.ca

## **5** CIRCUIT PATRIMONIAL DE BOUCHERVILLE

Le circuit proposé nous fait parcourir les rues étroites du « vieux village », bordées d'antiques demeures. Une brochure nous guide dans cette découverte. 🐎

**Réseau pédestre** ................. 3,6 km (mixte, facile)

**Services et aménagements**

**Activités complémentaires**

*Hiver* 🚶❄ 3,6 km

**Documentation** .................... Brochure (au Centre Monseigneur Poissant)
**Période d'accès** ................... Toute l'année, du lever au coucher du soleil
**Frais d'accès** ........................ Gratuit
**Voie d'accès** ........................ Du pont-tunnel Louis-Hippolyte-Lafontaine, emprunter la route 132 vers l'est et prendre la sortie du boulevard Marie-Victorin. Le deux circuit débute au cœur du Vieux-Boucherville, à l'église.

**Gestionnaire** ........................ Bibliothèque Montarville – Boucher-de-la-Bruère
**Pour information** ................. (450) 463-7121

*Montérégie*                                                                                    *307*

## 6 ÉCOMUSÉE DE SAINT-CONSTANT

Ce sentier nature passe dans un boisé. Il comporte une portion marécageuse, des rocailles et des massifs floraux. 🐾 ⚠ *Certains services ne sont disponibles que la fin de semaine.*

**Réseau pédestre** ................. 2,5 km (Multi)

| Sentiers et parcours | Longueur | Type | Niveau |
|---|---|---|---|
| Sentier de la nature ........................ | 1,5 km ........ | Boucle ........ | Facile |
| Sentier des rocailles et massifs ..................... | 1,0 km ........ | Mixte ........... | Facile |

**Services et aménagements**

*Autres : passerelle*

**Activités complémentaires**

Hiver   2,0 km  TT

**Période d'accès** ................... Toute l'année, du lever au coucher du soleil
**Frais d'accès** ........................ Gratuit
**Voie d'accès** ......................... De la route 132 à Saint-Constant, emprunter la rue Maçon jusqu'au 66.

**Gestionnaire** ......................... Ville de Saint-Constant, Service des loisirs
**Pour information** ................. (450) 632-8732 poste223
www.ville.saint-constant.qc.ca

## 7 JARDIN DANIEL A. SÉGUIN

Ce jardin, situé à Saint-Hyacinthe, en bordure de la rivière Yamaska, porte le nom d'un pionnier dans le domaine de l'horticulture ornementale au Québec. Il comprend plusieurs jardins thématiques : français, japonais, zen et autres. ⭐ *En cas de pluie, on fournit les parapluies.*

**Réseau pédestre** ................. 2,0 km (boucle, facile)

**Services et aménagements**

**Activités complémentaires**

**Documentation** ..................... Dépliant (à l'accueil)
**Période d'accès** ................... De début juin à mi-septembre, de 10 h à 17 h
**Frais d'accès** (taxes incl.) ..... Adulte : 7,00 $
Étudiant 7 à 17 ans : 4,00 $
Enfant moins de 6 ans : gratuit
Aîné (tous les mercredis) : 6,00 $
Autres tarifs pour famille et groupe
**Voie d'accès** ......................... De la route 116 à Saint-Hyacinthe, tourner sur la rue Bienville, puis à droite sur la rue Sicotte. Le jardin se trouve un peu plus loin sur la droite.

**Gestionnaire** ......................... Fondation en horticulture ornementale de l'ITA de Saint-Hyacinthe
**Pour information** ................. (450) 778-6504 ...... (450) 778-0372
ita.qc.ca/jardindas

## 8 L'ESCAPADE – LES SENTIERS DU MONT RIGAUD

À partir d'une aire de repos, un sentier nous mène au sommet du mont. On passera à travers une pinède et on pourra apercevoir des écureuils noirs et peut-être des cerfs de Virginie. 🐎

**Réseau pédestre** ................ 20,0 km (Multi)

| Sentiers et parcours | Longueur | Type | Niveau | Dénivelé |
|---|---|---|---|---|
| La Foulée du cerf ............................ | 5,8 km ........ | Linéaire ...... | Intermédiaire ...... | 105 m |
| L'Aventure douce ............................. | 1,5 km ........ | Linéaire ...... | Facile | |
| La Cavale ......................................... | 1,0 km ........ | Linéaire ...... | Facile | |
| Le Haut-Lieu .................................... | 4,9 km ........ | Linéaire ...... | Intermédiaire ...... | 100 m |
| La Clé des bois ............................... | 3,0 km ........ | Linéaire ...... | Intermédiaire ...... | 120 m |
| La Virée gourmande ........................ | 3,8 km ........ | Linéaire ...... | Intermédiaire | |

**Services et aménagements**

**Documentation** .................... Carte (à l'accueil, au 391, chemin de la Mairie)
**Période d'accès** ................. De juin à octobre, du lever au coucher du soleil
⚠ *Prudence pendant la période de chasse.*
**Frais d'accès** ....................... Gratuit
**Voie d'accès** ....................... De la sortie 12 de l'autoroute 40, se diriger à gauche vers Rigaud. Tourner à gauche sur la rue Pagé et continuer jusqu'au numéro 5.

**Gestionnaire** ........................ Municipalité de Rigaud
**Pour information** ................. (450) 451-0869 poste 238, www.ville.rigaud.qc.ca

## 9 LE BOIS ROBERT

Ce bois est situé en bordure de la rivière Saint-Louis dans la ville de Beauharnois. Au début du sentier on aperçoit la chute Saint-Louis. Les sentiers de ski de fond et de raquettes sont utilisés, hors saison, pour la marche et le vélo de montagne. 🐎

**Réseau pédestre** ................. 3,4 km (Multi)(mixte, facile)

**Services et aménagements**

**Activités complémentaires**  *Hiver*  *3,4 km*

**Documentation** .................... Dépliant-carte (mairie de Beauharnois)
**Période d'accès** ................. Toute l'année, du lever au coucher du soleil
**Frais d'accès** ....................... Gratuit
**Voie d'accès** ....................... De Châteauguay, prendre la route 132 vers l'ouest jusqu'à Beauharnois. L'accès au Bois Robert se situe sur le chemin Saint-Louis, juste avant l'église.

**Gestionnaire** ........................ PPG Canada inc. « Comité du Bois Robert »
**Pour information** ................. (450) 225-5968 ...... (450) 429-4641
bupa@rocler.qc.ca

## 10 LIEU HISTORIQUE NATIONAL DU CANADA DE COTEAU-DU-LAC

Situé au cœur de la municipalité du même nom, ce lieu historique est celui du premier canal à écluses en Amérique du Nord, construit en 1780. On pourra en voir les vestiges ainsi que ceux d'un fort britannique datant de 1812 dont on a reconstitué le blockhaus. Un sentier est jalonné de panneaux et de silhouettes de personnages évoquant le passé et, au centre d'interprétation, une maquette représente le site tel qu'il était au début du siècle.

**Réseau pédestre** .................. 0,7 km (boucle, facile)

**Services et aménagements**

*Autres : centre d'interprétation*

**Activités complémentaires**

**Documentation** ..................... Carte, dépliant (à l'accueil)
**Période d'accès** ................... De mi-mai à mi-octobre, de 10 h à 17 h
**Frais d'accès** (taxes incl.) ..... Adulte : 4,00 $
Aîné : 3,00 $
Enfant (6 à 16 ans) : 2,00 $
Enfants (moins de 6 ans) : gratuit
Famille : 8,00 $
Des laissez-passer annuels sont disponibles
**Voie d'accès** ......................... De la sortie 17 de l'autoroute 20, suivre les panneaux indicateurs sur environ 1 km.

**Gestionnaire** ......................... Parcs Canada
**Pour information** ................. (450) 763-5631, www.pc.gc.ca/coteau

## 11 LIEU HISTORIQUE NATIONAL DU CANADA DU CANAL-DE-CHAMBLY

Ce canal historique qui relie Chambly à Saint-Jean-sur-Richelieu permettait, dès son inauguration en 1843, d'atteindre New-York via le lac Champlain en contournant les nombreux rapides de la rivière Richelieu. Les marcheurs et les cyclistes peuvent emprunter les 19 km du chemin de halage, entre le canal et la rivière. À la maison du surintendant, on pourra consulter des archives et visiter une exposition. On verra des logettes le long du parcours. 🐾 ★ *On y trouve les seules écluses opérées manuellement au Québec (comme en 1843).*

**Réseau pédestre** ................. 19,0 km (Multi)(linéaire, facile)

**Services et aménagements**

*Autres : centre d'interprétation*

**Activités complémentaires**

**Hiver** 🚶 *19,0 km*

**Documentation** ..................... Brochure (au bureau de Parcs Canada à Chambly)
**Période d'accès** ................... Toute l'année, du lever au coucher du soleil
Réseau entretenu seulement du 14 mai au 14 octobre

**Frais d'accès** (taxes incl.) ..... Stationnement par période de 12 heures : 4,00 $, entre avril et décembre

**Voie d'accès** ......................... **Accès nord :** de la sortie 22 de l'autoroute 10, se diriger vers Chambly. Suivre le boulevard Fréchette jusqu'au bout et tourner à droite sur l'avenue Bourgogne. Le stationnement est situé immédiatement après le pont du canal, sur la droite. **Accès sud :** de l'autoroute 35 à Saint-Jean-sur-Richelieu, prendre le boulevard du Séminaire (route 223) en direction sud et tourner à gauche sur la rue Saint-Jacques. Le début du canal se trouve avant le pont.

**Gestionnaire** ......................... Parcs Canada
**Pour information** ................. (450) 658-6525 ...... 1 800 463-6769
www.pc.gc.ca/lhn-nhs/qc/chambly

## 12 LIEU HISTORIQUE NATIONAL DU CANADA  DU CANAL-DE-SAINT-OURS

Situé à 50 km de Chambly, le canal de Saint-Ours, achevé en 1849, est une dixième écluse sur le Richelieu. Il complète l'aménagement de cette voie qui relie le lac Champlain au fleuve Saint-Laurent. On peut marcher sur l'île Darvard, située entre le canal et son barrage, où l'on verra une exposition historique à l'ancienne maison du surintendant.

**Réseau pédestre** ................. 1,0 km (mixte, facile)

**Services et aménagements**

**Activités complémentaires**

**Documentation** ..................... Brochure (au bureau de Parcs Canada à Chambly)
**Période d'accès** .................. Du 14 mai au 14 octobre, du lever au coucher du soleil
**Frais d'accès** ....................... 1,50 $ par adulte
**Voie d'accès** ......................... De Sorel, suivre la route 133 vers le sud jusqu'à l'entrée du site, au sud de Saint-Ours.

**Gestionnaire** ......................... Parcs Canada
**Pour information** ................. (450) 785-2212 ...... 1 800 463-6769
www.pc.gc.ca/lhn-nhs/qc/saintours

## 13 MONT ROUGEMONT

Sur le versant sud du mont Rougemont, on se rend à un belvédère d'où l'on peut voir les pommiers en fleurs au mois de mai. Des visites de la cidrerie sont organisées. 🐕
★ Visite de la cidrerie et dégustation des produits gratuites.

**Réseau pédestre** ................. 2,7 km

| Sentiers et parcours | Longueur | Type | Niveau | Dénivelé |
|---|---|---|---|---|
| Le sentier des Érables .................................... | 2,7 km ........ | Boucle ........ | Intermédiaire ...... | 220 m |

**Services et aménagements**

---

*Montérégie*

**Documentation** .................... Dépliant, carte (à l'accueil)
**Période d'accès** .................. De mai à octobre, de 9 h à 17 h
Samedi et dimanche, de novembre à avril : de 10 h à 16 h
**Frais d'accès** ....................... Adulte : 2,00 $
Enfant (14 ans et moins) : gratuit
**Voie d'accès** ........................ De la sortie 29 de l'autoroute 10, prendre la route 133 nord, puis la route 112 vers l'est jusqu'à Rougemont. Suivre les indications des panneaux touristiques sur 3 km environ, soit jusqu'à la Cidrerie Michel Jodoin.

**Gestionnaire** ........................ Cidrerie Michel Jodoin inc.
**Pour information** ................. (450) 469-2676, www.cidrerie-michel-jodoin.qc.ca

## 14  MONT SAINT-GRÉGOIRE

Le mont Saint-Grégoire est la plus petite des collines montérégiennes. Après avoir traversé une érablière à caryer et une chênaie boréale, on accède à un belvédère donnant un panorama sur les basses terres du Saint-Laurent, avec Montréal en arrière plan. On trouve, le long d'un des sentiers, une petite caverne dans laquelle on peut entrer à un bout et sortir à l'autre. 🐾

**Réseau pédestre** ................. 2,6 km (mixte, facile/inter., dénivelé maximum de 185 m)

**Services et aménagements**  ✳️ 🅿️ 🚻 ☎️ 🍴 🏕️ 🛝

**Documentation** .................... Dépliant-carte (au bureau d'information touristique)
**Période d'accès** .................. Toute l'année, du lever au coucher du soleil
**Frais d'accès** ....................... Stationnement : 5,00 $ par véhicule
**Voie d'accès** ........................ De la sortie 37 de l'autoroute 10, prendre la route 227 sud. Au premier carrefour, tourner à droite et faire environ 3 km. Le stationnement est situé en face du camping Mont Saint-Grégoire, au 45, chemin du Sous-bois.

**Gestionnaire** ........................ Érablière Branche d'Or
**Pour information** ................. (450) 346-3467

[JCT]  VERGER MONNOIR

## 15  PARC ARCHÉOLOGIQUE DE LA POINTE-DU-BUISSON

Situé près des rapides du fleuve Saint-Laurent, cet espace naturel fut occupé par les Amérindiens, 3 000 ans avant Jésus-Christ. On y effectue des fouilles archéologiques. Deux pavillons d'interprétation traitent de ces sujets. On marchera dans une érablière à caryer. 🐾

**Réseau pédestre** ................. 2,4 km

| Sentiers et parcours | Longueur | Type | Niveau |
|---|---|---|---|
| Chemin du portage .......................................... | 1,0 km ......... | Mixte ............ | Facile |
| Chemin du cap à roulin ............................... | 0,8 km ......... | Linéaire ....... | Facile |

**Services et aménagements**

*Autres : centre d'interprétation, passerelle*

**Activités complémentaires**

**Documentation** .................... Dépliant-carte, dépliant (à l'accueil)
**Période d'accès** .................. De mai à octobre
De 10 h à 17 h (18 h les fins de semaine), jusqu'à
début septembre (fermé le lundi)
De 12 h à 17 h, les fins de semaine, de début
septembre à mi-octobre
**Frais d'accès** (taxes incl.) ..... Adulte : 4,00 $
Enfant (6 à 17 ans) : 3,00 $
Enfant (5 ans et moins) : gratuit
Âge d'Or : 3,00 $
**Voie d'accès** ........................ De Châteauguay, suivre la route 132 vers l'ouest jusqu'à
Melocheville où l'entrée du parc est identifiée.

**Gestionnaire** ........................ Ville de Beauharnois
**Pour information** ................. (450) 429-7857
pointe-du-buisson.archeologie@rocler.qc.ca

## 16  PARC DE LA CITÉ

Dans ce parc de l'arrondissement Saint-Hubert, on peut faire le tour d'un lac artificiel.
On poursuivra sur le même sentier pour atteindre un boisé.

**Réseau pédestre** ................. 5,0 km (Multi)(boucle, facile)

**Services et
aménagements**

*Autres : passerelle*

**Activités
complémentaires**
*Hiver*  *3,0 km*

**Période d'accès** .................. Toute l'année, du lever au coucher du soleil
**Frais d'accès** ....................... Gratuit
**Voie d'accès** ........................ De la sortie 115 de l'autoroute 30, emprunter le boulevard
Cousineau (route 112) vers l'ouest et tourner à gauche
sur le boulevard Gaëtan-Boucher. L'entrée du parc se
situe à la jonction du boulevard Davis.

**Gestionnaire** ........................ Ville de Longueuil/Arrondissement de Saint-Hubert
**Pour information** ................. (450) 463-7065, www.longueuil.ca

## 17  PARC DE LA VOIE MARITIME – SAINT-LAMBERT

Ce parc multifonctionnel est situé en bordure de la voie maritime du Saint-Laurent. On
y pratique diverses activités sportives. Un sentier y côtoie une piste d'hébertisme. Le
jardin ornemental constitue une aire de repos. Le parc possède aussi un boisé.

**Réseau pédestre** ................. 1,0 km (Multi)(boucle, facile)

**Services et
aménagements**

*Autres : aire de jeux, piscine, piste d'hébertisme*

**Activités
complémentaires**

**Période d'accès** ................. De mai à novembre, de 6 h à 23 h
**Frais d'accès** ........................ Gratuit
**Voie d'accès** ........................ De l'autoroute 20 et 132 à Saint-Lambert, prendre la sortie Notre-Dame et rejoindre la promenade Riverside sur laquelle se situe l'entrée du parc.

**Gestionnaire** ........................ Ville de Longueuil/Arrondissement de Saint-Lambert
**Pour information** ................. (450) 463-7075

## 18 PARC DE PLEIN AIR SOREL-TRACY

Ce parc, réalisé grâce à un partenariat entre la Ville de Sorel-Tracy et l'entreprise QIT-Fer et Titane, est situé dans le secteur de Tracy, près de la voie ferrée. Les sentiers de ski de fond sont utilisés pour la marche pendant la saison estivale.

**Réseau pédestre** ................. 6,4 km (Multi)(boucle, facile)

| Sentiers et parcours | Longueur | Type | Niveau |
|---|---|---|---|
| Sentier des Chênes | 1,2 km | Boucle | Facile |
| Sentier des Pins | 2,3 km | Linéaire | Facile |
| Sentier des Sablières | 2,4 km | Linéaire | Facile |

**Services et aménagements**

**Activités complémentaires**

 *Hiver*  2,0 km

**Documentation** .................... Carte des pistes (au chalet d'accueil)
**Période d'accès** ................. De mai à novembre, du lever au coucher du soleil
**Frais d'accès** ........................ Gratuit
**Voie d'accès** ........................ De l'autoroute 30, prendre la sortie indiquant le chemin du Golf. Le parc est situé au 3100, chemin du Golf.

**Gestionnaire** ........................ Ville de Sorel-Tracy
**Pour information** ................. (450) 743-2785

## 19 PARC EDMOUR-J.-HARVEY

Ce parc récréatif est situé sur un des flancs du mont Saint-Bruno. Sa partie boisée comprend des sentiers pour la marche.

**Réseau pédestre** ................. 3,0 km (Multi)(linéaire, intermédiaire)

**Services et aménagements**

*Autres : aire de jeux*

**Période d'accès** ................. De mai à octobre (en juillet et août, pas de marche du lundi au jeudi)
De 9 h au coucher du soleil
**Frais d'accès** ........................ Gratuit
**Voie d'accès** ........................ De la sortie 102 de l'autoroute 20, prendre à droite le chemin du Fer-à-Cheval, puis à gauche le boulevard des Haut-Bois. Tourner à droite sur la rue Gilles-Vigneault, et

à droite à nouveau sur la rue des Brises au bout de laquelle se trouve le parc.

**Gestionnaire** ........................ Ville de Sainte-Julie
**Pour information** ................. (450) 922-7122, www.ville.sainte-julie.qc.ca

## 20  PARC HISTORIQUE POINTE-DU-MOULIN

Ce parc, situé sur l'île Perrot, longe le lac Saint-Louis. Autour du moulin à vent et de la maison du meunier, on reconstitue, les fins de semaine de juillet et août, le mode de vie du XVIII$^e$ siècle. On marchera en terrain boisé. 🚶

**Réseau pédestre** ................. 2,5 km (boucle, facile)

**Services et aménagements**

*Autres : aire de jeux, centre d'interprétation*

**Activités complémentaires**

*Hiver* 🎿 2,5 km

**Documentation** .................... Dépliant (à l'accueil)
**Période d'accès** ................. De mi-mai à mi-octobre, du lever au coucher du soleil
**Frais d'accès** ....................... Gratuit
**Voie d'accès** ....................... À partir de l'autoroute 20, sortir à L'Île-Perrot. Aux 2$^e$ feux de circulation, tourner à gauche sur le boulevard Don Quichotte et le suivre jusqu'au bout.

**Gestionnaire** ........................ Cogestion international inc.
**Pour information** ................. (514) 453-5936, www.pointedumoulin.com

## 21  PARC LE ROCHER

Ce parc municipal, situé à Saint-Amable, a été aménagé dans une ancienne sablière ayant fourni le sable pour la construction d'autoroutes. Aujourd'hui, on y trouve un environnement marécageux parcouru de sentiers qui nous font découvrir une grande colonie de roseaux. Dans ce réseau majoritairement multifonctionnel, un sentier est réservé pour les marcheurs. 🚶

**Réseau pédestre** ................. 9,5 km (Multi)

| Sentiers et parcours | Longueur | Type | Niveau |
|---|---|---|---|
| Promenade ............................................. | 1,6 km ......... | Mixte ........... | Facile |
| Évasion ................................................ | 3,2 km ......... | Mixte ........... | Facile |
| Randonnée............................................ | 4,7 km ......... | Mixte ........... | Facile |

**Services et aménagements**

**Activités complémentaires**

*Hiver* 🎿 PT

**Documentation** .................... Carte (à l'accueil)
**Période d'accès** ................. D'avril à octobre, en tout temps
**Frais d'accès** ....................... Gratuit
**Voie d'accès** ....................... De la sortie 128 de l'autoroute 30, suivre les indications

---

*Montérégie*

pour Saint-Amable. Tourner à gauche sur la rue Auger, puis à droite sur la rue Thomas.

**Gestionnaire** ........................ Municipalité de Saint-Amable
**Pour information** ................. (450) 649-3555

## 22 PARC LES SALINES

À Saint-Hyacinthe, à la fin du siècle dernier, des sources d'eau salée coulaient ici. Dans ce parc urbain traversé par deux ruisseaux, des sentiers de ski de fond servent, hors saison, pour la marche. La moitié sont utilisés aussi pour le vélo. ★ *De l'éclairage a été installé dans le parc pour permettre la marche en soirée.*

**Réseau pédestre** ................. 8,0 km (Multi)(boucle, facile)

| Sentiers et parcours | Longueur | Type | Niveau |
|---|---|---|---|
| Cœur en mouvement | 3,6 km | Boucle | Facile |

**Services et aménagements**

🏠 🅿️ 👫 📞 🎋 ♿

*Autres : aire de jeux*

**Activités complémentaires**

*Hiver* 🎿 *6,2 km + TT* ⛄

**Documentation** .................... Carte (à l'accueil)
**Période d'accès** .................. Toute l'année, du lever au coucher du soleil
**Frais d'accès** ........................ Gratuit
**Voie d'accès** ........................ À partir de l'autoroute 20, prendre la sortie 130 nord. Tourner à droite sur la rue Martineau. Poursuivre jusqu'à l'entrée du parc située au numéro 5330.

**Gestionnaire** ........................ Ville de Saint-Hyacinthe
**Pour information** ................. (450) 778-8335 ...... (450) 796-2530
www.vile.st-hyacinthe.qc.ca/loisirs-culture/pleinair

## 23 PARC MARIE-VICTORIN ET PROMENADE RENÉ-LÉVESQUE

On pourra marcher sur un sentier multifonctionnel asphalté, le long du fleuve Saint-Laurent, à partir du pont-tunnel Louis-Hippolyte-Lafontaine jusqu'au port de plaisance de Longueuil, en passant par le parc Marie-Victorin. Du point de départ, une navette conduit à l'île Charron et on trouvera des services au point d'arrivée. ★ *La promenade est éclairée pour la marche en soirée.*

**Réseau pédestre** ................. 7,0 km (Multi)

| Sentiers et parcours | Longueur | Type | Niveau |
|---|---|---|---|
| Promenade René-Lévesque | 5,0 km | Linéaire | Facile |
| Parc Marie-Victorin | 2,0 km | Boucle | Facile |

**Services et aménagements**

*Autres : aire de jeux, passerelle, navette fluviale*

**Activités**
**complémentaires**

**Période d'accès** .................. De mai à novembre, du lever du soleil jusqu'à 22 h
**Frais d'accès** ........................ Gratuit
**Voie d'accès** ........................ De l'autoroute 20, prendre la route 132 ouest à Longueuil
puis suivre les indications pour le Parc Marie-Victorin.

**Gestionnaire** ........................ Ville de Longueuil
**Pour information** .................. (450) 463-7000, www.longueuil.ca

## 24 PARC NATIONAL DES ÎLES-DE-BOUCHERVILLE

À quelques minutes du centre-ville de Montréal, au milieu du fleuve Saint-Laurent, cinq îles sont reliées entre elles par un bac à câble et des passerelles. Les cheneaux sont très propices à la reproduction des espèces fauniques. L'ensemble du parc est aussi un lieu d'arrêt pour les oiseaux de passage, comme la sauvagine. On peut emprunter un réseau pédestre de 20 km partagé sur certaines portions avec les vélos.

**Réseau pédestre** .................. 23,1 km (Multi : 12,6)

| Sentiers et parcours | Longueur | Type | Niveau |
|---|---|---|---|
| Île Sainte-Marguerite ......................................... | 2,5 km ........ | Linéaire ....... | Facile |
| Île de la Commune ........................................... | 4,9 km ........ | Boucle ......... | Facile |
| Île Grosbois ................................................... | 7,7 km ........ | Boucle ......... | Facile |
| La Grande Rivière .......................................... | 4,0 km ........ | Boucle ......... | Facile |
| Le Grand Duc .................................................. | 1,5 km ........ | Boucle ......... | Facile |
| La Petite Rivière ............................................ | 2,5 km ........ | Boucle ......... | Facile |

**Services et**
**aménagements**

*Autres : bac à câble, aire de jeux, passerelle*

**Activités**
**complémentaires**   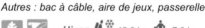  *Hiver* 12,0 km  7,0 km

**Documentation** .................... Journal du parc (à l'accueil)
**Période d'accès** .................. Toute l'année, de 8 h au coucher du soleil
**Frais d'accès** ........................ Voir la tarification des Parcs nationaux du Québec dans
les pages bleues au début du livre
**Voie d'accès** ........................ Du pont-tunnel Louis-Hippolyte-Lafontaine, prendre la
sortie 1 et suivre les indications.

**Gestionnaire** ........................ SÉPAQ
**Pour information** .................. (450) 928-5088, www.parcsquebec.com

## 25 PARC NATIONAL DU MONT-SAINT-BRUNO

Ce parc couvre la majeure partie du mont Saint-Bruno et domine la plaine environnante. On y retrouve cinq lacs se déversant l'un dans l'autre. Plusieurs circuits de ski de fond sont utilisés pour la marche, hors saison. Le réseau des lacs et des ruisseaux, et le sentier de la Terre sont des sentiers d'auto-interprétation permettant de parfaire sa connaissance des lieux. On pourra visiter le vieux moulin, bâtiment historique converti en centre d'exposition sur l'évolution et l'histoire du mont.

*Montérégie* 317

**Réseau pédestre** ................. 31,7 km

| Sentiers et parcours | Longueur | Type | Niveau | Dénivelé |
|---|---|---|---|---|
| Circuit numéro 1 ................................................ | 8,9 km ........ | Boucle ........ | Intermédiaire ........ | 90 m |
| Circuit numéro 3 ................................................ | 6,0 km ........ | Boucle ........ | Facile ................... | 70 m |
| Circuit numéro 4 ................................................ | 4,0 km ........ | Linéaire ...... | Facile | |
| Circuit numéro 5 ................................................ | 8,0 km ........ | Boucle ........ | Intermédiaire ........ | 80 m |
| Circuit numéro 6 ................................................ | 8,2 km ........ | Boucle ........ | Intermédiaire ..... | 100 m |
| Circuit numéro 7 ................................................ | 9,1 km ........ | Boucle ........ | Intermédiaire ........ | 90 m |

*Note : les sentiers d'interprétation se détachent du numéro 1.*

**Services et aménagements**

*Autres : aire de jeux, centre d'exposition, quai, terrasse, arboretum*

**Activités complémentaires**

 *Hiver*  *11,7 km*

**Documentation** ..................... Journal du parc, brochure d'interprétation (à l'accueil)
**Période d'accès** ................... Toute l'année, de 8 h au coucher du soleil
**Frais d'accès** ........................ Voir la tarification des Parcs nationaux du Québec dans les pages bleues au début du livre
**Voie d'accès** ......................... De la sortie 102 de l'autoroute 20, ou de la sortie 121 de l'autoroute 30, poursuivre sur 3 km environ en suivant les indications pour le parc.

**Gestionnaire** ......................... SÉPAQ
**Pour information** ................. (450) 653-7544, www.parcsquebec.com

## 26 PARC RÉGIONAL DE LONGUEUIL

Le parc régional de Longueuil s'étend sur une superficie équivalente à celle du parc du Mont-Royal. La plus grande partie du réseau consiste en une piste cyclable, partagée avec les marcheurs, qui sert pour le ski de fond l'hiver. Il existe deux sentiers uniquement pédestres. Des tronçons sont éclairés le soir. On offre divers programmes d'animation et on présente des événements populaires. Sur les lieux, un cadran solaire nous permet de lire l'heure d'une façon originale. On y retrouve un sentier de marche « cœur en mouvement ». ★ *Il y a des cerfs de Virginie en pleine ville.*

**Réseau pédestre** ................. 14,3 km (Multi : 12,0)(mixte, facile)

| Sentiers et parcours | Longueur | Type | Niveau | Dénivelé |
|---|---|---|---|---|
| Cœur en mouvement ...................................... | 3,0 km ........ | Boucle ........ | Facile | |
| Sentier 4 ............................................................ | 3,5 km ........ | Boucle ........ | Facile | |
| Sentier 5 ............................................................ | 3,2 km ........ | Linéaire ...... | Facile | |
| Sentier 6 ............................................................ | 1,9 km ........ | Boucle ........ | Facile | |

**Services et aménagements**

*Autres : aire de jeux*

**Activités complémentaires**

 *Hiver* ... *3,0 km* ... *6,0 km*

**Documentation** ..................... Carte du parc (à l'accueil)

**Période d'accès** ................ Toute l'année, de 6 h à 23 h
**Frais d'accès** ...................... Gratuit
**Voie d'accès** ....................... De l'autoroute 20 et 132 à Longueuil, emprunter le boulevard
Roland-Therrien. Tourner à gauche sur le boulevard Curé-
Poirier et continuer jusqu'à la rue Adoncour à la jonction de
laquelle se trouve l'entrée principale du parc.

**Gestionnaire** ........................ Ville de Longueuil
**Pour information** ................ (450) 468-7617 ...... (450) 468-7642, www.longueuil.ca

## 27 PARC RÉGIONAL DE SAINT-BERNARD

Dans ce parc, on marchera dans un boisé abritant des pins, des érables et des cèdres.
La présence de deux marais ajoute une note rafraîchissante. Les sentiers consistent en
des pistes de ski de fond utilisées, après la neige, pour la marche. Il y a 3 km de
sentiers qui sont en poussière de pierre.

**Réseau pédestre** ................ 15,0 km (mixte, intermédiaire, dénivelé max. de 100 m)

**Services et aménagements**

**Documentation** ..................... Carte (à l'accueil)
**Période d'accès** ................... Toute l'année, du lever au coucher du soleil
**Frais d'accès** ....................... Été : gratuit
Hiver : laissez-passer d'entrée quotidienne ou annuelle
exigé
**Voie d'accès** ........................ De la sortie 6 de l'autoroute 15, prendre la route 202 vers
l'est, puis la route 217 en direction sud. L'entrée du parc
se trouve peu après la rivière Lacolle.

**Gestionnaire** ........................ Municipalité de Saint-Bernard-de-Lacolle
**Pour information** ................ (450) 246-3348

## 28 PARC RÉGIONAL DES ÎLES DE SAINT-TIMOTHÉE

Les îles de Saint-Timothée sont bordées par la rivière Saint-Charles et le fleuve Saint-
Laurent. Des sentiers de ski de fond servent pour la marche hors saison. Huit panneaux
d'interprétation sensibilisent aux différents milieux : marais, bassin, érablière, etc.
🐕 *Sur une portion du réseau*

**Réseau pédestre** ................ 17,0 km (mixte, facile)

**Services et aménagements**
*Autres : aire de jeux, piste d'hébertisme*

**Activités complémentaires**    Hiver 🚶❄ 3,0 km 🎿 17,0 km + PT

**Documentation** ..................... Dépliant-carte (à l'accueil)
**Période d'accès** ................... Toute l'année, de 6 h à 23 h
**Frais d'accès** (taxes incl.) ..... Adulte : 5,00 $ (semaine) à 7,00 $ (fin de semaine)
Adolescent (12 à 17 ans) : 4,00 $ à 5,00 $
Enfant (entre 6 et 11 ans) : 3,00 $
Enfant (5 ans et moins) : gratuit
Stationnement inclus dans les prix

*Montérégie*                                              *319*

Voie d'accès ........................ De Châteauguay, suivre la route 132 ouest jusqu'à Saint-Timothée. Le site est accessible via la rue Saint-Laurent.

Gestionnaire ........................ Ville de Salaberry-de-Valleyfield
Pour information ................. (450) 377-1117 ...... (450) 370-4390
www.ville.saint-timothee.qc.ca/iles

## 29 PARC RÉGIONAL DU CANAL BEAUHARNOIS

Ce parc est un musée à ciel ouvert. On y retrouve plusieurs aires d'interprétation expliquant l'histoire du canal, de la centrale hydroélectrique et de la navigation maritime. Cette piste cyclable et pédestre longe les deux côtés du canal de Beauharnois. La majorité des tronçons sont recouvert d'asphalte sinon de pierre concassée. 🐾 ⭐ *Le canal de Beauharnois s'est vu attribuer le statut de ZICO (zone importante pour la conservation des oiseaux) grâce aux bassins de Canards illimités.*

Réseau pédestre ................. 46,5 km (Multi)

| Sentiers et parcours | Longueur | Type | Niveau |
|---|---|---|---|
| La route des Ouvriers .................................. 10,3 km ......... | Linéaire ....... | Facile |
| Tronçon N1 ..................................................... 3,9 km ......... | Linéaire ....... | Facile |
| Tronçon S2 ..................................................... 9,7 km ......... | Linéaire ....... | Facile |
| Tronçon N3 ..................................................... 6,9 km ......... | Linéaire ....... | Facile |
| Tronçon N4 ................................................... 12,5 km ......... | Linéaire ....... | Facile |
| Tronçon S1 ..................................................... 3,2 km ......... | Linéaire ....... | Facile |

Services et
aménagements

*Autres : abri, aire d'observation*

Activités
complémentaires

 Hiver 🎿 46,5 km

Documentation .................... Carte (au bureau d'information touristique)
Période d'accès ................. Toute l'année, du lever au coucher du soleil
Frais d'accès ...................... Gratuit
Voie d'accès ........................ On peut accéder à la piste en plusieurs points le long du canal Beauharnois. L'un de ceux-ci se trouve au stationnement situé près du pont Larocque, sur la route 132, à Salaberry-de-Valleyfield.

Gestionnaire ........................ Société Vélo Berge inc.
Pour information ................. (450) 225-0870, www.suroit.qc.ca

## 30 PISCICULTURE DE LA FRONTIÈRE

Situé sur un terrain voisin de la frontière américaine, ce lieu offre un environnement paisible parsemé d'étangs et de boisés. 🐾

Réseau pédestre ................. 4,0 km

| Sentiers et parcours | Longueur | Type | Niveau |
|---|---|---|---|
| Autour du lac ................................................. 1,0 km ......... | Boucle ......... | Facile |
| La frontière ..................................................... 3,0 km ......... | Boucle ......... | Facile/Inter. |

**Services et aménagements**

Autres : abri, passerelle, centre d'interprétation, aire de jeux, piste d'hébertisme

**Activités complémentaires**

   Hiver 🎿 2,0 km 🥾 4,0 km

**Documentation** .................... Dépliant (à l'accueil)
**Période d'accès** ................. De mai à octobre
De 9 h à 17 h 30
**Frais d'accès** (taxes incl.) ..... 14 ans et plus : 3,50 $
13 ans et moins : gratuit
**Voie d'accès** ........................ De l'autoroute 15, prendre la sortie 1. La Pisciculture se trouve à 0,5 km, à côté du poste de douane Blackpool.

**Gestionnaire** ........................ Pisciculture de la Frontière
**Pour information** ................. (450) 246-3311, www.pisciculturedelafrontiere.zip411.net

## 31 PROMENADE GÉRARD-COTÉ

Cette promenade est située à Saint-Hyacinthe, en bordure de la rivière Yamaska. On peut y observer différentes espèces d'oiseaux dont le héron. 🐦

**Réseau pédestre** ................. 2,0 km (Multi)(linéaire, facile)

**Services et aménagements**    P

**Activités complémentaires**    Hiver 🥾 2,0 km

**Période d'accès** ................. Toute l'année, du lever au coucher du soleil
**Frais d'accès** ........................ Gratuit
**Voie d'accès** ........................ De la sortie 130 sud de l'autoroute 20, se rendre au centre-ville de Saint-Hyacinthe. Le parc se situe à l'angle des rues Girouard et Pratte.

**Gestionnaire** ........................ Ville de Saint-Hyacinthe
**Pour information** ................. (450) 778-8333, www.ville.st-hyacinthe.qc.ca

## 32 RANDONNÉE DU PATRIMOINE DE SOREL

La ville de Sorel a fêté en 1992 son 350$^e$ anniversaire. Elle est donc la quatrième plus vieille ville du Canada. Cette balade nous fait découvrir des vestiges du passé. Trois circuits différents sont proposés. L'un d'eux, appelé « La Rencontre des Cultures », englobe le parc municipal Regard sur le Fleuve. Quantité de rues du Vieux-Sorel évoquent la présence britannique. Le Carré Royal adopte la forme du drapeau de l'Union Jack.

**Réseau pédestre** ................. 5,7 km

| Sentiers et parcours | Longueur | Type | Niveau |
|---|---|---|---|
| La naissance d'une ville | 1,0 km | Boucle | Facile |
| La rencontre des cultures | 2,2 km | Boucle | Facile |
| La marche des Gouverneurs | 1,5 km | Boucle | Facile |
| Sentier du parc Regard sur le Fleuve | 1,0 km | Linéaire | Facile |

*Montérégie*

**Services et aménagements**

*Autres : centre d'interprétation du patrimoine*

**Activités complémentaires**

 **Hiver** 4,7 km

**Documentation** .................... Brochure (à l'Office de tourisme)
**Période d'accès** ................. Toute l'année, du lever au coucher du soleil
**Frais d'accès** ....................... Gratuit
**Voie d'accès** ......................... À Sorel, suivre le chemin des Patriotes jusqu'au centre-ville.

**Gestionnaire** ......................... Office de tourisme Bas-Richelieu
**Pour information** ................. (450) 746-9441 ...... 1 800 474-9441
www.tourismesoreltracyregion.qc.ca

## 33 RÉCRÉ-O-PARC DE SAINTE-CATHERINE

Créé en 1967 sur le bord du fleuve Saint-Laurent, ce parc permet d'admirer les rapides de Lachine. Il est à l'intérieur du refuge d'oiseaux de l'île aux Hérons qui constitue la plus importante héronnière de la région de Montréal.

**Réseau pédestre** ................. 7,0 km (Multi)(mixte, facile)

**Services et aménagements**

*Autres : aire de jeux, kiosque, pavillon d'exposition*

**Activités complémentaires**

 **Hiver** 7,0 km + TT

**Documentation** .................... Dépliant-carte (à l'accueil)
**Période d'accès** ................. De mai à octobre, de 8 h à 20 h 30
**Frais d'accès** ....................... Frais pour la plage
**Voie d'accès** ......................... Du pont Mercier, prendre la route 132 est et tourner à gauche sur la rue Centrale vers les écluses de Sainte-Catherine. Traverser le pont des Écluses, puis tourner à gauche et continuer sur 1 km.

**Gestionnaire** ......................... Corporation d'aménagement des rives et du parc/ Ville de Sainte-Catherine
**Pour information** ................. (450) 635-3011

## 34 REFUGE FAUNIQUE MARGUERITE-D'YOUVILLE

Le refuge faunique est situé sur l'île Saint-Bernard. Cette dernière forme un delta à l'embouchure de la rivière Châteauguay. L'île est divisée en trois parties par une grande digue et par une plus petite. Un sentier fait le tour de l'île en longeant la rivière Châteauguay et le lac Saint-Louis. On franchira quelques passerelles pour se rendre dans les marais et les marécages. On passera sur la plage Le Grillon et, plus loin, sur la plage du Nord. Le sentier traverse également une érablière à caryers puis une chênaie.

**Réseau pédestre** ................. 8,4 km (mixte, facile)

**Services et aménagements**

*Autres : passerelle, navette fluviale*

**Documentation** .................... Dépliant (au bureau d'information touristique)
**Période d'accès** ................... De fin juin à mi-octobre (samedi et dimanche seulement)
De 9 h à 19 h
**Frais d'accès** (taxes incl.) ..... Adulte : 4,00 $
Enfant : 2,00 $
Carte de membre : 10,00 $
**Voie d'accès** ......................... De Montréal, traverser le pont Mercier et suivre la route
138 en direction de Châteauguay. Tourner à droite sur la
rue Saint-Francis et rouler jusqu'au bout. Tourner ensuite
à droite sur la rue Salaberry Nord et traverser le pont de
la Sauvagine à gauche.

**Gestionnaire** ......................... Héritage Saint-Bernard
**Pour information** .................. (450) 698-3133, heritagestbernard.qc.ca

## 35 RÉSERVE NATIONALE DE FAUNE DU LAC SAINT-FRANÇOIS

Des marais à perte de vue, émaillés d'étangs et de canaux, se confondent avec le lac Saint-François. Ces plans d'eau accueillent un nombre spectaculaire d'oiseaux aquatiques en périodes de migration, de nidification et de mue. On se rendra par un trottoir de bois jusqu'à une tour d'observation. On marchera aussi en milieu boisé et sur une digue.  *Une passerelle passe à travers le marécage du Bois d'Enfer où l'on retrouve le sumac à vernis, la plante la plus toxique au toucher au Québec.*

**Réseau pédestre** ................. 11,4 km

| Sentiers et parcours | Longueur | Type | Niveau |
|---|---|---|---|
| Trille penché .............................................. | 0,8 km ......... | Boucle ......... | Facile |
| Sentier du Marais ..................................... | 0,6 km ......... | Linéaire ....... | Facile |
| Sentier de l'érablière à caryers (Piasetski) ...... | 5,0 km ......... | Boucle ......... | Facile |
| Sentier de la Tour (Frênaie) ........................... | 0,5 km ......... | Boucle ......... | Facile |
| Sentier de la Digue aux aigrettes ................ | 4,5 km ......... | Boucle ......... | Facile |

**Services et**
**aménagements**

*Autres : passerelle, trottoir de bois*
Note : la majorité des services ne sont accessibles que
de mai à octobre.

**Activités**
**complémentaires**          *Hiver* 🚶 *7,0 km*

**Documentation** .................... Dépliant (à l'accueil)
**Période d'accès** ................... Toute l'année, du lever au coucher du soleil
**Frais d'accès** ....................... Gratuit
**Voie d'accès** ......................... De Salaberry-de-Valleyfield, suivre la route 132 ouest. À
partir de Saint-Anicet, suivre les indications.

**Gestionnaire** ......................... Service canadien de la faune
**Pour information** .................. (450) 264-5908 ...... (450) 373-1747
www.qc.ec.gc.ca/faune/faune.html

*Montérégie*                                                                   *323*

## 36 SENTIERS POLYVALENTS DE BROSSARD

Sur ces sentiers multifonctionnels se côtoient marcheurs, patineurs à roues alignées et cyclistes. On pourra circuler en bordure du fleuve Saint-Laurent, le long de la rivière Saint-Jacques, et dans un parc linéaire traversant certains secteurs de Brossard.

**Réseau pédestre** ................. 15,0 km (Multi)

| Sentiers et parcours | Longueur | Type | Niveau |
|---|---|---|---|
| Parc linéaire sous les lignes d'Hydro-Québec ........................................ 5,0 km | | Linéaire | Facile |
| Le long de la rivière Saint-Jacques ............... 5,0 km | | Linéaire | Facile |
| En bordure du fleuve Saint-Laurent ............... 5,0 km | | Linéaire | Facile |

**Services et aménagements**

*Autres : aire de jeux*

**Documentation** .................... Carte (à l'hôtel de ville)
**Période d'accès** ................... De mi-mai à début novembre, du lever au coucher du soleil
**Frais d'accès** ....................... Gratuit
**Voie d'accès** ........................ De l'autoroute 15 et 132 à Brossard, sortir au boulevard Matte et suivre les indications pour le parc Léon-Gravel.

**Gestionnaire** ........................ Ville de Longueuil/Arrondissement de Brossard
**Pour information** ................. (450) 463-7035, www.longueuil.ca

## 37 VERGER MONNOIR

Le verger est situé sur les pentes du mont Saint-Grégoire, la plus petite des collines montérégiennes. Les sentiers sont tracés en forêt. L'un d'eux conduit à un panorama sur la plaine environnante. Au printemps, on peut admirer les pommiers en fleurs et, dès le milieu de l'été, cueillir des pommes.

**Réseau pédestre** ................. 2,5 km (mixte, facile/inter., dénivelé max. de 185 m)

**Services et aménagements**

*Autres : aire de jeux*

**Documentation** .................... Dépliant (à l'accueil)
**Période d'accès** ................... De mai à novembre, du lever au coucher du soleil
**Frais d'accès** ....................... Gratuit
**Voie d'accès** ........................ De la sortie 37 de l'autoroute 10, prendre la route 227 vers le sud. Au clignotant, tourner à droite sur le rang Fort Georges qui devient plus loin le rang du Sous-Bois. Le Verger Monnoir se trouve au bout.

**Gestionnaire** ........................ Verger Monnoir Enr.
**Pour information** ................. (450) 358-4641, www3.sympatico.ca/vergermonnoir

JCT  MONT SAINT-GRÉGOIRE

# *Montréal*

*Parc-nature du Bois-de-l'Île-Bizard*

# MONTRÉAL

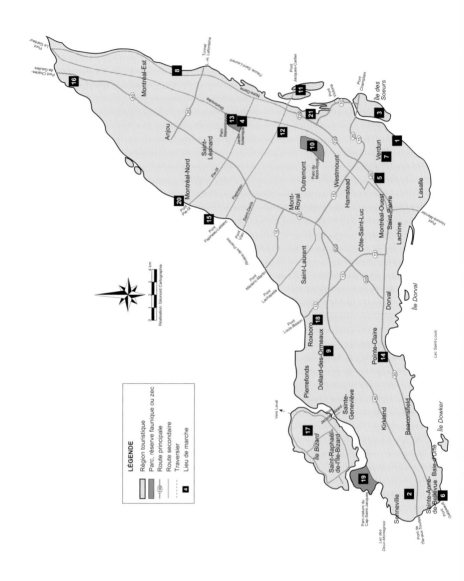

# LIEUX DE MARCHE

**1** ANCIEN « BOARDWALK »

**2** ARBORETUM MORGAN

**3** DOMAINE SAINT-PAUL

**4** JARDIN BOTANIQUE DE MONTRÉAL

**5** LIEU HISTORIQUE NATIONAL DU CANADA
DU CANAL-DE-LACHINE

**6** LIEU HISTORIQUE NATIONAL DU CANADA DU
CANAL-DE-SAINTE-ANNE-DE-BELLEVUE

**7** PARC ANGRIGNON

**8** PARC DE LA PROMENADE BELLERIVE

**9** PARC DU CENTENAIRE

**10** PARC DU MONT-ROYAL

**11** PARC JEAN-DRAPEAU

**12** PARC LAFONTAINE

**13** PARC MAISONNEUVE

**14** PARC TERRA COTTA

**15** PARC-NATURE DE L'ÎLE-DE-LA-VISITATION

**16** PARC-NATURE DE LA POINTE-AUX-PRAIRIES

**17** PARC-NATURE DU BOIS-DE-L'ÎLE-BIZARD

**18** PARC-NATURE DU BOIS-DE-LIESSE

**19** PARC-NATURE DU CAP-SAINT-JACQUES

**20** SENTIER À MONTRÉAL-NORD

**21** VIEUX-PORT DE MONTRÉAL

## BIENVENUE DANS LA RÉGION DE MONTRÉAL

Au pied du mont Royal, surnommé ici « la montagne », se trouve l'une des plus fascinantes métropoles du monde, une ville unique en son genre, au confluent des rivières et des cultures.

Fondée en 1642 par des colons français venus évangéliser les Amérindiens, Montréal est vite devenue le principal pôle de la traite de la fourrure en Amérique du Nord, le plus important centre industriel du Canada et enfin, la métropole moderne que l'on connaît aujourd'hui. Tout cela est inscrit dans son patrimoine architectural. Ainsi, une visite dans le quartier historique du Vieux-Montréal permet de revivre les premiers moments de l'histoire de la ville et d'admirer l'un des ensembles architecturaux les plus remarquables d'Amérique du Nord.

Au pied de ses tours post-modernes, on découvre certaines des plus belles églises du Québec ainsi que des musées exceptionnels. C'est également au nord de ce secteur que l'on retrouve le Montréal « branché » près du Quartier latin et du Plateau Mont-Royal.

Un des traits importants de Montréal est son caractère insulaire. En effet, Montréal est une ville, mais aussi une grande île au confluent du fleuve Saint-Laurent et de la rivière des Outaouais. Des promenades sur les rives ou au cœur de l'île de Montréal vous ouvriront toutes grandes les portes sur l'histoire, la culture et la nature. Pensons aux magnifiques parcs-nature, à des lieux voués à la préservation et l'interprétation de l'environnement comme l'Arboretum Morgan et le Jardin botanique, à des sites pittoresques et champêtres comme le Parc Jean-Drapeau, ou le Vieux-Port de Montréal.

Découvrir Montréal à pied, c'est vivre une expérience urbaine où se mêlent patrimoine, culture et environnement.

# 1 ANCIEN « BOARDWALK »

Longeant la rive du fleuve Saint-Laurent à Verdun, cette piste piétonnière est tracée dans une large bande gazonnée et parsemée d'arbres. Elle borde le centre-ville et le quartier Desmarchais-Crawford. 🐎

**Réseau pédestre** .................. 3,5 km (linéaire, facile)

| | |
|---|---|
| **Services et aménagements** | 🅿️ 📞 🍴 🚻 |
| **Activités complémentaires** | *Hiver* 🎿 *TT* |

**Documentation** .................... Carte (au bureau d'arrondissement, au 4555, rue de Verdun)

**Période d'accès** .................. Toute l'année, du lever au coucher du soleil

**Frais d'accès** ....................... Gratuit

**Voie d'accès** ....................... De l'autoroute Décarie (15), sortir à la rue Wellington et se diriger vers l'ouest. Prendre à gauche le boulevard Lasalle jusqu'à la jonction de la rue Rielle près de laquelle débute le sentier.

*Transports publics* .............. *Descendre au métro de l'Église et marcher sur la rue de l'Église en direction sud jusqu'au boulevard Lasalle. Tourner à droite et marcher jusqu'à la rue Rielle.*

**Gestionnaire** ........................ Ville de Montréal/Arrondissement de Verdun

**Pour information** ................. (514) 765-7150 ...... (514) 765-7270 communications@ville.verdun.qc.ca

# 2 ARBORETUM MORGAN

L'arboretum se trouve sur la pointe ouest de l'île de Montréal. Cette forêt de 245 hectares, constituée à l'origine par la famille Morgan, a été cédée en 1945 à l'Université McGill. L'Arboretum Morgan réunit maintenant l'ensemble le plus complet d'arbres indigènes du Canada. On y retrouve plus de 150 essences d'arbres réparties en 20 groupes distincts parmi lesquels se trouvent des bouleaux, des tilleuls, des érables, plusieurs variétés de pins, d'épinettes, de sapins et de sapins baumiers, et une sélection exceptionnelle d'arbres et d'arbustes à fleurs. Dans cet endroit habitent en permanence 30 espèces de mammifères et 20 espèces de reptiles et d'amphibiens. Il y a aussi 200 espèces d'oiseaux sédentaires et migrateurs qui y trouvent un abri. ⭐ *Le plus grand arboretum au Canada.*

**Réseau pédestre** ................. 9,8 km

| Sentiers et parcours | Longueur | Type | Niveau |
|---|---|---|---|
| Sentier Rouge | 1,5 km | Boucle | Facile |
| Sentier Jaune | 5,3 km | Boucle | Facile |
| Sentier Orange | 3,0 km | Boucle | Facile |

| | |
|---|---|
| **Services et aménagements** | 🎇 🅿️ 👫 📞 🏕️ |
| **Activités complémentaires** |  *Hiver* 🥾❄️ *4,0 km*  *9,8 km* |

**Documentation** .................... Carte, dépliant (à l'accueil)

**Période d'accès** .................. Toute l'année (Accès réservé aux ami-e-s de l'Arboretum durant les fins de semaine de janvier et février) De 9 h à 16 h

**Frais d'accès** (taxes incl.) ..... Adulte : 5,00 $
Enfant (de 5 à 18 ans) : 2,00 $
Enfant (moins de 5 ans) : gratuit
Âge d'Or : 3,00 $
Il existe aussi une carte de membre annuelle

**Voie d'accès** ......................... De l'autoroute 40, prendre la sortie 41 et le chemin Sainte-Marie. À l'arrêt en haut de la côte, tourner à gauche sur le chemin des Pins et continuer jusqu'au chalet des Pins.

*Transports publics* ............... *Du métro Lionel-Groulx, prendre l'autobus 211 en direction de Sainte-Anne-de-Bellevue. Prendre alors un taxi pour l'Arboretum (durée de la course : 10 min.).*

**Gestionnaire** ......................... L'Association pour l'Arboretum Morgan
**Pour information** ................. (514) 398-7811, www.arboretummorgan.org

## 3  DOMAINE SAINT-PAUL

Cette forêt écologique en milieu urbain propose des sentiers d'interprétation menant à travers une végétation aussi touffue que variée. Les sentiers sont recouverts en partie de copeaux de bois et une autre partie de poussière de pierre. On y verra, entre autres, les arbres de l'érablière à caryer, les plantes de la frênaie rouge et la vigne des rivages. Un lac naturel d'une superficie de 5 hectares se trouve à l'intérieur de la forêt. Elle abrite aussi un sanctuaire d'oiseaux.

**Réseau pédestre** ................. 2,5 km (mixte, facile)

**Services et aménagements**

*Autres : aire de jeux, trottoir de bois*

**Activités complémentaires**

**Documentation** ..................... Carte (au Centre Elgar de l'Île des Sœurs)
**Période d'accès** .................. Toute l'année, du lever au coucher du soleil
**Frais d'accès** ....................... Gratuit
**Voie d'accès** ......................... À partir du pont Champlain, prendre la sortie « Île des Sœurs ». Emprunter le boulevard du même nom et suivre les indications.

*Transports publics* ............... *Du métro McGill, prendre l'aubobus 168 jusqu'à son terminus et continuer à pied, à droite sur la rue de Gaspé. On peut aussi accéder aux sentiers en descendant sur la rue Elgar et en allant à l'extrémité du parc Elgar, derrière le centre communautaire.*

**Gestionnaire** ......................... Ville de Montréal/Arrondissement de Verdun
**Pour information** ................. (514) 765-7270 ...... (514) 765-7150
communications@ville.verdun.qc.ca

## 4  JARDIN BOTANIQUE DE MONTRÉAL

Fondé en 1931 par le frère Marie-Victorin, le Jardin botanique de Montréal est le troisième en importance au monde pour ce qui est de la diversité, et le deuxième pour son étendue, derrière celui de Londres. Sur 75 hectares, on trouve 26 000 espèces et variétés de végétaux. Dix serres permettent d'admirer plusieurs de ceux-ci. À l'extérieur, les plantes sont regroupées par thèmes dans une trentaine de jardins (jardin de Chine, jardin japonais, roseraie, etc.) et dans un vaste arboretum qui couvre presque la moitié de la superficie totale. On y trouve aussi un jardin fort peu connu : la forêt des Montréal en France, avec des espèces d'arbres de chacune des régions, des villes ou villages concernés, et une carte au sol qui situe les Montréal outre-mer. Sur les lieux, l'Insectarium pique la curiosité du visiteur avec ses 150 000 spécimens provenant d'une centaine de pays. Un petit parcours a été créé (cours des sens) pour les personnes non-voyantes avec des panneaux en braille. ★ *Le plus important jardin botanique en Amérique.*

**Réseau pédestre** .................. 5,0 km (mixte, facile)

**Services et aménagements**

**Autres :** *aire de jeux, centre d'interprétation*

**Activités complémentaires**

*Hiver* 5,0 km

**Documentation** ..................... Dépliant-carte (à l'accueil)
**Période d'accès** .................. Toute l'année, de 9 h à 17 h (18 h en été et 21 h durant la Magie des lanternes)
**Frais d'accès** (taxes incl.) ..... Haute saison / Basse saison
Adultes : 11,75 $ / 8,75 $
Aînés (65 ans et +) : 9,00 $ / 6,75 $
Étudiants : 9,00 $ / 6,75 $
Enfants (5 à 17 ans) : 6,00 $ / 4,50 $
Hiver : l'accès au site est gratuit sauf pour l'insectarium et les serres
Stationnement : maximum 10,00 $
**Voie d'accès** ........................ À partir de l'autoroute 25, emprunter la rue Sherbrooke en direction ouest jusqu'à l'intersection du boulevard Pie-IX où se trouve l'entrée du Jardin.
**Transports publics** .............. *Du métro Pie-IX, monter le boulevard Pie-IX sur un peu plus de 100 mètres. L'entrée principale est au coin de la rue Sherbrooke.*

**Gestionnaire** ......................... Jardin botanique de Montréal/Ville de Montréal
**Pour information** .................. (514) 872-1400
www.ville.montreal.qc.ca/jardin

JCT   PARC MAISONNEUVE

# 5   LIEU HISTORIQUE NATIONAL DU CANADA DU CANAL-DE-LACHINE

Inauguré en 1825, le canal de Lachine devint le premier axe de développement industriel au pays. En effet, l'infrastructure de transport unique ainsi que l'énergie hydraulique qu'offrait cette voie d'eau stimulèrent l'essor de la région. Usines et manufactures se multiplièrent à partir de 1850, entraînant le développement de nombreux quartiers ouvriers. Longeant le canal à partir du Vieux-Montréal en se dirigeant vers le lac Saint-Louis où il aboutit, on peut encore se rappeler cette époque. On peut aussi apprécier le contraste entre le paysage industriel ancien et le paysage naturel qu'offre le lac. 🐾
★ *Le musée de Lachine est le plus ancien bâtiment de l'île de Montréal.*
⚠ *Le lieu n'est pas entretenu du 1ᵉʳ novembre au 15 avril.*

**Réseau pedestre** .................. 11,5 km (Multi) (linéaire, facile)
*Note : ce sentier est éclairé.*

**Services et aménagements**

*Autres : centre d'interprétation, boutique*

**Activités complémentaires**

**Documentation** ..................... Dépliant (à l'accueil)
**Période d'accès** ................... Toute l'année, du lever du soleil à 23 h
**Frais d'accès** (taxes incl.) ..... Gratuit
**Voie d'accès** ......................... De l'autoroute Bonaventure (10) ou du pont Victoria, suivre les indications pour « Le Vieux-Port ». Le canal Lachine débute immédiatement à l'ouest du Vieux-Port.
*Transports publics* ............... *Au métro Square-Victoria, descendre la rue McGill jusqu'à la Maison des Éclusiers au Vieux-Port (angle rue de la Commune). Le sentier débute à cet endroit.*

**Gestionnaire** ......................... Parcs Canada – secteur Lachine
**Pour information** ................. (514) 283-6054, www.pc.gc.ca/canallachine

[JCT] VIEUX-PORT DE MONTRÉAL

---

## 6 · LIEU HISTORIQUE NATIONAL DU CANADA DU CANAL-DE-SAINTE-ANNE-DE-BELLEVUE

Ouverte à la navigation en 1882, cette nouvelle écluse fut construite à côté de l'ancienne (datant de 1843) pour ne pas retarder le transport des marchandises sur la rivière des Outaouais. Cette voie de navigation était d'une grande importance pour le commerce entre Montéal, Bytown (rebaptisé Ottawa) et Kingston. Maintenant ouverte aux plaisanciers, elle fait partie d'un vaste réseau de voies navigables. Le cachet unique de l'écluse et les nombreuses terrasses bordant le canal animent ce site d'une atmosphère urbaine. Ce lieu invite à la détente et à la découverte de son histoire. 🐕

**Réseau pedestre** .................. 2,0 km (linéaire, facile)

**Services et aménagements**

**Activités complémentaires**

**Documentation** ..................... Brochure (à l'accueil)
**Période d'accès** .................. Du 14 mai au 14 octobre, du lever au coucher du soleil
**Frais d'accès** ......................... Gratuit
**Voie d'accès** ......................... De Montréal, suivre l'autoroute 20 vers l'ouest et sortir à Sainte-Anne-de-Bellevue. Le site se trouve entre le lac Saint-Louis et le lac des Deux-Montagnes.
*Transports publics* ............... *Au métro Lionel-Groulx, prendre l'autobus 211 jusqu'au terminus du Collège McDonald. Prendre ensuite l'autobus 251 qui passe en face des points d'accès sur la rue du Collège.*

**Gestionnaire** ......................... Parcs Canada
**Pour information** ................. (514) 457-5546 ...... (450) 447-4888
www.pc.gc.ca/lhn-nhs/qc/annedebellevue

---

## 7   PARC ANGRIGNON

Avec ses 140 hectares, le parc Angrignon constitue la deuxième plus grande superficie boisée de l'île de Montréal. On y trouvera trois étangs et un lac long de 1 km.

**Réseau pédestre** ................ 10,0 km (mixte, facile)
*Note : 1,6 km des sentiers sont asphaltés et éclairés.*

**Services et aménagements**

*Autres : centre d'animation, abri*

**Activités complémentaires**    *Hiver*  *2,0 km*  *2,0 km*

**Documentation** .................... Dépliant (à l'accueil)
**Période d'accès** ................... Toute l'année, de 6 h à minuit
**Frais d'accès** ........................ Gratuit
**Voie d'accès** ........................ De l'autoroute Décarie (15), prendre la sortie du boulevard de La Vérendrye et continuer sur celui-ci vers l'ouest. Tourner à droite sur le boulevard des Trinitaires, puis à gauche sur la rue Lacroix.
*Transports publics* .............. *Métro Angrignon*

**Gestionnaire** ........................ Fort Angrignon
**Pour information** ................ (514) 872-3816, www.fortangrignon.qc.ca

## 8   PARC DE LA PROMENADE BELLERIVE

Le parc de la Promenade Bellerive est l'un des rares endroits, à Montréal, permettant un accès immédiat au fleuve. En face, on peut voir l'île Charron et les îles de Boucherville. 

**Réseau pédestre** ................ 2,2 km (Multi) (mixte, facile)

**Services et aménagements**

**Activités complémentaires**    *Hiver* 2,2 km

**Documentation** .................... Dépliant (au chalet du parc)
**Période d'accès** ................... Toute l'année, de 6 h à minuit
**Frais d'accès** ........................ Gratuit
**Voie d'accès** ........................ De l'autoroute 25, rejoindre la rue Notre-Dame en direction est. L'entrée du parc est située à l'est de la rue Honoré-Beaugrand.
*Transports publics* .............. *Du métro Honoré-Beaugrand, prendre l'autobus 185 jusqu'au terminus. Du métro L'Assomption, prendre l'autobus 22 est.*

**Gestionnaire** ........................ Société d'animation de la Promenade Bellerive
**Pour information** ................ (514) 493-1967, sapb@cam.org

## 9   PARC DU CENTENAIRE

Le parc du Centenaire constitue, avec ses 103 hectares, un havre de paix au cœur de l'arrondissement de Dollard-des-Ormeaux. On a creusé un lac artificiel de 29 hectares et formé deux buttes de 18 et 28 m à gravir. Des sentiers permettent de circuler, en outre, dans les boisés et un autre fait le tour du lac. 🐾

**Réseau pédestre** .................. 4,9 km

| Sentiers et parcours | Longueur | Type | Niveau |
|---|---|---|---|
| Renard ............................................................ | 1,0 km ........ | Boucle ........ | Facile |
| Lièvre ............................................................. | 1,3 km ........ | Boucle ........ | Facile |
| Ours ............................................................... | 2,6 km ........ | Boucle ........ | Facile |

**Services et aménagements**

**Activités complémentaires**     *Hiver* 🚶❄ *2,6 km*

**Période d'accès** .................. Toute l'année, du lever au coucher du soleil

**Frais d'accès** ........................ Gratuit

**Voie d'accès** ........................ De l'autoroute 40, prendre la sortie 55 et suivre le boulevard des Sources en direction nord. À la rue Churchill, tourner à gauche, puis à droite sur la rue Lake. Poursuivre en direction ouest jusqu'à la jonction de la rue Manuel, en face de laquelle se trouve l'entrée principale.

*Transports publics* ............... *Du métro Henri-Bourassa, prendre l'autobus 69 vers l'ouest et correspondre au terminus de la rue Grenet (Cartierville) avec l'autobus 68. Descendre à l'angle des boulevards Gouin et des Sources, puis continuer avec l'autobus 208 en direction sud. Quitter à la rue Churchill et suivre celle-ci, puis la rue Lake, jusqu'à l'entrée du parc. (Marche de 10 à 15 min.)*

**Gestionnaire** ........................ Ville de Montréal/Arrondissement de Dollard-des-Ormeaux/Roxboro

**Pour information** ................. (514) 684-1034 poste 531, www.ville.montreal.qc.ca

# 10  PARC DU MONT-ROYAL

Le mont Royal, élément dominant et déterminant du paysage de l'île de Montréal, s'élève à 233 m et comporte trois sommets : la colline de la Croix où est situé le parc du Mont-Royal, la colline d'Outremont (parfois appelée le mont Murray) et la colline de Westmount. Le parc du Mont-Royal fut inauguré le 24 mai 1876. La ville de Montréal avait alors acquis les terrains de plusieurs propriétaires en vue d'aménager un parc public. Le parc couvre une superficie de 174 km². C'est un des plus grands parcs de la ville de Montréal et il est reconnu comme un pôle d'attraction régionale. Son relief est accidenté et il est couvert de végétation dont la forêt mixte. On y trouve des sentiers boisés et aménagés. 🐾 ⭐ *Aucun édifice à Montréal ne peut être plus haut que le sommet de la montagne.*

**Réseau pédestre** .................. 30,0 km

| Sentiers et parcours | Longueur | Type | Niveau | Dénivelé |
|---|---|---|---|---|
| Chemin Olmsted/Circuit des mangeoires ........ | 7,0 km ......... | Mixte ............ | Facile .......... | 145 m |
| Sentier de l'escarpement ............................... | 1,0 km ......... | Mixte ............ | Facile | |
| Circuit des mangeoires ................................... | 2,0 km ......... | Boucle ........ | Facile | |
| Sentiers du piedmont ...................................... | 1,5 km ......... | Mixte ............ | Intermédiaire | |
| *Note : le sentier de marche hivernale est le chemin Olmsted* | | | | |

**Services et aménagements**

*Autres : centre d'éducation à l'environnement, aire de jeux, boutique*

**Activités complémentaires**

  Hiver  *7,0 km* *30,0 km*

Documentation .................... Carte, brochure d'interprétation, bulletin (à l'accueil)
Période d'accès .................. Toute l'année, de 6 h à minuit
Frais d'accès ....................... Frais de stationnement
Voie d'accès ....................... **De la rue Sherbrooke,** emprunter le chemin de la Côte-des-Neiges vers le nord, puis prendre à droite le chemin Remembrance. **De l'avenue du Parc,** emprunter le boulevard du Mont-Royal vers l'ouest, puis la voie Camilien-Houde.
Transports publics .............. *Du métro Mont-Royal, prendre l'autobus 11 pour aller au belvédère (premier arrêt sur la montagne) et au lac des Castors (second arrêt).*

Gestionnaire ....................... Centre de la montagne inc./Parc du Mont-Royal
Pour information ................. (514) 843-8240, www.lemontroyal.qc.ca

## 11   PARC JEAN-DRAPEAU

Le parc Jean-Drapeau c'est, face au centre-ville de Montréal et au milieu du fleuve Saint-Laurent, 268 hectares de verdure. L'île Sainte-Hélène, déjà aménagée en parc public en 1874, témoigne de son riche passé. En plus de présenter aux amateurs d'histoire des bâtiments de l'époque coloniale, comme son fort, elle détient l'héritage de l'Expo 67. L'île Notre-Dame, quant à elle, ne voit le jour qu'en 1967, à l'occasion de l'Expo. Son parc floral a été créé pour les Floralies internationales en 1980. Il regroupe les jardins d'une quinzaine de pays, dont celui de la France, de l'Italie, etc. On peut également y découvrir 11 oeuvres d'art public, le circuit de course automobile de Formule 1, le bassin olympique et la tour de Lévis. 

Réseau pédestre ................. 10,0 km (Multi) (mixte, facile)

**Services et aménagements**

*Autres : aire de jeux, passerelle*
*Note : le chalet d'accueil « Infoparc » est ouvert unique-ment de la mi-juin à la fin août et lors d'événements comme la Fête des Neiges*

**Activités complémentaires**

  Hiver  *5,0 km* *5,0 km + TT*

Documentation .................... Dépliant (à l'accueil et au bureau d'information touristique)
Période d'accès .................. Toute l'année, de 6 h à minuit
Frais d'accès (taxes incl.) ..... Gratuit
En fonction de la programmation des différentes activités, les frais de stationnement varient de 10,00 $ à 12,00 $
Voie d'accès ....................... À partir du pont Jacques-Cartier, suivre les indications pour « Parc Jean-Drapeau ». On peut aussi accéder à

ce lieu depuis la Cité du Havre en passant par le pont de la Concorde.

**Transports publics** ............... *Du métro Jean-Drapeau, les visiteurs disposent de 3 lignes d'autobus : La Ronde, la plage et le casino. Du métro Papineau, l'autobus 169 mène à La Ronde (saisonnier).*

**Gestionnaire** ........................ Parc Jean-Drapeau/Pavillon du Canada
**Pour information** .................. (514) 872-6120, www.parcjeandrapeau.com

## 12  PARC LAFONTAINE

Le parc Lafontaine est depuis longtemps un lieu de verdure, de fraîcheur et de repos en plein cœur de Montréal. Ses deux étangs sont bordés de sentiers. Des promenades, agrémentées de fleurs, ont été aménagées.

**Réseau pédestre** .................. 10,0 km (Multi) (mixte, facile)

| **Services et aménagements** |  |
| --- | --- |
| **Activités complémentaires** | *Hiver*  5,0 km |

**Période d'accès** ................... Toute l'année, de 8 h à 23 h
**Frais d'accès** ........................ Gratuit
**Voie d'accès** ........................ Du pont Jacques-Cartier, poursuivre vers le nord sur l'avenue De Lorimier et tourner à gauche sur la rue Sherbrooke. Le parc est situé non loin sur la droite.
**Transports publics** ............... *Du métro Sherbrooke, prendre l'autobus 24 et descendre sur la rue Sherbrooke, face au parc.*

**Gestionnaire** ........................ Ville de Montréal/Arrondissement Plateau Mont-Royal
**Pour information** .................. (514) 872-2644, www.ville.montreal.qc.ca

## 13  PARC MAISONNEUVE

Aménagé sur le site d'un ancien terrain de golf, le parc Maisonneuve constitue, avec le Jardin botanique qui lui est attenant, un grand espace vert à l'est du centre-ville de Montréal. Il est composé surtout d'aires ouvertes.

**Réseau pédestre** .................. 5,1 km

| Sentiers et parcours | Longueur | Type | Niveau |
| --- | --- | --- | --- |
| Sentier du parc | 3,1 km | Boucle | Facile |
| Santé-vous en nature | 2,0 km | Boucle | Facile |

| **Services et aménagements** |  |
| --- | --- |
| **Activités complémentaires** | *Hiver*  2,0 km  5,1 km + TT |

**Période d'accès** ................... Toute l'année, du lever au coucher du soleil
**Frais d'accès** ........................ Gratuit

---

**Voie d'accès** ......................... À partir de l'autoroute 25, emprunter la rue Sherbrooke en direction ouest jusqu'au 4601, en face du Stade olympique.

**Transports publics** .............. *Du métro Viau, prendre l'autobus 132 jusqu'à la rue Sherbrooke et marcher 2 minutes vers l'ouest jusqu'à l'entrée du parc. Il est possible aussi de prendre au métro Viau la navette du Parc olympique qui mène du Biodôme à l'entrée du parc Maisonneuve.*

**Gestionnaire** ......................... Ville de Montréal/Arrondissement Rosemont/Petite Patrie
**Pour information** ................. (514) 872-6555

JCT    JARDIN BOTANIQUE DE MONTRÉAL

## 14    PARC TERRA COTTA

Terra Cotta est le site d'une ancienne carrière d'une étendue de 45 hectares, située au cœur de l'arrondissement de Pointe-Claire. Le parc offre une variété d'habitats, des espaces verts aux secteurs boisés. Plusieurs espèces d'oiseaux migrateurs s'arrêtent au parc. On peut les observer, en plus, des oiseaux qui y nichent en permanence. 🐎

**Réseau pédestre** ................. 6,0 km (mixte, facile)

**Services et aménagements**    ✶ P

**Activités complémentaires**    🌲    **Hiver** 🎿 *6,0 km*

**Documentation** ..................... Brochure et carte (au bureau d'arrondissement, au 94, Douglas Shand)
**Période d'accès** .................. Toute l'année, de 7 h à 23 h
**Frais d'accès** ........................ Gratuit
**Voie d'accès** ......................... De l'autoroute 20, prendre la sortie 50 et emprunter le boulevard Saint-Jean en direction nord. Tourner à droite sur Douglas Shand et encore à droite sur le chemin Maywood. Ensuite, tourner à gauche sur l'avenue Donegani et à gauche à nouveau sur l'avenue Terra Cotta.
**Transports publics** .............. *Du métro Lionel-Groulx, prendre l'autobus 211 et descendre à l'arrêt du boulevard Saint-Jean. De là, correspondre avec l'autobus 201 qui conduit à l'intersection de la rue Saint-Louis et du chemin Maywood; deux entrées du parc se situent sur le chemin Maywood.*

**Gestionnaire** ......................... Ville de Montréal/Arrondissement de Pointe-Claire
**Pour information** ................. (514) 630-1241 ...... (514) 630-1214
www.ville.pointe-claire.qc.ca

## 15    PARC-NATURE DE L'ÎLE-DE-LA-VISITATION

D'une superficie de 34 hectares, ce parc-nature est situé au coeur du quartier Ahuntsic, à Montréal. On a accès à une île, aux berges de la rivière des Prairies et à un boisé fréquenté par de nombreuses espèces d'oiseaux. Des sites historiques tels que le Sault-au-Récollet, la Maison du Pressoir et la Maison du Meunier sont aussi accessibles. 🐎

*Montréal*                                                                                    *337*

**Réseau pédestre** .................. 6,0 km (Multi : 1,0)

| Sentiers et parcours | Longueur | Type | Niveau |
|---|---|---|---|
| Sentier auto-guidé – secteur de l'île | 2,0 km | Boucle | Facile |

**Services et aménagements**

Autres : centre d'interprétation, bistro-terrasse, passerelle

**Activités complémentaires**

Hiver ✴ 6,0 km

**Documentation** ..................... Dépliant-carte, programme d'activités, guide d'interprétation (à l'accueil)

**Période d'accès** ................... Toute l'année, du lever au coucher du soleil

**Frais d'accès** (taxes incl.) ..... Stationnement : 5,00 $
Permis annuel disponible (pour tous les parcs-nature)

**Voie d'accès** ......................... Par l'autoroute 19 ou l'avenue Papineau, emprunter le boulevard Henri-Bourassa en direction est. Tourner à gauche sur la rue de Lille et poursuivre jusqu'au boulevard Gouin, où se trouve l'entrée du parc.

*Transports publics* ............... *Du métro Henri-Bourassa, prendre l'autobus 69 vers l'est et descendre à la rue de Lille. Marcher ensuite sur cette rue en direction nord, puis tourner à droite sur le boulevard Gouin. Le chalet d'accueil se situe sur la gauche.*

**Gestionnaire** ......................... Service des parcs et espaces verts de la ville de Montréal

**Pour information** .................. (514) 280-6733 ...... (514) 280-6767
services.ville.montreal.qc.ca/parcs-nature

JCT   SENTIER À MONTRÉAL-NORD

## 16   PARC-NATURE DE LA POINTE-AUX-PRAIRIES

D'une superficie de 261 hectares, ce parc-nature est situé à la pointe est de l'île de Montréal. Les deux secteurs qui le composent présentent des environnements différents. Celui du Bois-de-l'Héritage abrite les seuls boisés matures à l'est du mont Royal, tandis que celui de la Rivière-des-Prairies est caractérisé par la richesse de ses marais.
🐕 *Sauf sur les sentiers de raquette* ⭐ *Le parc recèle plus de 186 espèces d'oiseaux.*

**Réseau pédestre** .................. 15,0 km (Multi : 13,6)

| Sentiers et parcours | Longueur | Type | Niveau |
|---|---|---|---|
| Sentier d'interprétation – secteur Héritage | 1,8 km | Boucle | Facile |
| Sentier d'interprétation – secteur Rivière-des-Prairies | 2,0 km | Mixte | Facile |

**Services et aménagements**

Autres : centre d'interprétation

**Activités complémentaires**

 Hiver ✴ 10,0 km  2,0 km

**Documentation** ..................... Dépliant-carte, programme d'activités, brochures (à l'accueil)

**Période d'accès** .................. Toute l'année, de 8 h au coucher du soleil
Note : les chalets d'accueil sont fermés de fin octobre
à mi-décembre

**Frais d'accès** (taxes incl.) ..... Stationnement : 5,00 $ par jour
Permis annuel disponible (pour tous les parcs-nature)

**Voie d'accès** ........................ **Chalet d'accueil Héritage** : De l'autoroute 40, prendre
la sortie 87 et emprunter la rue Sherbrooke est jusqu'à
l'entrée du parc située au 14905. **Pavillon des Marais** :
De l'autoroute 40, prendre la sortie 83 et emprunter le
boulevard Saint-Jean-Baptiste est. Poursuivre en
direction nord et emprunter le boulevard Gouin est jusqu'à
l'entrée du parc située au 12300.

**Transports publics** ............... *Pour le chalet d'accueil Héritage : du métro Honoré-
Beaugrand, prendre l'autobus 189 et descendre au coin
des rues Sherbrooke et Yves-Thériault. Suivre cette
dernière vers le nord jusqu'à son extrémité. Sur la rue
Jovette-Bernier, une entrée permet d'accéder au parc.
Pour le chalet d'accueil Rivière-des-Prairies : du métro
Honoré-Beaugrand, prendre l'autobus 189 jusqu'au
terminus, puis l'autobus 183.*

**Gestionnaire** ........................ Service des parcs et espaces verts de la ville de Montréal
**Pour information** .................. (514) 280-6691 ...... (514) 280-6767
services.ville.montreal.qc.ca/parcs-nature

## 17  PARC-NATURE DU BOIS-DE-L'ÎLE-BIZARD

D'une superficie de 178 hectares, ce parc-nature est situé au nord-ouest de l'île de
Montréal. Deux zones importantes ont été aménagées : l'une donnant accès à la rive du
lac des Deux Montagnes, l'autre, vouée à la conservation, contenant des massifs boisés
(érablières et cédrières). Grâce aux nombreux écosystèmes, la faune y est abondante
et très active. 🐕 *Autorisé seulement sur une portion du réseau (5,0 km)* ⭐ *Une
passerelle de 406 mètres permet de franchir un marécage.*

**Réseau pédestre** ................. 9,6 km (Multi) (mixte, facile)

**Services et
aménagements**

*Autres : passerelle*

**Activités
complémentaires**
  *Hiver* 🚶❄ 3,8 km

**Documentation** .................... Dépliant-carte, brochure (à l'accueil)
**Période d'accès** ................. Toute l'année, du lever au coucher du soleil
Chalet d'accueil : de 10 h à 17 h

**Frais d'accès** (taxes incl.) ..... Stationnement : 5,00 $
Permis annuel disponible (pour tous les parcs-nature)

**Voie d'accès** ........................ De l'autoroute 40, prendre la sortie 52 et emprunter le
boulevard Saint-Jean en direction nord. Au boulevard
Pierrefonds, tourner à gauche, puis à droite sur le
boulevard Jacques-Bizard. Traverser le pont, tourner à
gauche sur la rue Cherrier et à droite sur la montée de
l'Église. Prendre à droite sur le chemin Bord du Lac et
continuer jusqu'à l'entrée du parc située au numéro 2115.

*Montréal*                                            *339*

***Transports publics*** ............... *Du métro Henri-Bourassa, prendre l'autobus 69 vers l'ouest et correspondre au terminus de la rue Grenet avec l'autobus 68. Descendre ensuite à l'angle des boulevards Gouin et Jacques-Bizard. Prendre, sur ce dernier, l'autobus 207 vers le nord et quitter sur la montée de l'Église, à l'angle du boulevard Chèvremont. On atteint l'entrée en marchant une vingtaine de minutes en direction nord.*

**Gestionnaire** ......................... Service des parcs et espaces verts de la ville de Montréal
**Pour information** ................. (514) 280-8517
services.ville.montreal.qc.ca/parcs-nature

## 18   PARC-NATURE DU BOIS-DE-LIESSE

D'une superficie de 159 hectares, ce parc-nature est situé sur le territoire de quatre arrondissements, soit Saint-Laurent, Pierrefonds, Montréal et Dollard-des-Ormeaux. On y trouve, entre autres, la zone boisée « les Bois-Francs », un ruisseau sinueux et une péninsule donnant sur la rivière des Prairies. 🐕 *Autorisé seulement sur une portion du réseau (4,0 km).*

**Réseau pédestre** ................. 11,0 km (Multi : 8,0)

| Sentiers et parcours | Longueur | Type | Niveau |
|---|---|---|---|
| Secteur d'interprétation ........................................ 1,5 km ......... Linéaire ....... Facile |

**Services et aménagements**

🏠 🅿 👫 🚻 🍴 🏕 🍱

*Autres : passerelle japonaise*

**Activités complémentaires**

🌾   *Hiver* 🚶❄ 3,5 km 🎿 1,5 km ⛄

**Documentation** .................... Dépliant-carte, brochure d'interprétation, calendrier d'activités (à l'accueil)
**Période d'accès** .................. Toute l'année (sauf le 25 décembre et le 1ᵉʳ janvier)
L'accueil Pitfield est fermé de fin octobre à mi-décembre
L'accueil des Champs est fermé de mi-mars à fin avril
**Horaire d'accès** ................... Du lever au coucher du soleil
**Frais d'accès** (taxes incl.) ..... Stationnement : 5,00 $
Permis annuel disponible (pour tous les parcs-nature)
**Voie d'accès** ........................ De l'autoroute 13, prendre la sortie 8 et emprunter le boulevard Gouin en direction ouest. L'entrée du parc est située au 9432.
***Transports publics*** ............... ***Pour l'accueil Pitfield :*** *du métro Henri-Bourassa, prendre l'autobus 69 vers l'ouest et correspondre avec l'autobus 68 ouest au terminus de la rue Grenet. L'entrée du parc se trouve peu après le viaduc de l'autoroute 13.*

**Gestionnaire** ......................... Service des parcs et espaces verts de la ville de Montréal
**Pour information** ................. (514) 280-6729 ...... (514) 280-6678
services.ville.montreal.qc.ca/parcs-nature

## 19 PARC-NATURE DU CAP-SAINT-JACQUES

D'une superficie de 288 hectares, ce parc-nature est situé dans la partie nord-ouest de l'île de Montréal. Ceinturé de rives naturelles, celles du lac des Deux Montagnes et de la rivière des Prairies, il possède trois milieux terrestres : friches, champs et boisés.

🐕 *Sauf de juin à août pour le secteur Pointe-Madeleine (plage).*

**Réseau pédestre** ................ 16,7 km (Multi : 7,7)

| Sentiers et parcours | Longueur | Type | Niveau |
|---|---|---|---|
| Sentier multifonctionnel ................................ 7,0 km ........ Mixte ........... Facile |
| Le Lapin ......................................... 6,0 km ........ Boucle ........ Facile |
| Sentier d'interprétation La Pointe-Madeleine ... 3,0 km ........ Boucle ........ Facile |

**Services et aménagements**

*Autres : centre d'interprétation, ferme d'animation écologique*

**Activités complémentaires**

 *Hiver* 🎿* 5,5 km

**Documentation** .................... Dépliant-carte, brochures, dépliant (à l'accueil)

**Période d'accès** ................ Toute l'année, du lever au coucher du soleil
Chalet d'accueil : de 10 h à 17 h (mai à octobre)

**Frais d'accès** (taxes incl.) ..... Adulte : 4,00 $ (plage : de juin à fin août)
Enfant : 3,00 $ (plage : de juin à fin août)
Stationnement : 5,00 $
Permis annuel disponible (pour tous les parcs-nature)

**Voie d'accès** ........................ De l'autoroute 40, prendre la sortie 49 et tourner à gauche sur le chemin Sainte-Marie. Emprunter le chemin de l'Anse-à-l'Orme sur toute sa longueur et tourner à droite sur le boulevard Gouin. Continuer jusqu'au numéro 20099 où est situé le chalet d'accueil.

***Transports publics*** .............. *Du métro Henri-Bourassa, prendre l'autobus 69 ouest et correspondre avec l'autobus 68 ouest au terminus de la rue Grenet. Se rendre jusqu'au terminus du circuit 68 où se situe l'entrée du parc.*

**Gestionnaire** ........................ Service des parcs et espaces verts de la ville de Montréal
**Pour information** ................ (514) 280-6871
services.ville.montreal.qc.ca/parcs-nature

## 20 SENTIER À MONTRÉAL-NORD

Prenant son départ au parc Aimé-Léonard et longeant la rivière des Prairies, ce sentier piétonnier sillonne un espace gazonné parsemé d'arbres. Il invite à la découverte de ce milieu riverain privilégié.

**Réseau pédestre** ................ 4,0 km (linéaire, facile)

**Services et aménagements**

---

*Montréal* 341

**Période d'accès** .................. Toute l'année, du lever au coucher du soleil
**Frais d'accès** ........................ Gratuit
**Voie d'accès** ......................... De l'autoroute 25 ou du boulevard Pie-IX, rejoindre le boulevard Gouin et se diriger vers l'est jusqu'au 4975, soit au chalet du parc Aimé-Léonard.
*Transports publics* .............. *Au métro Henri-Bourassa, prendre l'autobus 69 Est jusqu'au boulevard Sainte-Gertrude. De là, on peut marcher vers le nord ou prendre l'autobus 140 Nord.*

**Gestionnaire** ......................... Ville de Montréal/Arrondissement de Montréal-Nord
**Pour information** .................. (514) 328-4150

[JCT]   PARC-NATURE DE L'ÎLE-DE-LA-VISITATION

## 21  VIEUX-PORT DE MONTRÉAL

Le Vieux-Port de Montréal est parmi les vieux ports réaménagés les plus vastes au monde. Sur un front d'eau de 2,5 km, il couvre une superficie de 54 hectares. La mise en valeur de ce site chargé d'histoire en fait le complément naturel du Vieux-Montréal avec lequel il constitue un des plus importants quartiers historiques de l'Amérique du Nord. Ses nouveaux aménagements furent inaugurés en 1992. Des jetées et des parcs surplombent le fleuve. À l'ouest du site, on trouve des écluses, et à l'est, le quai de l'horloge avec son belvédère sur le fleuve. ★ *La promenade du Vieux-Port est un tronçon du Sentier transcanadien.*

**Réseau pédestre** .................. 7,0 km

| Sentiers et parcours | Longueur | Type | Niveau |
|---|---|---|---|
| Promenade du Vieux-Port/ | | | |
| Circuit historique ............................................ 3,5 km ........ Linéaire ....... Facile | | | |

**Services et aménagements**      🎡 🅿 👫 📞 🍴 ⛏ 🏕

*Autres : aire de jeux, boutique*

**Activités complémentaires**      🎿   *Hiver* 🚶❄ *4,0 km*

**Documentation** .................... Brochure, carte, programme des activités (au bureau d'information touristique)
**Période d'accès** .................. Toute l'année, du lever au coucher du soleil
**Frais d'accès** ........................ Frais de stationnement
**Voie d'accès** ......................... De l'autoroute Bonaventure (10) ou du pont Victoria, suivre les indications pour « Le Vieux-Port ».
*Transports publics* .............. *Stations de métro Champ-de-Mars ou Place d'Armes. Se diriger ensuite vers le port par la rue Sanguinet, la rue Saint-Urbain ou la rue McGill.*

**Gestionnaire** ......................... Société du Vieux-Port de Montréal
**Pour information** .................. (514) 496-PORT .... 1 800 971-PORT
                                        www.vieuxportdemontreal.com

[JCT]   LIEU HISTORIQUE NATIONAL DU CANADA DU CANAL-DE-LACHINE

# Nord-du-Québec – Baie-James

*Ambiance du Nord*

# NORD-DU-QUÉBEC – BAIE-JAMES

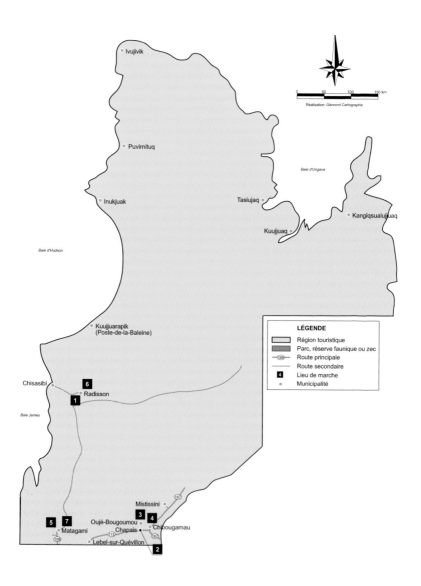

Ivujivik

Puvirnituq

Baie d'Ungava

Inukjuak

Tasiujaq

Kangiqsualujjuaq

Kuujjuaq

Baie d'Hudson

Kuujjuarapik
(Poste-de-la-Baleine)

**LÉGENDE**
Région touristique
Parc, réserve faunique ou zec
Route principale
Route secondaire
Lieu de marche
Municipalité

Chisasibi

**6**

Radisson

**1**

Baie James

Mistissini

167

**3**

**4**

Oujé-Bougoumou

**5** **7**

Matagami

Chapais

Chibougamau

167

113

109

Lebel-sur-Quévillon

**2**

Un autre stationnement est possible pour le sentier de la Tour : à 4 km au nord de Chibougamau par la route 167, tourner à droite sur le chemin Campbell et faire 4,3 km.

**Gestionnaire** ......................... Ville de Chibougamau
**Pour information** ................. (418) 748-2680, www.ville.chibougamau.qc.ca

## 5 RÉSEAU BELL-NATURE

Des sentiers sillonnent la forêt de plusieurs parcs situés en milieu urbain. Ils longent la rivière Bell et le rapide du Chenal, et se rendent à une tour d'observation qui donne sur la ville. 🏕

**Réseau pédestre** ................. 3,5 km (Multi) (mixte, intermédiaire)

**Services et aménagements**

✳ 🅿 🌳 🏚 🏛

*Autres : aire de jeux*

**Activités complémentaires**

🌿   *Hiver* 🏃 *3,5 km + TT*  🍴

**Documentation** .................... Carte touristique (à l'hôtel de ville ou au bureau d'information touristique)
**Période d'accès** .................. Toute l'année, du lever au coucher du soleil
**Frais d'accès** ........................ Gratuit
**Voie d'accès** ........................ Dans la ville de Matagami, des panneaux de signalisation indiquent l'entrée du parc.

**Gestionnaire** ......................... Ville de Matagami
**Pour information** ................. (819) 739-2718 ....... (819) 739-4566, www.matagami.com

## 6 SENTIER ROBERT-BOURASSA

La construction du complexe hydroélectrique de La Grande a débuté en 1973 et est maintenant presque terminée. À lui seul, ce complexe produit plus de la moitié de l'hydroélectricité du Québec. La centrale Robert-Bourassa (La Grande-2), dont la construction fut achevée en 1991, est la plus grande centrale hydroélectrique souterraine au monde, et a nécessité la construction d'un barrage de 162 m de hauteur sur 2,8 km de longueur. Le sentier Robert-Bourassa est, en quelque sorte, la crête de ce barrage. À l'une des extrémités se trouve un gigantesque évacuateur de crues, l'escalier des géants, et à l'autre, un belvédère offre d'excellents points de vue sur le réservoir Robert-Bourassa et La Grande Rivière. ⚠ *Ce sentier est interdit les journées de grand vent.*

**Réseau pédestre** ................. 3,0 km (linéaire, facile)

**Services et aménagements**

**Activités complémentaires**

**Documentation** .................... Carte, dépliant (au bureau d'information touristique de Radisson)
**Période d'accès** .................. De mai à octobre, du lever au coucher du soleil
**Frais d'accès** ........................ Gratuit

**Voie d'accès** ......................... De Radisson, prendre le chemin vers le barrage et gravir la pente à gauche. Rouler sur une distance de 8 km jusqu'au belvédère Cri où il y a un tipi.

**Gestionnaire** ......................... Hydro-Québec
**Pour information** .................. 1 800 291-8486 ..... (819) 638-8486

## 7 ZONE RÉCRÉATIVE DU LAC MATAGAMI

La zone récréative du Lac Matagami est un territoire d'une superficie de 400 km″. Elle a comme objectif la mise en valeur des ressources naturelles et géologiques, ainsi que la protection de son environnement. Les sentiers sont situés en pleine montagne. Ils traversent une forêt de conifères ainsi que la taïga et la toundra. On verra également de nombreux lacs et plusieurs barrages de castor.

**Réseau pédestre** ................. 30,0 km

| Sentiers et parcours | Longueur | Type | Niveau | Dénivelé |
|---|---|---|---|---|
| Mont-Laurier | 4,0 km | Boucle | Intermédiaire | 450 m |
| Parcours des Sommets | 10,0 km | Boucle | Difficile | 160 m |
| Sentier des Collines | 16,0 km | Boucle | Difficile | 150 m |

**Services et aménagements**

*Autres : plage, aire de jeux*
Note : les services sont disponibles au Centre de plein air du Lac Matagami, de la mi-mai à la fête du Travail.

**Activités complémentaires**

   *Hiver*

**Documentation** .................... Carte (au bureau d'information touristique)
**Période d'accès** .................. Toute l'année, du lever au coucher du soleil.
⚠ *Le port du dossard est obligatoire en période de chasse.*

**Frais d'accès** ........................ Gratuit
**Voie d'accès** ......................... De la ville de Matagami, emprunter la route de la Baie-James. Il y a des entrées pour les sentiers aux kilomètres 10, 12 et 18. On peut également accéder à la zone aux kilomètres 2,4,32 et 36.

**Gestionnaire** ......................... Ville de Matagami
**Pour information** .................. (819) 739-2541 ...... (819) 739-4566
www.matagami.com

# *Outaouais*

*Parc national de Plaisance*

# OUTAOUAIS

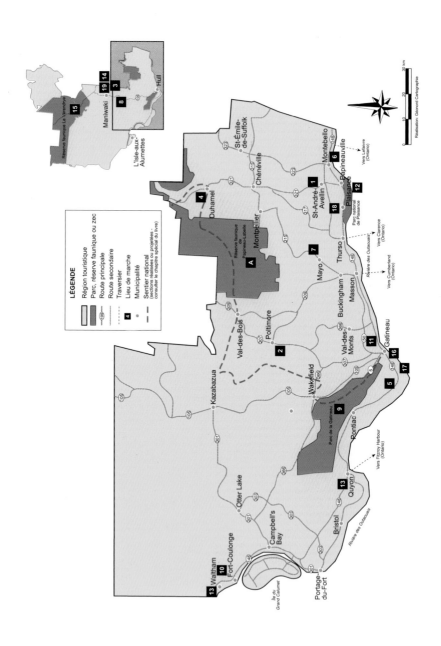

# LIEUX DE MARCHE

**1** BALADE À SAINT-ANDRÉ-AVELLIN

**2** BASE DE PLEIN AIR DES OUTAOUAIS

**3** CENTRE D'INTERPRÉTATION DU CERF DE VIRGINIE

**4** CENTRE TOURISTIQUE DU LAC-SIMON

**5** CIRCUITS DU PATRIMOINE

**6** FAIRMONT – LE CHÂTEAU MONTEBELLO

**7** FORÊT LA BLANCHE – CENTRE ÉDUCATIF FORESTIER DE L'OUTAOUAIS

**8** LA FORÊT DE L'AIGLE

**9** PARC DE LA GATINEAU

**10** PARC DES CHUTES COULONGE

**11** PARC DU LAC-BEAUCHAMP

**12** PARC NATIONAL DE PLAISANCE

**13** PARC RÉGIONAL DU PONTIAC-CYCLOPARC PPJ INC.

**14** PONT-DE-PIERRE

**15** RÉSERVE FAUNIQUE LA VÉRENDRYE

**16** SENTIER DE LA CAPITALE

**17** SENTIERS RÉCRÉATIFS – GATINEAU

**18** SITE HISTORIQUE DES CHUTES DE PLAISANCE

**19** VILLE DE MANIWAKI

**A** RÉSERVE FAUNIQUE DE PAPINEAU-LABELLE
*(RÉGION LAURENTIDES)*

## BIENVENUE DANS LA RÉGION DE L'OUTAOUAIS

Au cœur de son territoire vaste de 33 000 km², parsemé de quelque 20 000 lacs et de dizaines de rivières, l'Outaouais regorge de sentiers pédestres et d'interprétation.

Même si l'histoire écrite de la région débute en 1613, c'est véritablement en 1800, avec l'arrivée du loyaliste américain Philemon Wright, que l'Outaouais connaît son essor. L'industrie forestière sera la clé de l'avenir de la région. La multiplication de chantiers et d'usines stimulera un peuplement où se retrouveront Anglais, Irlandais, Écossais, Américains et naturellement Canadiens-français, à l'initiative de la célèbre famille Papineau.

D'ouest en est, la région de l'Outaouais est sillonnée par les rivières Dumoine, Noire, Coulonge, Gatineau, du Lièvre et de la Petite-Nation, favorisant le développement de nombreuses espèces d'animaux aquatiques, de mammifères et d'oiseaux. Sa forêt, principalement composée de types variés d'érablières, offre des paradis naturels à découvrir.

Les centres touristiques, le parc de la Gatineau et ses 350 km² de forêts, le parc national de Plaisance, les réserves fauniques de Papineau-Labelle et de La Vérendrye, de même que les sites tels que les chutes de Plaisance et de Fort-Coulonge offrent aux visiteurs la possibilité d'admirer une région riche au chapitre de sa faune et de sa flore.

La zone urbaine de l'Outaouais, reliée par cinq ponts à la capitale du Canada, accueille aussi, sur des circuits récréatifs multifonctionnels qu'elle partage avec sa voisine, les adeptes d'activités de plein air.

# 1 BALADE À SAINT-ANDRÉ-AVELLIN

Cette balade historique débute par le musée des Pionniers où des objets anciens et des photographies relatent la vie des habitants du village. On traversera ensuite la rivière Petite-Nation sur une passerelle de 40 m. Plus loin dans le circuit, on visitera la grotte du mont Saint-Joseph, en bordure du village, une occasion de revivre les pèlerinages d'antan. 🐾

**Réseau pédestre** .................. 1,5 km (boucle, facile/intermédiaire)

**Services et aménagements**

*Autres : passerelle, gloriette, musée*

**Activités complémentaires**

**Documentation** .................... Dépliant-carte (à l'accueil)
**Période d'accès** ................. De début juin à fin octobre, du lever au coucher du soleil
**Frais d'accès** ....................... Gratuit
**Voie d'accès** ........................ De la route 148 à Papineauville, emprunter la route 321 nord jusqu'à Saint-André-Avellin et suivre les indications pour le musée des Pionniers.

**Gestionnaire** ........................ Corporation des affaires culturelles
**Pour information** ................. (819) 983-2318 ...... (819) 983-2624

# 2 BASE DE PLEIN AIR DES OUTAOUAIS

Située en bordure du lac Poisson Blanc, cette base de plein air occupe un terrain montagneux parsemé de petits lacs. Son réseau de pistes multifonctionnelles (marche, vélo, ski de fond) offre, en altitude, plusieurs points d'observation sur la nature environnante.

**Réseau pédestre** ................. 39,0 km

| Sentiers et parcours | Longueur | Type | Niveau | Dénivelé |
|---|---|---|---|---|
| Petit point de vue | 4,0 km | Boucle | Intermédiaire | 200 m |
| Piste 3 | 5,0 km | Boucle | Difficile | 300 m |
| Piste 5 | 5,0 km | Boucle | Intermédiaire | 100 m |
| Piste 6 | 3,0 km | Boucle | Intermédiaire | 200 m |
| Grand point de vue | 3,0 km | Boucle | Intermédiaire | 300 m |
| Piste 8 | 19,0 km | Boucle | Difficile | 400 m |

**Services et aménagements**

*Autres : aire de jeux*

**Activités complémentaires**     *Hiver* 🚶❄ 2,0 km

**Documentation** .................... Dépliant (à l'accueil)
**Période d'accès** ................. De mai à fin octobre, de 8 h 30 à 17 h
**Frais d'accès** (taxes incl.) ..... Adulte : 3,50 $
Enfant (4 à 12 ans) : 2,75 $
Enfant (moins de 4 ans) : gratuit

---

| Voie d'accès | De Gatineau, prendre la route 307 nord. Après le village de Saint-Pierre-de-Wakefield, suivre les panneaux touristiques bleus indiquant « Plein air les Outaouais ». |

| Gestionnaire | Base de plein air des Outaouais |
| Pour information | (819) 457-4040 ...... 1 800 363-4041 www.vieactivenature.com |

## 3  CENTRE D'INTERPRÉTATION DU CERF DE VIRGINIE

Le réseau de sentiers pédestres fait pénétrer le marcheur dans l'habitat naturel du cerf de Virginie. Le sentier Le Bond se rend jusqu'à la chute Rouge, située entre le lac de la Vieille et le lac Lochiel. Ce sentier fait découvrir la route des draveurs. On peut également admirer le lac des Trente et Un Milles à partir d'un belvédère construit sur la boucle du sentier Le Régalis. C'est à cet endroit que se trouve le refuge du bûcheron. Une passerelle sur pilotis de 1 500 m, est installée dans les zones humides de l'habitat du cerf. Une hutte de castor est visible le long du parcours.

**Réseau pédestre** ................. 9,8 km

| Sentiers et parcours | Longueur | Type | Niveau |
|---|---|---|---|
| La Traverse-Est | 2,5 km | Linéaire | Facile |
| La Traverse-Ouest | 3,4 km | Linéaire | Facile |
| Le Gagnage | 1,7 km | Boucle | Facile |
| Le Régalis | 1,5 km | Boucle | Facile |

**Services et aménagements**

*Autres : centre d'interprétation, passerelle*

**Activités complémentaires**

**Hiver** 9,8 km

| Documentation | Dépliant (à l'accueil) |
| Période d'accès | Toute l'année, du lever au coucher du soleil |
| | ⚠ *Les sentiers sont fermés durant la période de chasse au chevreuil (fin octobre à mi-novembre).* |
| Frais d'accès (taxes incl.) | Gratuit pour les sentiers |
| | Centre d'interprétation : 2,00 $ par personne (12 ans et plus) |
| Voie d'accès | De Maniwaki, prendre la route 107 nord jusqu'à Déléage. Tourner à droite sur le chemin de Sainte-Thérèse et se rendre jusqu'à la municipalité de Sainte-Thérèse-de-la-Gatineau. Tourner à gauche sur le chemin du Barrage et se rendre au centre d'interprétation qui se situe sur la droite au 6, chemin du Barrage. |

| Gestionnaire | Municipalité de Sainte-Thérèse-de-la-Gatineau |
| Pour information | (819) 449-6666 ...... (819) 449-4134 |

## 4  CENTRE TOURISTIQUE DU LAC-SIMON

Les sentiers traversent une forêt mixte dominée par les pins blancs, les érables et les bouleaux blancs. On retrouve deux sentiers d'interprétation, qui traitent des oiseaux et du cerf de Virginie. Le premier, La Paruline, longe le lac Simon du haut d'un escarpement pour se diriger vers la rivière Petite Nation. Le second, La Biche, suit la rivière Petite Nation, traverse une pinède puis une prucheraie. On peut marcher sur la plage de sable blanc du lac Simon sur une longueur de 2 km. ★ *Durant la saison froide, de mille à deux mille cerfs de Virginie fréquentent les environs du lac Simon.*

**Réseau pédestre** ................. 13,2 km (Multi) (mixte, facile/intermédiaire)

**Services et**
**aménagements**

Autres : plage, aire de jeux
Note : certains services ne sont pas disponibles durant l'hiver

**Activités**
**complémentaires**

 *Hiver*  4,0 km  4,0 km + TT

**Documentation** .................... Carte des sentiers (à l'accueil)
**Période d'accès** .................... Toute l'année, du lever au coucher du soleil
Hiver : de 9 h à 16 h
⚠ *Prudence pendant la période de chasse*
**Frais d'accès** (taxes incl.) ..... Adulte : 4,50 $
Enfant (moins de 12 ans) : 2,50 $
**Voie d'accès** ........................ Suivre l'autoroute des Laurentides (15) nord jusqu'à la sortie 35, puis continuer sur l'autoroute 50 en direction de Lachute. Au bout complètement, tourner à gauche sur la route 148 ouest jusqu'à Papineauville. Tourner ensuite à droite sur la route 321 et rouler jusqu'à Duhamel. Dans le village, tourner à gauche sur la rue Principale et suivre les indications sur 3 km.

**Gestionnaire** ........................ SÉPAQ
**Pour information** ................. (819) 428-7931 ...... 1 800 665-6527, www.sepaq.com

## 5 CIRCUITS DU PATRIMOINE

La ville de Gatineau propose trois circuits patrimoniaux. Deux d'entre-eux, soit le circuit du Bord du lac et le circuit du Village, s'effectuent à l'aide d'un même dépliant dans des endroits différents de la ville. Pour le troisième, plus long et empruntant en partie le tracé des deux autres, on utilise un baladeur. 🐕

**Réseau pédestre** ................. 3,2 km (boucle, facile)

**Services et**
**aménagements**

Autres : aire de jeux

**Activités**
**complémentaires**

**Documentation** .................... Dépliant, audiocassette (l'audiocassette est disponible à la bibliothèque municipale d'Aylmer et le dépliant au 495, ch. Aylmer)
**Période d'accès** .................. De juin à l'Action de Grâce, du lever au coucher du soleil
**Frais d'accès** ........................ Gratuit
**Voie d'accès** ........................ Les trois circuits se situent en pleine ville de Gatineau.

**Gestionnaire** ........................ Ville de Gatineau/Association du patrimoine d'Aylmer
**Pour information** ................. (819) 684-6809, www.ville.gatineau.qc.ca

## 6 FAIRMONT – LE CHÂTEAU MONTEBELLO

Sur le terrain de cet hôtel du Canadien Pacifique, on trouve deux sentiers permettant de se promener dans la nature environnante. Le premier contourne le golf et le second longe la rivière des Outaouais en passant par le château et la marina. La visite du Manoir Louis-Joseph Papineau est possible en saison. 🐕 ★ *Le Château Montebello est la plus grande construction en bois rond au monde.* ⚠ *Certains services ne sont disponibles qu'à l'ancienne gare servant de point d'accès à ce réseau de sentiers.*

**Réseau pédestre** ................. 25,7 km

| Sentiers et parcours | Longueur | Type | Niveau |
|---|---|---|---|
| Sentier « 1 000 pas » .................................... 5,7 km ........ Boucle ........ Facile |
| Sentier des Amoureux ................................. 20,0 km ........ Boucle ........ Difficile |

**Services et aménagements**

**Activités complémentaires** — *Hiver* 🏃 *25,7 km + PT* ⛷

**Période d'accès** ................... Toute l'année, de 8 h à 18 h
**Frais d'accès** ........................ Gratuit
**Voie d'accès** ......................... Le stationnement se situe à l'ancienne gare, en plein cœur de Montebello. L'entrée des sentiers est à l'est de la gare. Par contre, à partir de la mi-octobre, on devra marcher le long du chemin principal (route 148) et accéder aux sentiers à partir du Château Montebello.
**Gestionnaire** ......................... Fairmont – Le Château Montebello/Club de marche « Les 1 000 pas »
**Pour information** .................. (819) 423-6959 ...... (819) 423-6341

## 7 FORÊT LA BLANCHE – CENTRE ÉDUCATIF FORESTIER DE L'OUTAOUAIS

Ce lieu renferme l'un des attraits naturels les plus méconnus de l'ouest du Québec : les peuplements rares et anciens. On y dénombre pas moins de sept écosystèmes forestiers exceptionnels. Ceux-ci représentent les types de végétation qui couvraient le sud du Québec avant l'arrivée des colons européens. Les sentiers nous mènent à la découverte de la nature, et des belvédères donnent sur des lacs et des chutes. 🐕

**Réseau pédestre** ................. 11,1 km

| Sentiers et parcours | Longueur | Type | Niveau |
|---|---|---|---|
| Le Forestier ..................................................... 1,3 km ........ Boucle ......... Intermédiaire |
| Le Ouaouaron ................................................. 2,4 km ........ Boucle ......... Facile |
| Le Cendré ....................................................... 2,1 km ........ Mixte ............ Intermédiaire |
| L'Orignal ......................................................... 2,3 km ........ Linéaire ....... Facile/Inter. |
| La Castor ........................................................ 1,5 km ........ Linéaire ....... Facile |

**Services et aménagements**

*Autres : centre d'interprétation, passerelle*

**Activités**
**complémentaires**  *Hiver*  *11,1 km*

**Documentation** .................... Dépliant, carte, brochure (à l'accueil)
**Période d'accès** ................... De janvier à novembre, de 9 h à 17 h
**Frais d'accès** ....................... Adulte : 3,00 $
Enfant : 2,00 $
**Voie d'accès** ........................ De Buckingham, prendre la route 315 et poursuivre jusqu'à 6 à 8 km après Mayo. Tourner à droite sur le chemin Saddler et rouler jusqu'à son extrémité, soit environ 2 km.

**Gestionnaire** ........................ Les amis du CEFO
**Pour information** ................. (819) 281-6700 ...... (819) 986-6132, www.lablanche.ca

## 8  LA FORÊT DE L'AIGLE

Ce lieu permet de nombreuses activités de plein air. Les sentiers de randonnée pédestre mènent à la découverte de la rivière au Hibou et à un belvédère qui offre une vue sur un ancien barrage forestier. Les multiples écosystèmes (érablières, pinèdes, marécages, etc.) abritent une variété impressionnante de plantes et d'animaux.

**Réseau pédestre** ................. 15,8 km

| Sentiers et parcours | Longueur | Type | Niveau | Dénivelé |
|---|---|---|---|---|
| Sentier du Hibou | 2,6 km | Boucle | Facile | |
| Le Barrage | 4,1 km | Boucle | Intermédiaire | |
| Le Marais | 3,2 km | Boucle | Facile | 50 m |
| Le Nid de l'Aigle | 0,6 km | Linéaire | Facile | 65 m |

**Services et**
**aménagements**

Autres : centre d'interprétation, passerelle suspendue, activité Arbre en arbre

**Activités**
**complémentaires**  *Hiver*  *15,8 km*

**Documentation** .................... Dépliant, carte, (à l'accueil)
**Période d'accès** ................... Toute l'année, du lever au coucher du soleil
⚠ *Le port du dossard est obligatoire pendant la période de chasse.*
**Frais d'accès** ....................... Gratuit
**Voie d'accès** ........................ De Maniwaki, prendre la route 105 sud sur 40 km environ. L'entrée est située du côté ouest de la route et est identifiée par des panneaux bleus.

**Gestionnaire** ........................ Corporation de gestion de la Forêt de l'Aigle
**Pour information** ................. (819) 449-7111, www.cgfa.ca

*Outaouais*

# 9 PARC DE LA GATINEAU  SENTIER NATIONAL

Le parc de la Gatineau est un long plateau ondulé qui s'étire entre la rivière des Outaouais et la rivière Gatineau. Il couvre une étendue de 363 km² et est parsemé de lacs. Les forêts sont composées majoritairement de feuillus. La faune est caractérisée par l'abondance des castors. Le cerf de Virginie tient également une place importante. Les sentiers donnent accès à de nombreux points d'intérêts. Ainsi, par le sentier des Loups, on se rend sur l'escarpement d'Eardley, du côté nord, pour redescendre ensuite vers le lac Meech. On aura des points de vue sur ces deux attraits. Le sentier de la Chute-de-Luskville mène de la base du même escarpement, cette fois du côté sud, jusqu'en haut, à une tour à feu. Au début du sentier Larriault, un belvédère d'une hauteur de 250 m permet d'admirer la vallée de l'Outaouais. Le domaine MacKenzie-King, site historique, est à proximité. Au sentier du Lac-des-Fées, enfin, on trouve des panneaux d'interprétation sur les oiseaux rencontrés et le lac. Plusieurs sentiers du parc sont partagés avec le vélo de montagne.

 *Autorisé sauf sur les terrains de camping, les plages et les aires de pique-nique.*

**Réseau pédestre** ................. 175,0 km

| Sentiers et parcours | Longueur | Type | Niveau | Dénivelé |
|---|---|---|---|---|
| Sentier du mont King | 2,5 km | Boucle | Intermédiaire | 70 m |
| Sentier Larriault | 3,0 km | Boucle | Facile | |
| Sentier des Loups | 8,0 km | Boucle | Intermédiaire | 90 m |
| Chutes de Luskville | 5,0 km | Boucle | Intermédiaire | 100 m |
| Caverne Lusk | 5,0 km | Linéaire | Intermédiaire | 50 m |
| Lac Pink | 2,5 km | Boucle | Facile | |

**Services et aménagements**

*Autres : abri, centre d'interprétation*

**Activités complémentaires**

 **Hiver**  10,0 km 25,0 km

**Documentation** .................... Carte, brochure d'interprétation, dépliant (à l'accueil)

**Période d'accès** .................. Toute l'année, du lever au coucher du soleil

**Frais d'accès** (taxes incl.) ..... Stationnement : 8,00 $ par véhicule ou 48,00 $ pour la saison

**Voie d'accès** ......................... De Gatineau, prendre l'autoroute 5 jusqu'à la sortie 12 et suivre les indications pour le parc sur environ 2 km.

**Gestionnaire** ......................... Commission de la capitale nationale

**Pour information** ................. 1 800 465-1867 ..... (819) 827-2020, www.capcan.ca

JCT SENTIER DE LA CAPITALE

# 10 PARC DES CHUTES COULONGE

Des passerelles ont été aménagées pour pouvoir circuler au-dessus des chutes de la rivière Coulonge, dont la plus haute a 48 m. Cinq belvédères permettent de les observer plus à loisir. En dernière étape, la rivière se déverse dans un canyon de 1 000 m de longueur. 

**Réseau pédestre** ................. 1,5 km (mixte, facile)

| Services et aménagements |  |
| --- | --- |

*Autres : aire de jeux, passerelle*

| Activités complémentaires |  |
| --- | --- |

**Documentation** ..................... Brochure d'interprétation (à l'accueil)
**Période d'accès** ................... De début mai à fin octobre
**Horaire d'accès** ................... De 8 h à 16 h, 18 h ou 20 h suivant la période
**Frais d'accès** (taxes incl.) ..... 13 ans et plus : 5,00 $
12 ans et moins : gratuit
Laissez-passer saisonnier disponible
**Voie d'accès** ......................... De Gatineau, suivre la route 148 ouest jusqu'à Fort-Coulonge. Immédiatement après Fort-Coulonge, prendre le chemin des Bois-Francs qui devient la promenade du parc des Chutes et continuer jusqu'au chalet d'accueil.

**Gestionnaire** ......................... La Fondation des Chutes Coulonge (1992) inc.
**Pour information** ................. (819) 683-2770, www.chutescoulonge.qc.ca

JCT PARC RÉGIONAL DU PONTIAC-CYCLOPARC PPJ INC.

## 11 PARC DU LAC-BEAUCHAMP

Ce parc urbain, situé à Gatineau, est surtout un lieu où l'on se baigne, l'été, dans le lac Beauchamp. On peut aussi y marcher en terrain boisé.

**Réseau pédestre** ................. 11,0 km (boucle, intermédiaire)

| Services et aménagements |  |
| --- | --- |

| Activités complémentaires |  |
| --- | --- |

**Période d'accès** ................... De mai à octobre, de 9 h à 19 h
**Frais d'accès** ......................... Gratuit
**Voie d'accès** ......................... Le parc se situe au 745, boulevard Maloney (route 148), à Gatineau.

**Gestionnaire** ......................... Ville de Gatineau
**Pour information** ................. (819) 669-2548

## 12 PARC NATIONAL DE PLAISANCE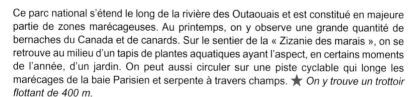

Ce parc national s'étend le long de la rivière des Outaouais et est constitué en majeure partie de zones marécageuses. Au printemps, on y observe une grande quantité de bernaches du Canada et de canards. Sur le sentier de la « Zizanie des marais », on se retrouve au milieu d'un tapis de plantes aquatiques ayant l'aspect, en certains moments de l'année, d'un jardin. On peut aussi circuler sur une piste cyclable qui longe les marécages de la baie Parisien et serpente à travers champs. ★ *On y trouve un trottoir flottant de 400 m.*

**Réseau pédestre** ................. 41,3 km (Multi : 29,8)

---

| Sentiers et parcours | Longueur | Type | Niveau |
|---|---|---|---|
| La Zizanie des marais | 0,8 km | Boucle | Facile |
| La Grande migration | 6,0 km | Boucle | Facile |
| Les Têtes-de-baies | 4,5 km | Boucle | Facile |
| Sentier de la Grande Presqu'île | 6,5 km | Linéaire | Facile |
| Sentier de la Petite Presqu'île | 9,0 km | Linéaire | Facile |
| Sentier des Outaouais | 9,5 km | Linéaire | Facile |

**Services et aménagements**

*Autres : aire de jeux, passerelle*

**Activités complémentaires**

  Hiver  TT

**Documentation** .................... Journal du parc (à l'accueil)
**Période d'accès** .................. De fin avril à octobre, du lever au coucher du soleil
**Frais d'accès** ........................ Voir la tarification des parcs nationaux du Québec dans les pages bleues au début du livre
**Voie d'accès** .......................... De la route 148 à Plaisance, suivre les indications pour le parc national de Plaisance.

**Gestionnaire** ......................... SÉPAQ
**Pour information** ................. 1 877 752-4726 ..... (819) 427-5334
www.parcsquebec.com

## 13 PARC RÉGIONAL DU PONTIAC-CYCLOPARC PPJ INC.

Ce sentier relie les principales villes du Pontiac et forme 4 tronçons de moins de 20 km chacun. Il suit l'ancienne voie ferrée et va de Wyman à Waltham, en passant par Shawville, Campbell's Bay et Fort-Coulonge. Sur ce long parcours, on ne trouvera des aménagements que dans les villages traversés. On marchera dans un milieu mi-forestier, mi-agricole. La voie rencontre la rivière des Outaouais dans la section ouest du parcours. Un cinquième tronçon est en voie de réalisation. Il ira rejoindre l'île aux Allumettes. Ce sentier linéaire est partagé avec les vélos, les chevaux et, à l'occasion, les VTT.

**Réseau pédestre** ................. 71,0 km (Multi) (linéaire, facile)

| Sentiers et parcours | Longueur | Type | Niveau |
|---|---|---|---|
| Wyman à Shawville | 17,3 km | Linéaire | Facile |
| Shawville à Campbell's Bay | 18,0 km | Linéaire | Facile |
| Campbell's Bay à Fort Coulonge | 17,7 km | Linéaire | Facile |
| Fort Coulonge à Waltham | 18,0 km | Linéaire | Facile |

**Services et aménagements**

*Autres : aire de jeux*
*Note : le pavillon d'accueil se trouve à Campbell's Bay*

**Activités complémentaires**

 Hiver  30,0 km

**Période d'accès** .................. Toute l'année, du lever au coucher du soleil
**Frais d'accès** ........................ Gratuit
**Voie d'accès** .......................... Wyman et Waltham, les deux extrémités du sentier, sont accessibles à partir de la route 148, à l'ouest de Gatineau.

**Gestionnaire** .................... MRC de Pontiac/Parc régional du Pontiac
**Pour information** ................ (819) 648-2103 ...... 1 800 665-5217
www.mrcpontiac.qc.ca

JCT  PARC DES CHUTES COULONGE

## 14  PONT-DE-PIERRE

Un sentier, tracé en pleine forêt, passe entre le lac Pont de Pierre et le lac des Trente et Un Milles. À cette jonction, on retrouve une caverne effondrée, formant deux arches naturelles, à travers laquelle coule un ruisseau. Une marmitte naturelle de 1,5 m de profondeur permet aux randonneurs de se rafraîchir. Le sentier grimpe ensuite au sommet d'une montagne et fait le tour du lac Pont de Pierre. Un belvédère offre une vue sur le lac des Trente et Un Milles. Un quai de 16 emplacements a été aménagé pour les bateaux. On retrouve des panneaux d'interprétation géologique le long des sentiers. D'autres points d'observation sont situés au milieu d'un ravage de cerfs de Virginie.

**Réseau pédestre** ................ 4,2 km (boucle, facile, dénivelé maximum de 100 m)

**Services et aménagements**

*Autres : passerelle, plage, quai*

**Activités complémentaires**

**Période d'accès** ................... De mai à octobre, du lever au coucher du soleil
**Frais d'accès** ....................... Gratuit
**Voie d'accès** ....................... De Maniwaki, prendre la route 107 nord jusqu'à Déléage. Tourner à droite sur le chemin de Sainte-Thérèse. Tourner ensuite à gauche sur le chemin du lac Bois Franc et encore à gauche sur le chemin de la Baie Davis. Ce dernier change de nom pour le chemin Dion. Tourner finalement à droite sur le chemin de la Baie Noire. Environ 600 m plus loin sur la droite se trouve un chemin forestier. Garer votre voiture le long de ce chemin. Les sentiers sont également accessibles par voie maritime par le lac des Trente et Un Milles.

**Gestionnaire** ........................ MRC de la Vallée-de-la-Gatineau
**Pour information** ................ (819) 463-3241

## 15  RÉSERVE FAUNIQUE LA VÉRENDRYE

Cette réserve de chasse et de pêche, qui est le deuxième plus grand territoire naturel sous la gestion de l'État, contient plus de 4 000 lacs et rivières. Elle porte le nom de l'illustre explorateur et découvreur du même nom. Elle est le point de départ de la Route des Draveurs, circuit patrimonial et historique, qui s'étend du nord au sud. On retrouve, au sentier des Chutes du lac Roland, des vestiges de l'activité des draveurs qui ont exploité les forêts de pins, d'épinettes et de sapins de l'Outaouais. Un autre sentier d'interprétation, celui de la Forêt Mystérieuse, fait découvrir le lac Glaçon et explore plusieurs thèmes dont la création d'une tourbière.

**Réseau pédestre** ................ 6,8 km

| Sentiers et parcours | Longueur | Type | Niveau |
|---|---|---|---|
| Chutes du lac Roland | 3,5 km | Boucle | Facile |
| Forêt Mystérieuse | 1,0 km | Boucle | Facile |
| Sentier de la Pointe | 2,3 km | Boucle | Facile |

**Services et aménagements**

*Autres : aire de jeux*

**Activités complémentaires**

**Documentation** .................... Dépliant-carte (à l'accueil)

**Période d'accès** .................. De mai à septembre, du lever au coucher du soleil
⚠ *Prudence pendant la période de chasse*

**Frais d'accès** ....................... Gratuit
Des frais de 1,00 $ peuvent s'appliquer pour visiter les Chutes du lac Roland.

**Voie d'accès** ........................ De Mont-Laurier, suivre la route 117 nord qui traverse la réserve. L'un des sentiers débute au lac de la Vieille, un autre, au lac Roland.

**Gestionnaire** ........................ SÉPAQ
**Pour information** ................. (819) 438-2017 ...... (819) 435-2216, www.sepaq.com

## 16 SENTIER DE LA CAPITALE

Des sentiers récréatifs sillonnent la région de la capitale nationale d'un bout à l'autre et relient ses plus belles aires naturelles aux attractions touristiques. Une portion de 70 km de ces sentiers se trouve sur le territoire québécois, c'est-à-dire dans la ville de Gatineau. On aura l'occasion de longer la rivière des Outaouais et la rivière Gatineau, et de pénétrer dans le parc de la Gatineau par deux sentiers, dont le sentier du Lac-des-Fées. Le parc du lac Leamy, où l'on trouvera une plage, constitue une autre aire de détente sur ces parcours. Ces sentiers sont partagés avec les cyclistes, coureurs et patineurs (roues alignées). Le programme « Partageons nos sentiers » a été mis en place pour éduquer et sensibiliser les usagers à cette réalité, et améliorer la sécurité.

**Réseau pédestre** ................. 70,0 km (Multi)

| Sentiers et parcours | Longueur | Type | Niveau |
|---|---|---|---|
| Sentier du Lac Leamy | 3,0 km | Linéaire | Facile |
| Sentier de la Rivière Gatineau | 4,0 km | Linéaire | Facile |
| Sentier du Ruisseau Leamy | 10,0 km | Linéaire | Intermédiaire |
| Sentier de l'Île | 1,5 km | Linéaire | Facile |

*Note : 23 km, inclus dans le kilométrage total, relèvent d'autres gestionnaires et sont traités ailleurs dans les pages de cette région.*

**Services et aménagements**

*Autres : aire de jeux, musées, centre d'information*

**Activités complémentaires**

**Documentation** .................... Carte, dépliant (aux différents points d'accueil)

**Période d'accès** .................. Du 1er mai au 30 octobre, du lever au coucher du soleil
**Frais d'accès** ........................ Gratuit
**Voie d'accès** ........................ De multiples accès sont possibles à partir de la nouvelle ville de Gatineau

**Gestionnaire** ........................ Commission de la capitale nationale
**Pour information** .................. (613) 239-5000 ...... 1 800 465-1867
www.capcan.ca

[JCT] PARC DE LA GATINEAU
SENTIERS RÉCRÉATIFS – GATINEAU

## 17  SENTIERS RÉCRÉATIFS – GATINEAU

Le sentier des Voyageurs longe la rivière des Outaouais en partant de la marina du secteur Aylmer. De ce dernier, on peut se rendre jusqu'au parc Moussette. Le sentier des Pionniers est situé au nord de la ville, en bordure de la route McConnell.

**Réseau pédestre** .................. 23,0 km (Multi)

| Sentiers et parcours | Longueur | Type | Niveau |
|---|---|---|---|
| Sentier des Voyageurs ............................. | 10,0 km ......... | Linéaire ....... | Facile |
| Sentier des Pionniers .............................. | 10,0 km ......... | Linéaire ....... | Facile |
| Sentier du Ruisseau-de-la-Brasserie ............. | 3,0 km ......... | Linéaire ....... | Facile |

*Note : Ces sentiers sont intégrés au réseau du Sentier de la capitale.*

**Services et aménagements**

*Autres : aire de jeux*

**Activités complémentaires**

 **Hiver** 🚶 *23,0 km*

**Documentation** .................... Carte (à la Maison du tourisme (coin Laurier/Saint-Laurent)
**Période d'accès** .................. Toute l'année, du lever au coucher du soleil
**Frais d'accès** ........................ Gratuit
**Voie d'accès** ........................ De la route 148 ouest, secteur Aylmer, emprunter la rue Principale jusqu'à la marina.

**Gestionnaire** ........................ Ville de Gatineau
**Pour information** .................. (819) 234-2345 poste 2482, www.ville.gatineau.qc.ca

[JCT] SENTIER DE LA CAPITALE

## 18  SITE HISTORIQUE DES CHUTES DE PLAISANCE

On se déplace sur les sentiers de l'ancien village North Nation Mills, premier village de la Petite-Nation. On a accès à un belvédère donnant sur les chutes de la rivière Petite Nation. Louis-Joseph Papineau y fit construire son premier moulin à scie. Le site constitue le premier pôle industriel de la seigneurie La Petite-Nation. Des fouilles archéologiques ont été entreprises. 🐾

**Réseau pédestre** .................. 2,0 km (linéaire, intermédiaire, dénivelé maximum de 75 m)

**Services et aménagements**

**Activités complémentaires**

**Documentation** ..................... Dépliant (à l'accueil)
**Période d'accès** ................... Du 24 juin au 1$^{er}$ septembre : tous les jours
Du 15 avril au 24 juin et du 1$^{er}$ septembre au 1$^{er}$ novembre : les fins de semaine
**Horaire d'accès** .................... De 10 h à 18 h
**Frais d'accès** (taxes incl.) ..... Adulte : 4,00 $
Aîné : 3,00 $
Étudiant : 2,00 $
Enfant (9 ans et moins) : gratuit
Note : ces tarifs incluent une entrée gratuite au Centre d'interprétation du Patrimoine de Plaisance
**Voie d'accès** ........................ De la route 148 à Plaisance, prendre la montée Papineau jusqu'au rang Malo. Tourner à gauche et poursuivre sur 1 km environ jusqu'à l'entrée du site.

**Gestionnaire** ........................ Corporation North Nation Mills Inc.
**Pour information** ................. (819) 427-6400 ...... (819) 427-6355
info@cipplaisance.qc.ca

## 19 VILLE DE MANIWAKI

La route des Draveurs se poursuit dans la ville de Maniwaki. Le circuit débute au parc du Draveur et se continue, à l'angle de la rivière Désert et de la rue des Oblats, vers l'est. Un trottoir de bois longe la rivière et donne accès, par un sentier pédestre, au parc thématique du Pythonga. L'attraction principale est le bateau remorqueur qui acheminait à l'époque les billots vers les différentes scieries. Le sentier se rend à un terrain de golf et longe par la suite la rivière Gatineau. On poursuit la marche vers le centre d'interprétation du Château Logue. Ce dernier traite de l'histoire et de l'évolution des moyens de protection contre les feux de forêts. 🐎

**Réseau pédestre** ................. 5,2 km (Multi : 1,0)

| Sentiers et parcours | Longueur | Type | Niveau |
|---|---|---|---|
| Parc thématique du Pythonga ..................... | 1,3 km ......... | Linéaire | ....... Facile |
| Sentier de la Montagne des Pères ................ | 1,0 km ......... | Linéaire | ....... Facile |

**Services et aménagements**
Autres : aire de jeux, trottoir de bois, passerelle, centre d'interprétation
Note : le centre d'interprétation est ouvert de mai à octobre

**Activités complémentaires**  Hiver  5,0 km  TT

**Documentation** ..................... Dépliant (au kiosque d'information touristique de Maniwaki)
**Période d'accès** ................... Toute l'année, du lever au coucher du soleil
**Frais d'accès** ........................ Gratuit
**Voie d'accès** ........................ De Gatineau, suivre la route 105 nord jusqu'à Maniwaki. Le circuit débute au 156, rue Principale Sud, juste avant de traverser le pont de la rivière Désert.

**Gestionnaire** ........................ Ville de Maniwaki
**Pour information** ................. (819) 449-2800 poste 216, www.ville.maniwaki.qc.ca

# Québec

Cap Tourmente

# QUÉBEC

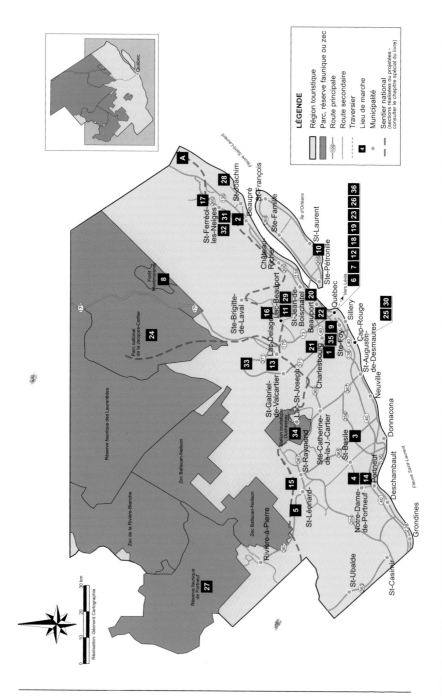

**LÉGENDE**

Région touristique
Parc, réserve faunique ou zec
Route principale
Route secondaire
Traversier
Lieu de marche
Municipalité
Sentier national
(sections réalisées ou projetées –
consulter le chapitre spécial du livre)

Réalisation: Géomont Cartographie

*Répertoire des lieux de marche au Québec*

# LIEUX DE MARCHE

## BIENVENUE DANS LA RÉGION DE QUÉBEC

La Nouvelle-France commence à Québec, plus précisément au site actuel de la Place Royale. Attaquée par la flotte anglaise à plusieurs reprises, puis capitulant en 1759, la ville a façonné toute l'histoire des francophones en Amérique. Le long des plaines d'Abraham, les plaques commémoratives, les tours Martello, les monuments, les vallons, jusqu'aux sentiers le long du cap Diamant, parlent du passé.

Au siècle suivant, Québec accueille les immigrants irlandais, anglais et écossais, devient le fournisseur en bois de l'Angleterre coloniale, puis voit son importance commerciale déchoir au profit de Montréal, laquelle est avantagée géographiquement, étant située aux portes des marchés américains et aux carrefours des nouvelles lignes de chemins de fer.

La région de la capitale québécoise regorge de perles précieuses à découvrir ou à redécouvrir. Il y a bien sûr la vieille ville, ses murailles fortifiées, ses parcs et ses rues secrètes, ses places publiques d'antan. Il y a aussi son port et sa promenade ouverte aux vents du large. Plus loin, en continuant vers Charlevoix, sa voisine nordique, on observe les oies du haut du cap Tourmente, on contemple des chutes sauvages, tumultueuses, encaissées dans des canyons.

Tout ce changement du milieu géographique est le propre de cette région : on y délaisse la forêt d'érablières du sud pour entrer progressivement dans celle du nord, de type boréal (peupliers, bouleaux et conifères) et même dans la pessière, telle qu'elle apparaît dans la réserve faunique des Laurentides ou sur les sommets bordant la rivière Jacques-Cartier.

Le fleuve Saint-Laurent, ce « grand chemin qui marche » des Amérindiens, coule devant les vieilles maisons normandes de Portneuf et de Cap-Rouge, avant de venir, avec tous ses navires des quatre coins du monde, susciter l'enchantement des promeneurs des parcs de Sillery ou de Québec, juchés sur le haut des falaises.

Le long de l'île d'Orléans et de ses plages rocailleuses, la mer prend déjà naissance.

## 1 BASE DE PLEIN AIR DE VAL-BÉLAIR

Située non loin du centre-ville de Québec, la Base de plein air de Val-Bélair offre, en saison hivernale, un sentier aménagé pour la marche. On peut également pratiquer la raquette hors-piste sur tout le territoire. Durant la saison estivale, une piste d'hébertisme d'une longueur de 2 km, toute recouverte de copeaux de bois, est aménagée. ⚠ *Les sentiers ne sont pas vraiment praticables en été car le territoire est détrempé. De plus, le pavillon d'accueil n'est pas accessible aux marcheurs.*

**Réseau pédestre** ................. 1,5 km (linéaire, facile)

**Services et aménagements**

*Autres : piste d'hébertisme*

**Activités complémentaires**

*Hiver*  1,5 km 🐾 *TT* 🎿

**Période d'accès** ................... Toute l'année (⚠), du lever au coucher du soleil
**Frais d'accès** ........................ Gratuit
**Voie d'accès** ........................ De Québec, prendre le boulevard Henri-IV en direction de Val-Bélair, puis l'avenue de l'Industrielle. Ensuite, prendre le boulevard Pie-XI sud, puis l'avenue de la Montagne vers l'ouest sur 1,5 km.

**Gestionnaire** ......................... Base de plein air Sainte-Foy
**Pour information** .................. (418) 641-6473 ...... (418) 641-6128

## 2 CANYON SAINTE-ANNE

Des sentiers et des passerelles permettent d'admirer ce chef-d'œuvre de la nature. La chute Sainte-Anne coule d'une hauteur de 74 m et offre un spectacle sans cesse changeant. La roche de ce site date de l'époque du précambrien (600 millions d'années). On peut aussi observer une marmite de 15 m de diamètre. Pour ceux qui n'ont pas le vertige, une passerelle est situé à 60 mètres au-dessus de la gorge. 🐾

**Réseau pédestre** ................. 2,0 km (mixte, facile/inter., dénivelé max. de 50 m)

**Services et aménagements**

*Autres : service de navette, boutique, passerelle suspendue*

**Activités complémentaires**

**Documentation** .................... Dépliant-carte (à l'accueil)
**Période d'accès** .................. De mai à octobre, de 9 h à 17 h
**Frais d'accès** (taxes incl.) ..... Adulte : 7,50 $
Enfant (6 à 12 ans) : 2,50 $
Enfant (moins de 6 ans) : gratuit
**Voie d'accès** ........................ De Québec, prendre la route 138 vers l'est. L'entrée du site se situe à quelques kilomètres après la basilique de Sainte-Anne-de-Beaupré.
*Transports publics* .............. *La navette «Sherpa Plein Air» circule quotidiennement entre le Vieux-Québec et le canyon.*

Gestionnaire ......................... Canyon Sainte-Anne
**Pour information** ................. (418) 827-4057 ...... (418) 640-7437 (navette)
www.canyonste-anne.qc.ca

## 3   CENTRE DE PLEIN AIR DANSEREAU

En empruntant la piste multifonctionnelle, on longe la Jacques-Cartier, une rivière à saumons qui compte plusieurs rapides. On peut voir les ruines d'un vieux moulin à scie du début du siècle et le barrage du Grand-Remous.

**Réseau pédestre** ................. 20,0 km (Multi : 15,0) (linéaire, facile)

**Services et aménagements**   
Autre : abri

**Activités complémentaires**       Hiver  2,0 km  5,0 km + TT

**Documentation** ..................... Dépliant (à l'accueil)
**Période d'accès** .................. Toute l'année, du lever au coucher du soleil
**Frais d'accès** ........................ Gratuit
**Voie d'accès** ......................... De l'autoroute 40, prendre la sortie 281 nord et se rendre à Pont-Rouge. En face de l'église, prendre la rue Charles-Julien, puis tourner à gauche sur la rue Dansereau.

Gestionnaire ........................ Centre de plein air Dansereau
**Pour information** ................. (418) 873-4150 ...... (418) 873-2817

## 4   CENTRE SKI-NEUF

Ce lieu de marche a mis l'emphase sur la fréquentation hivernale. On y trouve donc un sentier de marche plus long l'hiver que l'été. Il débute au centre des loisirs et longe un ruisseau qu'on peut traverser par une petite passerelle. Il s'agit d'un site mis en valeur grâce au programme de réaménagement naturel d'Hydro-Québec. 🦌 ⭐ *Un sentier de marche de 8 km est spécialement conçu pour la saison hivernale.*

**Réseau pédestre** ................. 9,3 km

| Sentiers et parcours | Longueur | Type | Niveau |
|---|---|---|---|
| Sentier A | 5,0 km | Linéaire | Facile |
| Sentier B | 1,0 km | Linéaire | Facile |
| Sentier C | 1,5 km | Linéaire | Facile |
| Sentier D | 1,8 km | Linéaire | Facile |

**Services et aménagements**   
Autres : aire de jeux

**Activités complémentaires**       Hiver 🚶❄ 8,0 km 🎿 5,0 km + TT

**Documentation** ..................... Dépliant-carte (à l'accueil)
**Période d'accès** .................. Toute l'année, du lever au coucher du soleil
⚠ *Prudence pendant la période de chasse*

| Frais d'accès | Gratuit |
|---|---|
| Voie d'accès | De la sortie 261 de l'autoroute 40, prendre la direction nord vers Notre-Dame-de-Portneuf. Tourner à droite sur la rue Saint-Charles, à gauche sur l'avenue Saint-Germain, et encore à gauche sur le boulevard Gauthier. |
| Gestionnaire | Loisirs Portneuf Station |
| Pour information | (418) 286-6966 ....... (418) 286-6993, www.skineuf.cjb.net |

## 5 CHUTES DE LA DÉCHARGE DU LAC À L'OURS

Ces chutes sont situées dans la région de Portneuf, près du village de Saint-Léonard. Un sentier mène à l'endroit où le lac à l'Ours se jette en cascades dans le lac de l'Oasis.

**Réseau pédestre** ................ 0,5 km (linéaire, facile)

**Services et aménagements**

*Autres : abri*

| Période d'accès | De mai à novembre, du lever au coucher du soleil |
|---|---|
| Frais d'accès | Gratuit |
| Voie d'accès | De Saint-Léonard-de-Portneuf, suivre la route 367 en direction de Rivière-à-Pierre, jusqu'au lac de l'Oasis. L'entrée du sentier se trouve sur la droite et le stationnement est bien identifié. |
| Gestionnaire | Municipalité de Saint-Léonard-de-Portneuf |
| Pour information | (418) 337-6741, www.municipalite.st-leonard.qc.ca |

## 6 CORRIDORS DES CHEMINOTS ET DU LITTORAL

Ces deux pistes multifonctionnelles, dont certaines sections sont accessibles aux marcheurs, débutent au Domaine Maizeret. Le corridor des Cheminots s'étend jusqu'à Val-Bélair et celui du Littoral, jusqu'à la chute Montmorency.

**Réseau pédestre** ................ 32,0 km (Multi)

| Sentiers et parcours | Longueur | Type | Niveau |
|---|---|---|---|
| Corridor des Cheminots | 22,0 km | Linéaire | Facile |
| Corridor du Littoral | 10,0 km | Boucle | Facile |

**Services et aménagements**

**Activités complémentaires**

Hiver  TT

| Documentation | Dépliant-carte (au bureau d'information touristique) |
|---|---|
| Période d'accès | De mai à novembre, du lever au coucher du soleil |
| Frais d'accès | Gratuit |
| Voie d'accès | **Accès ouest** : de Sainte-Foy, prendre la route 573 vers le nord. Sortir à Val-Bélair et suivre les indications pour l'aréna où commence la piste. |
| | **Accès est** : parc de la chute Montmorency |
| | **Autre accès** : Domaine Maizerets |

Gestionnaire ........................ Ville de Québec/Arrondissement Charlesbourg
**Pour information** ................ (418) 522-3511, www.ville.quebec.qc.ca

JCT DOMAINE MAIZERETS
PARC DE LA CHUTE MONTMORENCY

## 7 DOMAINE MAIZERETS

Le domaine est à l'est de la ville de Québec, en face de la baie de Beauport. Il renferme un bâtiment historique, datant du XVIIe siècle, dans lequel on a aménagé les locaux d'un centre communautaire. On pourra y voir une exposition permanente sur son histoire. Il est considéré aussi comme un des plus grands espaces verts à vocation de plein air en ville. Des aménagements floraux et paysagers bordent les sentiers du boisé, des marais et de l'anneau d'eau. Le site renferme une volière à papillons, un labyrinthe végétal, une grange-étable et une chapelle. 🐎

**Réseau pédestre** ................ 11,0 km

| Sentiers et parcours | Longueur | Type | Niveau |
|---|---|---|---|
| Parc | 4,0 km | Mixte | Facile |
| Anneau et marais | 1,0 km | Boucle | Facile |
| Boisé | 2,0 km | Mixte | Facile |
| Arboretum | 4,0 km | Mixte | Facile |

**Services et aménagements**

🏛️ 🅿️ 🚻 📞 🍴 ⛱️ 🏕️ 🚰

*Autres : passerelle, aire de jeux, piscine*

**Activités complémentaires**

🍃 🎿 🏊

*Hiver* ⛷️❄️ *7,0 km* 🚶 *11,0 km + PT* ⛷️

**Documentation** .................... Dépliant-carte (à l'accueil)
**Période d'accès** ................... Toute l'année, de 9 h à 21 h
**Frais d'accès** ........................ Gratuit
**Voie d'accès** ......................... De l'autoroute Dufferin-Montmorency (440), emprunter l'avenue d'Estimauville en direction nord. Tourner à gauche sur le boulevard Montmorency et continuer jusqu'à l'entrée du domaine située sur la gauche.
*Transports publics* .............. *De Place d'Youville, prendre l'autobus express 800 Est et descendre à la station « Bardy ». Marcher sur la rue Bardy, à droite en direction sud, soit jusqu'à l'entrée du domaine, sur le boulevard Montmorency.*

Gestionnaire ........................ Société du domaine Maizerets inc.
**Pour information** ................ (418) 691-2385, societedudomainemaizerets.org

JCT CORRIDORS DES CHEMINOTS ET DU LITTORAL

## 8 FORÊT MONTMORENCY

Depuis plus de 35 ans, l'Université Laval aménage ce vaste domaine de 6 600 hectares de forêt, bien représentatif de la sapinière à bouleau blanc, et rend accessibles les richesses du milieu aux professeurs, étudiants et chercheurs, ainsi qu'au grand public. L'endroit est un ancien centre éducatif forestier qui a conservé sa vocation. En effet, de l'animation est encore disponible pour les groupes, sur demande. De plus, le pavillon de la forêt dispose d'une salle d'exposition. Il y a deux sentiers autour du lac Piché : Le Forestier est un sentier d'interprétation de l'activité forestière sous toutes ses formes; l'autre sentier fait le tour de la chute de la rivière Noire.

**Réseau pédestre** .................. 14,9 km

| Sentiers et parcours | Longueur | Type | Niveau | Dénivelé |
|---|---|---|---|---|
| La Chute de la rivière Noire | 1,0 km | Boucle | Facile | 75 m |
| Le Lac Piché | 2,5 km | Boucle | Facile | |
| Le Forestier | 4,4 km | Boucle | Intermédiaire | 120 m |
| Les Deux vallées | 7,0 km | Linéaire | Difficile | 200 m |

**Services et aménagements**

*Autres : centre d'interprétation, passerelle, passerelle suspendue*

**Activités complémentaires**

 *Hiver*  4,0 km  14,9 km + PT

**Documentation** .................... Carte, dépliant, brochures d'interprétation (à l'accueil)
**Période d'accès** ................... De juin à octobre et de janvier à avril, de 7 h 30 à 16 h
**Frais d'accès** ........................ Gratuit
**Voie d'accès** ......................... De Québec, suivre la route 175 nord sur environ 70 km. Au kilomètre 103, emprunter la route 33 sur 3 km, soit jusqu'au pavillon de la Forêt Montmorency.

**Gestionnaire** ......................... Forêt Montmorency, Université Laval
**Pour information** ................. (418) 846-2046, www.sbf.ulaval.ca/fm

## 9 JARDIN ROGER-VAN DEN HENDE

Ce jardin de 6 hectares a été aménagé à ses débuts (1966-1975) par monsieur Roger Van den Hende, professeur d'horticulture ornementale à la Faculté des sciences de l'agriculture et de l'alimentation de l'Université Laval. Il sert à des fins d'enseignement, de recherche et de vulgarisation. On retrouve, entre autres, un jardin d'eau, un herbaceratum, une roseraie et un ericaceratum. Il renferme plus de 2 000 espèces et cultivars, et constitue une collection unique de plantes indigènes du Québec et de plantes ornementales introduites d'Europe, d'Amérique et d'Asie. L'iris versicolore, plante indigène du Québec, a été choisi comme l'emblème floral du jardin parce qu'on veut valoriser les espèces de la flore québécoise présentant un potentiel ornemental.

**Réseau pédestre** ................. 1,5 km (mixte, facile)

**Services et aménagements**

**Activités complémentaires**

**Documentation** .................... Dépliant-carte (à l'accueil)
**Période d'accès** ................. De mai à octobre, du lever au coucher du soleil
**Frais d'accès** ........................ Gratuit

| Voie d'accès | Du boulevard Laurier (route 175) à Sainte-Foy, emprunter la route du Vallon en direction nord. Le jardin se situe au coin du boulevard Hochelaga, derrière le centre commercial « Place Sainte-Foy ». |
|---|---|
| *Transports publics* | *À la station de Place d'Youville, prendre l'autobus express 800 Ouest ou 801 Ouest dont le trajet s'effectue sur le boulevard René-Lévesque. Descendre à l'arrêt « Place Sainte-Foy », sur le boulevard Laurier, et marcher jusque derrière le centre commercial où se trouvent le boulevard Hochelaga et le jardin.* |
| Gestionnaire | La Société des Amis du Jardin Van den Hende inc. |
| Pour information | (418) 656-3410, amisjardin@crh.ulaval.ca |

## 10  LA SEIGNEURIE DE L'ISLE AUX SORCIERS

Cette ferme maraîchère et piscicole allie les activités de marche à la visite agricole et à la pêche à la truite mouchetée et arc-en-ciel. Elle renferme un lac, un brise-vent naturel et des boisés variés dont une cédrière, une érablière et une hêtraie. On peut aussi y voir une tourbière.

**Réseau pédestre** ................. 8,9 km (Multi)

| Sentiers et parcours | Longueur | Type | Niveau |
|---|---|---|---|
| L'Érablière principale | 3,0 km | Linéaire | Facile |
| Le Boisé des amoureux | 0,5 km | Boucle | Facile |
| La Tourbière | 1,5 km | Boucle | Facile |
| La montée vers les érablières | 1,8 km | Linéaire | Facile |
| La montée vers le lac Ouindigo | 1,6 km | Linéaire | Facile |

Services et aménagements

Activités complémentaires

| Documentation | Dépliant (au pavillon d'accueil) |
|---|---|
| Période d'accès | De mi-mai à fin octobre, de 9 h à 18 h |
| Frais d'accès (taxes incl.) | 5,00 $ par personne Enfants (moins de 5 ans) : gratuit |
| Voie d'accès | Du pont de l'île d'Orléans, prendre la route Prévost, puis le chemin Royal vers Saint-Laurent. |
| Gestionnaire | La Seigneurie de l'Isle aux Sorciers |
| Pour information | (418) 692-2425 ...... (418) 564-5675 lacdepecheauxsorciers@qc.aira.com |

## 11  LE MONTAGNARD   SENTIER NATIONAL

Le Montagnard relie les municipalités de Lac-Beauport et de Sainte-Brigitte-de-Laval. Le sentier offre une diversité d'intérêts. Tout en sillonnant les montagnes de la région, il traverse le chemin du Brûlé et le parc des Chutes Simmons. Il longe le lac Neigette, le mont Écho, la vallée Autrichienne et la rivière Jaune. Au cours de son passage, il emprunte la base de plein air Le Saisonnier, le mont Tourbillon, les sentiers du Moulin, la montagne à Tremblay et le parc Richelieu. De plus, à Sainte-Brigitte-de-Laval, le sentier offre la possibilité de joindre la montagne à Deux Têtes, un attrait majeur de cette municipalité. Des balises rouges et blanches sont positionnées du côté droit du sentier.

**Réseau pédestre** .................... 19,0 km (linéaire, intermédiaire, dénivelé maximum de 375 m)

**Services et aménagements**

🔯 🅿 🏕 ⛰ 🏠 🚾

Autres : *passerelle*

**Activités complémentaires**

*Hiver* 🏃 *19,0 km*

**Période d'accès** .................. Toute l'année, du lever au coucher du soleil

⚠ *Il est conseillé de ne pas randonner en période de chasse.*

**Frais d'accès** ....................... Gratuit

**Voie d'accès** ....................... **Accès départ ouest (Lac-Beauport)** : de Québec, prendre la sortie 157 de l'autoroute 73 nord. Continuer sur le boulevard du Lac jusqu'au chemin du Village. L'accès au sentier se situe au centre communautaire (46 chemin du village).

**Accès arrivée est (Sainte-Brigitte-de-Laval)** : prendre la sortie 321 de l'autoroute 40 est. Suivre la route Armand-Paris nord, qui se transforme en boulevard Raymond et devient l'avenue Sainte-Brigitte. Ensuite, prendre la rue Goudreault qui donne accès à l'arrivée située dans le parc Richelieu.

**Gestionnaire** ........................ Sentiers de la Capitale
**Pour information** ................. (418) 849-7141 ...... (418) 825-2515

## 12 LE PARC DU BOIS-DE-COULONGE

Le Bois-de-Coulonge est l'un des rares boisés urbains originels de la région de Québec. Ce parc s'étend sur 24 hectares et comporte des aménagements horticoles importants dont un arboretum, des rhododendrons, des arbustes fruitiers et des vignes. Un kiosque fait face à un grand parterre surplombant le fleuve. Il est constitué des fondations de l'ancienne résidence des gouverneurs généraux du Québec, détruite par un incendie en 1966. La maison du gardien, qui est à l'entrée du parc et qui date de 1891, rappelle que ce lieu est demeuré longtemps un domaine privé. 🐕

**Réseau pédestre** ................. 3,5 km (mixte, facile)

**Services et aménagements**

🔯 🅿 🚶 ☕ 🏕 🚾

Autres : *aire de jeux*

**Activités complémentaires**

🎿 *Hiver* 🚶❄ *3,5 km*

**Documentation** .................... Dépliant-carte (au bureau d'information touristique)
**Période d'accès** ................. Toute l'année, du lever au coucher du soleil
**Frais d'accès** ....................... Gratuit, frais de stationnement
**Voie d'accès** ........................ De l'autoroute 73 ou 540, prendre la route 175 est, soit le boulevard Laurier. Poursuivre jusqu'au chemin Saint-

Louis. Le parc est situé au 1215, chemin Saint-Louis, près de l'avenue Holland.

**Transports publics** .............. *De Place d'Youville, prendre l'autobus 11 qui s'arrête en face du parc.*

**Gestionnaire** ........................ Commission de la capitale nationale du Québec
**Pour information** .................. (418) 528-0773 ...... 1 800 442-0773
www.capitale.gouv.qc.ca

[JCT]  PARC DES CHAMPS-DE-BATAILLE

## 13  LE SENTIER D'INTERPRÉTATION « LES MARAIS DU NORD »

Les marais du Nord se sont formés à la jonction de la rivière des Hurons, de la décharge du lac Delage et de la rive nord du lac Saint-Charles. À l'origine, c'est la rencontre de ces différents systèmes hydrographiques et une suite d'événements naturels qui ont donné naissance aux marais. Ce milieu présente une flore et une faune très diversifiées. On y observera, entre autres, la pontédérie cordée, le grand nénuphar jaune, le grand héron, le balbuzard pêcheur, le plongeon huard, le martin-pêcheur d'Amérique, le carouge à épaulettes et le canard colvert. 🐎

**Réseau pédestre** .................. 5,2 km (mixte, facile)

**Services et aménagements**   ❄️ 🅿️ 🚹
*Autres : passerelle, plate-forme*

**Activités complémentaires**   🌾

**Documentation** .................... Carte, dépliant d'interprétation, liste des oiseaux (à l'accueil)
**Période d'accès** .................. Début mai à début novembre, de 9 h à 17 h
⚠️ *Prudence pendant la période de la chasse, même si celle-ci s'effectue sur l'eau*
**Frais d'accès** ........................ Adulte : 3,00 $
Enfant (6 à 7 ans) : 1,00 $
Enfant (5 ans et moins) : gratuit
Passe de saison disponible
**Voie d'accès** ........................ De Québec, emprunter la route 175 nord. Prendre la sortie 167 et tourner à gauche au premier arrêt. Tourner à gauche sur le chemin de la Grande-Ligne et continuer sur 3 km. Au prochain arrêt, tourner à gauche. Le départ du sentier débute au 1101, chemin de la Grande-Ligne.

**Gestionnaire** ........................ L'APEL Lac Saint-Charles
**Pour information** .................. (418) 849-9844, apel.ccapcable.com

## 14  LES JARDINS MERLEBLEU

Ces jardins, d'une superficie de trois hectares, sont couverts d'arbres, d'arbustes et de collections de fleurs. Quelques étangs l'agrémentent. Ce milieu favorise la présence d'oiseaux et on peut même y apercevoir un grand héron.

**Réseau pédestre** ................ 1,0 km (boucle, facile)

**Services et aménagements**

**Activités complémentaires**

**Documentation** ................... Dépliant (à l'entrée)

**Période d'accès** ................ De juillet au premier lundi de septembre
De 10 h à 16 h, du jeudi au dimanche

**Frais d'accès** (taxes incl.) ..... 13 ans et plus : 5,00 $
Enfant (5 à 12 ans) : 2,00 $
Enfant (0 à 4 ans) : gratuit
Réservation obligatoire

**Voie d'accès** ....................... De la sortie 261 de l'autoroute 40, tourner à gauche, traverser la voie ferrée et, à l'arrêt, continuer sur la rue Saint-Jacques (vers Deschambault), qui devient par la suite Côteau des Roches. Les jardins se situent à 3 km de l'arrêt.

**Gestionnaire** ....................... Les Jardins Merlebleu

**Pour information** ................ (418) 286-3417
www.jardinmerlebleu.com

---

## **15** LES SENTIERS DE LA VALLÉE DU BRAS-DU-NORD

On peut y faire l'ascension d'un sommet et parcourir un sentier qui se faufile à travers la forêt d'érables, de bouleaux jaunes et de conifères. Les points de vue sont nombreux sur la rivière qui sillonne cette vallée champêtre. On peut y voir un nid d'aigle pêcheur et la chute Delaney qui se jette d'une paroi rocheuse de 150 m. ★ *Un hébergement dans une yourte est disponible.* 🛏

**Réseau pédestre** ................ 35,0 km

| Sentiers et parcours | Longueur | Type | Niveau | Dénivelé |
|---|---|---|---|---|
| Sentier du Bras-du-Nord | 21,0 km | Linéaire | Inter./Difficile | 300 m |
| Sentier du Montagne Art | 6,5 km | Boucle | Intermédiaire | 320 m |
| Sentier de la Mauvaise | 7,5 km | Linéaire | Intermédiaire | 240 m |

**Services et aménagements**

Autres : passerelle, passerelle suspendue

**Activités complémentaires**

 *Hiver* 🎿 37,0 km

**Documentation** ................... Dépliant-carte (à l'accueil et au bureau d'information touristique de Saint-Raymond)

**Période d'accès** ................ Toute l'année, du lever au coucher du soleil
⚠ *La randonnée est interdite pendant la période de chasse au gros gibier.*

**Frais d'accès** (taxes incl.) ..... 3,50 $ par personne
Frais de stationnement de 4,00 $

---

*Québec*

| Voie d'accès | ............. | De Saint-Raymond, prendre la route 367 nord, passer le pont de la rivière Sainte-Anne et tourner à droite sur la rue Mgr-Vachon. Cette dernière devient le rang du Nord. Tourner ensuite à gauche sur la rue Saguenay et continuer sur 7 km. Tourner encore à gauche sur la rue Cantin, puis à droite sur le rang Sainte-Croix. Le stationnement de l'accueil Cantin se situe à 200 m. |

**Gestionnaire** ......................... Vallée Bras-du-Nord/Coop de solidarité
**Pour information** .................. 1 800 321-4992 ..... (418) 337-3635
www.valleebrasdunord.com

## 16 LES SENTIERS DU MOULIN

Les sentiers du Moulin sont situés immédiatement au nord du lac Beauport. Le sentier du Cap Blanc offre un panorama sur la forêt laurentienne. On a prévu des activités pour les jeunes. Sur la piste d'hébertisme, des jeux et des obstacles ont été bâtis avec les éléments de la forêt. Les jeunes peuvent aussi s'amuser au sentier du Trappeur, qui mène à un ancien camp, et revivre la vie de celui-ci en épiant les signes laissés par les animaux, comme le castor. 🏃 *Sur une portion du réseau (8,0 km)*

**Réseau pédestre** ................. 25,0 km (Multi : 12,0)

| Sentiers et parcours | Longueur | Type | Niveau | Dénivelé |
|---|---|---|---|---|
| Les Chutes Sauvages ........................ | 1,5 km ............ | Mixte ............. | Intermédiaire ........ | 55 m |
| Les Cascades ..................................... | 4,0 km ............ | Linéaire .......... | Facile | |
| Le Cap Blanc...................................... | 4,0 km ............ | Linéaire .......... | Difficile ............. | 280 m |

**Services et aménagements**

❋ 🅿 🏾 🚻 ( ✗ 🍴 ⛺ 🏕 🏠

*Autres : piste d'hébertisme*

**Activités complémentaires**

*Hiver* 🚶❋ 12,0 km 🏃 12,0 km + PT ♀⛷

**Documentation** ..................... Dépliant, cartes (à l'accueil)
**Période d'accès** (taxes incl.) ... Toute l'année, de 9 h à 17 h
**Frais d'accès** (taxes incl.) ..... 3,00 $ par personne
**Voie d'accès** ......................... De Québec, suivre la route 175 vers le nord et prendre la sortie 157. Emprunter le chemin du Tour-du-Lac, puis le chemin des Lacs, et enfin tourner à droite sur le chemin du Moulin. L'entrée se situe à 2 km.

**Gestionnaire** ......................... Les Sentiers du Moulin inc.
**Pour information** .................. (418) 849-9652, www.sentiersdumoulin.com

## 17 LES SEPT CHUTES - SITE D'INTERPRÉTATION ET DE PLEIN AIR

Le site touristique d'interprétation et de plein air des Sept Chutes, le long de la rivière Sainte-Anne-du-Nord, était autrefois une centrale hydroélectrique. Un diaporama présenté au centre d'interprétation témoigne de la vie des gens qui ont résidé sur le site, de 1916 à 1984, quand la centrale était en fonction. Au barrage et à la centrale, des guides sont sur place pour expliquer la fabrication de l'électricité. 🏃

Réseau pédestre ................... 5,0 km (mixte, facile/inter., dénivelé max. de 105 m)

Services et
aménagements

*Autres : centre d'interprétation,
aire de jeux, boutique*

Activités
complémentaires

Documentation ...................... Carte, dépliant (à l'accueil)
Période d'accès ................... De mi-mai à mi-octobre, horaire variable suivant la saison
Frais d'accès ........................ Adulte : 6,95 $
                          Âge d'Or (65 ans et plus) : 5,95 $
                          Jeune (13 à 17 ans) : 4,95 $
                          Enfant (de 6 à 12 ans) : 3,95 $
                          Enfant (moins de 5 ans) : gratuit
                          Tarif familial : 16,95 $
                          Plus taxes
Voie d'accès ......................... De la route 138 à Beaupré, prendre la route 360 vers
                          Saint-Ferréol-les-Neiges. L'entrée du site se trouve au
                          4520, avenue Royale.

Gestionnaire ......................... Corporation de développement de Saint-Ferréol-
                          les-Neiges (CODEF)
Pour information ................. (418) 826-3139 ...... 1 877 7CHUTES
                          www.septchutes.qc.ca

## 18 LIEU HISTORIQUE NATIONAL DU CANADA DES  FORTIFICATIONS DE QUÉBEC

Les fortifications de Québec racontent plus de trois siècles de génie militaire. L'intérêt historique de ces remparts, bastions et poudrières, réside autant dans la qualité des vestiges que dans leur impact sur la croissance et l'organisation de la ville. Plusieurs centres d'interprétation permettent de découvrir tant la vie militaire que la ville de Québec d'autrefois. Le visiteur peut se promener sur les murs comme les sentinelles de jadis et rejoindre la promenade des Gouverneurs qui surplombe le cap Diamant.

Réseau pédestre ................. 4,6 km (boucle, facile)

Services et
aménagements

*Autres : aire de jeux, centre d'interprétation*

Activités
complémentaires
 *Hiver*  *3,0 km*

Documentation ...................... Dépliant-carte, dépliant (à l'accueil)
Période d'accès ................... Toute l'année, du lever au coucher du soleil
Frais d'accès ........................ Gratuit
Voie d'accès ......................... Plusieurs accès sont possibles au cœur du Vieux-Québec.

Gestionnaire ......................... Parcs Canada
Pour information ................. (418) 648-7016 ...... (418) 648-4205
                          www.pc.gc.ca/fortifications

JCT PARC DES CHAMPS-DE-BATAILLE

*Québec*                                                                    

## 19 PARC CHAUVEAU

Dans un boisé, près de la rivière Saint-Charles, des sentiers comportant de légères dénivellations empruntent parfois des pistes de ski de fond. En hiver, quelques tracés parallèles aux sentiers de ski de fond sont entretenus pour la marche. 🐾

**Réseau pédestre** ................ 10,0 km (boucle, facile)

**Services et aménagements**

**Activités complémentaires**
*Hiver* 🚶❄ 3,0 km 🎿 10,0 km

**Période d'accès** .................. Toute l'année, du lever au coucher du soleil
**Frais d'accès** ........................ Gratuit
**Voie d'accès** ........................ Le parc se situe à l'intersection du boulevard de l'Ormière (route 371) et de l'avenue Chauveau (route 358), à Québec.
**Transports publics** .............. *De la place Jacques-Cartier, prendre l'autobus 74 ou 84 et descendre à l'angle de l'avenue Chauveau et du boulevard de l'Ormière.*

**Gestionnaire** ........................ Ville de Québec/Arrondissement des Rivières
**Pour information** ................. (418) 843-6536

## 20 PARC DE LA CHUTE MONTMORENCY

Ce parc présente un exemple d'aménagements récréotouristiques diversifiés dont un téléphérique menant au sommet de la chute. Le manoir Montmorency fait revivre deux siècles d'histoire. Un escalier de 478 marches, pourvu de belvédères, mène à la partie haute du parc, d'où on a une vue panoramique, à la fois sur la chute, le fleuve et l'île d'Orléans. Deux passerelles suspendues nous font franchir la faille latérale et la chute elle-même. 🐾

**Réseau pédestre** ................. 4,0 km (mixte, facile)

**Services et aménagements**

*Autres : passerelle suspendue, centre d'interprétation, téléphérique, boutique, aire de jeux*

**Activités complémentaires**
 *Hiver* 🚶❄ 1,0 km 🎿 1,0 km

**Documentation** .................... Dépliant-carte, dépliant, écouteurs (à l'accueil)
**Période d'accès** .................. Toute l'année (vérifier pour novembre et avril) De 8 h 30 à 19 h ou 21 h (selon la saison)
**Frais d'accès** (taxes incl.) ..... Stationnement : 8,00 $ par véhicule Location d'écouteurs : 3,00 $
**Voie d'accès** ........................ De l'autoroute 40 vers l'est, prendre la sortie 322 et poursuivre sur le boulevard des Chutes sur 3 km environ en suivant les indications pour le parc.
**Transports publics** .............. *De Place d'Youville, prendre l'express 800 vers Beauport, et correspondre au terminus de la Cimenterie avec l'autobus 50 ou 53, qui vous dépose au manoir Montmorency.*

Gestionnaire .................... SÉPAQ
Pour information ................ (418) 663-3330
www.chutemontmorency.qc.ca

[JCT] CORRIDOR DES CHEMINOTS ET DU LITTORAL

## 21 PARC DE LA FALAISE ET DE LA CHUTE KABIR KOUBA

Le long de la rivière Saint-Charles, la chute Kabir Kouba, haute de 28 m, a accueilli plusieurs moulins dont il ne reste maintenant que des ruines. Un sentier et des belvédères ont été aménagés, et permettent de voir la chute ainsi qu'un canyon dont les falaises s'élèvent sur une hauteur de 42 m. L'expression algonquienne Kabir Kouba signifie la rivière « aux mille détours ».  *Il y a des fossiles de 450 millions d'années et on peut y observer le phénomène des marmites.*

Réseau pédestre ................ 1,5 km (linéaire, intermédiaire)

Services et
aménagements

*Autres : centre d'interprétation, passerelle*

Activités
complémentaires

Documentation .................... Dépliant, carte, guide d'interprétation (au centre d'interprétation situé au 103, rue Racine à Loretteville)
Période d'accès .................. Du 1er juin au 31 octobre, de 10 h à 17 h
Frais d'accès ...................... Gratuit
Voie d'accès ........................ On accède au parc par le boulevard Bastien, à Loretteville, à la hauteur de Wendake. Le centre d'interprétation Kabir Kouba est accessible par la rue Racine.
Transports publics .............. ***Est de Québec*** *: prendre l'express 801 vers Charlesbourg et correspondre avec l'autobus 72 au terminus Charlesbourg. Descendre à l'intersection du boulevard Bastien et de la rue Racine.*
***Ouest de Québec*** *: prendre l'autobus 87 en direction de Loretteville. Descendre au coin de la rue Caron et de la rue Racine. Prendre ensuite l'autobus 72 sur la rue Racine.*

Gestionnaire ........................ Corporation du Parc de la falaise et de la chute Kabir Kouba
Pour information ................ (418) 842-7462, www.chutekabirkouba.com

## 22 PARC DE LA RIVIÈRE BEAUPORT

Situé en milieu urbain, ce parc longe la rivière Beauport et une cascade haute de 10 m. Les rives humides de cette rivière favorisent une végétation diversifiée et hébergent une saulaie. On peut y voir les vestiges d'un barrage et d'un moulin.

Réseau pédestre ................ 2,0 km (mixte, facile/inter., dénivelé max. de 55 m)

Services et
aménagements

**Activités**
**complémentaires**     *Hiver* 🚶 *2,0 km*

**Documentation** .................... Dépliant-carte (à l'hôtel de ville et au bureau du Comité de valorisation de la rivière Beauport)
**Période d'accès** ................... Toute l'année, de 6 h à 22 h
**Frais d'accès** ....................... Gratuit
**Voie d'accès** ........................ De Québec, prendre l'autoroute 40 vers l'est et prendre la sortie 319. Tourner à gauche sur la rue Cambronne, puis à droite sur l'avenue des Cascades. Le stationnement se situe à la halte Armand-Grenier.
*Transports publics* ............... *De Place d'Youville, prendre l'express 800 en direction de Beauport et descendre à la station François-de-Laval sur l'avenue Royale. Les sentiers commencent un peu avant le pont.*

**Gestionnaire** ........................ Comité de valorisation de la rivière Beauport
**Pour information** ................. (418) 666-6169, www.cvrb.qc.ca

## 23 PARC DES CHAMPS-DE-BATAILLE

Ce parc de 108 hectares, en plein cœur de la ville de Québec, est un des plus importants sites historiques et parcs urbains au Canada. Dans ce lieu, Montcalm et les Français affrontèrent Wolfe et les Anglais en 1759. L'année suivante, ce fut au tour de Lévis et Murray d'engager le combat. Des plaques commémoratives nous le rapellent et l'on retrouve des mosaïcultures autour des monuments. Les principaux points d'intérêt sont les tours Martello, le jardin Jeanne-D'Arc et la plate-bande de l'avenue Ontario. 🐕
⭐ *Un cadran solaire donne, en tout temps, l'heure avancée de l'est.*

**Réseau pédestre** ................. 17,0 km

| Sentiers et parcours | Longueur | Type | Niveau |
|---|---|---|---|
| Sentier de la nature ........................... | 1,5 km ......... | Linéaire ....... | Intermédiaire |
| Sentier de marche ............................. | 3,0 km ......... | Mixte ........... | Facile |

**Services et**
**aménagements**     🏠 🅿 🚻 ♿ 🍴 🏕 ♿
*Autres : navette, kiosque Edwin-Bélanger*
*(concerts en plein air)*

**Activités**
**complémentaires**     🌿 🎿     *Hiver* 🚶❄ *6,0 km* 🚶 *17,0 km + TT*

**Documentation** .................... Dépliant, carte (à l'accueil)
**Période d'accès** ................... Toute l'année, de 6 h à 1 h
**Frais d'accès** ....................... Gratuit
**Voie d'accès** ........................ De la Grande-Allée (route 175), on peut accéder au parc par les avenues Wolfe Montcalm, Taché ou Georges VI.
*Transports publics* ............... *De Place d'Youville, prendre l'autobus 10 Ouest ou 11 Ouest. On peut descendre en face du Parlement et continuer à sa gauche, à l'entrée de la Croix du Sacrifice. Une autre entrée du parc se situe face à l'hôtel Le Concorde (pour le jardin Jeanne-D'Arc). Enfin, on peut choisir aussi de continuer jusqu'à l'entrée de l'avenue*

*Wolfe Montcalm, où se trouve le Musée du Québec. Un service de navette gratuit permet de circuler sur toute la longueur du parc.*

**Gestionnaire** ........................ Commission des champs de bataille nationaux
**Pour information** ................. (418) 648-4071
www.ccbn-nbc.gc.ca

[JCT] LIEU HISTORIQUE NATIONAL DU CANADA DES FORTIFICATIONS DE QUÉBEC
LE PARC DU BOIS-DE-COULONGE

## 24 PARC NATIONAL DE LA JACQUES-CARTIER

Le parc national de la Jacques-Cartier, d'une superficie de 670 km², a été créé en 1981 afin d'assurer la préservation et la mise en valeur du massif des Laurentides du nord de Québec. On passe des vallées profondes aux plateaux élevés. Le climat doux des vallées permet les peuplements de feuillus tandis que celui plus rigoureux des plateaux favorise la forêt boréale dominée par les conifères. Plusieurs sentiers de randonnée sont mis à la disposition des marcheurs, dont deux d'interprétation. La plupart reprennent d'anciens chemins forestiers, sentiers de drave et sentiers garde-feu. Quelques-uns conduisent à des promontoires donnant sur la vallée de la Jacques-Cartier ou sur les vallées secondaires. Un peu plus de 25 km sont partagés avec le vélo de montagne. ★
*Le sentier du Hibou-Nord se continue à la Station touristique de Stoneham.*

**Réseau pédestre** ................. 78,9 km (Multi : 29,0 km)

| Sentiers et parcours | Longueur | Type | Niveau | Dénivelé |
|---|---|---|---|---|
| L'Aperçu | 2,5 km | Boucle | Facile | |
| Les Loups | 5,0 km | Linéaire | Difficile | 450 m |
| L'Éperon | 5,5 km | Boucle | Difficile | 205 m |
| La Croisée | 7,5 km | Mixte | Facile | 65 m |
| Le Scotora | 7,8 km | Linéaire | Difficile | 470 m |
| Les Cascades | 3,4 km | Mixte | Facile | 80 m |

**Services et aménagements**

🏕 🅿 ♟ 📞 🍴 🪑
🔺 ⛺ 🛏 🏠 🏚

*Autres : centre d'interprétation, aire de jeux*

**Activités complémentaires**

🍃 🎿 *Hiver* 🚶❄ *2,0 km* 🏃 *19,9 km*

**Documentation** .................... Carte, journal du parc (à l'accueil)
**Période d'accès** ................. De fin mai à fin octobre et de la 3ᵉ semaine de décembre à la 3ᵉ semaine de mars
Accueil de 8 h/9 h à 17 h/18 h 30 (suivant les dates)
Le territoire lui-même est accessible de 6 h à 21 h
**Frais d'accès** ....................... Voir la tarification des parcs nationaux du Québec dans les pages bleues au début du livre
**Voie d'accès** ....................... À 40 km environ au nord de Québec, on accède au centre d'accueil du parc (secteur de la Vallée) par l'autoroute 73 ou la route 175 nord.

Gestionnaire ......................... SÉPAQ
Pour information ................. (418) 848-3169 ...... (418) 528-8787
www.parcsquebec.com

[JCT]  STATION TOURISTIQUE DE STONEHAM

## 25  PLAGE JACQUES-CARTIER

Cette promenade, sur une plage ponctuée de rochers, s'étire du parc nautique de la ville de Cap-Rouge jusqu'à Sainte-Foy. On pourra observer les voiliers, bateaux et goélands composant ce paysage du bord du Saint-Laurent. On aura aussi une vue du pont de Québec. 🐕

**Réseau pédestre** ................. 2,5 km (linéaire, facile)

**Services et aménagements**

🏠 🅿 👫 📞 🍴 🏕

*Autres : location de petite embarcation*

**Période d'accès** ................... Du 1er mai au 30 septembre, du lever au coucher du soleil
**Frais d'accès** ......................... Gratuit
**Voie d'accès** ......................... De la sortie 302 de l'autoroute 40, suivre la route Jean-Gauvin vers le sud, puis la rue du Domaine. Tourner à droite sur le boulevard de la Chaudière, puis à gauche sur la rue Saint-Félix et poursuivre jusqu'à la rue de la Plage-Jacques-Cartier.
*Transports publics* ............... *De Place d'Youville, prendre l'autobus 25 et descendre sur le chemin Saint-Louis, à l'intersection du chemin de la Plage-Jacques-Cartier. La plage est ensuite à une dizaine de minutes de marche. Dans la partie escarpée de la côte, on peut emprunter un sentier latéral aménagé d'escaliers.*

**Gestionnaire** ......................... Ville de Québec/Arrondissement Laurentien
**Pour information** ................. (418) 641-6148

## 26  PROMENADE DE LA RIVIÈRE SAINT-CHARLES

Les berges de la Saint-Charles sont aménagées en promenade à deux niveaux, l'un cycliste, l'autre piétonnier, et séparés sur la majeure partie du parcours. On y a une vue sur la haute ville de Québec, particulièrement du parc Cartier-Brébeuf qui se trouve à peu près à mi-parcours, et où l'on peut visiter une réplique du navire de Jacques Cartier, la Grande-Hermine, et une reconstruction de maison longue iroquoise. 🐕

**Réseau pédestre** ................. 9,0 km

| Sentiers et parcours | Longueur | Type | Niveau |
|---|---|---|---|
| Entre le Vieux-Port et le pont Samson ............ 5,0 km ........ Linéaire ....... Facile |
| Entre le pont Samson et le pont Scott ............ 4,0 km ........ Linéaire ....... Facile |

**Services et aménagements**

🅿 👫 📞 🍴 🏕

*Autres : aire de jeux*

**Activités complémentaires**

*Hiver* 🚶❄ *9,0 km*

**Documentation** .................... Journal Mon Arrondissement (au bureau d'arrondissement du 399, rue Saint-Joseph)
**Période d'accès** ................... Toute l'année, du lever au coucher du soleil
**Frais d'accès** ........................ Gratuit
**Voie d'accès** ......................... Plusieurs accès sont possibles le long de la rivière Saint-Charles, à Québec.

**Gestionnaire** ........................ Ville de Québec
**Pour information** .................. (418) 641-6101

JCT  VIEUX-PORT DE QUÉBEC

## 27  RÉSERVE FAUNIQUE DE PORTNEUF

Créée en 1968 pour conserver la faune et procurer des sites d'activités de plein air, cette réserve faunique est un mélange de monts, vallées, cascades et ruisseaux, sillonné par des sentiers. Un circuit d'auto-interprétation a été aménagé aux chutes de la Marmite, le long de la rivière à Pierre. On découvrira les vestiges d'une installation hydroélectrique qui alimenta les industries de Rivière-à-Pierre dès 1927. Le circuit débute au sentier de la Source, juste en haut des chutes. Des marmites ont été creusées dans le roc par le tournoiement de débris rocheux lors de la fonte des glaciers. 🐕

**Réseau pédestre** .................. 3,0 km

| Sentiers et parcours | Longueur | Type | Niveau |
|---|---|---|---|
| La Source | 1,0 km | Linéaire | Facile |
| La Rivière | 1,5 km | Linéaire | Facile |

**Services et aménagements**

**Activités complémentaires**

 Hiver 🎿 2,5 km + TT

**Documentation** .................... Dépliant-carte (à l'accueil)
**Période d'accès** ................... De mai à octobre, de 7 h à 22 h ⚠ *La randonnée est interdite lors de la chasse à l'orignal*
**Frais d'accès** ........................ Gratuit
**Voie d'accès** ......................... De Saint-Raymond, prendre la route 367 jusqu'à Rivière-à-Pierre et suivre les indications sur environ 2 km.

**Gestionnaire** ........................ SÉPAQ
**Pour information** .................. (418) 323-2021, www.sepaq.com

## 28  RÉSERVE NATIONALE DE FAUNE DU CAP TOURMENTE

Cette réserve nationale a été créée en 1969 afin de protéger le principal habitat de la grande oie des neiges, lors de sa migration. En effet, des dizaines de milliers de ces oiseaux peuvent être observés sur les lieux au printemps et surtout à l'automne. La réserve abrite aussi plusieurs autres espèces d'oiseaux et de mammifères. C'est un site remarquable par la rencontre du fleuve, des grands marais côtiers, de la plaine et de la montagne. On a accès à un observatoire juché au bord d'une falaise de 150 m et à une tour d'observation dans la plaine. 🐕 ⭐ *Deux relais chauffés sont disponibles aux marcheurs durant l'hiver.* ⚠ *Toute cueillette dans le parc est interdite.*

*Québec*

Réseau pédestre ................. 20,0 km

| Sentiers et parcours | Longueur | Type | Niveau | Dénivelé |
|---|---|---|---|---|
| Le Bois-Sent-Bon | 1,0 km | Mixte | Facile | |
| Le Petit-Sault | 1,7 km | Linéaire | Facile | |
| La Falaise | 2,1 km | Linéaire | Difficile | 150 m |
| La Cédrière | 3,0 km | Boucle | Facile/Inter. | |
| Le Piedmont | 6,9 km | Boucle | Facile | |
| La Cîme | 4,6 km | Linéaire | Difficile | 490 m |

**Services et aménagements**

*Autres : centre d'interprétation, cache (observatoire pour les oies)*

⚠ *Aucun service n'est disponible de début novembre à début janvier et de mi-mars à mi-avril*

**Activités complémentaires**

 *Hiver* 🚶❄ *7,0 km*

**Documentation** ..................... Dépliant, carte des sentiers (à l'accueil)

**Période d'accès** ................... D'avril à novembre, de 8 h 30 à 17 h
De décembre à mars, de 8 h 30 à 16 h
⚠ *Prudence pendant la période de la chasse. Bien rester dans les sentiers*

**Frais d'accès** (taxesx incl.) ... Adulte : 6,00 $
Étudiant : 5,00 $
Enfant (12 ans et moins, accompagné) : gratuit
Tarif de groupe disponible

**Voie d'accès** ......................... De la route 138 à Beaupré, suivre les indications pour le Cap Tourmente.

**Gestionnaire** ......................... Service canadien de la faune/RNF du Cap Tourmente

**Pour information** .................. (418) 827-4591
www.qc.ec.gc.ca/faune/faune/html/rnf_ct.html

JCT   SENTIER DES CAPS DE CHARLEVOIX

## 29   SENTIER DE LA LIGNE D'HORIZON

Le sentier débute dans le parc de la Gentiane. En traversant une pinède, on accède à un belvédère d'où l'on observera le lac Beauport et la région environnante. Le sentier sort ensuite du parc et continue à flanc de montagne dans une érablière. On atteint le sommet du mont Saint-Castin, puis celui du mont Murphy où se trouve le centre de ski Le Relais. Le sentier se termine par une forte descente jusqu'au centre Saint-Dunstan de Lac-Beauport. 🐕 ⭐ *Il est possible aussi d'utiliser les remontées mécaniques pour atteindre le mont Murphy. D'ici 2006, le sentier ira rejoindre Le Montagnard.*

Réseau pédestre ................. 8,8 km (linéaire, intermédiaire)

**Services et aménagements**

**Activités complémentaires**

 *Hiver* 🚶 *8,8 km*

**Période d'accès** .................. Toute l'année, du lever au coucher du soleil

**Frais d'accès** ........................ Gratuit

**Voie d'accès** ........................ **Parc de la Gentiane** : de Québec, prendre l'autoroute 73 nord, puis la sortie 157 vers Lac-Beauport. Emprunter le boulevard du Lac qui deviendra plus loin chemin du Tour-du-Lac. Passer devant le centre de ski Le Relais et continuer jusqu'au stationnement du parc de la Gentiane. **Centre Saint-Dunstan** : de Québec, prendre l'autoroute 73 nord, puis la sortie 157 vers Lac-Beauport. Emprunter le boulevard du Lac et tourner au centre Saint-Dunstan. Le Lac-Beauport est environ à 15 minutes du centre-ville de Québec. Deux accès secondaires sont également possibles, le premier au centre de ski Le Relais et le deuxième au mont Saint-Castin.

**Gestionnaire** ........................ Municipalité de Lac-Beauport

**Pour information** .................. (418) 849-7141, www.lacbeauport.com

## 30 SENTIER DES ÉCORES

Le parc des Écores constitue une des voies d'accès à ce sentier qui est celui de la rivière du Cap-Rouge. Les espaces verts occupent 20 % du territoire de la ville du même nom. Plusieurs trajets sont proposés au marcheur tout au long de ces 11 hectares de vallée.

**Réseau pédestre** .................. 5,0 km (boucle, facile)

**Services et aménagements**

*Autres : aire de jeux*

**Activités complémentaires**

**Documentation** .................... Guide d'interprétation (à l'accueil)

**Période d'accès** .................. Du 15 avril au 15 novembre, de 9 h à 21 h (été)

**Frais d'accès** ........................ Gratuit

**Voie d'accès** ........................ De la sortie 302 de l'autoroute 40, suivre la route Jean-Gauvin, puis la rue du Domaine. Tourner à gauche sur le boulevard de la Chaudière, puis à gauche à nouveau sur la rue Charles-A.-Roy.

**Transports publics** .............. *De Place d'Youville, prendre l'autobus express 800 Ouest ou 801 Ouest (boulevard René-Lévesque) jusqu'au point de correspondance du trajet 15, soit peu avant la rue de Marly (édifice du Revenu). Prendre l'autobus 15 jusqu'à l'intersection de la rue Provancher et du boulevard de la Chaudière (Mail Cap-Rouge). Continuer sur la rue du Domaine pour l'entrée sud du parc, à la rivière.*

**Gestionnaire** ........................ Ville de Québec/Arrondissement Laurentien

**Pour information** .................. (418) 641-6008

## 31 SENTIER MESTACHIBO

Le sentier Mestachibo relie la chute Jean-Larose, au pied du mont Sainte-Anne, à l'église de Saint-Ferréol-les-Neiges. Le sentier suit le cours de la rivière Sainte-Anne-du-Nord dans la majorité de son parcours. Le paysage est accidenté tout comme le sentier, mais il permet de découvrir des peuplements forestiers matures, plusieurs talus d'éboulis et des crêtes rocheuses. À mi-parcours, deux belvédères sont aménagés sur une crête rocheuse, lesquels donnent une vue sur le canyon de la rivière. De plus, deux passerelles suspendues, d'une longueur de 70 m, traversent la rivière afin de contourner une paroi rocheuse. Un tronçon de 2 km environ passe à l'intérieur d'un quartier résidentiel. Un deuxième itinéraire proposera aux plus téméraires des randonneurs, de longer la crête le long de la rivière Sainte-Anne-du-Nord. 🥾

**Réseau pédestre** ................. 11,2 km (linéaire, inter./difficile, dénivelé maximum de 260 m)

**Services et aménagements**

*Autres : passerelle suspendue*

**Documentation** .................... Carte (à la Fédération québécoise de la marche)
**Période d'accès** .................. D'avril à novembre, du lever au coucher du soleil
**Frais d'accès** ....................... Gratuit
**Voie d'accès** ........................ **Accès Station Mont-Sainte-Anne** : de Québec, emprunter la route 138 est jusqu'à Beaupré. De là, suivre les indications pour la station Mont-Sainte-Anne. L'accès au sentier se fait à partir du stationnement P3. **Accès église Saint-Ferréol-les-Neiges** : de Québec, emprunter la route 138 est jusqu'à Beaupré. De là, suivre les indications pour Saint-Ferréol-les-Neiges.

**Gestionnaire** ......................... Corporation récréotouristique de la Côte-de-Beaupré
**Pour information** .................. (418) 953-5488, mestachibo@hotmail.com

[JCT] STATION MONT-SAINTE-ANNE

## 32 STATION MONT-SAINTE-ANNE

Pour le plaisir des marcheurs, de nombreux sentiers pédestres agrémentés de belvédères ont été aménagés. Parmi eux, le sentier des Chutes Jean-Larose : au sud-est du pont-barrage, un escalier de 355 marches longe l'imposante chute du même nom. Un autre sentier, La Libériste, est un sentier d'interprétation et offre une vue sur le fleuve et la réserve faunique des Laurentides. Pour la saison hivernale, il y a cinq sentiers dédiés exclusivement à la raquette à même la station de ski alpin et six autres sentiers au centre de ski de fond du Mont-Sainte-Anne. Ce dernier offre 2,5 km de marche hivernale. Le sentier linéaire débute à l'accueil et se rend jusqu'au refuge du Ruisseau Rouge. 🥾
⭐ *L'ascension en télécabine est possible à certaines périodes de l'année.*

**Réseau pédestre** ................. 32,6 km

| Sentiers et parcours | Longueur | Type | Niveau | Dénivelé |
|---|---|---|---|---|
| Le Sentier des pionniers | 3,0 km | Linéaire | Intermédiaire | 610 m |
| Le Chemin des belvédères | 1,6 km | Boucle | Facile | |
| La Libériste | 8,8 km | Linéaire | Difficile | 540 m |
| Sentier des Chutes Jean-Larose | 3,9 km | Boucle | Intermédiaire | 100 m |
| La Crête | 3,8 km | Linéaire | Difficile | 590 m |

**Services et aménagements**

*Autres : aire de jeux, télécabine panoramique, boutique*

**Activités complémentaires**

Hiver  2,5 km  45,8 km + PT

**Documentation** .................... Carte, brochure, dépliant (à l'accueil)
**Période d'accès** .................. Toute l'année, de 9 h à 17 h
**Frais d'accès** ....................... Adulte : 3,00 $
Enfant : 2,00 $
Famille : 8,00 $
Des frais s'appliquent pour la télécabine
**Voie d'accès** ........................ De Québec, prendre l'autoroute 40 est jusqu'à la sortie
Sainte-Anne-de-Beaupré. Continuer sur la route 138 est
jusqu'à Beaupré. De là, emprunter la route 360 jusqu'à
la Station Mont-Sainte-Anne.

**Gestionnaire** ........................ Station Mont-Sainte-Anne
**Pour information** ................. (418) 827-4561, www.mont-sainte-anne.com

JCT   SENTIER MESTACHIBO

## 33   STATION TOURISTIQUE DE STONEHAM   *SENTIER NATIONAL*

Cette station, réputée pour le ski alpin, offre aussi des sentiers dont l'un est intégré au
Sentier national. Du haut de la montagne, on a des points de vue sur la vallée et les
sommets environnants.

**Réseau pédestre** ................. 32,6 km

| Sentiers et parcours | Longueur | Type | Niveau |
|---|---|---|---|
| Sentier de la Chute ........................................... | 1,8 km ......... | Linéaire ....... | Intermédiaire |
| Sentier du Hibou-Nord (portion de la station) ............................. | 10,5 km ......... | Linéaire ....... | Intermédiaire |
| Sentier du Hibou-Sud ................................. | 12,9 km ......... | Linéaire ....... | Intermédiaire |
| Sentier des Cascades ................................. | 7,4 km ......... | Linéaire ....... | Intermédiaire |

**Services et aménagements**

**Activités complémentaires**

 Hiver  35,2 km

**Documentation** .................... Brochure, carte (à l'accueil)
**Période d'accès** .................. Toute l'année, du lever au coucher du soleil
**Frais d'accès** ....................... Gratuit
**Voie d'accès** ........................ De Québec, prendre l'autoroute 73 vers le nord; sortir à
Stoneham et suivre les indications pour le centre de ski.

Gestionnaire ........................ Les Entreprises Stoneham
Pour information ................. (418) 848-2415 ...... 1 800 463-6888
www.ski-stoneham.com

JCT   PARC NATIONAL DE LA JACQUES-CARTIER

## 34  STATION TOURISTIQUE DUCHESNAY  SENTIER NATIONAL

À une trentaine de minutes de Québec, cette station offre de nombreuses activités et des infrastructures de villégiature. Son réseau de sentiers pédestres propose des parcours de marche totalisant 50 km environ et près de 40 km pour la raquette. Ces sentiers sillonnent un relief peu accidenté et offrent des parcours de facile à intermédiaire. Le réseau de sentiers a été aménagé dans une forêt essentiellement dominée par l'érablière à bouleau jaune et est situé en bordure du lac Saint-Joseph. ★ *On retrouve un hôtel de glace sur les lieux.*

Réseau pédestre ................. 48,8 km

| Sentiers et parcours | Longueur | Type | Niveau | Dénivelé |
|---|---|---|---|---|
| Le Riverain | 5,0 km | Boucle | Facile | |
| La Détente | 9,0 km | Linéaire | Facile/Inter. | |
| Le Lac Jaune | 4,0 km | Boucle | Facile | |
| Le Rocher | 1,5 km | Boucle | Facile | 75 m |
| La Tourbière | 5,5 km | Boucle | Facile | |
| Le Coureur des bois | 13,5 km | Linéaire | Facile | |

**Services et aménagements**

*Autres : passerelle, salle d'exposition, boutique, labyrinthe*

**Activités complémentaires**

*Hiver*  3,0 km  39,3 km

Documentation ..................... Dépliant, carte (à l'accueil)
Période d'accès .................. Toute l'année, de 8 h 30 à 16 h
Frais d'accès ....................... 3,00 $ par personne (hiver)
Gratuit (été)
Stationnement : 6,00 $
Voie d'accès ........................ De l'autoroute 40, prendre la route 367 nord jusqu'à Sainte-Catherine-de-la-Jacques-Cartier, et suivre les indications sur environ 5 km.

Gestionnaire ........................ SÉPAQ
Pour information ................. (418) 875-2711 poste 282......1 877 511-5885
www.sepaq.com

## 35  TRAIT-CARRÉ DU CHARLESBOURG HISTORIQUE

La paroisse de Charlesbourg a vu le jour en 1693. Au cœur de ce qui est maintenant une ville, le Vieux-Charlesbourg a gardé le découpage urbain particulier de ses débuts. Les Jésuites de l'époque avaient en effet érigé, au centre de la seigneurie Notre-Dame-des-Anges, un noyau communautaire ceinturé d'un chemin, le « Trait-Quarré », autour duquel s'établissaient les colons selon un plan radial. Le circuit proposé parcourt ce Trait-Carré où l'on peut retracer l'évolution de l'habitat rural québécois. 🐎

**Réseau pédestre** .................. 1,3 km (mixte, facile)

**Services et aménagements**

*Autres : centre d'interprétation*

**Activités complémentaires**

 *Hiver*  *1,0 km*

**Documentation** ..................... Dépliant-carte, dépliant (au moulin des Jésuites)
**Période d'accès** ................... Toute l'année, du lever au coucher du soleil
**Frais d'accès** ........................ Gratuit
**Voie d'accès** ........................ Le départ s'effectue au moulin des Jésuites, en plein cœur de Charlesbourg.
*Transports publics* .............. *De Place d'Youville, prendre l'autobus 801 jusqu'au terminus Charlesbourg. Le Trait-Carré est contigu au terminus (à l'ouest de ce dernier).*

**Gestionnaire** ......................... Le moulin des Jésuites
**Pour information** ................. (418) 624-7720, www.moulindesjesuites.qc.ca

## 36 VIEUX-PORT DE QUÉBEC

Promenade favorite des Québécois lors des chaudes journées d'été, l'ensemble piétonnier du Vieux-Port de Québec propose des spectacles, des expositions et des activités d'interprétation au centre d'interprétation de Parcs Canada. Des excursions vers l'île aux Grues et Grosse-Île partent du quai de la Pointe à Carcy, près du pont basculant. Le promeneur qui entre sur le site par le stationnement de la rue Dalhousie, près de la traverse Lévis-Québec, peut continuer jusqu'à la marina du bassin Louise et au marché public.

**Réseau pédestre** .................. 2,0 km (Multi) (linéaire, facile)

**Services et aménagements**

*Autres : centre d'interprétation, trottoir de bois*

**Activités complémentaires**

 *Hiver*  *1,0 km*

**Période d'accès** .................. Toute l'année, du lever au coucher du soleil
**Frais d'accès** ........................ Gratuit
**Voie d'accès** ........................ **Accès 1 :** de l'autoroute Dufferin-Montmorency (440), suivre les indications pour le Vieux-Port de Québec.
**Accès 2 :** de Lévis, sur la rive sud du Saint-Laurent, prendre le traversier.
*Transports publics* .............. *De Place d'Youville, prendre l'autobus 800 en direction de Beauport et s'arrêter à la gare du Palais. L'entrée du Vieux-Port se trouve après le marché public.*

**Gestionnaire** ......................... Administration portuaire de Québec
**Pour information** ................. (418) 648-3640
www.portquebec.ca

JCT PROMENADE DE LA RIVIÈRE SAINT-CHARLES

*Faites-moi cygne!*

# Saguenay –
# Lac-Saint-Jean

*Sentier le Fjord (Parc national du Saguenay)*

# SAGUENAY – LAC-SAINT-JEAN

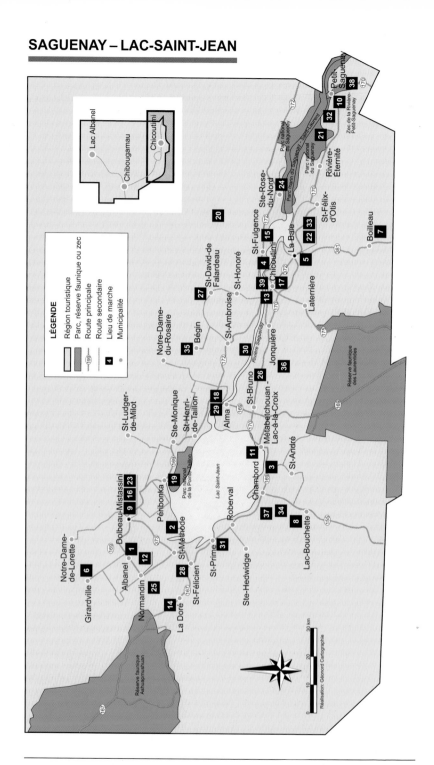

# LIEUX DE MARCHE

**1** ASSOCIATION DES SPORTIFS D'ALBANEL

**2** BASE DE PLEIN AIR POINTE-RACINE

**3** CAVERNE TROU DE LA FÉE

**4** CENTRE D'INTERPRÉTATION DES BATTURES ET DE RÉHABILITATION DES OISEAUX (CIBRO)

**5** CENTRE PLEIN AIR BEC-SCIE

**6** DOMAINE DE LA RIVIÈRE MISTASSINI

**7** DOMAINE DU LAC HA! HA!

**8** ERMITAGE SAINT-ANTOINE DE LAC BOUCHETTE

**9** LA MAGIE DU SOUS-BOIS

**10** LE MONDE ENCHANTÉ DE MON ENFANCE

**11** LE RIGOLET

**12** LES GRANDS JARDINS DE NORMANDIN

**13** LES SENTIERS DU SAGUENAY

**14** MOULIN DES PIONNIERS DE LA DORÉ

**15** PARC AVENTURES CAP JASEUX

**16** PARC DE LA POINTE-DES-PÈRES

**17** PARC DE LA RIVIÈRE DU MOULIN

**18** PARC FALAISE

**19** PARC NATIONAL DE LA POINTE-TAILLON

**20** PARC NATIONAL DES MONTS-VALIN

**21** PARC NATIONAL DU SAGUENAY

**22** PISTE PIÉTONNE DE LA BAIE

**23** PROMENADE DES BERGES ET PARC CENTRE-VILLE

**24** SAINTE-ROSE-DU-NORD

**25** SENTIER DE LA CHUTE À L'OURS

**26** SENTIER DE LA CROIX

**27** SENTIER DE LA RIVIÈRE SHIPSHAW

**28** SENTIER DES CHUTES-À-MICHEL

**29** SENTIER DES GRANDS PINS BLANCS

**30** SENTIER DES MARAIS

**31** SENTIER DU CURÉ

**32** SENTIER DU VILLAGE-VACANCES PETIT-SAGUENAY

**33** SENTIER EUCHER

**34** SENTIER OUIATCHOUAN

**35** SENTIER PÉDESTRE DE BÉGIN

**36** SENTIER PÉDESTRE DU LAC KÉNOGAMI

**37** VILLAGE HISTORIQUE DE VAL-JALBERT

**38** ZEC DE LA RIVIÈRE-PETIT-SAGUENAY

**39** ZONE PORTUAIRE DE CHICOUTIMI

## BIENVENUE DANS LA RÉGION
## DU SAGUENAY – LAC-SAINT-JEAN

La région du Saguenay – Lac-Saint-Jean, d'une étendue de plus de 100 000 km$^2$, offre un paysage de plaines cernées par des montagnes et de hauts plateaux. Elle est dénommée ainsi à cause de la présence sur ce territoire de deux plans d'eau aux caractéristiques bien différentes. Le Saguenay, rivière coulant entre les parois escarpées d'un fjord, prend sa source dans le lac Saint-Jean, véritable mer intérieure de plus de 35 km de diamètre, pour se déverser dans le fleuve Saint-Laurent.

Après sa découverte par Jacques Cartier, le commerce des fourrures s'y développe entre les Montagnais et les nouveaux habitants. On empruntera les lacs et rivières, de Tadoussac à la baie d'Hudson. À partir de 1838, l'espace est colonisé. Le Saguenay s'industrialise grâce à l'exploitation de ses forêts de pins blancs, tandis que le lac Saint-Jean opte pour une vocation agricole qu'il maintiendra.

Ces deux plans d'eau présentent chacun des reliefs et des attraits qui leur sont bien spécifiques : le lac Saint-Jean, dont on peut faire « le tour », constitue une vaste plaine parsemée de villes. Grâce à ses nombreuses plages, on peut s'y baigner avec agrément.

Le fjord du Saguenay, quant à lui, offre un aspect plus « sauvage » où les pointes et les caps de granit alternent avec les anses et les baies. Le parc national du Saguenay, qui débute à Rivière-Éternité, a été créé pour protéger cet environnement terrestre. On y côtoie des murailles et les toundras arctiques des montagnes Blanche et Céleste, dans un décor de lacs encaissés et de forêt boréale.

Un des plus récents parcs québécois, celui des Monts-Valin, en retrait de la rivière, commence peu à peu à se laisser découvrir.

## 1 ASSOCIATION DES SPORTIFS D'ALBANEL

Le centre de ski de fond d'Albanel offre ses sentiers de ski de fond aux marcheurs durant la période estivale. L'hiver, on trouve un sentier de 3 km dédié à la marche hivernale ainsi que des pistes balisées pour la raquette.

**Réseau pédestre** ................ 15,0 km (mixte, facile)

**Services et aménagements**

Note : *les services ne sont disponibles que l'hiver.*

**Activités complémentaires**

Hiver 🚶❄ *3,0 km* 🛷 *15,0 km + TT*

**Documentation** .................... Dépliant (à l'Association des sportifs d'Albanel)
**Période d'accès** .................. Toute l'année de 9 h 30 à 17 h
**Frais d'accès** ....................... Gratuit
Note : des frais d'accès pour la raquette sont à prévoir à l'hiver.
**Voie d'accès** ........................ De Dolbeau-Mistassini, prendre la route 169 jusqu'à Albanel. Le stationnement se situe au 1493 de la route 169.

**Gestionnaire** ........................ L'Association des sportifs d'Albanel
**Pour information** ................. (418) 279-5572

## 2 BASE DE PLEIN AIR POINTE-RACINE

Situé au sud de Dolbeau-Mistassini, ce camp de vacances pour jeunes possède un réseau de sentiers accessible au public. 🐴

**Réseau pédestre** ................. 10,0 km (boucle, facile)

**Services et aménagements**

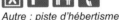

Autre : *piste d'hébertisme*

**Activités complémentaires**

Hiver 🚶 *TT*

**Période d'accès** .................. D'avril à octobre, du lever au coucher du soleil
⚠ *Prudence pendant la période de chasse*
**Frais d'accès** ....................... Gratuit
**Voie d'accès** ........................ De Saint-Félicien, prendre la route 169 vers le nord et tourner à droite au secteur Sainte-Marguerite-Marie. Continuer sur environ 25 km, soit jusqu'au secteur Vauvert. L'entrée de la base de plein air est indiquée.

**Gestionnaire** ........................ Base de plein air Pointe-Racine
**Pour information** ................. (418) 276-2125 ...... (418) 374-2603

## 3 CAVERNE TROU DE LA FÉE

Sur ce site, un sentier conduit à des cascades alors qu'un autre mène à l'entrée de la caverne. Des passerelles, on a une vue sur les chutes Martine. Il est possible de voir les vestiges d'un barrage et d'une centrale datant du début des années 20. ★ *Phénomène rarissime, la caverne a été formée à la suite d'une cassure dans la croûte terrestre, suivie du glissement des deux parois l'une contre l'autre.*

**Réseau pédestre** .................. 6,0 km

| Sentiers et parcours | Longueur | Type | Niveau | Dénivelé |
|---|---|---|---|---|
| Sentier de la Caverne | 2,0 km | Linéaire | Intermédiaire | 50 m |
| Sentier des 3 Chutes | 4,0 km | Linéaire | Intermédiaire | |

**Services et aménagements**

*Autres : passerelle, boutique*

**Activités complémentaires**

**Documentation** ..................... Dépliant (à l'accueil)
**Période d'accès** .................. De début juin à mi-août, de 9 h à 17 h 30
De mi-août à fin septembre, de 10 h à 16 h
(du mercredi au dimanche durant le mois de septembre)
**Frais d'accès** (taxes incl.) ..... Randonnée seulement :
Adulte : 5,00 $ ; Enfant : 2,50 $
Visite de la caverne :
Adulte : 8,50 $ ; Enfant : 4,50 $
**Voie d'accès** ........................ De l'hôtel de ville de Desbiens, emprunter la 7e avenue, continuer sur environ 6,5 km et prendre l'embranchement pour le Trou de la Fée.

**Gestionnaire** ........................ Société récréo-touristique de Desbiens
**Pour information** ................. (418) 346-5436 ...... (418) 346-1242
srtd@hotmail.com

## 4 CENTRE D'INTERPRÉTATION DES BATTURES ET DE RÉHABILITATION DES OISEAUX (CIBRO)

Situé en bordure de la rivière Saguenay, le CIBRO est un instrument de conservation du milieu naturel. On y obtiendra, entre autres, des renseignements sur la végétation, l'écosystème des battures et le phénomène de la flèche littorale. Les parois rocheuses du fjord laissent la place à des marais saumâtres qui permettent à des centaines d'oiseaux de trouver refuge et nourriture. Un volet réhabilitation des oiseaux permet de sauver des rapaces et de les retourner dans leur habitat naturel. On pourra donc les observer à l'intérieur de neuf volières spécialement aménagées. *Autorisé seulement sur une portion du réseau.*

**Réseau pédestre** .................. 4,0 km

| Sentiers et parcours | Longueur | Type | Niveau | Dénivelé |
|---|---|---|---|---|
| Sentier des Battures de Saint-Fulgence | 0,8 km | Boucle | Facile | |
| Sentier du Cap | 0,9 km | Boucle | Intermédiaire | 60 m |
| Sentier de la Digue | 2,0 km | Linéaire | Intermédiaire | 60 m |

**Services et aménagements**

*Autres : centre d'interprétation*

**Activités**
**complémentaires**

**Documentation** .................... Dépliant-carte (à l'accueil)
**Période d'accès** .................. Du 3 mai au 24 juin et du 30 août au 30 octobre,
de 9 h à 16 h
Du 25 juin au 29 août, de 8 h 30 à 18 h
⚠ *Il y a de la chasse mais les heures de pratique de celle-ci sont contrôlées.*
**Frais d'accès** (taxes incl.) ..... Prix en vigueur pour la haute saison
Adulte : 6,00 $
Âge d'Or et étudiant (13 à 18 ans) : 5,00 $
Enfant (5 à 12 ans) : 3,50 $
Enfant (4 ans et moins) : gratuit
Famille (2 adultes et 3 enfants) : 20,00 $
**Voie d'accès** ........................ De Chicoutimi, traverser le Saguenay par le pont Dubuc.
Prendre la route 172 est jusqu'à Saint-Fulgence et suivre
les indications pour le Centre sur 1 km.

**Gestionnaire** ........................ Centre d'interprétation des battures
et de réhabilitation des oiseaux
**Pour information** .................. (418) 674-2425
www.ville.st-fulgence.qc.ca/cibro/index.html

## 5 CENTRE PLEIN AIR BEC-SCIE

Un sentier pédestre longe le canyon de la rivière à Mars jusqu'à une chute où l'on a aménagé un belvédère et une aire de pique-nique. À côté de la chute, on verra les vestiges d'un ancien barrage hydroélectrique qui alimentait la ville de Bagotville au début du siècle. Des panneaux d'interprétation renseignent sur la géomorphologie du site, la rivière à saumons et le barrage. On a ajouté une signalisation pour enfants, représentant la mascotte du lieu, un bec-scie. L'endroit étant ouvert à l'année, on y trouve dix pistes qui servent à la fois pour la marche, le vélo de montagne, le ski de fond et la raquette, et qui longent la rivière pour aboutir à un lac. Trois refuges servent de relais pour la nuit.

**Réseau pédestre** .................. 41,5 km

| Sentiers et parcours | Longueur | Type | Niveau |
|---|---|---|---|
| Le Canyon | 1,5 km | Boucle | Facile |
| Sentier numéro 3 | 5,0 km | Boucle | Intermédiaire |
| Sentier numéro 7 | 15,0 km | Boucle | Difficile |
| Sentier numéro 8 | 20,0 km | Boucle | Difficile |

**Services et**
**aménagements**

Autres : passerelle, passerelle suspendue, aire de jeux

**Activités**
**complémentaires**  Hiver  20,0 km

**Documentation** .................... Dépliant, carte (à l'accueil)
**Période d'accès** .................. Toute l'année, de 8 h 30 à 16 h 30

**Frais d'accès** (taxes incl.) .... Adulte : 5,00 $
Âge d'Or et étudiant : 3,00 $
Famille :10,00 $

**Voie d'accès** ......................... De La Baie, prendre la route 170 ouest (boulevard Bagot), puis emprunter le chemin des Chutes à la jonction de l'avenue du Port et poursuivre jusqu'à l'entrée du Centre.

**Gestionnaire** ......................... Centre plein air Bec-Scie
**Pour information** .................. (418) 697-5132, www.sadcdufjord.qc.ca

## 6 DOMAINE DE LA RIVIÈRE MISTASSINI

Ce territoire de 120 hectares est situé aux abords de la rivière Mistassini. Les sentiers pédestres, souvent en tapis de mousse, traversent une forêt de pins gris, une sapinière, une tourbière et une savane. Les aménagements réalisés sur le site sont construit avec les éléments de la nature. ★ *La pinède n'a subi aucune coupe forestière depuis la création du réseau de sentiers.*

**Réseau pédestre** .................. 5,6 km (mixte, facile)

**Services et aménagements**

*Autres : aire de jeu, passerelle*

**Activités complémentaires**

 *Hiver*  *2,6 km*  *1,5 km + TT*

**Période d'accès** .................. Toute l'année, de 9 h 30 à 17 h
**Frais d'accès** (taxes incl.) .... 12 ans et plus : 12,00 $
Enfant (3 à 11 ans) : 10,00 $

**Voie d'accès** ......................... D'Albanel, suivre le rang Saint-Joseph Nord jusqu'à Girardville. Le domaine se situe au 2235 du rang Saint-Joseph Nord.

**Gestionnaire** ......................... Domaine de la rivière Mistassini
**Pour information** .................. (418) 258-3345 ...... 1 888 343-3345
www.domainedelarivieremistassini.com

## 7 DOMAINE DU LAC HA! HA!

Sur ce domaine offrant diverses activités, le sentier relie l'auberge du Domaine du Lac Ha! Ha! au camping en passant par le mont du Four sur la rive nord du Petit Lac Ha! Ha! Plusieurs points de vue, le long du parcours, permettent de voir le lac ainsi que le massif des Laurentides. 🐾★ *Le lac a été vidé de son contenu lors des inondations de l'été 1996.*

**Réseau pédestre** .................. 11,0 km

| Sentiers et parcours | Longueur | Type | Niveau | Dénivelé |
|---|---|---|---|---|
| Sentier du mont du Four | 11,0 km | Linéaire | Inter./Difficile | 440 m |

**Services et aménagements**

*Autres : centre d'interprétation, piste d'hébertisme*

**Activités complémentaires**

| | |
|---|---|
| **Documentation** | Dépliant, carte (à l'accueil) |
| **Période d'accès** | De mai à fin octobre, de 8 h à 18 h ⚠ *La randonnée est interdite pendant la période de chasse.* |
| **Frais d'accès** | Adulte : 3,00 $, Enfant (12 ans et moins) : 2,00 $ |
| **Voie d'accès** | De la route 170 près de La Baie, prendre la route 381 sud jusqu'à Ferland-et-Boilleau et suivre les indications pour le Domaine. Se rendre au poste d'accueil au km 67. Le lieu est à environ 45 km de La Baie. |
| **Gestionnaire** | Domaine du Lac Ha! Ha! |
| **Pour information** | (418) 676-2373 ..... 1 877 976-2373 www.lachaha.royaume.com |

## 8 ERMITAGE SAINT-ANTOINE DE LAC BOUCHETTE

Un sentier fait le tour de l'ermitage en longeant en partie le lac Ouiatchouan. Il mène à un étang à castors. On pourra visiter le sanctuaire et, à l'intérieur de celui-ci, une chapelle contenant des fresques du peintre Charles Huot. On trouvera aussi sur les lieux un centre d'interprétation de l'histoire de saint Antoine de Padoue, le patron de l'ermitage. Il y a aussi de l'interprétation sur saint François d'Assise et un musée permanent proposant une thématique annuelle.  *On peut apercevoir un étang avec 3 barrages de castors.*

**Réseau pédestre** ................. 7,0 km (mixte, facile/intermédiaire)

**Services et aménagements**

*Autres : centre d'interprétation, aire de jeux, boutique*

**Activités complémentaires**

| | |
|---|---|
| **Documentation** | Dépliant des sentiers (à l'accueil) |
| **Période d'accès** | De début avril à fin novembre, du lever au coucher du soleil |
| **Frais d'accès** | Gratuit |
| **Voie d'accès** | De La Tuque, prendre la route 155 nord jusqu'à Lac-Bouchette. |
| **Gestionnaire** | Corporation des Capucins |
| **Pour information** | (418) 348-6344 ...... 1 800 868-6344 www.st-antoine.org |

## 9 LA MAGIE DU SOUS-BOIS

Les sentiers passent à l'intérieur d'une forêt et côtoient une bleuetière. On retrouve plus de 70 espèces différentes d'oiseaux et 150 variétés de fleurs sauvages, d'arbustes et d'arbres. Des bancs et des tables à pique-nique se situent le long des sentiers.

**Réseau pédestre** ................. 10,0 km (mixte, facile)

**Services et aménagements**

*Autres : vente de produits (bleuets, framboises), auto-cueillette*

**Activités complémentaires**

 *Hiver*  6,0 km  10,0 km + TT 🚶

**Période d'accès** .................. De mai à fin octobre et de janvier à mars
**Horaire d'accès** .................... De 9 h à 18 h
**Frais d'accès** (taxes incl.) ..... 6,50 $ par personne (été)
3,50 $ par personne (hiver)
**Voie d'accès** ......................... De Dolbeau-Mistassini, prendre la route 169 vers le sud et tourner sur la 23ᵉ avenue. Suivre ensuite les indications pour La Magie du Sous-Bois.

**Gestionnaire** ......................... La Magie du Sous-Bois
**Pour information** ................. (418) 276-8926, magiedusousbois@qc.aira.com

## 10  LE MONDE ENCHANTÉ DE MON ENFANCE

Une famille a aménagé un réseau de sentiers pour perpétuer la magie de leur enfance. Il est possible d'avoir une vue sur la rivière Saguenay, le village et les montagnes environnantes. 🐾 ⭐ *Des poèmes ont été placés dans les refuges et les ponts couverts.*

**Réseau pédestre** ................. 11,0 km

| Sentiers et parcours | Longueur | Type | Niveau | Dénivelé |
|---|---|---|---|---|
| Le Parcours des Défricheurs | 4,0 km | Mixte | Facile | |
| Le Ruisseau de la Forêt | 3,0 km | Mixte | Intermédiaire | |
| Le Lieu spirituel | 2,0 km | Mixte | Difficile | 120 m |
| L'Aire de l'Abondance | 1,0 km | Mixte | Facile | |
| Le Sentier des Poètes | 1,0 km | Boucle | Facile | |

**Services et aménagements**

*Autres : musée, pont couvert, centre d'interprétation*

**Activités complémentaires**

 **Hiver** 🎿❄ *3,0 km* 🎿 *10,0 km + TT*

**Période d'accès** ................... Toute l'année, du lever au coucher du soleil
**Frais d'accès** ........................ Gratuit
**Voie d'accès** ......................... De Saint-Siméon, prendre la route 170 vers le nord jusqu'au village de Petit-Saguenay. Le réseau débute derrière l'hôtel de ville.

**Gestionnaire** ......................... Jean-Yves Côté
**Pour information** ................. (418) 296-0406 ...... (418) 296-9686
info@lecomtehotel.com

[JCT]  PARC NATIONAL DU SAGUENAY

## 11  LE RIGOLET

Situé dans la municipalité de Métabetchouan-Lac-à-la-Croix, ce lieu comprend, côte à côte, une plage publique et un marais. On peut, de la plage au bord du lac Saint-Jean, admirer l'étendue de cette « mer intérieure ». Une passerelle de bois sur pilotis nous fait circuler au-dessus du marais. 🐾 ⭐ *Le marais héberge des plantes reliques, vestiges de la dernière époque glacière.*

**Réseau pédestre** ................. 2,3 km (linéaire, facile)

**Services et aménagements**

Autres : passerelle, aire de jeux

**Activités complémentaires**

  Hiver  1,0 km + TT

**Période d'accès** .................. De mai à novembre, du lever au coucher du soleil
**Frais d'accès** ....................... Gratuit
**Voie d'accès** ....................... D'Alma, suivre la route 169 vers le sud jusqu'à Métabetchouan-Lac-à-la-Croix et prendre la rue Saint-André. L'entrée du Rigolet est située 400 m avant le pont de fer, à droite.

**Gestionnaire** ........................ Ville de Métabetchouan-Lac-à-la-Croix
**Pour information** ................. (418) 349-2060 ...... (418) 349-3696
www.ville.metabetchouan.qc.ca

## 12  LES GRANDS JARDINS DE NORMANDIN

Les Grands Jardins de Normandin, aménagés sur un site de 55 hectares, sont un ensemble de jardins d'agrément qui illustre l'évolution de l'art des jardins, et propose une brochette de parterres à l'européenne inspirés des jardins du château de Villandry en France. Tout au long des chemins, on découvrira les tapis d'Orient, le jardin des herbes, le potager décoratif, le parterre du midi, le tout entouré d'aménagements aquatiques.

**Réseau pédestre** ................. 5,0 km (boucle, facile)

**Services et aménagements**

Autres : passerelle, gloriette

**Activités complémentaires**

**Documentation** .................... Dépliant, guide d'interprétation (à l'accueil)
**Période d'accès** .................. Du 24 juin au 9 septembre, de 9 h à 18 h
**Frais d'accès** (taxes incl.) ..... Adulte : 10,00 $
Étudiant (13 à 22 ans avec carte) : 5,00 $
Enfant (12 ans et moins) : gratuit
Âge d'Or : 9,00 $
Tarifs saisonnier et de groupe disponibles
**Voie d'accès** ....................... De Saint-Félicien, prendre la route 169 nord jusqu'à Normandin, soit environ 24 km.

**Gestionnaire** ........................ Les Grands Jardins de Normandin
**Pour information** ................. (418) 274-1993 ...... 1 800 920-1993
www.cigp.com/jardin.html

## 13  LES SENTIERS DU SAGUENAY

L'axe principal longe la rivière Saguenay, de la rue Tourangeau jusqu'à la station de ski du Mont Fortin. On marchera dans une forêt en empruntant des pistes utilisées autrefois par les Montagnais. On croisera de nombreux ruisseaux en cascades et des chutes.

---

*Saguenay – Lac-Saint-Jean*

Une boucle s'ajoute au réseau dans le secteur du Manoir du Saguenay. Les sentiers sont larges, faciles et pourvus de points de vue. On verra également le barrage Shipshaw. 🐕

**Réseau pédestre** .................. 16,0 km (Multi :15,0) (mixte, facile, dénivelé max. de 50 m)

**Services et aménagements**

✳ 🅿 🚻 🚪 ✗ 🛆 🏕

*Autre : passerelle*

**Activités complémentaires**

*Hiver* 🎿 *TT*

**Période d'accès** ................... Toute l'année, du lever au coucher du soleil
**Frais d'accès** ........................ Gratuit
**Voie d'accès** ........................ De Chicoutimi, prendre le boulevard du Saguenay (route 372) vers l'ouest. Bifurquer à droite sur la rue Tourangeau et poursuivre jusqu'au bout (1 km).
De la route 372 ouest, tourner à droite à l'indication du Club de golf et continuer sur environ 2 km.
D'autres accès sont possibles par la route 372.

**Gestionnaire** ......................... Ville de Saguenay
**Pour information** ................. (418) 698-3206 ...... (418) 699-6070
linda.lavoie@ville.saguenay.qc.ca

## 14 MOULIN DES PIONNIERS DE LA DORÉ

Sur le site du Moulin des Pionniers, on retrouve plusieurs infrastructures comme la maison de Marie, le camp de bûcheron, la petite ferme, les étangs de pêche, la tour d'observation et le petit village de tentes de pionniers. Le moulin a complètement brûlé en 1899 mais il a été aussitôt reconstruit. Les sentiers permettent de visiter ce patrimoine local. Le moulin est toujours en usage et il est possible de le visiter. Le sentier des Chutes est partagé avec le vélo. 🐕

**Réseau pédestre** ................. 10,0 km (Multi : 7,0)

| Sentiers et parcours | Longueur | Type | Niveau |
|---|---|---|---|
| Sentier des Chutes | 7,0 km | Linéaire | Facile |
| Sentier des Pionniers | 2,0 km | Boucle | Facile |
| Sentier Télesphore Demers | 1,0 km | Linéaire | Facile |

**Services et aménagements**

🏠 🅿 🚻 🚪 🍴 🛆 🏨 🏕 🗼

*Autres : passerelle, moulin*

**Activités complémentaires**

 *Hiver* 🎿 *2,0 km + TT*

**Période d'accès** ................... Toute l'année, du lever au coucher du soleil
**Frais d'accès** (taxes incl.) ..... 5 ans et plus 2,00 $
0 à 4 ans : gratuit
Randonnée et visite du moulin : 9,00 $
**Voie d'accès** ........................ De Saint-Félicien, prendre la route 167 jusqu'à La Doré. La route 167 devient la rue des Peupliers. Le stationnement se trouve au 3951 de la rue des Peupliers. Le site du moulin se trouve à environ 15 km de Saint-Félicien.

**Gestionnaire** ........................ Moulin des Pionniers de La Doré
**Pour information** ................. (418) 256-8242 ...... 1 866 272-8242
moulindespionniers@qc.aira.com

## 15 PARC AVENTURES CAP JASEUX

Le parc du Cap Jaseux est situé à Saint-Fulgence, sur la rive nord du Saguenay, entre les murailles escarpées du fjord. Il contient plusieurs écosystèmes, ce qui entraîne une diversité de la faune, particulièrement des oiseaux. On y trouve, entre autres, les jaseurs des cèdres. Certains sentiers mènent à la grève et des belvédères donnent sur le fjord. 🐕

⭐ *Il est possible de faire un circuit aérien d'arbre en arbre dans un enchaînement de 5 parcours totalisant 73 ponts suspendus.*

**Réseau pédestre** ................. 7,0 km (Multi : 1,6)

| Sentiers et parcours | Longueur | Type | Niveau |
|---|---|---|---|
| Chanterelles .................................... 1,6 km ........ Boucle ......... Intermédiaire |
| Cascades ......................................... 1,5 km ........ Linéaire ....... Intermédiaire |
| Vinaigriers (sentier d'interprétation) ................. 1,3 km ........ Boucle ......... Facile |

**Services et aménagements**

*Autres : centre d'interprétation, aire de jeux*

**Activités complémentaires**     *Hiver* 🎿 7,0 km

**Documentation** ..................... Dépliant, carte (à l'accueil)
**Période d'accès** ................... Du 15 mai au 15 octobre (avec services)
Du 15 octobre au 15 mai (sans services)
De 8 h à 21 h
**Frais d'accès** (taxes incl.) ..... Adulte : 4,00 $
Enfant : 3,00 $
Prix de groupe disponible
**Voie d'accès** ........................ De Chicoutimi, traverser le Saguenay par le pont Dubuc
et prendre la route 172 vers l'est. Après Saint-Fulgence,
l'entrée du parc est indiquée 1,5 km plus loin sur la droite
via le chemin de la Pointe-aux-Pins.

**Gestionnaire** ........................ Corporation du Parc du Cap Jaseux
**Pour information** ................. (418) 674-9114 ...... 1 877 698-NORD
www.capjaseux.com

## 16 PARC DE LA POINTE-DES-PÈRES

Le parc est d'une superficie de 58 hectares. Il est bordé par les rivières Mistassini et Mistassibi. On trouve dans ce lieu de nombreux vestiges de la présence autochtone. Le premier monastère des pères Trappistes a été construit sur la pointe. Une centaine de nichoirs ont été installé afin d'observer les différentes espèces d'oiseaux. 🐎

**Réseau pédestre** ................. 4,2 km

| Sentiers et parcours | Longueur | Type | Niveau |
| --- | --- | --- | --- |
| Sentier Père Benoît-Desforêts | 2,4 km | Boucle | Facile |
| Sentier Père Fortunat-Brodeur | 1,8 km | Linéaire | Facile |
| Sentier Père Samuel-Scher | 0,9 km | Linéaire | Facile |

**Services et aménagements**

*Autres : passerelle*

**Activités complémentaires**

 *Hiver*  *4,2 km + TT*

**Documentation** ..................... Carte (au kiosque d'information touristique et au bureau de la société de gestion environnementale)

**Période d'accès** ................... Toute l'année, du lever au coucher du soleil

**Frais d'accès** ........................ Gratuit

**Voie d'accès** ......................... Le Parc de la Pointe-des-Pères est situé dans la ville de Dolbeau-Mistassini, en bordure du boulevard des Pères (route 169).

**Gestionnaire** .......................... Société de gestion environnementale
**Pour information** .................. (418) 276-6502, www.sge.qc.ca

# 17 PARC DE LA RIVIÈRE DU MOULIN

Des sentiers longent la rivière du Moulin. On circule aussi en forêt. Au centre d'interprétation, on trouvera un herbier, des aquariums, un vivarium, et des collections de papillons et de pierres de la région. On y fait de l'animation et des visites du parc sont organisées.

**Réseau pédestre** .................. 25,0 km (Multi) (boucle, facile)

**Services et aménagements**

*Autres : centre d'interprétation, passerelle, aire de jeux*

**Activités complémentaires**

*Hiver* *3,0 km* *3,0 km + PT*

**Documentation** ..................... Dépliant, carte (à l'accueil)

**Période d'accès** ................... Toute l'année, de 9 h à 21 h (été) et de 9 h à 17 h (de décembre à mi-avril)

**Frais d'accès** ........................ Gratuit

**Voie d'accès** ......................... Du boulevard Talbot (route 175) à Chicoutimi, prendre le boulevard des Saguenéens en direction est jusqu'à la rue des Roitelets. Tourner à droite; le parc est à gauche, environ 500 mètres plus loin.

**Gestionnaire** .......................... Ville de Saguenay
**Pour information** .................. (418) 698-3235 ...... (418) 698-3200

# 18 PARC FALAISE

Le parc Falaise est situé à Alma. On marchera près d'un étang artificiel et on aura des points de vue sur le rapide du Carcajou de la rivière Petite-Décharge. De nombreuses sculptures créées dans le cadre de deux symposiums provinciaux y sont présentes.

**Réseau pédestre** ................ 2,0 km (boucle, facile)

**Services et aménagements**

*Autres : aire de jeux*

**Période d'accès** ................... De mai à novembre, du lever au coucher du soleil
**Frais d'accès** ....................... Gratuit
**Voie d'accès** ....................... De Saint-Bruno-Lac-Saint-Jean, suivre la route 169 nord jusqu'à Alma. Traverser la rivière Petite-Décharge et prendre la première rue à gauche. À 200 mètres, prendre à gauche à nouveau.

**Gestionnaire** ....................... Municipalité d'Alma
**Pour information** ................. (418) 669-5111, www.ville.alma.qc.ca

## 19 PARC NATIONAL DE LA POINTE-TAILLON

Ce parc de conservation est un territoire de 92 km″, représentatif de la région naturelle des basses terres du Saguenay-Lac-Saint-Jean. C'est une immense presqu'île baignée au sud par le lac Saint-Jean et au nord par la rivière Péribonka. La majorité des sentiers sont partagés avec le vélo. Ils sont à l'état naturel ou en poussière de pierre. Un sentier d'interprétation de la nature nous mène à un belvédère et offre une vue sur une tourbière.

★ *De petites remorques sont à la disposition des marcheurs afin d'y mettre leurs bagages.*

**Réseau pédestre** ................ 44,0 km (Multi : 43,0) (mixte, facile)

**Services et aménagements**

*Autres : aire de jeux, boutique, location d'équipement*

**Activités complémentaires**

**Documentation** .................... Dépliant, dépliant-carte (à l'accueil)
**Période d'accès** ................. De mai à octobre, de 8 h 30 à 19 h
**Frais d'accès** ....................... Voir la tarification des parcs nationaux du Québec dans les pages bleues au début du livre.
**Voie d'accès** ....................... D'Alma, suivre la route 169 nord. Le secteur sud est accessible par le rang 3 Ouest, à Saint-Henri-de-Taillon, et on accède au secteur nord par le rang 6 Ouest, à Sainte-Monique-de-Honfleur.

**Gestionnaire** ....................... SÉPAQ
**Pour information** ................. (418) 347-5371
www.parcsquebec.com

## 20 PARC NATIONAL DES MONTS-VALIN

L'imposant massif des monts Valin domine le paysage du Haut-Saguenay. Les vallées profondes et les cuvettes alternent avec des collines aux versants abrupts. Au sommet du Pic de la Hutte, un belvédère vous fera découvrir les secrets des paysages de toute la région du Saguenay. Ce lieu est l'un des plus récents parcs du réseau des parcs québécois.

**Réseau pédestre** ................ 28,5 km

---

*Saguenay – Lac-Saint-Jean*

| Sentiers et parcours | Longueur | Type | Niveau | Dénivelé |
|---|---|---|---|---|
| Parcours Pic de la Tête de Chien | 4,0 km | Linéaire | Difficile | 340 m |
| Parcours Pic de la Hutte | 11,0 km | Linéaire | Difficile | 670 m |
| Parcours Pic du Grand Corbeau | 9,0 km | Linéaire | Difficile | 590 m |
| Parcours Lac des Pères | 3,0 km | Boucle | Facile | 50 m |
| Parcours Le Mirador | 1,5 km | Linéaire | Facile | 70 m |

**Services et aménagements**

*Autres : centre d'interprétation*

**Activités complémentaires**

 Hiver  66,5 km

**Documentation** .................... Dépliant et carte (à l'accueil)

**Période d'accès** ................... Été : tous les jours, de 8 h à 18 h
Automne : du vendredi au dimanche, de 8 h à 18 h
du lundi au jeudi, de 8 h 30 à 16 h 30
Hiver : du lever au coucher du soleil

**Frais d'accès** ....................... Voir la tarification des parcs nationaux du Québec dans les pages bleues au début du livre

**Voie d'accès** ....................... De Chicoutimi, traverser le Saguenay par le pont Dubuc et prendre la route 172 vers l'est sur 13 km. Juste avant Saint-Fulgence, tourner à gauche sur le rang Saint-Louis et continuer sur 17 km jusqu'à l'accueil.

**Gestionnaire** ........................ SÉPAQ
**Pour information** ................. (418) 674-1200
www.parcsquebec.com

## 21   PARC NATIONAL DU SAGUENAY

Le parc national du Saguenay a été créé en 1983 dans le but de conserver et de mettre en valeur un milieu naturel exceptionnel, le fjord du Saguenay. Celui-ci offre au spectateur une alternance de pointes et de caps, d'anses et de baies. Ce territoire accidenté, peu propice à l'agriculture, a gardé avec le temps ses aspects sauvages. Un long réseau de sentiers pédestres a été tracé entre Rivière-Éternité et Tadoussac pour nous faire vivre des déplacements dans l'esprit des premiers habitants. Le sentier les Caps, sur la rive sud du Saguenay, a comme point de départ Baie-Éternité. Il se termine à l'anse aux Petites-Îles, en passant par L'Anse-Saint-Jean, le Petit-Saguenay et l'anse de Saint-Étienne. Le sentier le Fjord, sur la rive nord, offre de nombreux points de vue spectaculaires sur le fjord, le fleuve Saint-Laurent et le village de Tadoussac. Un bateau-taxi permet la traversée d'une rive à l'autre. Des centres d'interprétation nous accueillent à Baie-Éternité et à Tadoussac. ⚠ *Le sentier de la plage n'est accessible qu'à marée basse.*

**Réseau pédestre** ................. 132,6 km (Multi : 3,0)

| Sentiers et parcours | Longueur | Type | Niveau | Dénivelé |
|---|---|---|---|---|
| Sentier de la Statue | 3,5 km | Linéaire | Intermédiaire | 290 m |
| Sentier des Chutes | 8,6 km | Linéaire | Intermédiaire | 540 m |
| Sentier les Caps | 65,3 km | Linéaire | Intermédiaire | 450 m |
| Sentier le Fjord | 42,2 km | Linéaire | Intermédiaire | 280 m |
| Sentier de la Plage | 6,0 km | Linéaire | Facile | |

**Services et aménagements**

Autres : centre d'interprétation, bateau-taxi, aire de jeux

**Activités complémentaires**

 Hiver 🚶 54,0 km

Documentation .................... Dépliant-carte, carte-guide, journal du parc (à l'accueil)
Période d'accès ................... De fin mai à mi-octobre
De début janvier à mi-mars
De 8 h 30 au coucher du soleil
Frais d'accès ....................... Voir la tarification des parcs nationaux du Québec dans les pages bleues au début du livre
Voie d'accès ........................ De la route 170 à Rivière-Éternité, suivre les indications pour le parc. Les sentiers situés sur la rive nord sont accessibles à partir des villages de Tadoussac et de Sacré-Cœur. D'autres accès sont possibles le long du fjord.

Gestionnaire ......................... SÉPAQ
Pour information ................. 1 877 272-5229 ..... 1 800 665-6527
www.parcsquebec.com

[JCT] FERME 5 ÉTOILES (Manicouagan)
LE MONDE ENCHANTÉ DE MON ENFANCE
SENTIER DU VILLAGE-VACANCES PETIT-SAGUENAY

## 22 PISTE PIÉTONNE DE LA BAIE

Cette piste piétonnière, parallèle à une piste cyclable, prend son départ au parc Mars et se termine au quai du secteur Grande Baie. Elle longe la partie habitée de la baie des Ha! Ha!.

Réseau pédestre ................. 8,0 km (linéaire, facile)

**Services et aménagements**

**Activités complémentaires**

Période d'accès ................... D'avril à novembre, du lever au coucher du soleil
Frais d'accès ........................ Gratuit
Voie d'accès ........................ Cette piste est accessible en plein cœur de l'arrondissement de La Baie.

Gestionnaire ......................... Ville de Saguenay/Arrondissement de La Baie
Pour information ................. (418) 697-5045

## 23 PROMENADE DES BERGES ET PARC CENTRE-VILLE

Un sentier, partiellement recouvert de bois, surplombe les berges de la rivière Mistassini, à Dolbeau. À mi-parcours, on trouvera une aire de pique-nique et on pourra descendre à la plage, à quelques mètres plus bas.

Réseau pédestre ................. 4,0 km (mixte, intermédiaire)

| Services et aménagements |  |
|---|---|

*Autres : aire de jeux*

| Activités complémentaires |  |
|---|---|

**Période d'accès** .................. De mai à octobre, du lever au coucher du soleil
**Frais d'accès** ........................ Gratuit
**Voie d'accès** ........................ Au cœur de Dolbeau, le sentier débute sur la 8ᵉ Avenue (route 169), près du kiosque d'entrée de la ville.

**Gestionnaire** ........................ Ville de Dolbeau-Mistassini
**Pour information** ................. (418) 276-1317

## 24 SAINTE-ROSE-DU-NORD

Sainte-Rose-du-Nord est un village implanté à l'anse Théophile (jadis l'anse du Milieu) et dénommé la Perle du Saguenay à cause du panorama qui s'offre à cet endroit. Un sentier débute au quai pour nous mener sur des rochers où l'on a aménagé un belvédère. Un autre nous fait monter, de l'autre côté de l'anse, sur une plate-forme plus élevée.

**Réseau pédestre** ................. 2,0 km

| Sentiers et parcours | Longueur | Type | Niveau |
|---|---|---|---|
| Sentier de la Plate-Forme | 1,0 km | Linéaire | Facile |
| Sentier du Quai | 1,0 km | Boucle | Facile |

| Services et aménagements |  |
|---|---|

*Autres : aire de jeux*

**Documentation** .................... Dépliant (à l'accueil)
**Période d'accès** .................. De mai à octobre, du lever au coucher du soleil
**Frais d'accès** ........................ Gratuit
**Voie d'accès** ........................ De la route 172, prendre la rue du Quai jusqu'à Sainte-Rose-du-Nord.

**Gestionnaire** ........................ Municipalité de Sainte-Rose-du-Nord
**Pour information** ................. (418) 675-2250 ...... (418) 675-2346
admin@ste-rosedunord.qc.ca

## 25 SENTIER DE LA CHUTE À L'OURS

On verra sur ce terrain de camping, la Grande Chute à l'Ours. Un sentier longe en partie la rivière Ashuapmushuan jusqu'à une tour d'observation avec vue sur la rivière.

**Réseau pédestre** ................. 6,0 km (boucle, facile)

| Services et aménagements | <br> |
|---|---|

*Autres : aire de jeux, piscine*

**Activités
complémentaires**

**Documentation** .................... Dépliant (à l'accueil et au bureau d'information)
**Période d'accès** .................. De fin mai à mi-septembre, de 8 h à 23 h (jusqu'à minuit
les fins de semaine)
**Frais d'accès** (taxes incl.) ..... 13 ans et plus : 2,00 $
Enfant (6 à 12 ans) : 1,00 $
Enfant (moins de 6 ans) : gratuit
Tarif spécial pour groupes
**Voie d'accès** ........................ De la route 169, immédiatement au nord de Saint-Félicien,
prendre le rang Saint-Eusèbe Nord sur 16 km environ et
suivre les indications.

**Gestionnaire** ........................ Site touristique Chute à l'Ours de Normandin inc.
**Pour information** ................. (418) 274-3411 ...... (418) 274-2190
www.chutealours.com

## 26 SENTIER DE LA CROIX

Ce sentier de gravier prend son départ dans un jardin floral et se rend jusqu'à la croix de
la montagne surplombant le village de Larouche. Un belvédère couvert offre une vue
sur le village et les environs.

**Réseau pédestre** ................. 1,5 km (Multi) (boucle, facile, dénivelé max. de 130 m)

**Services et
aménagements**

**Activités
complémentaires**  *Hiver*  *1,5 km*

**Période d'accès** ................. De mai à novembre, du lever au coucher du soleil
**Frais d'accès** ....................... Gratuit
**Voie d'accès** ........................ De Jonquière, prendre la route 170 vers l'ouest jusqu'à
l'école de Larouche où se situe le sentier.

**Gestionnaire** ........................ Municipalité de Larouche
**Pour information** ................. (418) 695-2201, munlarou@saglac.qc.ca

## 27 SENTIER DE LA RIVIÈRE SHIPSHAW

D'un belvédère, on peut apercevoir une chute de plus de 60 mètres, un vieux pont
couvert, une bâtisse désaffectée et le barrage de la Chute-aux-Galets. Ce dernier contrôle
le niveau d'eau de la rivière Shipshaw. On marche sur un trottoir de bois sur plusieurs
mètres. Le sentier longe la rivière et des panneaux d'interprétation de la nature sont
installés à plusieurs endroits. On peut voir à l'occasion des bateaux pneumatiques
descendre les rapides de la rivière. *Des trilobites, fossiles arthropodes marins
maintenant disparus, sont visibles sur les galets.*

**Réseau pédestre** ................. 4,7 km (linéaire, intermédiaire)

**Services et
aménagements**

*Autres : passerelle, trottoir de bois*

| **Activités complémentaires** |  | *Hiver*  TT |

**Période d'accès** .................. D'avril à novembre, du lever au coucher du soleil

**Frais d'accès** ....................... Gratuit

**Voie d'accès** ....................... De Chicoutimi, prendre le boulevard Sainte-Geneviève, tourner à droite sur le boulevard Martel et rouler environ 27 km. Au centre de Saint-David-de-Falardeau, tourner à droite sur le boulevard Desgagné et aller jusqu'au bout. Tourner à gauche sur le rang 4 et continuer sur 8 km. Suivre les indications pour le rafting Cascade Aventure. Le sentier débute de l'autre côté du petit pont.

**Gestionnaire** ......................... Municipalité de Saint-David-de-Falardeau

**Pour information** ................. (418) 673-4647, pages.infinit.net/falardeau

## 28 SENTIER DES CHUTES-À-MICHEL

Le sentier passe près d'une chute de 3 mètres de hauteur et longe la rivière Ashuapmushuan. Il est fait de poussière de pierre et est partagé avec le vélo. Depuis 8 ans environ, on peut observer près de 50 000 oies blanches sur la rivière. Ce phénomène est dû à une nouvelle culture de céréale. 🐎

**Réseau pédestre** ................. 4,3 km (Multi)

| **Services et aménagements** |  |
| **Activités complémentaires** | *Hiver* TT |

**Documentation** .................... Carte (au bureau d'information touristique)

**Période d'accès** .................. De fin mai à fin octobre, du lever au coucher du soleil

**Frais d'accès** ....................... Gratuit

**Voie d'accès** ....................... De Saint-Félicien, prendre la route 167 et rouler sur environ 6 km. Suivre les indications pour le sentier des Chutes-à-Michel.

**Gestionnaire** ......................... Ville de Saint-Félicien

**Pour information** ................. (418) 679-0257, www.ville.stfelicien.qc.ca

## 29 SENTIER DES GRANDS PINS BLANCS

L'île Maligne, d'une longueur de 1,5 km, est située dans la partie aval de la Grande-Décharge. Autrefois, on ne pouvait s'y rendre que lorsque l'eau était basse. On y accédait par le haut avec des canotiers experts et la quittait par le bas. C'est cette particularité qui lui a mérité son appellation. Depuis 1924, elle constitue le point d'appui d'un puissant barrage hydroélectrique. Le sentier passe dans une forêt de pins blancs et rejoint un tronçon de la véloroute des Bleuets.

**Réseau pédestre** ................. 1,8 km (Multi : 1,0) (boucle, facile)

| **Services et aménagements** |  |

*Autre : passerelle*

**Activités complémentaires**

**Période d'accès** .................De mai à novembre, du lever au coucher du soleil
**Frais d'accès** ........................Gratuit
**Voie d'accès** ........................D'Alma, prendre la route 169 Sud (avenue Du Pont Nord)
et traverser la rivière Grande-Décharge. Suivre ensuite
les indications pour le complexe touristique du camping
de la Dam-en-Terre. Le sentier se situe sur l'île Maligne,
voisine de l'île d'Alma. À partir du complexe touristique
Dam-en-Terre, prendre la piste cyclable longeant la rivière
Grande-Décharge.

**Gestionnaire** ........................Ville d'Alma
**Pour information** .................(418) 668-3611 ...... 1 877 668-3611
www.tourismealma.com

## 30 SENTIER DES MARAIS

Un trottoir de bois sur pilotis, d'une longueur de 900 mètres, traverse le marais du lac
Duclos. À cet endroit, deux belvédères permettent d'observer plus de 130 différentes
espèces d'oiseaux. Le sentier se poursuit dans une forêt boréale, traverse une tourbière
et passe par des cap rocheux. Du haut de la montagne, on a une vue d'ensemble sur la
région environnante. Plus loin, on croisera un second marais. Pendant une certaine
période de l'année, on peut apercevoir des sarracénies pourpres.

**Réseau pédestre** .................8,0 km (mixte, intermédiaire, dénivelé maximum de 75 m)

**Services et aménagements**

*Autre : passerelle*

**Activités complémentaires**  *Hiver*  8,0 km

**Période d'accès** .................Toute l'année, du lever au coucher du soleil
**Frais d'accès** ........................Gratuit
**Voie d'accès** ........................De Saint-Charles-de-Bourget, suivre la route Néron puis
tourner à droite sur la rue Racine. Le sentier des Marais
se trouve à environ 1,5 km de la municipalité.
**Gestionnaire** ........................Municipalité de Saint-Charles-de-Bourget
**Pour information** .................(418) 672-2624, www.saglac.qc.ca/~bourget

## 31 SENTIER DU CURÉ

Ce sentier est situé dans la municipalité de Saint-Prime, derrière des terrains
communautaires et de jeux. On partira d'un ruisseau et on marchera en forêt. Une tour
d'observation donne sur la plaine environnante.

**Réseau pédestre** .................2,4 km (Multi) (boucle, facile)

**Services et aménagements**

**Activités**
**complémentaires**

**Période d'accès** .................. Toute l'année, du lever au coucher du soleil
**Frais d'accès** ....................... Gratuit
**Voie d'accès** ........................ De Roberval, suivre la route 169 nord jusqu'à Saint-Prime. De la rue Principale, prendre l'avenue du Centre communautaire jusqu'au bout.

**Gestionnaire** ........................ Municipalité de Saint-Prime
**Pour information** .................. (418) 251-2116
members.tripod.com/~stprime/stprime.html

## 32 SENTIER DU VILLAGE-VACANCES PETIT-SAGUENAY

Le Village-Vacances Petit-Saguenay offre une vue du fjord du Saguenay. Il est implanté sur les lieux de l'ancien village industriel de Saint-Étienne dont on peut voir les vestiges. Un sentier d'interprétation mène au cap de la Petite Anse, au pic des Pins et au pic au Vent. Il est possible d'observer des mammifères marins.

**Réseau pédestre** ................. 1,8 km (Multi : 0,8)

| Sentiers et parcours | Longueur | Type | Niveau | Dénivelé |
|---|---|---|---|---|
| Sentier du Pic au Vent .................................... | 1,8 km ......... | Linéaire ....... | Facile ................. | 80 m |

**Services et**
**aménagements**

*Autres : aire de jeux, piscine, plage*

**Activités**
**complémentaires**

**Documentation** ..................... Dépliant, carte (à l'accueil)
**Période d'accès** .................. De fin mai à mi-octobre
**Horaire d'accès** ................... De 8 h au coucher du soleil
**Frais d'accès** (taxes incl.) ..... 5,00 $ par véhicule
**Voie d'accès** ........................ De la route 170 à Petit-Saguenay, prendre le chemin Saint-Étienne et suivre les indications sur environ 13 km.

**Gestionnaire** ........................ Village-Vacances Petit-Saguenay
**Pour information** ................. (418) 272-3193 ...... 1 877 420-3193
www.vvps.ca

[JCT] PARC NATIONAL DU SAGUENAY

## 33 SENTIER EUCHER

Le parc de la nordicité est situé en bordure du fjord. Il offre un sentier qui nous entraîne jusqu'au sommet des caps et surplombe la baie des Ha! Ha! Le sentier permet de découvrir les vestiges des écorceurs et la croix du Centenaire du Saguenay-Lac-Saint-Jean.

**Réseau pédestre** ................. 9,0 km (mixte, inter./difficile, dénivelé max. de 100 m)

**Services et**
**aménagements**

**Activités complémentaires**  *Hiver*  *9,0 km*

**Documentation** ...................... Dépliant (à la marina)
**Période d'accès** ................... Toute l'année, du lever au coucher du soleil
**Frais d'accès** ......................... Gratuit
**Voie d'accès** ......................... Se rendre à la marina de La Baie où se situe le départ du sentier.

**Gestionnaire** ......................... Parc de la nordicité
**Pour information** ................. (418) 697-7831

## 34 SENTIER OUIATCHOUAN

Ce sentier pédestre relie la municipalité de Lac-Bouchette et le Village historique de Val-Jalbert. Le parcours offre plusieurs points de vue.

**Réseau pédestre** ................. 30,0 km (linéaire, intermédiaire, dénivelé max. de 200 m)

**Services et aménagements**

*Autres : passerelle*

**Activités complémentaires**

**Documentation** ...................... Dépliant-carte (à l'accueil)
**Période d'accès** ................... De mai à octobre, du lever au coucher du soleil
**Frais d'accès** ......................... Gratuit
**Voie d'accès** ......................... De Chambord, prendre la route 155 vers le sud, tourner à gauche sur le chemin de l'Ermitage à Lac-Bouchette, et suivre les indications pour l'Ermitage Saint-Antoine.

**Gestionnaire** ......................... Corporation de gestion du sentier pédestre Ouiatchouan
**Pour information** ................. (418) 348-9650 ...... (418) 348-6832
cdlacbouchette@qc.aira.com

[JCT] VILLAGE HISTORIQUE DE VAL-JALBERT

## 35 SENTIER PÉDESTRE DE BÉGIN

Un sentier en montagne nous mène à deux belvédères. Sur le site, on peut observer 17 sculptures en bois grandeur nature représentant divers personnages et animaux. Un belvédère est près d'un pont suspendu au-dessus d'une vallée.   *On peut acheter un arbre ou une sculpture pour financer le sentier.*

**Réseau pédestre** ................. 6,0 km (boucle, intermédiaire, dénivelé max. de 50 m)

**Services et aménagements**

*Autres : passerelle, passerelle suspendue*

**Activités complémentaires**   *Hiver*  *5,0 km*

**Documentation** ..................... Brochure incluant carte (à l'accueil)
**Période d'accès** ................. Toute l'année, du lever au coucher du soleil
**Frais d'accès** ...................... Gratuit (contribution volontaire)
**Voie d'accès** ........................ De Chicoutimi, traverser le Saguenay par le pont Dubuc et prendre la route 172 vers l'ouest. À Saint-Ambroise, suivre les indications pour Bégin. Le sentier débute au Club de ski de fond Perce-Neige.

**Gestionnaire** ......................... Sentier pédestre de Bégin
**Pour information** ................. (418) 672-2434 ...... (418) 672-4270 begin.chez.tiscali.fr/index.html

## 36 SENTIER PÉDESTRE DU LAC KÉNOGAMI

Le sentier longe la rive sud du lac Kénogami. Le long du parcours, on rencontrera de nombreux points de vue sur le lac, des rivières tumultueuses et plusieurs escarpements rocheux. Du sommet du mont Lac Vert, le panorama donne sur la plaine d'Héberville et du lac Saint-Jean. Durant l'hiver, les deux extrémités du sentier sont ouvert à la raquette.

**Réseau pédestre** ................. 50,4 km

| Sentiers et parcours | Longueur | Type | Niveau | Dénivelé |
|---|---|---|---|---|
| Sentier Le Cornouiller | 4,2 km | Boucle | Facile | |
| Sentier Le Merisier | 1,2 km | Boucle | Facile | |
| Sentier pédestre du lac Kénogami | 45,0 km | Linéaire | Intermédiaire | 250 m |

**Services et aménagements**

🗙 🅿 👫 🏕 ⛰ 🏠 🔦 🎯 🗼

*Autres : passerelle, passerelle suspendue, nacelle autotractée, piste d'hébertisme*

**Activités complémentaires**

🏔 **Hiver** 🛷 *19,9 km + TT*

**Documentation** ..................... Dépliant-carte (au Centre de ski du mont Lac Vert)
**Période d'accès** ................. De 15 mai au 15 novembre, du lever au coucher du soleil
⚠ *Prudence en période de chasse. Port du dossard.*
**Frais d'accès** ........................ Gratuit
**Voie d'accès** ........................ **D'Alma :** prendre la route 169 vers le sud jusqu'à Hébertville. Le sentier débute au bas des pentes de la station de ski du mont Lac Vert. **De Chicoutimi :** prendre la route 175 vers le sud jusqu'à Laterrière. Le sentier débute en bordure de la route.

**Gestionnaire** ......................... Corporation du Parc régional du Lac Kénogami
**Pour information** ................. (418) 344-4000

## 37 VILLAGE HISTORIQUE DE VAL-JALBERT

Le site de Val-Jalbert fut d'abord celui d'un village industriel en périphérie d'une usine de production de pulpe destinée à la fabrication du papier. Les eaux de la rivière Ouiatchouan assuraient le fonctionnement de l'usine. Le village se développa de 1901 à 1927, année où on assiste au déclin de ce qui est maintenant un « village fantôme » aux rues piétonnières. Après rénovation, plusieurs bâtiments ont été convertis. Ainsi, l'ancien couvent et le vieux moulin proposent une reconstitution historique des lieux. On pourra observer la chute Ouiatchouan, haute de 72 mètres. Un sentier en montagne mène à un belvédère, accessible après avoir monté 400 marches. On aura un panorama sur le lac Saint-Jean.

**Réseau pédestre** .................. 6,0 km (mixte, facile/inter., dénivelé max. de 100 m)

**Services et aménagements**

🏕️ 🅿️ 🚻 🧴 🍴 ⛱️

⛺ 🛏️ 🚻 ♿

*Autres : téléphérique, aire de jeux*

**Activités complémentaires**

🎿 *Hiver* 🚶☼ *2,0 km* 🚶 *6,0 km*

**Documentation** .................... Dépliant, journal (à l'accueil)
**Période d'accès** .................. Toute l'année, de 9 h à 17 h (19 h en haute saison)
**Frais d'accès** (taxes incl.) ..... Haute saison / Basse saison :
Adulte : 14,00 $ / 12,00 $
Enfant (6 à 13 ans) : 7,00 $ / 6,00 $
Enfant (5 ans et moins) : gratuit
**Voie d'accès** ........................ De Chambord, prendre la route 169 nord jusqu'à Val-Jalbert et suivre les indications pour le village historique.

**Gestionnaire** ......................... SÉPAQ Val-Jalbert SENC.
**Pour information** ................. (418) 275-3132 ...... 1 888 675-3132
www.valjalbert.com

[JCT]  SENTIER OUIATCHOUAN

## 38 ZEC DE LA RIVIÈRE-PETIT-SAGUENAY

Cette réserve faunique a été constituée dans le but d'exploiter la rivière Petit-Saguenay pour la pêche sportive du saumon. Un sentier donne accès aux fosses. On traversera la rivière du Portage, un affluent, sur une passerelle suspendue. 🐎

**Réseau pédestre** .................. 4,0 km (mixte, facile)

**Services et aménagements**

🏕️ 🅿️ 🚻 🧴 ⛱️ ⛺ 🛏️ 🚻

**Activités complémentaires**

*Hiver* 🚶 *PT*

**Documentation** .................... Carte (à l'accueil et au bureau d'information touristique)
**Période d'accès** .................. De fin mai à fin octobre, de 8 h au coucher du soleil
⚠️ *Le port du dossard est obligatoire pendant la période de chasse.*
**Frais d'accès** ....................... Gratuit
**Voie d'accès** ........................ De la route 170 à Petit-Saguenay, prendre la rue Eugène-Morin sur 3 km environ. Le sentier débute au Camp des Messieurs.

**Gestionnaire** ......................... Association chasse et pêche du Bas-Saguenay inc.
**Pour information** ................. (418) 272-1169 ...... 1 877 272-1169
www.petitsaguenay.com

## 39 ZONE PORTUAIRE DE CHICOUTIMI

Une promenade en bois, le long de la rivière Saguenay, débute au vieux pont désaffecté de Chicoutimi pour aboutir près du club nautique. On a aménagé des espaces verts et des aires de jeux et de spectacles. On trouvera aussi un marché public.

**Réseau pédestre** .................. 1,0 km (Multi) (linéaire, facile)

**Services et aménagements**

*Autres : passerelle, aire de jeux*

**Période d'accès** .................. De mai à septembre, du lever au coucher du soleil

**Frais d'accès** ........................ Gratuit

**Voie d'accès** ........................ On accède à la zone portuaire par le boulevard Saguenay en plein cœur de Chicoutimi.

**Gestionnaire** ........................ Société de gestion de la zone portuaire de Chicoutimi inc.

**Pour information** .................. (418) 698-3025, www.zoneportuaire.com

# EN TRAITEMENT

La gestion de la base de données informatiques sur les lieux de marche s'effectue de façon permanente. De ce fait, certains dossiers se trouvent à différents stades d'avancement, que ce soit à celui de la collecte des informations, de la validation de celles-ci ou de l'enregistrement lui-même. Même si nous ne pouvons confirmer aujourd'hui qu'ils seront effectivement répertoriés, voici quelques lieux faisant présentement l'objet d'analyse.

## ABITIBI-TÉMISCAMINGUE

Circuit d'interprétation historique *(Amos)*
La Bannik *(Duhamel-Ouest)*
La route des randonneurs *(Macamic)*
Mont Chaudron *(Rouyn-Noranda)*
Preissac *(Preissac)*
Zec Kipawa *(Ville-Marie)*

## BAS-SAINT-LAURENT

L'île aux Basques *(Île aux Basques)*
L'Inter-Nature *(Saint-Elzéar-de-Témiscouata)*
Le lac de l'Est *(Mont Carmel)*
Réserve nationale de faune de la Baie de L'Isle-Verte *(L'Isle-Verte)*
Sentier Mont-Carmel *(Mont Carmel)*

## CANTONS-DE-L'EST

Sentier de l'Oratoire *(Lac-Drolet)*
Sentier de la Rivière Felton *(entre Storoway et Saint-Romain)*
Sentier des Meules *(Bedford)*
Sentier du Marais Maskinongé *(Stratford)*
Sentier Duchesneau *(Saint-Herménégilde)*
Sentier Onès-Cloutier *(Barnston-Ouest)*
Sentier pédestre Cambior *(Stratford)*
Sentiers du Marais de la Rivière aux Cerises *(Magog)*
Parc écoforestier de Johnville *(Sherbrooke)*
Parc Lucien-Blanchard, Maison de l'eau  *(Sherbrooke)*
Petit mont Ham *(Saint-Adrien)*

## CENTRE-DU-QUÉBEC

Circuit patrimonial de Victoriaville *(Victoriaville)*
Parc écologique de la rivière Godefroy *(Bécancour)*
Parc linéaire *(Saint-Eugène-de-Grantham)*

## CHAUDIÈRE-APPALACHES

Circuit de la Gorgendière *(Saint-Joseph-de-Beauce)*
Mont Radar *(Saint-Sylvestre)*
Sentiers pédestres de l'Isle-aux-Grues *(Isle-aux-Grues)*

## CHARLEVOIX

Sentier des Aventuriers *(La Malbaie)*

*En traitement*

## GASPÉSIE

Domaine des Chutes du ruisseau Creux *(Saint-Alphonse)*
Les sentiers de l'Auberge du Château Bahia *(Pointe-à-la-Garde)*
Sentier de la Rivière Bonaventure *(Bonaventure)*
Sentier de la Rivière du Portage *(Percé)*

## ÎLES-DE-LA-MADELEINE

Le Cap Rouge *(Îles-de-la-Madeleine)*
Sentier côtier du Cap Hérissé *(Étang-du-Nord, Îles-de-la-Madeleine)*

## LANAUDIÈRE

Sentiers de Val Saint-Côme *(Saint-Côme)*

## LAURENTIDES

Mont Éléphant *(Lac-Supérieur)*
Mont Nixon *(Lac-Supérieur)*

## MANICOUAGAN

Circuit du vieux quartier de Baie-Comeau *(Baie-Comeau)*
Sentier de la Rivière aux Rosiers *(Raguenau)*

## MONTÉRÉGIE

Refuge faunique Marguerite-d'Youville *(Châteauguay)*
Sentier du Marais *(Sainte-Anne-de-Sorel)*

## NORD-DU-QUÉBEC

Parc Robert-A.-Boyd *(Radisson)*
Sentier du Lac Cavan *(Chapais)*
Sentier Stolan Bédard *(Chibougamau)*
Sentier Wiwiou *(Radisson)*
Sentiers pédestres de Waswanipi *(Waswanipi)*

## OUTAOUAIS

Centre touristique La Petite Rouge *(Saint-Émile-de-Suffolk)*

# FÉDÉRATION QUÉBÉCOISE DE LA MARCHE

 Organisme sans but lucratif, également reconnu comme organisme de charité enregistré, la Fédération québécoise de la marche a pour mandat général la promotion et le développement de la marche sous toutes ses formes, misant particulièrement sur l'aspect loisir. Elle renseigne et conseille depuis plus de 25 ans tous ceux intéressés par la marche, la randonnée pédestre ou la raquette.

Par l'intermédiaire de comités permanents ou ad hoc, elle accomplit plusieurs mandats :

## Festival de la marche
C'est un événement de participation qui rassemble les marcheurs de toutes les catégories. Chaque année, il a lieu dans une région différente du Québec. En 2003, il s'est déroulé dans la région de Québec et a attiré des centaines de marcheurs et de randonneurs. En 2004, c'est dans Lanaudière que tous ont rendez-vous.

## Certificat du randonneur émérite québécois
Il encourage les randonneurs à parcourir les sentiers au Québec. Tout membre en règle de la Fédération québécoise de la marche est invité à choisir 25 sentiers, parmi une liste qui en compte 75, dans 10 régions différentes. Une fois son « périple » terminé, on communique avec la Fédération qui émet le certificat.

## Fondation Sentiers-Québec
Depuis 25 ans, c'est sous cette dénomination que la Fédération reçoit, gère et redistribue les dons servant à soutenir le développement de réseaux pédestres et la marche sous toutes ses formes. Elle émet chaque année aux donateurs les reçus pour impôt.

## Padélima
Ce **P**rogramme d'**A**ide au **DÉ**veloppement des **LI**eux de **MA**rche au Québec appuie les projets de développement et d'amélioration des lieux de marche au Québec. Grâce à la Fondation Sentiers-Québec, des subventions sont octroyées aux groupes affiliés à la Fédération.

## Journée nationale des sentiers
Elle a lieu le premier samedi de juin de chaque année. À cette occasion, les clubs sont invités à inscrire à leur programme une activité d'entretien de sentier, et les randonneurs à s'y inscrire.

## Sentier national au Québec
Ce projet d'envergure en voie de réalisation est décrit au prochain chapitre.

**Diffusion Plein Air**

Pour diffuser l'information sur les activités et sur les lieux de marche, et transmettre ses expertises, la Fédération québécoise de la marche a créé des outils. L'ensemble porte un nom : Diffusion Plein Air. On y retrouve :

### Magazine MARCHE-Randonnée

Publié depuis plus de 15 ans, il présente, à chaque saison, le calendrier des activités des clubs de marche, des suggestions de randonnées, des récits de voyages, des conseils sur la santé, l'équipement, l'environnement et plusieurs autres sujets appréciés des marcheurs et des randonneurs. C'est le meilleur outil pour se tenir au courant des développements de la marche et des sentiers.

### Éditions Bipède

Elles ont été créées pour transmettre information et expertise.

• *Partir du bon pied* répond aux questions le plus souvent posées par les personnes désirant s'adonner à la marche et à la randonnée pédestre. La 2ᵉ édition est parue au printemps 2002.

• Le *Répertoire des lieux de marche au Québec*, qui en est à sa 5ᵉ édition, rassemble en un seul volume, tous les lieux aménagés pour la pratique de la marche.

• *De l'idée au sentier* s'adresse aux créateurs de sentiers (actuels ou potentiels) et va progressivement apporter une forme de sécurisation et de normalisation des réseaux pédestres.

### Centre de documentation

On y retrouve une sélection de cartes et de dépliants sur les lieux de marche, proposée sous forme de présentoir libre-service.

### Librairie postale

Les membres de la Fédération québécoise de la marche peuvent y obtenir à prix escomptés des produits, des cartes et des livres sur des sujets se rapportant au plein air.

### Produits spéciaux

• *Trousse de premiers soins* : en plus des articles que toute bonne trousse de premiers soins doit contenir, on y trouve ce qu'il faut pour la prévention et le soin des ampoules, ainsi que pour les entorses et pour la plupart des petits bobos du marcheur et du randonneur.

• *Brassards de sécurité* : fabriqués avec des matériaux fluorescents et réfléchissants issus de la technologie 3M, ces brassards augmentent la visibilité du marcheur, de jour comme de nuit.

• *Écusson de la Fédération* : le logo de la Fédération québécoise de la marche y est brodé en gris pâle sur fond vert forêt.

Cousu sur le sac à dos, une casquette ou un vêtement, c'est une autre façon de montrer votre soutien.

• *Épinglette de la Fédération* : elle représente le logo de la Fédération québécoise de la marche. Celui qui la porte marque son soutien à la promotion et au développement de l'activité pédestre.

• *T-Shirts de la Fédération* : disponibles en deux modèles, « logo » ou « marcheur », ils sont d'entretien facile et sont un autre moyen de montrer son soutien à la marche et à la randonnée pédestre.

• *Veste de laine polaire de la Fédération* : de couleur vert forêt et brodé du logo de la Fédération québécoise de la marche, ce populaire et confortable vêtement convient très bien à toutes les activités de plein air.

**Partenaires**

Un partenariat a été établi entre la Fédération et diverses entreprises reliées à la pratique d'activités pédestres. Chaque membre en règle de la Fédération québécoise de la marche, sur présentation de sa carte de membre, peut bénéficier de rabais ou de conditions privilégiées. Ces partenaires se retrouvent dans cinq catégories :

• réseaux pédestres;
• écoles de formation;
• boutiques d'équipement de plein air;
• gîtes et campings;
• location de véhicules.

---

**La Fédération : un avenir qui se construit par ses membres**

La Fédération s'attache à établir, entre les besoins et les ressources, le lien indispensable au développement de la marche et de la randonnée pédestre. Dans sa volonté d'accroître le partenariat avec d'autres secteurs tels que le tourisme, l'environnement ou l'écologie, elle continuera à construire des outils et à établir des ententes nécessaires à cette fin. C'est par l'accroissement du nombre de ses membres qu'elle saura le mieux identifier l'évolution des besoins, puis définir en conséquence les lignes directrices des actions à entreprendre. Devenir membre de la Fédération québécoise de la marche, c'est se donner l'opportunité d'exprimer ses attentes, et d'aider à ce qu'elles soient satisfaites.

---

FÉDÉRATION QUÉBÉCOISE DE LA MARCHE
4545, avenue Pierre-De Coubertin
Case postale 1000, succursale M
Montréal (Québec)  H1V 3R2

| | | |
|---|---|---|
| Téléphone : | 1 866 252-2065 | |
| | (514) 252-3157 | www.fqmarche.qc.ca |
| Télécopieur : | (514) 252-5137 | infomarche@fqmarche.qc.ca |

---

*La cachette*

*Répertoire des lieux de marche au Québec*

## COUPON D'ADHÉSION

### Devenir membre de la Fédération québécoise de la marche, c'est :

- Soutenir le développement de la marche, de la randonnée pédestre et des réseaux de sentiers;
- Recevoir la revue MARCHE-Randonnée 4 fois par année;
- Obtenir le bulletin spécial des membres 4 fois par année;
- Être admissible au Certificat du randonneur émérite;
- Bénéficier d'escomptes auprès des partenaires de la Fédération : des gestionnaires de réseaux pédestres, des écoles de formation, orientation et secourisme, des hébergements, des boutiques, des services de location de véhicules;
- Obtenir à prix réduit des livres et des cartes sélectionnés.

**NOM** ..............................................................................

ADRESSE .........................................................................

VILLE ...............................................................................

CODE POSTAL ................................................................

TÉLÉPHONE (résidence) ...............................................

TÉLÉPHONE (travail) ......................................................

COURRIEL .......................................................................

**Adhésion**  ☐ INDIVIDUELLE 25 $

☐ FAMILIALE 30 $ (*)

(*) Nom des autres membres de la famille

Prénom                          Nom

..........................................................................................

..........................................................................................

..........................................................................................

**PAIEMENT** ☐ PAR CHÈQUE ☐ VISA ☐ MASTERCARD

N° de la carte ................................................................

Date d'expiration ...........................................................

Signature ........................................................................

REP5

**Faire parvenir à :**
**FÉDÉRATION QUÉBÉCOISE DE LA MARCHE**
**C.P. 1000, Succ. M, Montréal (Québec) H1V 3R2**

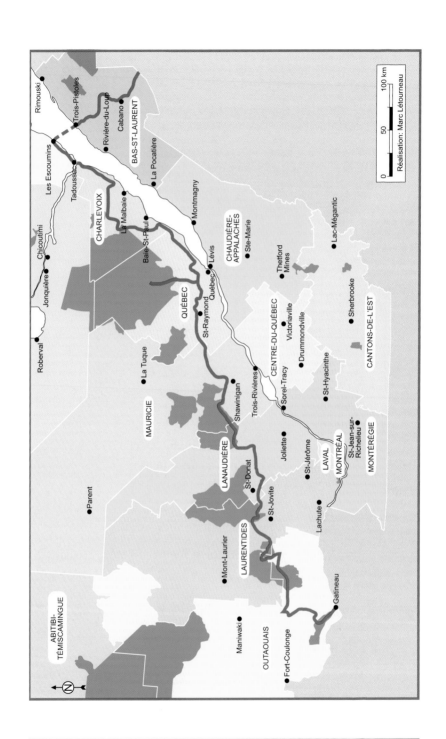

## SENTIER NATIONAL

Le projet du Sentier national consiste à aménager un sentier pédestre ininterrompu traversant le Canada d'ouest en est, du Pacifique à l'Atlantique.

Au Québec, le Sentier national s'étirera de l'Ontario au Nouveau-Brunswick. Il franchira huit régions touristiques : l'Outaouais, les Laurentides, Lanaudière, la Mauricie, Québec, Charlevoix, Manicouagan et le Bas-Saint-Laurent. Une fois complété, il comptera quelque 1 400 km.

Il sera tracé principalement en pleine nature, n'effleurant la civilisation que pour le ravitaillement ou l'hébergement. Une partie importante traversera les parcs nationaux, les zecs et les pourvoiries. Ailleurs, il passera sur des terrains privés et sur des terres publiques. Les milieux traversés seront représentatifs du bouclier laurentien, unique au monde par son histoire géologique et ses milieux écologiques. De nombreux attraits et points de vue se retrouveront tout le long du parcours. Sur la majeure partie de celui-ci, on ne pourra circuler qu'à pied et, en période de neige, en raquettes ou à skis.

*La moitié du Sentier national au Québec est d'ores et déjà accessible.*

Pensé en fonction d'une vaste clientèle de marcheurs, le Sentier national s'adresse autant aux amateurs de longue randonnée qu'aux randonneurs d'un jour. Sauf exception, tous les tronçons sont accessibles par plusieurs entrées, ou encore par des bretelles d'accès, ce qui permet de les parcourir sur une partie de leur longueur.

### Historique

*Un rêve qui se concrétise*

L'idée de créer un sentier pédestre reliant l'Atlantique au Pacifique a germé dans la tête de quelques mordus de randonnée. On voulait réunir les amateurs de marche dans un défi commun, soit celui de réaliser un sentier ininterrompu de quelque 10 000 km. Cette idée extravagante, que plusieurs considéraient comme complètement farfelue, est en train de se concrétiser.

C'est Douglas Campbell, de la *Canadian Hiking Association*, qui est à l'origine des premières démarches. En 1977, à Calgary, il fonde l'Association canadienne du Sentier national (ACSN), une corporation privée sans but lucratif qui s'occupera d'orienter et de coordonner le projet. En 1984, l'ACSN redéfinit sa structure en introduisant et en formant des structures provinciales. Et en 1988, à Ottawa, le tout premier tronçon est inauguré.

## Le Sentier national, au Québec

Au Québec, c'est la Fédération québécoise de la marche qui est désignée comme répondant officiel de l'ACSN. Le projet demeure latent quelques années mais, en janvier 1990, Réal Martel prend le dossier en charge et crée le « Comité québécois pour le Sentier national ».

En octobre de la même année, les premiers tronçons québécois sont inaugurés : le sentier de la Matawinie, dans Lanaudière, et le sentier Inter-Centre, qui chevauche les régions de Lanaudière et des Laurentides. En septembre 1992, un autre tronçon s'ajoute. S'étirant de Wakefield à Hull, en Outaouais, cette section fait la connexion officielle entre le Québec et le reste du Canada. L'événement est marqué par une coupe de ruban sur le pont du Portage, reliant Gatineau et Ottawa.

Au début de 1993, le « Comité québécois pour le Sentier national » change de nom pour « Sentier national au Québec » (SNQ). L'année suivante, grâce à des dons et à de nouvelles recrues bénévoles, le SNQ prend un nouvel élan. Des comités régionaux sont formés et on se dote d'un nouveau plan de développement. Des rencontres avec divers intervenants de parcs et de réserves fauniques ont des résultats concluants. Les inaugurations de tronçons se succèdent. Le projet a fait boule de neige, et rien ne semble pouvoir l'arrêter. À ce jour, près de 60 % du projet est complété et plus de 700 km du Sentier national au Québec sont inaugurés. De nouvelles sections du sentier s'ajoutent régulièrement. La traversée du Québec d'ouest en est fait maintenant partie d'un avenir rapproché.

### Organisation et soutien

C'est la Fédération québécoise de la marche qui coordonne l'ensemble du projet au Québec par son comité du Sentier national au Québec (SNQ). Celui-ci est sous la responsabilité du coordonnateur provincial, monsieur Réal Martel. Le SNQ est lui-même divisé en huit sous-comités régionaux, soit un pour chacune des régions traversées par le sentier.

Tous ces comités sont composés de bénévoles. C'est d'abord et avant tout grâce à ceux-ci que le Sentier national existe et qu'il continue de progresser. Des collaborations de divers paliers de gouvernements municipaux et régionaux, et de la direction des parcs et des réserves fauniques, ont aussi contribué à l'avancement du sentier. Les équipes travaillent à raccorder les sentiers locaux et régionaux déjà existants; dans bien des endroits, le sentier doit être créé de toutes pièces. Dans certains coins reculés, il faudra aussi aménager des structures d'hébergement : plates-formes de camping, abris et refuges. Un travail colossal en perspective!

Le SNQ n'est soutenu financièrement par aucun organisme public. Malgré tout le temps, l'énergie et la bonne volonté des personnes impliquées, le Sentier national ne peut progresser sans argent. C'est pourquoi il est en perpétuelle recherche de financement. Tous les dons, peu importe le montant, sont appréciés. Envoyez votre contribution à la Fédération québécoise de la marche qui émettra un reçu pour fins d'impôt pour chaque don égal ou supérieur à 10,00 $.

*Pochettes de cartes*

Les randonneurs qui veulent parcourir les sections déjà accessibles du Sentier national au Québec peuvent obtenir des pochettes contenant les cartes des tronçons ouverts. Les pochettes sont des outils temporaires qui seront remplacés, une fois le Sentier national au Québec complété, par un ouvrage plus élaboré. Ces pochettes sont vendues au bureau de la Fédération québécoise de la marche.

*La revue MARCHE-Randonnée*

Ceux qui désirent suivre la progression du SNQ peuvent le faire en lisant la revue MARCHE-Randonnée. Celle-ci est disponible au bureau de la Fédération québécoise de la marche et dans près de 3 000 points de vente à travers le Québec. On reçoit la revue MARCHE-Randonnée, chez soi par la poste, en devenant membre de la Fédération.

---

**Important :** jusqu'à ce qu'il soit complété, le projet du Sentier national est en constante évolution et peut vivre, à l'occasion, des modifications de parcours ou des délais dans l'ouverture des tronçons. Les renseignements des pages qui suivent ont été vérifiés en février 2004. Nous vous invitons à vous tenir bien à jour en prenant connaissance, à chaque parution de la revue MARCHE-Randonnée, des plus récents développements relatifs à ce grand chantier pédestre.

---

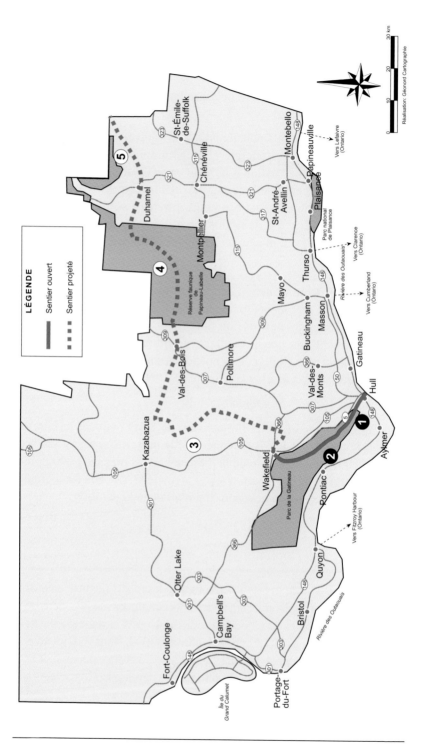

LÉGENDE

Sentier ouvert

Sentier projeté

**1**    **12,0 km**    **Sentier de la Capitale** (page 364)
Du pont du Portage au boulevard de la Cité-des-Jeunes

**2**    **43,0 km**    **Parc de la Gatineau** (page 360)
Du boulevard de la Cité-des-Jeunes à Wakefield

**(3)**    De Wakefield à Val-des-Bois (entrée de la Réserve faunique de Papineau-Labelle)

**(4)**    Réserve faunique de Papineau-Labelle
De Val-des-Bois (entrée de la Réserve faunique Papineau-Labelle) à Duhamel

**(5)**    De Duhamel au lac de la Sucrerie

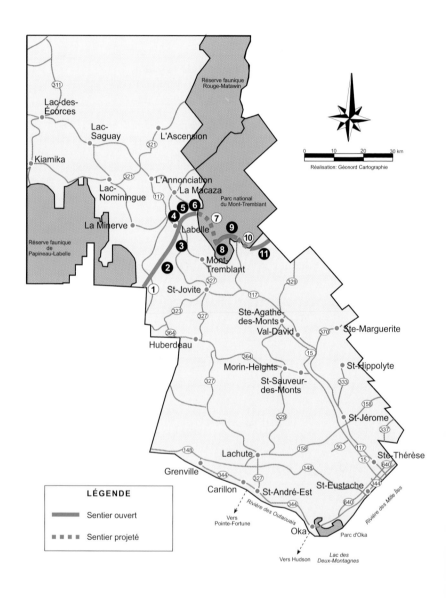

LÉGENDE

Sentier ouvert

Sentier projeté

(**1**)      Du lac de la Sucrerie au lac Brochet

(**2**)   **13,0 km**    **L'Héritage** (page 234)
Du lac Brochet au lac Boisseau

(**3**)   **22,7 km**    **Alléluia** (page 234)
Du lac Boisseau à la gare de Labelle

(**4**)   **8,0 km**    **L'Expédition** (page 237)
De la gare de Labelle au Cap 360

(**5**)   **6,0 km**    **Sentier Cap 360** (page 226)
Du Cap 360 au mont Gorille

(**6**)   **4,0 km**    **Sentier Mont-Gorille** (page 226)
Du mont Gorille à l'accueil de la Cachée du parc
national du Mont-Tremblant

(**7**)      De l'accueil de la Cachée du parc national du Mont-
Tremblant au pic Johannsen

(**8**)   **7,0 km**    **Sentier du Toit-des-Laurentides** (page 243)
Du pic Johannsen au camping de la Sablonnière

(**9**)   **9,2 km**    **Sentier du Centenaire** (page 243)
Du camping de la Sablonnière
à l'accueil de la Diable

(**10**)      De l'accueil de la Diable au lac Supérieur

(**11**)   **16,8 km**    **Sentier Inter-Centre** (page 217)
Du lac Supérieur au lac de l'Appel (Lanaudière)

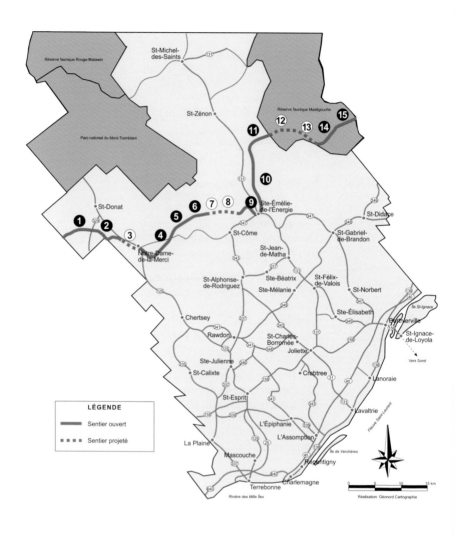

**1** 15,5 km **Sentier Inter-Centre** (page 217)
Du lac de l'Appel au chemin Régimbald (route 329)

**2** 13,1 km **Sentier du Mont-Ouareau** (page 216)
Du chemin Régimbald (route 329) à la route 125

**3** De la route 125 à l'accueil du parc de la Forêt Ouareau

**4** 20,1 km **Sentier du Massif** (page 206)
De l'accueil du parc de la Forêt Ouareau au
stationnement du Premier lac du Castor

**5** 32,0 km **Sentier des Contreforts** (page 214)
Du stationnement du Premier lac du Castor au
chemin du Lac Clair

**6** 8,5 km **Sentier de la rivière Swaggin** (page 214)
Du chemin du Lac Clair à la route de la Ferme

**7** Sentier de la Boule
De la route de la Ferme à la route du Lac Jaune

**8** Sentier des Perce-Brumes
De la route du Lac Jaune au Domaine Bazinet

**9** 10,5 km **Sentier de l'Ours** (page 213)
Du Domaine Bazinet au rang 4

**10** 20,8 km **Sentier de la Matawinie** (page 213)
Du rang 4 au stationnement du parc régional des
Sept-Chutes de Saint-Zénon

**11** 17,5 km **Sentier des Nymphes** (page 216)
Du stationnement du parc régional des Sept-
Chutes de Saint-Zénon à la limite de la zec des
Nymphes (limite de la réserve faunique de la
Mastigouche)

**12** Réserve faunique Mastigouche
De la limite de la réserve au lac Mastigou

**13** Réserve faunique Mastigouche
Du lac Mastigou au refuge Petit William

**14** 11,4 km **Réserve faunique Mastigouche** (page 298)
Du refuge Petit William au refuge Joe

**15** 18,0 km **Réserve faunique Mastigouche** (page 298)
Du refuge Joe au lac Saint-Bernard

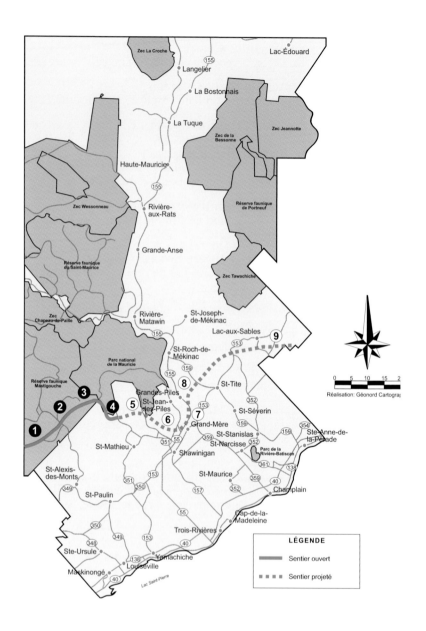

*Répertoire des lieux de marche au Québec*

**1**   **13,0 km**   **Réserve faunique Mastigouche** (page 298)
Du lac Saint-Bernard au chalet Savard

**2**   **9,3 km**   **Réserve faunique Mastigouche** (page 298)
Du chalet Savard au refuge Huppé

**3**   **7,9 km**   **Réserve faunique Mastigouche** (page 298)
Du refuge Huppé au refuge Shawinigan

**4**   **30,0 km**   **Parc récréoforestier Saint-Mathieu** (page 296)
Du refuge Shawinigan au lac à Foin

**5** Du lac à Foin au sud du lac à la Pêche
(Parc national du Canada de la Mauricie)

**6** Du sud du lac à la Pêche (Parc national du Canada de la
Mauricie) au pont de la route 155 à Grand-Mère

**7** Sentier de l'Espoir
Du pont de la route 155 à Grand-Mère à la vallée
Pruneau

**8** Sentier du Père Jacques Buteux
De la vallée Pruneau au lac Claire

**9** Du lac Claire à la région de Québec

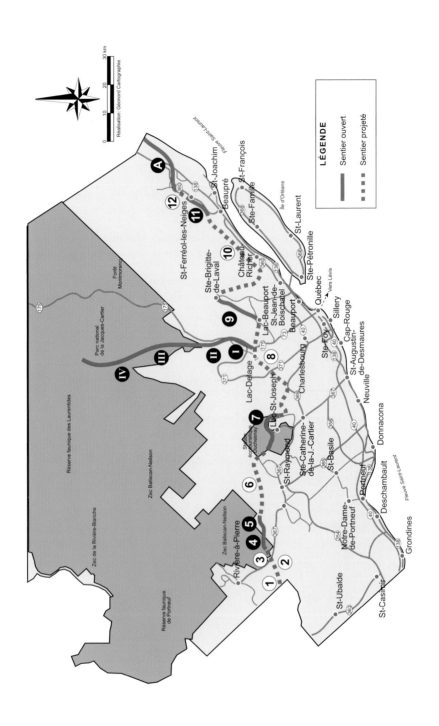

LÉGENDE

Sentier ouvert
Sentier projeté

**(1)** De la Mauricie à l'anse à Beaulieu

**(2)** Sentier de la Montagne de la Tour
De l'anse à Beaulieu à l'accueil Perthuis

**(3)** Sentier Philosore
De l'accueil Perthuis à l'accueil La Mauvaise

**❹** 7,5 km **Sentier de La Mauvaise** (page 379)
De l'accueil La Mauvaise à l'accueil Cantin

**❺** 21,0 km **Sentier du Bras-du-Nord** (page 379)
De l'accueil Cantin à l'accueil Shannahan

**(6)** De l'accueil Shannahan à la station touristique Duchesnay

**❼** 16,0 km **Station touristique Duchesnay** (page 392)
De la station touristique Duchesnay à la plage
Saint-Joseph

**(8)** De la plage Saint-Joseph au centre communautaire de
Lac-Beauport

**❾** 19,0 km **Le Montagnard** (page 376)
Du centre communautaire de Lac-Beauport à
Sainte-Brigitte-de-Laval

**(10)** De Sainte-Brigitte-de-Laval au lac du Mont-Sainte-Anne

**⓫** 11,2 km **Sentier Mestachibo** (page 390)
Du lac du Mont-Sainte-Anne à l'église de Saint-
Ferréol-les-Neiges

**(12)** De l'église de Saint-Ferréol-les-Neiges à la réserve
nationale de faune du Cap Tourmente

---

**Axe secondaire du Sentier national**

**Ⅰ** 12,9 km **Sentier du Hibou-Sud**
De Lac-Delage à la station touristique de Stoneham

**Ⅱ** 13,1 km **Sentier du Hibou-Nord**
De la station touristique de Stoneham au
Parc national de la Jacques-Cartier

**Ⅲ** 10,0 km **Sentiers de la Tourbière, L'Éperon et
Ruisseaux des Tables**
Parc national de la Jacques-Cartier

**Ⅳ** 27,4 km **Sentier Les Loups, La Matteucie, Le Draveur et La Croisée**
Parc national de la Jacques-Cartier

---

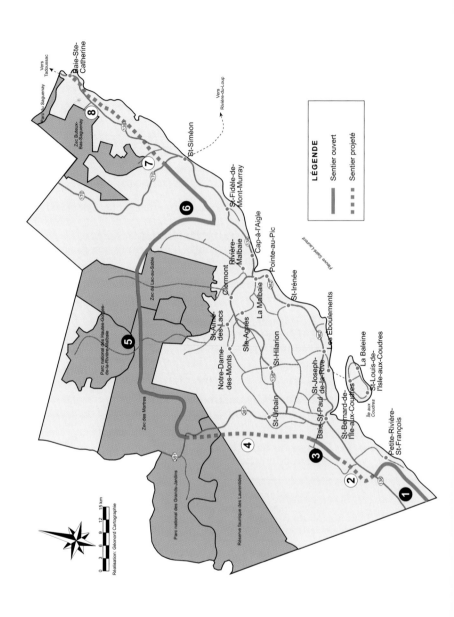

LÉGENDE

Sentier ouvert

Sentier projeté

**1**    **51,0 km**    **Sentier des Caps de Charlevoix** (page 119)
De la réserve nationale de faune du Cap
Tourmente au Massif de la Petite-Rivière-Saint-
François

**2**    Du Massif de la Petite-Rivière-Saint-François à la
Maison d'affinage Maurice Dufour

**3**    **8,4 km**    **Sentier les Florents** (page 120)
De la Maison d'affinage Maurice Dufour à la
Maison Chez Laurent

**4**    De la Maison Chez Laurent à la route 381, au nord de
Saint-Urbain

**5**    **100,0 km**    **La Traversée de Charlevoix** (page 112)
De la route 381, au nord de Saint-Urbain, au
chalet de l'Épervier

**6**    **18,7 km**    **Sentier de l'Orignac** (page 118)
Du chalet de l'Épervier au camp Arthur-Savard

**7**    Sentier des Palissades
Du camp Arthur-Savard aux Palissades, parc d'aventure
en montagne

**8**    Des Palissades, parc d'aventure en montagne à Tadoussac

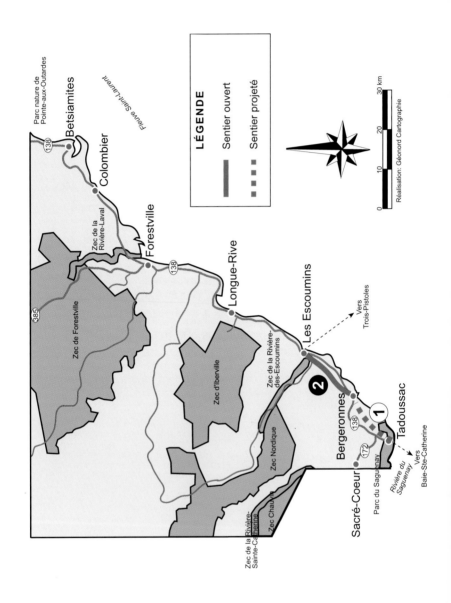

LÉGENDE

Sentier ouvert

Sentier projeté

Réalisation: Géonord Cartographie

0    10    20    30 km

①        De Tadoussac à Bergeronnes

❷    **16,0 km**     **Sentier polyvalent du club Le Morillon** (page 277)
De Bergeronnes aux Escoumins

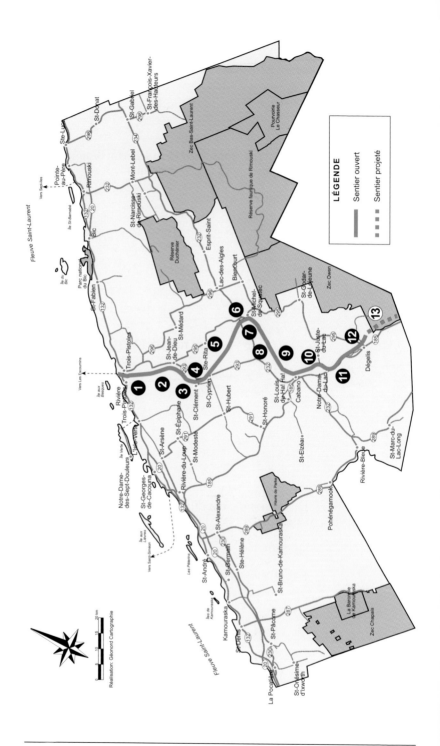

**LÉGENDE**

Sentier ouvert

Sentier projeté

**1**    **12,1 km**    **Le Littoral basque** (page 52)
Du parc de l'Aventure basque en Amérique à la passerelle Basque

**2**    **13,2 km**    **Rivière des Trois Pistoles** (page 61)
De la passerelle Basque au pont des Trois-Roches

**3**    **15,7 km**    **Sénescoupé** (page 63)
Du pont des Trois-Roches à la passerelle Sénescoupé

**4**    **11,5 km**    **Toupiké** (page 66)
De la passerelle Sénescoupé au camping Leblond

**5**    **11,3 km**    **Les Sept Lacs** (page 55)
Du camping Leblond au stationnement du rang des Sept Lacs

**6**    **14,2 km**    **Les Érables** (page 53)
Du stationnement du rang des Sept Lacs au stationnement de la route 232

**7**    **7,6 km**    **Lac Anna** (page 51)
Du stationnement de la route 232 à la pourvoirie du Lac Anna

**8**    **9,6 km**    **Les cascades Sutherland** (page 52)
De la pourvoirie du Lac Anna au stationnement du chemin Turcot

**9**    **9,6 km**    **Montagne à Fourneau** (page 55)
Du stationnement du chemin Turcot au stationnement de la route Touristique

**10**    **15,6 km**    **Rivière Touladi** (page 62)
Du stationnement de la route Touristique au stationnement du chemin du Lac

**11**    **14,3 km**    **La Grande Baie** (page 50)
Du stationnement du chemin du Lac au centre de plein air Le Montagnais

**12**    **9,7 km**    **Dégelis** (page 47)
Du centre de plein air Le Montagnais au camping municipal de Dégelis

**13**      Du camping municipal de Dégelis au Nouveau-Brunswick

# Le Sentier international des Appalaches - SIA

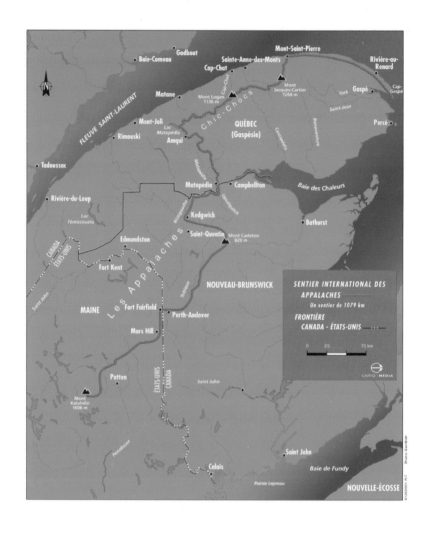

de Katahdin, au Maine, à Cap-Gaspé
**1 079 km**

Sur une distance de 1 079 km, le *Sentier international des Appalaches / International Appalachian Trail* fait 160 km au Maine, 275 km au Nouveau-Brunswick et 644 km au Québec.

Le *SIA / IAT* commence au mont Katahdin, au Maine, franchit la frontière canado-américaine à Perth-Andover et traverse le Nouveau-Brunswick en passant par le mont Carleton, sommet le plus élevé de cette province. Le sentier entre au Québec à Matapédia pour remonter dans La Vallée jusqu'à Amqui avant d'atteindre la rivière Matane. De là, il amorce la traversée des Chic-Chocs et des McGerrigle dans la réserve faunique de Matane et le parc national de la Gaspésie, puis arrive à la mer à Mont-Saint-Pierre. Il continue le long de la côte jusqu'au parc national Forillon où il termine sa course sur la falaise de Cap-Gaspé.

Vers le sud, au parc Baxter au Maine, il rejoint *l'Appalachian Trail* qui s'étire sur une distance de 3 468 km jusqu'au mont Springer, en Georgie. C'est alors la fin de la chaîne des Appalaches. Par différents sentiers qui se rejoignent, on peut poursuivre jusqu'à Key West, en Floride, sur une longueur de 3 075 km.

L'ensemble des sentiers, de Key West jusqu'à Cap Gaspé, forme le *Sentier de l'Est du continent* ou *ETC* (*Eastern Continental Trail*), d'une longueur totale de 7 622 km. Ce projet, commencé aux États-Unis en 1921, fut achevé chez-nous au bout de la péninsule gaspésienne en 2001. Il est le plus long en Amérique du Nord et, chaque année quelques intrépides le parcourent au complet. Déjà une vingtaine de randonneurs, dont 4 femmes, ont complété ce *Nouveau défi nord-américain* .

Le SIA / IAT comporte des éléments attractifs distincts. Le territoire qu'il traverse se compose de zones variées : agricoles, maritimes, de forêt boréale jusqu'à la toundra alpine. On peut y marcher pendant plusieurs mois consécutifs ou l'apprécier par petites randonnées. Il offre différents calibres selon l'endroit choisi, de la balade facile à l'expédition.

*1 carte générale du SIA-Québec*
*8 cartes topographiques des sections*

*Information : (418) 562-1240, p. 2299*
*www.sia-iat.com   info@sia-iat.com*

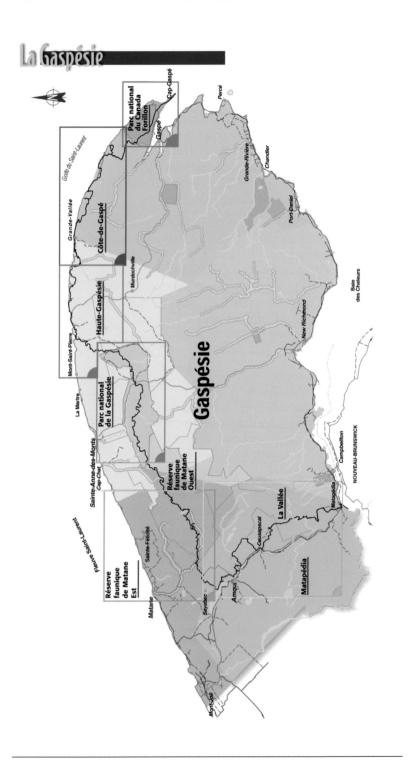

**La Gaspésie**

Parc national du Canada Forillon

Golfe du Saint-Laurent

Cap-Gaspé

Percé

Gaspé

Grande-Rivière

Chandler

Côte-de-Gaspé

Grande-Vallée

Port-Daniel

Murdochville

Haute-Gaspésie

Mont-Saint-Pierre

Baie des Chaleurs

**Gaspésie**

La Matrie

New Richmond

Parc national de la Gaspésie

Réserve faunique de Matane Ouest

Sainte-Anne-des-Monts

Cap-Chat

NOUVEAU-BRUNSWICK

Campbellton

Matapédia

**La Vallée**

Causapscal

Fleuve Saint-Laurent

Sainte-Félicité

Réserve faunique de Matane Est

**Matapédia**

Matane

Amqui

Sayabec

Mont-Joli

## de Matapédia à Cap-Gaspé
### 644 km

Le Sentier international des Appalaches au Québec, c'est 644 km de sentier, ainsi que des infrastructures d'accueil comprenant 24 refuges et 33 sites de camping avec des plates-formes et des abris, sans compter les campings et les hébergements privés et municipaux.

Le sentier, après avoir traversé le Maine depuis le mont Katahdin et le Nouveau-Brunswick, devient le *SIA-Québec*. Il prend sa course à Matapédia pour remonter dans La Vallée jusqu'à Amqui. Il arrive à la rivière Matane, puis dans les Chic-Chocs. Selon l'auteur J. M. Eberhart (*Ten Million Steps, 2000*) les Chic-Chocs sont les Rocheuses de l'Est, un endroit mystique où les montagnes sont les plus magnifiques de toutes les Appalaches, de l'Alabama à Cap-Gaspé.

Il faut emprunter l'entrée ouest de la réserve faunique de Matane. Le sentier longe les méandres de la rivière avant d'atteindre le mont de l'Ouest et le mont Blanc. Il poursuit sa route jusqu'aux falaises du mont Nicol-Albert et son intrigant monolythe, traverse la rivière Cap-Chat, passe près de la chute Hélène, borde la réserve écologique Fernald au nord des monts Collins et Matawee avant de se rendre au mont Logan. Après, il franchit le parc national de la Gaspésie sur toute sa longueur en passant par le mont Albert, traverse la chaîne des McGerrigle dont le mont Jacques-Cartier et son sommet dominant de 1 268 m. Ensuite, il redescend vers Mont-Saint-Pierre dans une synergie mer et montagne puis, de village en village, il continue jusqu'à Rivière-au-Renard. Enfin, il atteint le parc national Forillon et tout au bout, à Cap-Gaspé, sa falaise abrupte qui donne sur l'océan.

Le degré de difficulté du sentier varie de facile à difficile selon les endroits. On peut y effectuer des randonnées de quelques heures ou des expéditions corsées. Toundra, prairie alpine, forêt boréale, zone maritime produisent une végétation diversifiée et l'on peut y admirer une faune aussi dissemblable qu'intéressante : un caribou broutant paisiblement, un aigle doré planant avec son petit, une baleine qui plonge, un tétras qui fait le beau, un orignal qui vous fixe, un chevreuil nerveux, un phoque se dorant au soleil et bien d'autres espèces zoologiques.

---

*1 carte générale du SIA-Québec*    *Information : (418) 562-1240, p. 2299*
*6 cartes topographiques des sections*    *www.sia-iat.com   info@sia-iat.com*

# Matapédia

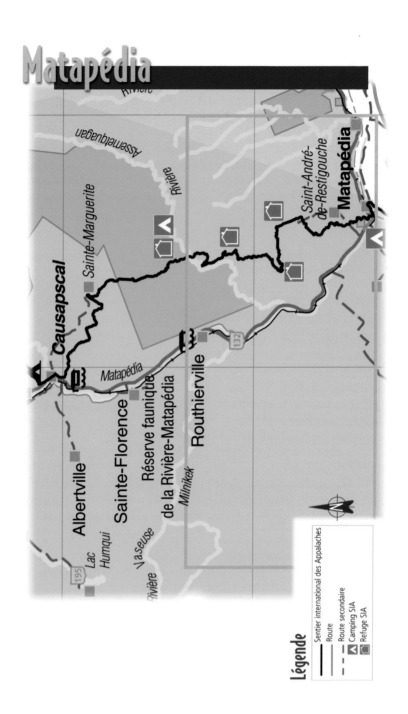

Légende

— Sentier international des Appalaches
— Route
– – Route secondaire
Camping SIA
Refuge SIA

## De Matapédia à la rivière Assemetquagan
### 50,5 km

Dans cette région, le *Sentier international des Appalaches* offre des possibilités d'escapades de quelques heures ou des expéditions avec nuits en refuges. Matapédia, « là où les rivières se rencontrent » en langue micmac, ouvre la porte du SIA au Québec. Selon les grands randonneurs venus du sud, Matapédia s'avère une « Trail Town » de premier choix, offrant les services nécessaires aux marcheurs dans un décor de rivières et de montagnes.Ce tronçon marque la transition entre la sapinière du centre de la péninsule et les érablières des versants de la Restigouche. On y trouve une variété de paysages : écosystèmes forestiers, vallées profondes, points de vue à flanc de montagne, caps et rivières. La traversée de Saint-André jusqu'à Sainte-Marguerite, dans la vallée, offre un niveau de randonnée parfois technique et avancé, mais aussi des paysages magnifiques et imprégnés de légendes.

À Saint-André, on peut dormir en refuge ou en camping. En continuant, on traverse un massif montagneux abritant des orignaux. Sur la falaise du canyon Clark Nord, un refuge bâti à flanc de montagne permet d'apprécier le coucher de soleil sur la vallée. On continue avec une descente impressionnante dans le canyon et, par la suite, on longe les contreforts de la rivière Assemetquagan où les saumons se prélassent sur un fond de quartz phosphorescent.

Les points d'accès sont nombreux : à l'entrée de Matapédia, au rang Lagacé, à la chute à Pico, au village et au rang Nord de Saint-André-de-Restigouche. Ces départs permettent des randonnées de quelques heures, même dans des endroits éloignés. Il y a aussi quelques passages à gué dans le secteur du canyon Clark Nord et sur la rivière Assemetquagan qui peuvent être risqués à certaines périodes de l'année. Il faut se renseigner avant de s'y aventurer.

Cette section du sentier qui traverse parfois les endroits habités est aussi une ouverture sur la culture québécoise et les grands espaces de la Belle Province.

*Référence :*   Carte « *Vallée de la Matapédia* »
*Information :*   *(418) 562-1240, p. 2299  www..sia-iat.com  info@sia-iat.com*
*À Matapédia :*   *(418) 865-2100  nature_aventure@yahoo.com*

# La Vallée

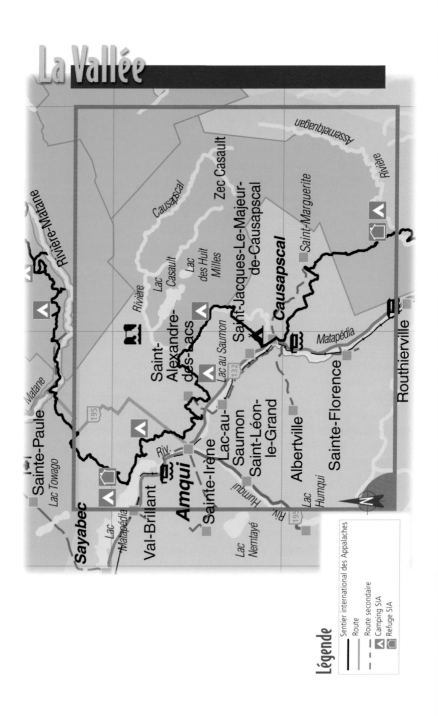

## Légende

- Sentier international des Appalaches
- Route
- Route secondaire
- Camping SIA
- Refuge SIA

## De la rivière Assemetquagan à la rivière Matane
### 133 km

Le secteur La Vallée, qui s'étend sur une distance de 133 km, se trouve entre le secteur de Matapédia et celui de la Réserve faunique de Matane. Le parcours se fait tantôt sur d'anciens sentiers de garde-chasse et, à l'occasion, en empruntant les rangs de municipalités. Le randonneur de courte ou de longue randonnée découvrira les richesses et les diversités d'une vallée à vocation forestière et agricole. Pays de rivières, la vallée est reconnue pour ses saumons et ses forêts giboyeuses. Le randonneur qui aime entendre l'eau et le vent et qui adore observer la faune québécoise pourra vivre ses passions à satiété.

Dans La Vallée de Matapédia, les adeptes de longue randonnée pourront se ravitailler dans chacune des cinq municipalités traversées par le sentier. Plusieurs accès sont disponibles pour ceux qui préfèrent la courte randonnée. Le *SIA* traverse les municipalités de Sainte-Marguerite, Causapscal, Saint-Alexandre-des-Lacs, Amqui et Saint-Vianney. Tout au long du sentier, de village en village, on pourra observer des saumons sautant les chutes de la rivière Causapscal, la chute à Philomène, l'arboretum dans la Seigneurie du lac Matapédia, les sites de vol libre surplombant le lac au Saumon et le lac Matapédia.

Le sentier allie la culture matapédienne et son environnement campagnard à des zones de plein air sauvages et indomptées, ainsi qu'à un patrimoine bâti varié. Le randonneur pourra profiter de deux refuges situés dans les secteurs de Sainte-Marguerite et Amqui. De plus, des plates-formes de camping sont disponibles à chaque jour de marche, distantes de 12 et 20 km.

*Référence :*   *Carte « Vallée de la Matapédia »*
              *Carte « Réserve faunique de Matane »*
*Information :*  *(418) 562-1240 p.2299   www..sia-iat.com   info@sia-iat.com*

# Réserve faunique de Matane
## Ouest

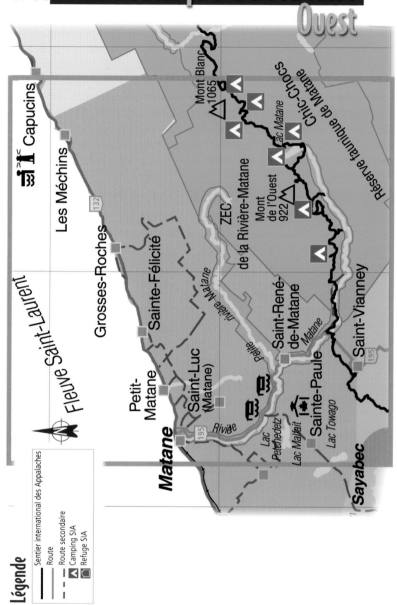

| SENTIER INTERNATIONAL DES APPALACHES | *Réserve faunique de Matane* |
| | *Secteur ouest* |

## De la rivière Matane au lac Beaulieu
**72 km**

Dans la Réserve faunique de Matane, quand on entre par l'accueil John, on aborde le SIA d'ouest en est. Le sentier longe d'abord la rivière Matane sur plus de 6 km avant de joindre le poste John qui marque l'entrée officielle dans la réserve. La rivière accompagne le sentier sur encore 3,5 km avant d'aborder la première ascension. Que d'intérêts : rapides, étangs, canaux, fosses, barrage de castor, passerelles, etc. Puis c'est la montée vers le premier sommet pour ensuite longer l'escarpement sud des monts Chic-Chocs. C'est dans ce secteur que l'on peut apercevoir la mer, à partir du sentier, pour la première fois depuis Key-West. La vue sur la vallée de la rivière Matane fait découvrir de beaux panoramas sur la partie sud de la péninsule et les lacs environnants. C'est aussi le royaume de l'orignal et le territoire de l'aigle royal et de l'aigle doré. Le sentier redescend ensuite avant d'entreprendre l'exigeante montée du mont de l'Ouest qui pointe à 922 m d'altitude. Le sommet offre un panorama vers l'est et le massif est parsemé de ruisseaux, de cascades et de chutes.

Au lac Matane, le *SIA* entreprend ensuite la montée de l'étroite crête montagneuse qui surplombe la rive est du lac et conduit à la profonde vallée du ruisseau Desjarlais. On croise une tourbière. Ensuite on arrive à un piton qui offre une vue imprenable sur la chaîne de lacs et sur le massif du mont de l'Ouest. Le lac du Gros-Ruisseau et une suite de sommets parsèment le parcours qui mène au mont Pointu et au mont Craggy. Sur ces promontoires rocheux, parfois vertigineux, l'on accède à une vitrine montrant la vaste étendue forestière qui s'étend à leurs pieds. Au loin, c'est le fleuve Saint-Laurent. La descente du Craggy présente un aperçu du mont Blanc voisin et le col qui les relie. L'ascension du mont Blanc culmine à 1 065 m. Le massif des Chic-Chocs y est visible sur 360 degrés. La forêt de krummholz mène à l'impressionnante et rude coulée nord puis à la prairie alpine qui s'ouvre sur les montagnes chevauchant vers l'est. La rencontre d'une tourbière alpine précède l'arrivée à la clairière sur les lacs Beaulieu, T et les montagnes avoisinantes. Le camping est en contrebas.

*Référence :  Carte « Réserve faunique de Matane »*
*Information :  (418) 562-1240 p.2299  www..sia-iat.com  info@sia-iat.com*

# Réserve faunique de Matane
## Est

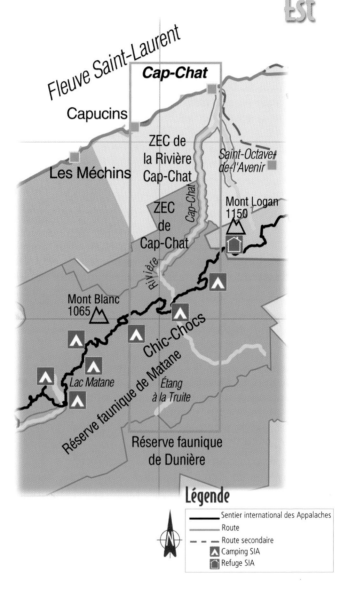

Fleuve Saint-Laurent

**Cap-Chat**

Capucins

ZEC de la Rivière Cap-Chat

Saint-Octave-de-l'Avenir

Les Méchins

ZEC de Cap-Chat

Cap-Chat

Mont Logan 1150

Rivière

Mont Blanc 1065

Chic-Chocs

Lac Matane

Réserve faunique de Matane

Étang à la Truite

Réserve faunique de Dunière

### Légende

| | |
|---|---|
| ——— | Sentier international des Appalaches |
| ——— | Route |
| – – – | Route secondaire |
| Camping SIA | |
| Refuge SIA | |

## *Réserve faunique de Matane*
### *Secteur est*
*Haut-Pays -de-Cap-Chat*

### Du lac Beaulieu au mont Logan
**34,4 km**

Le secteur est de la Réserve faunique de Matane constitue le prolongement naturel de la crête des monts Chic-Chocs à l'ouest du parc de la Gaspésie. Cette région était inaccessible il y a encore quelques années. On y retrouve plusieurs sommets avoisinants les 1 000 m. Cette section du SIA est qualifiée de plus belle de l'ensemble des Appalaches, entre l'Alabama et Cap-Gaspé.

A partir du lac Beaulieu, le SIA chemine sur 7 km de grimpées et de descentes, en passant par le mont Bayfield, avant d'atteindre le mont Nicol-Albert. Le sentier s'attaque ensuite à une longue descente de 6 km, ponctuée de plusieurs cascades sur le ruisseau Beaulieu. Cette perte d'altitude est nécessaire afin de franchir la rivière Cap-Chat sur la passerelle du Petit-Saut, au-dessus d'un sanctuaire de saumons. Un camping rustique y est aménagé. Comme la route permet l'accès à ce point, cela donne la possibilité de faire l'aller et le retour du mont Nicol-Albert en une journée.

Ensuite, le sentier emprunte la route 1 vers le nord sur 2 km pour atteindre l'entrée du sentier qui mène à la chute Hélène, en remontant progressivement la vallée encaissée du ruisseau Bascon sur 4 km. C'est là que se cache cette fameuse chute, haute de 70 m. Cette section est idéale pour une randonnée familiale d'une journée. Un autre site de camping a été construit 3 km plus loin, à la tête du ruisseau Bascon, permettant de faire une halte pour la nuit avant d'entamer les 4 km de montée pour atteindre les premiers sommets dénudés.

Un des moments forts de ce secteur est sans contredit la traversée des monts Collins et Matawees, dans la toundra alpine. Le regard y est maintes fois sollicité, que ce soit par les panoramas saisissants ou par la rencontre du maître des lieux, le caribou. Vient ensuite, 3 km plus loin, le mont Fortin d'où il nous semble pouvoir toucher le mont Logan, tellement il est près. Il faut pourtant marcher encore 3,5 km pour arriver au Pic-de-l'Aigle, le refuge situé à son sommet.

*Référence :* Carte « *Réserve faunique de Matane* »
*Information :* (418) 562-1240 p.2299  www..sia-iat.com  info@sia-iat.com

# Parc national de la Gaspésie

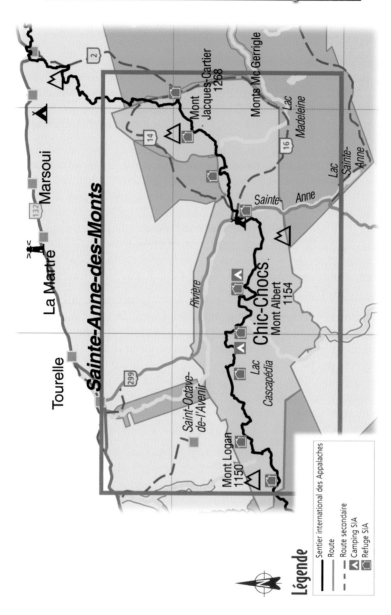

Légende

— Sentier international des Appalaches
— Route
--- Route secondaire
▲ Camping SIA
▣ Refuge SIA

*Parc national de la Gaspésie*

## Du mont Logan au mont Jacques-Cartier
**103,1 km**

Au cœur de la Gaspésie se trouvent des montagnes parmi les plus hautes du Québec. Les monts Logan, Albert, Xalibu et Jacques-Cartier ont une altitude de plus de 1 000 m, mais ils ont aussi la particularité d'accueillir les randonneurs du *Sentier international des Appalaches*.

On peut traverser le parc national de la Gaspésie d'ouest en est par le sentier de longue randonnée de 105 km. Ce tronçon fut le premier à être incorporé au *Sentier international des Appalaches* et s'est ajouté à l'important réseau de randonnées quotidiennes.

Les hautes montagnes du parc sont couronnées de toundras alpines. En plein été, ici et là, des plaques de neige tardent à fondre. De rares conifères sont tordus par des hivers sans merci. Des fleurs colorées égaient un sol rocheux. Des caribous errent à la recherche de maigres pâturages. Autant de caractéristiques qui contribuent à faire des Chic-Chocs un lieu de randonnée fort spectaculaire.

---

Circuler à l'intérieur du parc de la Gaspésie implique le respect de certaines règles :

- On doit obligatoirement réserver sa place en refuge ou obtenir un permis pour les plates-formes de camping. Le camping sauvage n'est pas autorisé dans le parc.
- Tous les déchets, y compris ceux biodégradables, doivent être ramenés; il n'y a pas de poubelle dans les refuges.
- Le randonneur doit demeurer dans les sentiers. Le piétinement a un impact destructeur sur la végétation arctique-alpine.
- Pour la sécurité des randonneurs et pour la protection du milieu naturel, la longue randonnée au parc national de la Gaspésie n'est offerte qu'en période estivale. En effet, avant la mi-juin, plusieurs portions de sentiers sont bloquées par la neige!
- Au mois d'octobre, l'accès au sommet des monts Albert, Jacques-Cartier et Richardson est interdit. Cette mesure a pour but d'empêcher le dérangement des caribous pendant la période de rut.

---

*Référence :  Carte « Parc national de la Gaspésie »*
*Information :  1 866 PARCGAS  www..sepaq.com/fr/parcs/gaspesie.htm*

.

---

# Haute-Gaspésie

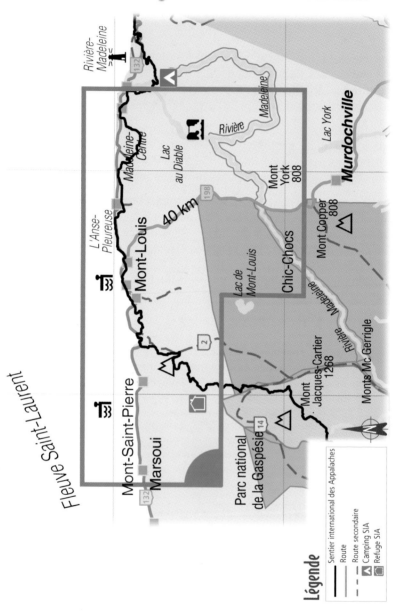

## Légende

— Sentier international des Appalaches
— Route
- - - Route secondaire
◤ Camping SIA
◨ Refuge SIA

## Du parc national de la Gaspésie à Madeleine
**83,7 km**

Un sentier, la montagne, la mer, quelle féerie! Des cervidés, des gallinacés, des cétacés, des insectes gaspésiens, une flore très singulière, un parcours tantôt le long de la mer, en montagne et même dans les localités, voilà de quoi satisfaire les plus curieux, les plus aimants de la nature.

Du camping du mont Jacques-Cartier, après 13,7 km, c'est le refuge Les Cabourons qui surplombe la vallée. En continuant sur 21,3 km vers le nord, on arrive à la mer et au pittoresque village de Mont-Saint-Pierre. C'est le paradis du vol libre.

En parcourant le sentier de la vallée de la rivière Saint-Pierre, vous découvrez les trésors d'un écosystème incroyablement diversifié. Vous marcherez tantôt sur un tapis de mousse ou gravirez la crête de la vallée glacière, vous passerez de la forêt boréale au bord de mer, le long d'un fleuve qui se prend pour un océan. Une nature où l'on retrouve, à certains endroits, des thuyas occidentalis d'au moins 400 ans d'âge.

Par la suite, de village en village, vous serez alors les témoins de la « beauté nature » et de la culture gaspésienne. De Mont-Saint-Pierre, le sentier prend la configuration du bord de mer, par petits bonds où monts et vallées se succèdent. Les agglomérations sont situées de 6 à 12 km de distance : d'abord Mont-Louis, puis Anse-Pleureuse, Gros-Morne, Manche d'Épée, Madeleine-Centre et Rivière-Madeleine. Ce chapelet de caps et de vaux complète le secteur de la Haute-Gaspésie.

Le long de la côte, vous apercevrez peut-être le souffle d'une baleine. Mais quoi que vous fassiez, au terme d'une journée de marche, ne vous endormez pas trop vite. C'est le pays des plus beaux couchers de soleil et la nuit vous réserve sûrement ses aurores boréales, spectacles inoubliables.

*Référence :*  *Carte « Haute-Gaspésie »*
*Information :*  *(418) 562-1240 p.2299  www..sia-iat.com  info@sia-iat.com*

# Côte-de-Gaspé

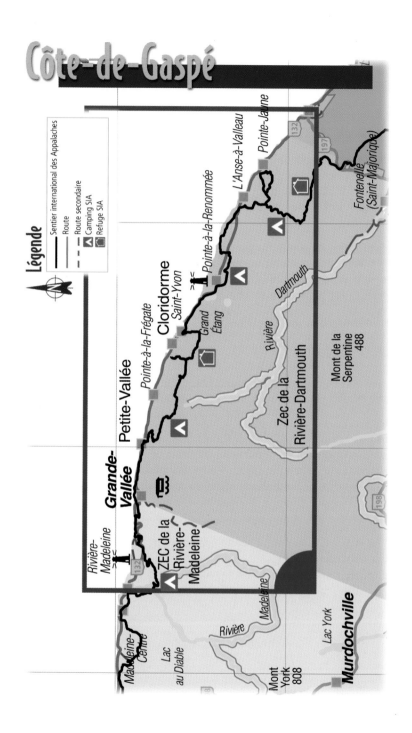

## De Madeleine à Rivière-au-Renard
**122,6 km**

Entre la mer et les montagnes, le sentier déroule son ruban de paysages et de surprises. Impossible de tout décrire; la faune, la flore et la géomorphologie y sont trop riches et diversifiées. En parcourant le SIA, vous découvrez comment vivent les Gaspésiens et comment ils aménagent leur territoire : chemins forestiers, parterres de coupe, rivières où l'on pêche le saumon, pourvoiries proposant différents services, lieux culturels ou historiques, érablières et havres de pêche ne sont que quelques exemples de leurs réalisations.

Le sentier vous amène à visiter, de village en village, la côte gaspésienne. Chaque agglomération possède sa petite histoire. Chaque municipalité a une âme, une particularité. À vous de les découvrir. Par exemple : Madeleine et son clocher singulier; Grande-Vallée et son pont couvert; Petite-Vallée et son festival en chanson; Saint-Yvon qui fut attaqué par une torpille; Anse-à-Valleau qui a vécu l'exil du phare de Pointe-à-la-Renommée. Vous pouvez également faire un détour par Cloridorme et ses 15 lacs, Saint-Maurice-de-l'Échourie et son port pittoresque, et informez-vous à Rivière-au-Renard de la révolte des pêcheurs de 1909. Dans tous ces villages, on retrouve des panneaux d'information pour vous guider sur le SIA et vous permettre de planifier une journée de randonnée. On peut également laisser son auto dans chacun de ces villages et partir à la découverte du sentier pour une ou plusieurs journées.

Comme partout ailleurs, sur le sentier, on peut trouver à se loger, soit en profitant des services offerts dans les villages ou encore, à intervalles de 8 à 15 km, dans des sites de camping ou des refuges aménagés par le SIA et loués par la SÉPAQ.

Suivez les balises et la signalisation du SIA et parcourez la Côte-de-Gaspé : la fin des terres, le berceau du Canada.

*Référence :   Carte « Côte-de-Gaspé »*
*Information :  (418) 562-1240 p.2299  www..sia-iat.com   info@sia-iat.com*

# Parc national du Canada Forillon

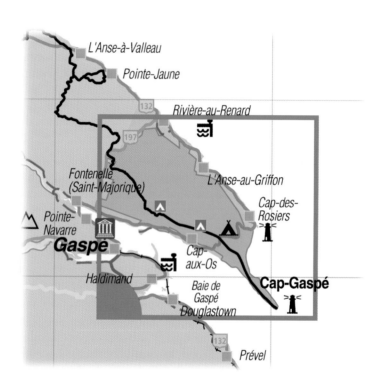

L'Anse-à-Valleau

Pointe-Jaune

132

Rivière-au-Renard

197

Fontenelle
(Saint-Majorique)

L'Anse-au-Griffon

Pointe-
Navarre

Cap-des-
Rosiers

**Gaspé**

Cap-
aux-Os

Haldimand

Baie de
Gaspé

**Cap-Gaspé**

Douglastown

132

Prével

## Légende

| | Sentier international des Appalaches |
| | Route |
| | Route secondaire |
| | Camping SIA |
| | Refuge SIA |

# SENTIER INTERNATIONAL DES APPALACHES

## Parc national du Canada
## Forillon

### De Rivière-au-Renard à Cap-Gaspé
**45 km**

Un paysage de mer et de montagne, hôte de départ ou d'arrivée du Sentier international des Appalaches, le parc national Forillon vous en fera voir de toutes les couleurs, du début à la toute fin de votre randonnée. La limite d'un parcours de 1 079 km est Cap-Gaspé, tout au bout de la péninsule gaspésienne, rien de moins!

Le segment Forillon du SIA débute à Rivière-au-Renard pour se terminer à Cap-Gaspé, aboutissement terrestre de la chaîne des Appalaches. Hautes montagnes, crêtes, baie et péninsule font partie intégrante du paysage qui vous accompagne en cours de route. D'une distance totale de 45 km, il traverse le parc national d'ouest en est. On divise le segment Forillon en deux tronçons : celui de l'arrière-pays et celui de la presqu'île.

Le premier, d'une longueur de 36 km, relie Rivière-au-Renard à Grande-Grave. Il s'agit de la partie la plus accidentée et surtout la plus sauvage en raison de son éloignement et du peu de structures aménagées. L'arrière-pays de Forillon, qui emprunte les sentiers Les Lacs et Les Crêtes du parc national, comprend trois aires de camping rustique ainsi que quelques belvédères. Ce pays de l'ours noir et de l'orignal vous permettra peut-être d'observer ces espèces fauniques.

Le point culminant se trouve à la tour d'observation du mont Saint-Alban, située à 283 m d'altitude, qui vous offre un panorama spectaculaire donnant vue sur le fleuve et le golfe, la baie de Gaspé, Forillon, Gaspé et Percé. Au large, par temps clair, vous apercevrez peut-être Anticosti, au loin.

Le second tronçon, qui va de Grande-Grave à Cap-Gaspé, est assurément le plus spectaculaire mais surtout le plus accessible. Sa distance relativement courte de 9 km en fait un lieu très apprécié par les marcheurs moins expérimentés. De nombreux aménagements facilitent la randonnée : escaliers, belvédères, ponceaux, panneaux d'interprétation et abri-cuisine. La pointe met en scène des décors grandioses et des personnages majestueux : phoques et baleines pourraient se joindre à la troupe.

*Référence :* Carte: « *Les sentiers du parc national du Canada Forillon* »
*Information :* (418) 368-5505 *www.parcscanada.gc.ca/forillon*

# SENTIER INTERNATIONAL DES APPALACHES

## RÉFÉRENCES UTILES

### SIA – QUÉBEC

Bureau du SIA         Tél.:    (418) 562-1240 poste 2299
                      www.sia-iat.com   info@sia-iat.com

Information touristique   Tourisme Gaspésie
                      Tél.:    1 800 463-0323
                      www.tourisme-gaspesie.com

Sépaq – Réservations    Tél.:    1 800 665-6527
                      Tél.:    (418) 890-6527
                      Téléc.: (418) 528-6025
                      inforeservation@sepaq.com

### SIA - Matapédia

Nature-Aventure, Matapédia
David Leblanc          Tél.:    (418) 865-2100
                      nature_aventure@yahoo.com

### SIA - La Vallée

Bureaux d'information touristique
Causapscal             Tél.:    (418) 756-6048
Amqui                  Tél.:    (418) 629-5715

### SIA - Réserve faunique de Matane

Réserve faunique de Matane
                      Tél.:    (418) 562-3700
                      resmatan@globetrotter.qc.ca
Accueil John           Tél.:    (418) 224-3345

### SIA - Haut-Pays-de-Cap-Chat

Valmont Plein Air      Tél.:    (418) 763-8356
Cap-Chat               valmontpleinair@globetrotter.net
Jérôme Landry

---

## SIA - Parc national de la Gaspésie

Parc national
de la Gaspésie        Tél.:    (418) 763-3181
                               1 866 PARCGAS ou
                               1 866 727-2427
                      www.sepaq.com/fr/parcs/gaspesie.htm

Destination Chic-Chocs  Tél.: 1 888 783-2427
                              chic-chocs@globetrotter.com

## SIA - Haute-Gaspésie

Aventure Appalaches   Tél.:    (418) 797-5101
Mont-Saint-Pierre            aventure.appalaches@globetrotter.net

## SIA - Côte-de-Gaspé

Office du tourisme    Tél.:    (418) 368-8525
Gaspé                        octagaspe@globetrotter.qc.ca

## SIA - Parc national du Canada Forillon

Parc national du      Tél.:    (418) 368-5505
Canada Forillon              www.parcscanada.gc.ca

# SENTIER TRANSCANADIEN

## Présentation

Le Sentier transcanadien (STC) est un autre grand projet. Tout comme le Sentier national, il joindra l'Atlantique au Pacifique. Il traversera les dix provinces, mais sillonnera en plus les trois territoires que compte le Canada, ce qui représente un parcours de plus de 18 500 kilomètres. Alors que le « National » se veut un sentier essentiellement pédestre, le « Transcanadien » sera à usages partagés. Ainsi, on y circulera, selon les sections, à pied, à vélo, à cheval, à skis ou en moto-neige.

## La portion québécoise

Le Sentier transcanadien franchira le Québec de Dégelis, près de la frontière du Nouveau-Brunswick, à Gatineau, aux portes de l'Ontario. Il utilisera principalement les voies ferrées abandonnées converties en corridors verts. Forêt, champs, terres agricoles, villes et villages composeront son paysage. Aménagé de part et d'autre du fleuve, de grandes villes comme Montréal, Québec et Sherbrooke seront ainsi reliées par le sentier. À l'heure actuelle, le tracé préliminaire compte plus de 1 800 kilomètres. Les deux tiers environ sont accessibles aux marcheurs.

## Historique

Le projet est né dans la foulée des célébrations du 125e anniversaire de la Confédération canadienne, en 1992. L'organisation responsable des célébrations, la société Canada 125, a donné naissance à la Fondation du Sentier transcanadien, laquelle s'occupe depuis de la réalisation du projet. L'ouverture officielle a eu lieu le 9 septembre 2000, à Hull, dans le cadre d'un événement grandiose, le Relais 2000. Présentement, plusieurs segments, représentant environ la moitié du parcours total, sont praticables. Au Québec, plus de 80 % du sentier est en usage et c'est le Conseil québécois du Sentier transcanadien qui a mis en œuvre ce grand projet.

## Une cohabitation nécessaire

La cohabitation entre la marche, le vélo, l'équitation, le ski et la moto-neige est l'un des grands défis du projet. Évidemment, toutes ces activités ne sont pas praticables en même temps tout le long du parcours. Sauf exception, tous les tronçons du STC sont à usages partagés de façon simultanée ou selon les saisons, alors que d'autres sont partagées par deux activités à la fois mais dans des voies parallèles. Au début, cette cohabitation n'a pas été facile, mais peu à peu le respect mutuel est en voie de s'installer.

## Financement

Pour financer le projet, la Fondation du Sentier transcanadien a mis sur pied un programme où chaque Canadien peut acheter un ou plusieurs mètres de sentier. Chaque mètre coûte 50 $ et le nom de chacun des donateurs sera inscrit dans de petits pavillons aménagés le long du sentier.

En plus des dons des particuliers, la Fondation du Sentier transcanadien bénéficie de commanditaires nationaux. La Fondation a pu aussi profiter de sommes provenant des gouvernements dont un legs reçu de Canada 125 lorsque cette société a cessé ses activités. Elle a reçu une subvention de 7,7 millions de dollars dans le cadre des projets du Millénaire pour la réalisation du Relais 2000, activité coordonnée par ParticipAction. Le gouvernement canadien a accordé une somme de 15 millions de dollars à la fin de 2003, afin de contribuer au parachèvement de la construction du sentier à travers le pays.

La Fondation du STC a produit un guide et une carte du Sentier transcanadien au Québec. Les produits sont disponibles en librairie et peuvent être commandés par le site Internet de la Fondation : www.sentier.ca

# LEXIQUE

| | |
|---|---|
| **Abatis** | Terrain dont on n'a pas enlevé les souches après l'abattage des arbres. |
| **Affleurement** | Endroit où la roche constituant le sous-sol apparaît en surface. |
| **Appentis** | Construction généralement en bois, comportant un toit et trois côtés. Le quatrième côté est ouvert et orienté dans le sens opposé aux vents dominants. |
| **Arboretum** | Plantation d'arbres de plusieurs espèces servant à leur étude botanique. |
| **Artefacts** | Phénomène ou structure d'origine artificielle dont l'apparition est liée à la méthode utilisée lors d'une expérience. |
| **Aulnaie** | Plantation d'aulnes. |
| **Aulne** | Arbre du bord des eaux, voisin du bouleau. |
| **Aviaire** | Ce qui concerne les oiseaux. |
| **Balbuzard** | Grand rapace diurne qui se nourrit de poissons. |
| **Barachois** | Mot acadien désignant une petite baie peu profonde abritée par un banc de sable. |
| **Batture** | Partie du rivage, plate et de grande étendue, qui se découvre à marée basse. |
| **Bihoreau** | Espèce de héron active surtout la nuit. |
| **Boréal** | En rapport au climat froid des régions nordiques, correspondant à la forêt coniférienne. |
| **Butor** | Oiseau échassier, voisin du héron, à plumage fauve tacheté de noir, nichant dans les roseaux. |
| **Camarine** | Arbuste bas à épines non piquantes, poussant dans les régions froides et produisant un fruit noir ou rouge. |
| **Camp prospecteur** | Cabane ou tente faite d'une toile épaisse, du type utilisé par les prospecteurs. |
| **Caryer** | Arbre feuillu à bois dur. |
| **Cédrière** | Plantation de thuyas, appelés à tort « cèdres ». |
| **Celtique** | Provenant des Celtes. |
| **Chênaie** | Plantation de chênes. |
| **Chenal** | Passage permettant la navigation entre des îles, des écueils, etc. |
| **Chicoutai** | Nom montagnais de la plaquebière. |
| **Cypripède** | Plante herbacée appelée aussi sabot de la vierge. |
| **Drave** | Flottage du bois. |
| **Drosera** | Plante herbacée de très petite taille poussant en milieu humide et produisant une fleur blanche ou rosée. |
| **Eider** | Gros canard fréquentant le bord de la mer, dont le duvet est recherché pour ses propriétés isolantes. |
| **Endémique** | Se dit des espèces vivantes propres à un territoire délimité. |

| | |
|---|---|
| **Éricacée** | Famille de plantes comprenant, entre autres, les airelles et les bleuets. |
| **Esker** | Longue et étroite crête de sable et de gravier formée à l'époque glaciaire. |
| **Fossilifère** | Qui renferme des fossiles. |
| **Frayère** | Endroit où les poissons fraient. |
| **Frênaie** | Plantation de frênes. |
| **Friche** | Terrain abandonné ayant déjà été cultivé. |
| **Galet** | Caillou poli par l'action de l'eau. |
| **Gravière** | Carrière de gravier. |
| **Havre** | Petit port bien abrité ou lieu tranquille. |
| **Héronnière** | Colonie de hérons, lieu où ils nichent. |
| **Kalmia** | Petit arbuste poussant dans les tourbières, remarquable par ses fleurs roses qui apparaissent au printemps. |
| **Kettle** | Dépression laissée par la fonte d'un glacier. |
| **Lagune** | Étendue d'eau de mer retenue derrière un cordon littoral. |
| **Laîche** | Plante poussant en milieu marécageux, formant des touffes de grandes herbes. |
| **Lande** | Formation végétale où dominent arbustes et arbrisseaux. |
| **Lean-to** | Voir « Appentis » |
| **Lichen** | Végétal formé de l'association d'un champignon et d'une algue, croissant sur les pierres et les arbres. |
| **Littoral** | Étendue de pays le long des côtes, au bord de la mer. |
| **Marmette** | Oiseau marin au dos noir et au ventre blanc. |
| **Marmite** | Cavité creusée par le tournoiement de graviers sous l'action d'un torrent. |
| **Micocoulier** | Arbre feuillu poussant surtout le long du fleuve et servant d'arbre d'ornement. |
| **Molybdène** | Métal blanc, dur et cassant. |
| **Monolithe** | Ouvrage formé d'un seul bloc. |
| **Mosaïculture** | Culture de plantes d'ornement de formes et de couleurs variées, agencées pour former un dessin. |
| **Muraille** | Surface verticale abrupte. |
| **Mycologue** | Personne qui étudie les champignons. |
| **Palustre** | Qui croît où qui vit dans les marais. |
| **Paruline** | Oiseau nichant régulièrement au Québec. Il en existe plusieurs espèces. |
| **Pessière** | Forêt dominée par l'épinette. |
| **Peupleraie** | Plantation de peupliers. |
| **Pinède** | Forêt de pins. |

*Lexique*                                                     473

| | |
|---|---|
| **Plaquebière** | Petite plante poussant dans les marais de la Côte-Nord et donnant un fruit juteux ressemblant à une framboise d'un blanc orangé. |
| **Prucheraie** | Plantation de pruches. |
| **Ravage** | Lieu où les cervidés se rassemblent en hiver, ou sont rassemblés, lorsque les conditions climatiques sont mauvaises. |
| **Sablière** | Carrière de sable. |
| **Salant** | Se dit des marais d'eau salée. |
| **Salicorne** | Petite plante annuelle des rivages maritimes vaseux. |
| **Salin** | Qui contient du sel. |
| **Sarcelle** | Petit canard barboteur qui fréquente les lacs et les étangs. |
| **Sarracénie** | Plante insectivore des milieux marécageux, à feuilles en forme de cornet veiné de rouge. |
| **Saulaie** | Plantation de saules. |
| **Sauvagine** | Ensemble des oiseaux qui sont chassés pour leur chair. |
| **Savane** | Terrain marécageux. |
| **Silice** | Composé oxygéné du silicium, retrouvé dans un grand nombre de minéraux et qui est la substance même de la terre. |
| **Spartine** | Plante de la famille du blé, à tige rouge contrastant avec le vert de son feuillage, et poussant au bord de la mer. |
| **Sphaigne** | Mousse poussant en milieu humide, dont la décomposition concourt à la formation de la tourbe. |
| **Sphérolite** | Roche ronde d'origine volcanique. |
| **Sumac (à vernis)** | Arbre dont toutes les parties sont toxiques, y compris les racines. On le reconnaît à ses feuilles composées, alternes et sans dent. Son écorce lisse est gris pâle et ses petites fleurs jaunâtres sont réunies en grappe. |
| **Taïga** | Forêt clairsemée, composée principalement de conifères, et faisant la transition entre la forêt boréale et la toundra. |
| **Talus** | Amoncellement de fragments de roches accumulés au pied d'une falaise ou d'une pente abrupte. |
| **Tipi** | Habitation traditionnelle des Indiens des plaines d'Amérique du Nord. |
| **Touladi** | Grande truite d'eau douce. |
| **Toundra** | Paysage des régions très froides caractérisé par une végétation très basse. |
| **Tourbière** | Habitat très humide où s'accumule des débris organiques d'origine végétale en décomposition. |
| **Vasière** | Étendue couverte de vase. |
| **Via Ferrata** | Voie de ferrures aménagée à flanc de paroi et facilitant l'accès à un sommet. |
| **Yourte** | Tente en feutre chez les Mongols. |
| **Zec** | Zone d'exploitation contrôlée. |

# INDEX GÉNÉRAL

*Index général*                                                                                    *475*

*Index général*                    479

*Index général*

*Index général*

# INDEX SPÉCIALISÉS

## Longue randonnée (avec refuge, lean-to ou camping)

*Sélection de lieux possédant eux-mêmes ou créant, en se connectant à d'autres, un sentier linéaire de 25 km ou plus, avec au moins un refuge, un appentis (lean-to) ou un site de camping.*

## Sentier national

*Lieux dans lesquels on retrouve un tronçon du Sentier national.*

## Les parcs nationaux du Québec et du Canada

## Raquette avec service de location

*(Plus de 100 autres lieux, répertoriés dans ce livre, sont accessibles pour la pratique de cette activité mais n'offrent pas de service de location de raquettes.)*

*Index spécialisés*                                                    *487*

## Marche hivernale

*Lieux dans lesquels s'effectue, sur une portion ou l'intégralité du réseau de marche, un travail de damage ou de retrait de la neige, permettant la marche sans raquettes ou skis de fond.*

*Index spécialisés*                                                           *489*

## Monts et montagnes

*Le numéro de page réfère au lieu dans lequel se retrouve ce relief physique.*

*Index spécialisés*                                          *491*